二戰

THE LAST IMPERIAL WAR

1931 – 1945

中

BLOOD & RUINS

•帝國黃昏與扭轉人類命運的戰爭•

RICHARD OVERY

李察・奧弗里——著 黃煜文——譯 揭仲——審定

目次

◎中冊

◎上冊

◎下冊

◎特別收錄別冊

一九四一年，列寧格勒的年輕蘇聯女性排成一列前去參加民兵部隊，準備對抗入侵的德國法西斯敵人。圖源：*SPUTNIK/Alamy*

CHAPTER

第四章

4

動員與總體戰

「一九四一年，我十六歲，個子瘦小……我操作一臺可以生產自動步槍子彈的機器。如果我搆不著機器，他們會讓我站上箱子……工作日一天工作十二個小時以上，就這樣持續四年。沒有任何一天休息，也沒有假日。」

——科切吉娜（Elizaveta Kochergina），車里雅賓斯克[1]

動員資源進行全球戰爭會造成非比尋常的需求，就像前面引述的年輕蘇聯工人所說。在蘇聯大後方的車里雅賓斯克，勞工法令要求婦女、孩子、青少年與老人必須夜以繼日地持續生產軍火。另一名年輕女子謝娜（Vera Sheina），她的工作是將尾翼焊接到火箭彈外殼上。有一回，灼熱的鐵塊嚴重燒傷她的雙腿，使她不得不返家休養，但監工卻跑到她家，硬是把她拉回工作崗位。她只好包紮著雙腿，繼續進行焊接工作。[2]蘇聯在戰爭時期壓榨人民到了極限，其要求的艱苦程度沒有任何西方工人可以忍受。無論是進入武裝部隊還是戰時的工業與農業，各交戰國的動員經驗存在著很大的差異。然而無論是哪一個國家，幾乎都有一個共通的想法，那就是國家存續；而在總體戰中，國家若想存續，就必須傾全國之力運用所有人力物力，否則就有戰敗的可能。在車里雅賓斯克，生產不力會被視為叛國，必須依叛國罪來懲處。

第二次世界大戰普遍被視為是一場集體動員的戰爭，但這項觀點仍存在許多問題。二戰的戰爭投入規模史無前例，這種大規模動員源自於第一次世界大戰的經驗（一戰期間，大規模動員才逐漸成為戰略上不可避免的選項）。到了一九三〇年代到一九四五年的二戰，主要參戰國投入共計超過九千萬名男女士兵，若以全球尺度來看，投入人力肯定超過一億兩千萬。經濟動員的規模同樣巨大：雖然主要交戰國的國民所得用來支付軍費的比例大不相同，但即使是軍費較低的國家也能看出經濟支出的優先順序出現很大的變化。一九四四年的日本軍費占了全國國民所得的百分之七十六，同年德國的軍費也高達七成——不尋常的高比例顯示兩國拼命想避免戰敗。在同盟國方面，軍費占比也從蘇聯的將近三分之二到英國的百分之五十五，再到美國的百分之四十五，因資源豐富程度而有所不同。法西斯義大利是個少見的例外，軍費占比不到國民生產的五分之一，顯示墨索里尼不願加諸過重的動員負擔以免導致民眾反感，也顯示義大利資源的嚴重短缺。[3]各國大後方的戰爭投入，意謂著絕大多數工廠工人所生產的物品，從武器、軍服、紙張到軍用飯盒，全都與戰爭有關。除了基本糧食供給，所有民間產出都被歸類為非必要，隨時可以予以停工或讓位於軍事生產。如此大規模的動員確實是一種獨特的歷史現象，只能從動員發生時的整體時代脈絡來理解。

集體動員是現代性的一種表現。唯有具備龐大工業與商業基礎、擁有大量受過技術訓練的勞動力、具有發展健全的科學體制，以及能夠取得適當資源與資金的現代國家，才有能力發動大規模戰爭與供給維持戰爭所需的武器裝備。現代官僚國家結構是進行集體動員的必要條件，具備這樣的結構才能推動行政與統計工作，充分掌握社會的每一個成員。即使到了一九三〇年代，世界各國對於整體經濟結構與規模的瞭解依然處於起步階段，但要在軍隊與戰時產業之間進行總體經濟規畫以做出恰當的人力與資源配置，就必須具備對勞動力與工業產出建立統計的能力——得益於二十世紀最初數十年的統計革命，現代國家得以具備這種能力，同時發展出複雜的通報與記錄制度，囊括所有的社會與經濟資料。武器與軍事裝備的廣泛量產是經濟動員的核心，同樣地，要做到這點也有賴二十世紀初出現的生產與管理革命，這一革命也徹底翻轉了製造與分配的本質。工業化戰爭，仰賴的是大量容易製造與相對廉價的現代武器，如此才能在戰場維持一支龐大的部隊，而且能在連續數年的戰爭中不斷補充武器——二十一世紀的國家往往已做不到這點，因為當前的武器有著極為昂貴的成本與極其複雜的科技。現代戰爭也需要具有足夠教育程度的兵員與工人，因為使用與生產的武器都變得更加複雜，戰爭也變得更加科層組織化。舉例來說，日本在一九〇〇年時，徵召的兵員有三成不識字或勉強識字，但隨著後續基礎教育的普及，到了一九二〇年時這個數字幾乎已可忽略不計。[4]兩次世界大戰使用的武器種類不斷擴大，包括飛機、無線電、各式車輛、高性能火砲，顯示武裝部隊與相關產業都需要大量的技術工人，而唯有具備先進技術訓練與分工精細的現代社會才有可能培養出這樣的工人。完全缺乏現代性特徵的國家，例如當時的中國國民政府，勢必無法在缺乏外援的狀況下維持現代戰爭，哪怕中國的國土遼闊，也無法單獨贏得勝利。事實上，如果把時間提早一個世代，那麼二戰的主要交戰國恐怕也無法維持同等規模的世界大戰。

然而，現代性特徵能夠解釋國家為什麼能進行動員，卻無法解釋為什麼要進行動員。政府願意進行近乎無限制的動員，而人民也願意接受動員，主要是受到當時現代民族主義興起與公民概念轉變的影響。現代國家是在強力動員下形成的實體，國與國的競爭，無論在經濟、帝國或軍事等各方面，都被視為民族生存競爭下不可避免的結果。達爾文在自然界建立的適者生存典範，也被廣泛應用在民族、帝國與國家間的競爭（即社會達爾文主義）。[5]無論是一戰還是二戰，促使衝突持續的一股力量就是恐懼，恐懼民族遭到滅絕與帝國遭到毀滅。雖然今日看來十分不理性，但當時人確實有這樣的恐懼。兩場大戰會爆發，就是政府與民眾都發現和平協商徒勞無功，認定除非將整個國家資源完全動員，否則注定會走向失敗。與此同時，現代國家或民族帝國的興起，也導致公民概念的轉變。身為國家的一分子，公民有責任保衛國家與服兵役，這種概念在十九世紀最後數十年開始在各國傳播開來（英美是例外），不僅建立起人民對國家的認同，也為日後的大規模動員鋪路。

一戰是集體動員的發展分水嶺。雖然參戰國沒有料到這場戰爭會演變成消耗戰與民族存續的鬥爭，但為了持續作戰，各國只能大幅增加軍事人力，有組織地運用工業與農業來供應武器、糧食給軍隊，同時還要維持後方的民心士氣。戰時的經驗使人深信，要在現代工業化總體戰的戰爭中獲勝，就必須無限制地動員國家資源，而且打仗的責任也不能僅限於軍隊，必須擴及全國民眾，不分男女。這種思維在德國尤其盛行，德國的軍事領袖認為，一九一八年的失敗就是全國動員失敗造成的。在戰後回憶錄創造出「總體戰」一詞的魯登道夫將軍（Erich Ludendorff）就如此表示，未來的國家必須「在心靈、道德、身體與物質力量上做好準備，以進行戰爭」。[6]二十年後，希特勒在一九三九年五月的會議中向將領們解釋，一旦大戰爆發，他們不能像一九一四年那樣期待能迅速獲勝，因為「每個國家都會傾全力堅持下去……各國必然會無限制地投入所有資源……想輕鬆脫身是危險的想法，因為這是不可能的」。[7]一個月後，由空軍總司令戈林擔任主席的帝國防衛委員會開始根據列強之間可能再次爆發全面戰爭的假定來進行規畫，委員會認為必須動員所有勞動人口，包括男女，總數約四千三百五十萬人，其中至少七百萬人進入軍隊，其餘則負責生產糧食、設備與武器以支應戰爭。[8]

這種想法不僅限於德國。一九一八年的戰勝國也認為，傾盡全國（與全帝國）之力是致勝的關鍵。凡爾登會戰的英雄貝當元帥敦促法國人瞭解，現代戰爭「需要動員國家所有的資源」。[9]英國戰略家佛爾斯（Cyril Falls）在一場題為《總體戰準則》的演說中，將總體戰這個新概念定義為「將國家的各個部分與所有活動投入於戰爭」。[10]在戰間期，人們普遍認為未來大國之間若發生戰爭，不可避免將具有「民主」的特徵。軍人與後方民眾之間在一九一四年仍有清楚的界線，但此後這條界線逐漸遭到抹除。工業、農業與運輸工人，無論男女，全被視為戰爭的一部分。如果平民在未來戰爭中與軍隊一樣扮演著重要角色，那麼平民將免不了成為敵軍攻擊的對象。一九三六年，一名英國空軍將領向美國海軍參謀學院的學生解釋，「民主的力量」將使敵國人民成為正當的攻擊目標，因為「要在作戰人員與非作戰人員之間劃出界線是不可能的」。[11]一九三〇年代，美國空軍也提出類似的戰爭觀點，「所有軍事行動的終極目標都是摧毀後方民眾的意志」，也就是「平民百姓，那些在街上的民眾」。[12]

如今所謂的戰爭「平民化」（civilianization），其起源就是一戰，之後又在各國內戰經驗下進一步擴大：包括一九一八年到一九二一年的俄羅斯內戰、一九二〇年代的中國內戰與一九三六年到一九三九年的西班牙內戰。在這些內戰中，平民不僅是受害者，也是戰鬥人員。到了一九三〇年代，承平社會的軍事化充分顯示了當時的主流觀點：衝突將波及整個社群，因此沒有人應該置身事外。蘇聯、德國、義大利與日本盛行的政治與意識形態框架，皆是以社群必須保衛國家為前提。在蘇聯，人民必須與武裝部隊並肩保衛革命政權，每年蘇聯共青團不分男女都要接受基礎的準軍事訓練。在納粹德國，民族共同體也必須為國家的存續奮鬥。日本在一九三〇年代已經與中國爆發全面戰爭，並且於一九三八年頒布《國家總動員法》，日本民眾組織數千個地方社群協會支持日本帝國主義，鞏固民眾對國家遂行戰爭的認同。[13]日本動員之後，中國政府也於一九四二年三月通過《國家總動員法》，「集中運用全國之人力物力」，賦予政府特別權力統制軍事、經濟與社會生活的所有面向。[14]

英國、法國與美國雖然人民動員程度較低（不過這三個國家因為曾經歷過一戰，所以依然擁有強大的軍事文化），卻也同意未來的戰爭將會是一場總體戰。除了因為戰爭必須動用「國家的一切資源」，也是如一名英國軍事作家所言，「無限制的投入將是決定勝敗的關鍵。」[15]一九三〇年代初，美國開始計畫廣泛的工業戰爭動員；一九三〇年代末，英國與法國政府也計畫一旦戰爭爆發，將重新恢復一戰結束後停止的經濟與軍事集體動員。總體戰的概念成了一種自證預言，一種具感染力的陳腔濫調，就像二十一世紀的「反恐戰爭」或「網路戰」。影響所及，沒有國家或軍隊敢冒險不對全國社會、物質與心理力量進行動員，因為他們擔心不這麼做就無法在現代戰爭中取勝。美國對資源的動員不像其他交戰國那麼徹底，美國民眾也未實際面臨戰火的威脅，但美國依然使用「總體戰」來定義美國參與的這場戰爭。一九四二年七月，美國國務卿赫爾在演說中告訴聽眾，當前的戰爭是「一場生死鬥爭，我們必須全力保護我們的自由，我們的家園，我們的存在」。[16]與其他交戰國一樣，一旦美國要動員進行總體戰，就表示美國既存的現代性結構之間將會產生複雜的連動：不僅平民將被視為現代戰爭的一部分，民眾也必須願意認同自身利益與國家或帝國的存續密不可分。

軍事動員

二戰時，所有的交戰國首先進行的是軍人的動員，但動員除了考慮人口多寡或當前戰爭性質這類明顯因素之外，還受到一些條件的限制。首先，現代戰爭需要大型的管理科層服務與訓練組織，這些組織宛如承平社會的縮影，吸納數百萬名身穿軍服的男女。在太平洋戰爭中，每派出一名士兵到前線實際作戰，就要有十八名男女士兵在後方進行支援。[17]其次，士兵的折損率會影響額外徵兵與進一步動員的需求。損失可能源自於激烈戰鬥下的高傷亡率，或者是來自於被俘或逃兵。高損失率解釋了蘇聯、德國與日本極端的動員率，這三個國家總共動員了六千萬名軍人。相對較低的損失率也說明了為什麼美國與英國主要仰賴第一波徵兵，而沒有進行緊急狀態下的大量徵兵。蘇聯動員了三千四百五十萬人，相當於戰前人口的百分之十七點四（如果扣除德國占領的蘇聯西部土地，那麼將占剩餘人口的百分之二十五）。德國動員的比例如果納入一九三八年到一九四〇年併吞的區域，那麼其動員的一千七百二十萬人也占了將近戰前人口的百分之十八。英國（不包括自治領與海外殖民地）動員了五百三十萬人，美國則是一千六百一十萬人，分別占戰前人口的百分之十點八與十一點三。

軍事動員也受到軍隊與民間彼此競爭勞動力的限制。一戰時，第一波徵兵徵召了大量技術勞工、專業工程師與科學家，導致戰時經濟缺乏必要的專業人員。二戰時，人們已經理解到軍事需求必須與工業及農業需求達成平衡，被劃歸保留職業的人如今可以免除兵役。德國到了一九四一年約有四百八十萬名工人免役，特別是技術鐵工。英國大約有六百萬人免役，主要是工程、造船與化學工廠的技術工人，但也包括英國的三十萬名農夫。[18]美國兵役局在處理徵兵問題時面臨的困難較大，因為美國幾乎沒有對二戰做出任何準備。第一波的兵役登記有數百萬人免役，有些是基於職業因素，有些是基於家庭因素，還有一些人是因為不識字或精神有問題，甚至還有一些人是因為健康狀況不佳。聯邦當局最終擬定了一份涵蓋三千種保留職業的清單，到了一九四四年，這份清單至少讓五百萬名年輕人不用進部隊服役。[19]在各交戰國中，只有蘇聯幾乎不存在豁免兵役的狀況，由於蘇聯的軍事損失極高，所以國內半數成年男性勞動力最終都進了軍隊。蘇聯國內生產多半仰賴像科切吉娜這樣的年輕女性，由她們取代被徵召入伍的男性從事生產工作。[20]

估算必要的軍事人力是一件極具挑戰性的工作，除了要預測未來的戰爭走勢，還要知道軍隊是否能吸納大量入伍士兵或預備役士兵。絕大多數參戰國都認為必須要像一戰那樣集體動員，德國與法國更是在二戰一開始就動員了預備役士兵。重返軍隊的預備役士兵通常年紀較大，例如一九四〇年被俘的一百六十萬法國士兵，平均年齡是三十五歲。中日戰爭初期，日軍也徵召了一百萬名預備役士兵。一九三八年五月，中國境內的日軍將近半數介於二十九歲到三十四歲之間。日本在開戰初期不願徵召年輕人入伍，但到了戰爭的最後兩年，終於決定動員十九與二十歲男子。[21]蔣介石的中國政府下令從十八歲到四十五歲的男子都必須入伍當兵（除了獨子與肢體殘障），但以中國龐大的人口來說，最終估計只有一千四百萬人入伍，這是因為全國性的徵兵已經超過中國政府的能力範圍之外。戰爭剛爆發的時候，中國曾出現自願入伍的愛國熱潮，但之後逃避兵役卻成為常態。富人出錢讓自己的兒子不用當兵，有些人寧可受僱成為傭兵也不願意入伍當兵。有些省分因為未能達到每年規定的徵召兵員數量，徵兵者於是下鄉抓捕年輕農民入伍。這些年輕人被繩索綑綁在一起，被迫長途步行前往訓練營。這些被強徵的役男是被迫服從於野蠻而不講道德的當局，因此從一開始就難以成為可用之兵。據估計，中國有一百四十萬人還沒來得及抵達前線作戰，就因為疾病、飢餓與虐待而死亡。[22]

美國由於先前並未施行徵兵，因此不存在大量的預備役士兵。在一九四一年秋天擬定的「勝利計畫」中，美國政府認為軍方有能力徵召與訓練一支軍隊來對抗敵方的集體動員。陸軍預估美國地面部隊需要兩百一十五個師，一共九百萬人，然而如果蘇聯戰敗的惡夢成真，那麼美國陸軍恐怕要擴大到八百個師，一共兩千五百萬人。[23]由於蘇聯成功堅持下來，美國陸軍最終只組織了九十個加強師。後來拉丁美洲的部隊也要求加入美軍的行列，希望藉此在戰後秩序取得一席之地。一九四二年五月，墨西哥向軸心國宣戰，巴西也在六個月後跟著宣戰。一九四五年，一群別稱「阿茲特克之鷹」的墨西哥飛行員在菲律賓上空進行了空戰。一九四四年七月，儘管英國反對，一個巴西師與一支巴西空軍分遣隊仍抵達義大利，他們在九月加入戰鬥，直到八個月後德國投降為止。[24]

各交戰國從動員之初就開始大幅增加武裝部隊的數量，此後戰爭規模持續擴大，損失也持續上升。戰時軍隊規模的統計數字見表4.1。

這些數字起初與一戰的動員規模相當，但不久便全面超越。一九四五年，歐洲與亞洲戰場已經來到了最後階段，世界各主要參戰國總共擁有四千三百萬男女士兵，以往熟悉的社會地景已不復存在。這個數字也包括波蘭武裝部隊。一九三九年到一九四〇年，波蘭軍隊已經加入同盟國陣營，到了一九四二年，波蘭戰俘也在史達林同意下參與了同盟國在北非的軍事行動。一九四〇年五月，重組的波蘭陸軍擁有六萬七千人；為數不多的波蘭海軍仍懸掛波蘭國旗，而波蘭飛行員則加入了英國皇家空軍。一九四四年四月，有五萬名波蘭人參與盟軍在義大利的戰鬥。[26]

這些概略的數字雖然傳達了集體動員的面向，卻無法顯示大規模徵兵形成的軍事社會本質。軍隊並非只是一大群人聚集在一起。雖然一般總認為軍人穿上軍服後就過著與平民迥然不同的生活，但實際上，軍隊反映的卻是軍人被徵召之前所處的社會縮影。軍隊是複雜的社會組織，其複雜性表現在為了進行現代戰爭而必須建立的各種軍事勞動形式。這些勞動形式有許多其實與平民生活沒什麼不同，唯一的差異只在於這群工作的男男女女身上穿著軍服。事實上，

表4.1　主要參戰國的武裝部隊總數，1939-1945年（單位：千人）[25]

	1939	1940	1941	1942	1943	1944	1945
德國	4,522	5,762	7,309	8,410	9,480	9,420	7,830
義大利	1,740	2,340	3,227	3,810	3,815	-	-
日本	1,620	1,723	2,411	2,829	3,808	5,365	7,193
英國	480	2,273	3,383	4,091	4,761	4,967	5,090
蘇聯	-	5,000	7,100	11,340	11,858	12,225	12,100
美國	-	-	1,620	3,970	9,020	11,410	11,430

軍事勞動與平民生活的關連極為明顯，因為絕大多數軍人都來自於自願或徵召入伍的民眾。戰爭初期，正規部隊的龐大損失使軍隊更加仰賴平民，因為入伍的民眾可以將和平時期取得的技術與才能帶進軍隊之中。在軍隊裡，絕大多數勤務屬於輔助與支援性質，這些工作多半由年紀較大的男性或曾經受傷者或女性自願者來執行。真正到前線戰鬥的人只占其中一部分。軍事社會除了戰鬥人員之外，其他部分則由辦事員、倉儲人員、工人、工程師、後勤人員、信號與無線電人員、情報人員、維修人員、檔案與資料管理人員、醫生與獸醫、糧食供應與準備人員、薪餉人員等組成。這個廣大的職業社群解釋了動員為什麼如此廣泛。一九四三年，德軍有兩百萬人在前線，卻有八百萬人負責執行其他被指派的軍事任務。一九四三年十二月，美國陸軍徵召了七百五十萬人，卻只有兩百八十萬人被分配到作戰單位，絕大多數人負責非作戰的支援任務。一九四三年底駐紮在英國的美國第八航空軍擁有大約兩萬五千名空勤人員，卻有多達二十八萬三千人受僱從事各種非作戰的專業任務。標準的英國步兵師有一萬五千五百人，其中只有六千七百五十人是前線戰士。[27]作戰人力與非作戰人力的比例在日本與蘇聯沒有這麼懸殊，因為這兩個國家的前線士兵極度短缺。然而無論在哪個國家，軍事體制都要仰賴數百萬名非戰鬥人員才能組織起有效的戰鬥部隊。

與平民社會一樣，軍隊也需要專業的技術或能力，並且透過訓練的方式將這些技能迅速傳授給士兵。軍隊一般會藉由選拔程序找出具備一定技術與教育程度較高的新兵，然後將這些新兵分配到技術門檻較高的單位。在美國，標準陸軍普通分類測驗得分最高的人有五分之二會進入美國陸軍航空軍。在加拿大，空軍使用醫學與心理專家設計的「林克訓練機」來挑選具潛力的飛行員，在六十萬名自願入伍的人當中，只挑選出九萬人。[28]英國一開始徵兵並未進行妥善管理，導致大量技術人員被分配到無法發揮所長的單位。一九四〇年，英國軍方開始引進心理測驗，一九四一年又進一步以和平時期的國家工業心理學研究所為藍本，設立了人員選拔處。新的制度透過能力傾向測試，確保從平民生活中習得的技能可以適當地分配到不同的軍事單位。[29]這個制度當然不是沒有缺點，測試往往反映出當時盛行的階級現實；分數較低的新兵，通常在校成績較差，這些人清一色被分配到步兵單位。有時，軍隊只能進行極為基本的訓練。例如在義大利，數千名來自鄉村的不識字新兵，完全分不清左邊右邊，最後只能用有色的繩子綁在他們手臂上，才能讓他們記住哪邊是哪邊。[30]所有新兵都要接受基本訓練，即使日後要分配到輔助單位的人也不例外。由於動員的規模龐大，訓練制度也必須配合人力需求來進行。舉例來說，英國皇家空軍依照帝國空軍訓練計畫進行訓練，這項計畫在一九三九年十二月獲得加拿大政府同意，在九十七所加拿大訓練學校培訓下，最後有十三萬一千名空勤人員結訓。[31]一九四二年，當美國開始大量徵兵時，一套緊急的訓練體系也在兩百四十二個地點同時建立。軍官訓練名額也從一九四一年的一萬四千人，擴增到一年後的九萬人。就連兵役局認定的一百六十萬名文盲也必須接受訓練，除了學習讀寫，還要接受常規的軍事指令訓練。[32]最引人注目的訓練計畫是蘇聯於一九四一年九月十七日發布的蘇聯全民義務軍事訓練命令，要求所有尚未入伍的男子在工作結束後必須接受一百一十小時的訓練課程，學習如何使用步槍、迫擊砲、機關槍與手榴彈，還要學習挖掘軍用壕溝。[33]

第二個影響動員規模的因素是損失不斷累積造成的衝擊。在這方面，西方民主國家與獨裁國家具有很大的差異。英國與美國普遍想避免一戰時期因為壕溝戰陷入僵局而導致的慘重傷亡，兩國因此轉而將重點放在空軍與海軍，雖然高度訓練的人力損失可能相當巨大（英國皇家空軍轟炸機司令部損失了百分之四十一的機組人員），但對整體人力的打擊卻較為輕微。英美直到一九四四年之後才出現大規模的地面作戰。到了一九四四年底，美國所有前線的絕對軍事損失（死亡、失蹤、被俘）雖然達到十六萬八千人，仍比東線戰場任何一場會戰都來得少。[34]歐洲與太平洋戰場在最後幾個月出現的高傷亡人數，使美軍作戰死亡總人數推升到二十九萬兩千人（還要加上病死與傷重死亡的十一萬四千人）。[35]英國在六年的衝突中，軍隊死亡人數達到二十七萬人。這個損失規模使英國戰時的徵兵人數逐年下降：一九四一年徵召三百萬人，到了一九四二年只剩下五十四萬七千人，一九四三年進一步減少到三十四萬七千人，一九四四年更是只有二十五萬四千人。[36]然而徵兵人數減少的結果，反而在一九四四年下半引發人力危機，因為此時英軍的損失正值高點，各級將領都努力想降低傷亡率。[37]延長軍人的生存時間可以培養出更有經驗與更靈活應變的士兵與飛行員，但即使軍人能在戰場上長期存活，也會因為持續戰鬥而精疲力竭。眾所周知，新手飛行員往往被派去從事風險最高的轟炸任務，而美軍採取逐步補充地面作戰損失的做法，也使「菜鳥」新兵暴露在更大的危險之中。儘管如此，年復一年相對輕微的損失，意謂著英美民眾不用像他們的盟邦與敵國一樣，必須面臨急迫的軍事人力需求。但反過來說，正因為英美徵召的兵員相對較少，才導致兩國必須面對兵員補充不足的窘境。

二戰的大規模消耗戰主要發生在東線戰場。如果德國在東線戰場並未出現災難性的損失，德軍兵力就不會如此捉襟見肘，民主國家在西線戰場的局勢就會更加危險。在東線戰場，蘇聯不可回復的損失達到一千一百四十萬人，包括六百九十萬人戰死、病死或意外死亡，四百五十萬人被俘或失蹤。另外還有兩千兩百萬名蘇聯軍人受傷、凍傷或生病。如果將傷者與病患加進蘇聯的傷亡人數中，那麼紅軍在開戰後的前十八個月就已經損失了一千一百八十萬人。至於在三個戰場作戰的德軍，不可回復的損失達到五百三十萬人，包括四百三十萬人戰死與失蹤，五十四萬八千人病死、傷重而死或自殺。蘇聯的損失率隨著戰事持續而下降，但依然居高不下；德國的損失則累進增加，一九四五年最後幾場會戰竟有一百二十萬人戰死。[38]蘇聯的傷亡人數中，只有三萬六千人不是對德戰爭造成的（主要出現在一九四五年八月入侵滿洲）。最精確的估計顯示，德國不可回復的損失有百分之七十五出現在東線戰場。每年軍事死亡的統計數字見表4.2。

這種規模的損失迫使德蘇徵召更年老或更年輕的人力，同時更迅速地將傷兵送回戰場。在德國，服役的士兵將近五成是一九一四以前出生，百分之七是一九二五年以後出生。[40]一九四三年十一月頒布新法令之後，德國政府開始從軍隊的文職人員與後勤單位挑選「剩餘」人力，儘管原本的目標是一百萬人，最終卻只徵召到四十多萬人送往前線。[41]在蘇聯，年齡較大的人跟青少年或肢體殘障的人一樣，並不構成免役條件。傷兵往往尚未復原就被送回戰場，其中最極端的

表 4.2 德國與蘇聯軍事死亡的比較統計數字，1939-1945 年[39]

	1939/1940	1941	1942	1943	1944	1945
德國	102,000	357,000	572,000	812,000	1,802,000	1,540,000
蘇聯	-	802,000	1,743,000	1,945,000	1,596,000	732,000

當屬傳奇人物羅柯索夫斯基元帥，他曾受傷四十六次，甚至躺在醫院病床上指揮史達林格勒圍城戰。一九四三年到一九四四年，紅軍進行反攻，但卻極度缺乏步兵，只得對德國占領區裡所有剩餘的男性進行徵召，只讓他們接受最基本的訓練，就讓他們穿上軍服上戰場。紅軍不得不無差別地徵召士兵，這種做法使士兵的能力與健康程度持續下降，然而此時蘇聯大量的武器生產掩蓋了這個弊病，並且讓蘇軍的資本與勞動比出現反轉，軍火對戰力的貢獻率開始大幅提升。這種發展是二戰期間絕大多數軍隊的常態，也就是愈來愈多高品質的武器可供新徵召的士兵使用。然而訓練與剩餘人力的不足，不可避免造成軍事勞動力的下降。從這點來看，戰爭打得愈久，集體動員反而會構成軍事表現的明顯限制。

但這畢竟是一場帝國戰爭。在交戰國也是帝國（無論是舊帝國還是新帝國）的狀況下，往往可以補足對國家人力的龐大需求。帝國可以動員控制地區的人口，這些人口絕大多數充當輔助或後勤部隊，然而隨著戰爭持續，這些人口也可能轉成作戰部隊。一九三七年，日軍開始徵召朝鮮與臺灣志願軍，一九四二年之後更開始實行徵兵。大約有二十萬名朝鮮人在日本陸軍服役，兩萬名朝鮮人在日本海軍服役。其中超過十萬名朝鮮人被編入日本陸軍的正規部隊之中，不過只有少數人能成為軍官。[42]義大利陸軍也僱用大量的東非殖民地軍隊（阿斯卡里）與利比亞騎兵。德國在歐洲建立的新帝國成了廣大的徵兵來源。成千上萬的志願者加入德意志國防軍、武裝親衛隊（Waffen-SS）與安全部隊，對抗布爾什維克對歐洲的威脅，包括六萬名愛沙尼亞人、十萬名拉脫維亞人、三萬八千名比利時人、一萬四千名西班牙人、一萬兩千名挪威人與丹麥人，甚至還有一百三十五名瑞士人與三十九名瑞典人。[43]然而這些士兵卻不一定管用。一九四一年，法國極右派人士接受徵召組成法國反布爾什維克主義志願軍團，他們在一九四一年抵達俄國時剛好趕上進攻莫斯科的會戰，但他們的參戰證明是一場災難。在無能與腐敗的軍官領導下，他們就連最基本的裝備都極度欠缺，只受過短暫的基礎訓練，導致這個軍團在剛開始作戰沒幾天就遭受重創，再也沒能回到前線。[44]德國占領蘇聯的地區，也有超過二十五萬人加入德國的作戰部隊，這些人主要是從俄羅斯南部與烏克蘭的反共人士中徵召來的，此外也有多達一百萬名俄羅斯人在戰線後方以志願軍的身分為德軍工作，負責各式各樣的非作戰與安全任務。蘇聯將領弗拉索夫（Andrei Vlasov）被荷蘭武裝親衛隊俘虜，他願意投降德國，還想組織一支俄羅斯解放軍與德軍並肩作戰，但弗拉索夫的部隊從未真正成為一支有用的軍隊。一九四五年一月，他終於匆促組成兩個師，並且在戰爭最後幾天參與了布拉格軍事行動，結果他的軍隊卻在布拉格調轉槍口攻擊德軍，阻止當地武裝親衛隊在戰爭的最後階段繼續荼毒他們的斯拉夫同胞。[45]

在所有帝國中，英國無疑是最成功的帝國人力受益者。事實上，英國在二戰期間有許多戰事都是仰賴非英國人進行的，針對海外帝國的防衛更是如此，只是英國人至今在描述二戰歷史時總是輕易遺忘這一點。英國的四個自治領加拿大、澳洲、紐西蘭與南非總共動員了兩百六十萬名男女，印度則動員了兩百七十萬人。一九四五年，英國仍有四百六十萬名軍人，印度與自治領則有三百二十萬人。[46]在自治領當中，紐西蘭的動員率最高，十八歲到四十五歲男子有百分之六十七入伍當兵。加拿大則有超過一百萬名男性入伍當兵，相當於十八歲到四十五歲男子的百分之四十一。英國皇家空軍轟炸機司令部對德國發動的戰略空中攻勢，也有相當比例的兵力來自於自治領，其中又以加拿大人數量最多，加拿大還會派出自己的轟炸機中隊與英國空軍一起執行任務。自治領為英國戰死的人數有九萬六千八百二十二人，印度則有八萬七千人。戰時組成的最大一支志願軍來自印度次大陸。絕大多數印度志願軍在印度服役，負責維持國內安全與面對日軍的威脅，但也有大量印度師投入東南亞、中東與最後的義大利戰場。到了一九四三年，印度已有六個師派往海外，二十個師與十四個旅駐防國內。印度的動員起初存在裝備短缺的問題，但志願軍的兵員倒是不虞匱乏。英國當局比較希望先從所謂的「尚武種族」徵兵，這些種族主要分布於旁遮普邦（混居著穆斯林與錫克教徒）、西北邊境省與尼泊爾。在錫克教徒中，有百分之九十四符合徵召條件的男子自願加入印度陸軍。然而，隨著「尚武種族」的兵源逐漸枯竭，徵兵的範圍開始往南延伸，並在一九四二年達到巔峰，此時「尚武種族」只占印度軍隊的百分之四十六。印度陸軍有五分之四的兵員來自農村，因為英國不信任住在城市與教育程度較高的印度人，幾乎所有的印度士兵都是文盲。[47]

自治領與印度的貢獻有多大，可以從投入海外戰役的非英國人比例來衡量。一九四一年，北非的英國第八軍團只有四分之一是英國部隊。一九四五年，東南亞戰區司令部指揮的軍隊有五分之四是印度與非洲部隊。[48]殖民帝國的其餘部隊幾乎全由非洲師組成，非洲提供超過五十萬名志願兵與徵召入伍的士兵。國王東非步槍團是一九〇二年成立的部隊，最終總共提供了三十二萬三千人。一九〇〇年成立的皇家西非邊疆部隊也提供了二十四萬兩千六百人。南非總督領地貝專納（波札那）、史瓦濟蘭與巴蘇托蘭（賴索托）則提供了三萬六千人以上的兵力。到了戰爭結束時，大英帝國的非洲領地已經提供了總數達六十六萬三千名的黑人勞工與士兵給英國軍方。[49]這些人絕大多數並不負責作戰，但在軍隊服役的非洲師確實負起了防止帝國遭受威脅的任務——東非步槍團在衣索比亞、馬達加斯加與緬甸駐防；西非邊疆部隊先是在衣索比亞，之後駐防緬甸；貝專納人則駐防中東。加勒比殖民地估計有一萬兩千名志願兵，其中絕大多數屬於非作戰人員。加勒比團於一九四四年成立，駐紮於義大利，但直到戰爭結束都未曾參與任何戰鬥。[50]

英國的殖民地徵兵活動乍看之下完全仰賴民眾自願加入，而且這種做法也由來已久，但在急需殖民地兵員以組成輔助部隊的狀況下，原本講求自願的徵兵策略往往會變成一紙空文。在西非地區，英國人以當地酋長做為中間人，要求他們達成徵兵配額，這些酋長只好從自己的村落抓捕男丁充數。在法庭上遭到起訴的男子，為了避免坐牢，只好乖乖從軍。有時候，工人上了卡車以為要到某處工作，最後卻被送進當地軍營。史瓦濟蘭甚至進行強制徵兵。為了一場遠在天邊且目標不明的戰爭，居然要在殖民地進行徵兵，可想而知必然會引起反彈。黃金海岸（今日的迦納）的溫尼巴鎮（Winneba）就因為徵兵而引發暴亂，造成六名抗議者死亡。殖民地當局比較喜歡從偏遠村落徵召士兵，理由還是一樣，因為他們認為這裡居住的人是「尚武種族」。一名白人軍官表示：「他們的臉愈黑，愈能成為勇猛善戰的士兵。」殖民地當局偏愛與現代世界少有接觸的民族，結果造成超過九成的非洲新兵完全不認識字。[51]

黑人志願兵的數量不多，有些人早已在英國生活一段時間，希望能夠加入正規的英國武裝部隊。原本在一九三九年十月之前，法院判決認定只有歐洲裔英國父母生下的英國臣民，才能在英國武裝部隊服役。一九三九年秋天，黑人醫生穆迪（Harold Moody）領導在倫敦成立的有色人種聯盟推翻了這項判決。儘管如此，軍方還是持續抗拒黑人入伍，只有英國皇家空軍徵召六千名加勒比黑人擔任英國空軍基地的地勤人員，之後又允許大約三百名黑人志願擔任飛行員。[52]少數黑人新兵可以晉升到「應急軍官」，不過在服役過程中仍須承受來自各方的種族歧視，儘管這類歧視尚不到普遍存在的地步（一名黑人軍官日後回憶說：「軍中從來沒有人叫我黑佬。」）。戰爭結束後，英國政府想把英國所有黑人志願兵全部遣返，然而此舉再度引發民眾抗爭，最後英國政府同意讓少數挺身保衛祖國的黑人繼續留在英國。

在美國，對於以白人為主的武裝部隊來說，種族是個相當棘手的難題。美國在一戰時曾經徵召黑人新兵，但主要是充當軍事勞工與輔助部隊。戰間期，作戰部隊清一色由白人組成。一九四一年之後，美國軍隊的快速擴充很快就引發問題，那就是占美國人口一成的黑人是否可以加入作戰部隊。羅斯福堅持海軍與陸軍必須接受黑人入伍，不過政府跟軍方最後達成的共識是，入伍的黑人數量不能超過黑人的實際人口比例，且陸海軍有權進行種族隔離，無論是訓練中心、營區還是未來分配的軍事單位都必須進行隔離。[53]這項政策立下令人遺憾的惡例。北方各州早已廢除種族隔離，但來自北方各州的黑人入伍之後卻被迫接受種族歧視。荒誕的是，陸軍當局居然認為南方白人更適合擔任黑人部隊軍官，因為他們「更熟悉」黑人社群。這項政策也引起平日從未接受隔離的黑人新兵不滿，甚至引發激烈抗爭。[54]衝突還延燒到駐紮海外的部隊，因為海外部隊的白人士兵與軍官仍想維持種族隔離。一九四四年七月，英國港口布里斯托爆發美國黑人與白人士兵的嚴重衝突，造成一名黑人士兵死亡，數十人受傷。

黑人入伍計畫帶來的結果好壞參半。與英國殖民地新兵一樣，絕大多數美國黑人並未進入作戰單位服役。六十九萬六千名被徵召入伍的黑人，絕大多數執行的都是後勤與勞動任務。然而無論後勤還是勞動，黑人占的比例遠遠未達到羅斯福同意的百分之十。[55]陸軍宣稱被徵召入伍的黑人在普通分類測驗的表現普遍不佳（一九四三年時大約有半數黑人未能通過），因此黑人多半只能從事低階職務。陸軍軍官團只有百分之一點九是黑人，這個比例甚至低於美國海軍，須知當時美國海軍徵召入伍的黑人只占了海軍人員的百分之六。一九四二年四月，美國海軍勉強同意讓黑人到海軍服役，條件是黑人不許搭乘艦艇出海，只能在港口與岸上設施工作。到了一九四三年春，百分之七十一的黑人士兵被分配到膳食單位，負責服務白人軍官。[56]美國陸軍航空軍的作戰單位幾乎看不到黑人；到了一九四四年底，陸軍航空軍有十三萬八千名黑人，卻只有百分之一有資格成為空勤人員。[57]可以成為飛行員的黑人新兵必須到阿拉巴馬州塔斯基吉（Tuskegee）與白人區隔的黑人基地受訓，但這些飛行員除非被選進四個戰鬥機中隊裡，也就是所謂的「塔斯基吉飛行員」，否則無法參加作戰。一九四三年到一九四四年，黑人飛行員被派往義大利，他們在那裡持續受到白人長官的監督，白人對黑人的偏見使他們始終對黑人飛行員吹毛求疵。一九四五年，當黑人飛行員在波士頓凱旋上岸時，黑人與白人飛行員走的居然是不同舷梯，哪怕這些人就在幾個星期之前還曾一起並肩作戰。「塔斯基吉飛行員」的遭遇充分顯示白人的偏見使美國黑人無法一展所長。[58]相較之下，美國陸軍對於開戰之初被總統下令監禁在集中營裡的日裔美國人態度則有所不同，他們讓日裔美國人以自願從軍的方式證明自己對美國的忠誠。大約有兩萬兩千五百名男性與女性日裔美國人自願從軍，一萬八千人組成了與白人區隔的軍事單位並且被派往歐洲作戰，其中包括第四四二步兵團，這個步兵團成為美國陸軍獲得最多勳章的部隊。[59]

龐大的人力需求促使軍方開始徵召女性入伍，但各種既存的偏見並未因此消失。這種事當然並不是第一次發生。一戰後期也曾因急需人力而徵召女性入伍，等到戰爭一結束，女性入伍也隨之終止。然而總體戰並沒有性別之分，總體戰意謂著戰爭民主化，無論擔任工人或民防，或者進入軍隊服役，女性都不能置身事外。徵召女性從事戰時工作或防空任務原本就不存在任何問題，因為有許多女性都認為，在現代戰爭中，所有責任應該由全體社群共同分攤。女性也進行遊說，希望能入伍當兵，這同樣反映出二戰是「人民戰爭」的觀點，而非只是由男人發動的戰爭。男性對於徵召女性入伍存在著矛盾的看法。除了蘇聯之外，其他主要參戰國都未開放女性入伍當兵。女性在軍事組織中取代男性從事的職務，絕大多數是女性在平民生活中也會從事的工作，例如速記員、辦事員、郵差、廚師、話務員、圖書館員、營養師、護士。[60]女性能夠擔任最接近軍事行動的職務，則是雷達測定員、無線電操作員、運輸工具駕駛員或情報單位的一般人員，但除了蘇聯之外，女性在軍中從事的職務往往遠離前線。

等到轟炸機對後方進行轟炸，使後方也成了前線，女性這才直接參與戰爭。英國、德國與蘇聯的女性可以加入防空部隊，不過只有蘇聯女性能在男性不在場的狀況下親自上場開火。英國在一九四一年四月更改軍事規定，允許本土輔助部隊的女性到防空據點服役；到了一九四三年，女性在防空單位工作的人數達到高峰，總計有五萬七千人，她們擔任雷達操作員、觀測員、高度測量員與探照燈人員。儘管防空單位的男性軍人反對女性加入，但兩性一起工作已逐漸成為常態。男性往往擔任搬運與開火這類負擔較重的工作。根據一九三八年頒布的皇家令狀，女性不許攜帶武器，在防空崗哨負責站崗的女性只能攜帶斧柄與哨子。女性的戰爭參與被刻意地「女性化」——女性只能領取男性三分之二的薪水，可以享有較多休息時間，可以住在比男性更舒適的住所，甚至還有所謂的「女性飲食」，例如較少的肉、麵包、培根及較多的牛奶、蛋、水果與蔬菜。結果這類飲食很快就因為女性無法填飽肚子而被放棄。[61]德國的女性空軍輔助部隊負責操作德國防空體系「卡姆胡伯防線」(Kammhuber Line）上的探照燈、無線電設備與電話網路，擔負起防守德國北方門戶的重任。到了一九四四年，德國空軍已經有超過十三萬名女性，而部分女性最後也必須協助發射防空砲。一九四五年三月，德國最高統帥部終於同意讓這些女性輔助人員使用手槍與反戰車武器「鐵拳」。[62]

一項流傳至今的迷思認為，德國女性沒有參與戰鬥是因為納粹意識形態主張女性的職分就是擔任母親與家庭主婦。事實上，這個意識形態並非毫無通融的空間。在納粹看來，女性，尤其是年輕或單身女性，應該與男性一樣負起延續種族的責任。德國武裝部隊徵召了大約五十萬名女性擔任國防軍婦女輔助人員（Wehrmachthelferinnen），負責在通信、文書、行政與福利單位補充男性員額的不足，此外還有無數人擔任非軍職的祕書與辦公室工作。[63]英國與美國的武裝部隊，也與德國徵召了差不多人數的女性入伍。二戰爆發後，英國陸海空三軍重新恢復一戰時曾經成立的女性部隊。英國皇家海軍婦女預備隊、本土輔助部隊（陸軍）與空軍婦女輔助部隊，總計從一九四〇年六月的四萬九千人，迅速擴充為一九四四年六月的四十四萬七千人。儘管英國在一九四一年十二月頒布了《國家兵役法》（National Service Act）對女性進行徵兵，但實際入伍當兵的女性有四分之三屬於自願入伍，而且超過一半不到二十二歲。[64]自治領也徵召女性當兵。一九四一年，加拿大設立志願役處，負責僱用女性志願兵。英國女兵依然被歸類為輔助部隊，但加拿大女兵則屬於完全的軍事人員，一九四二年，加拿大出現第一批女軍官。[65]但在加拿大軍中，男性依然享有較高地位，這點與西方各國一致。女性除了不能直接參與戰鬥，女性軍官也不能對作戰人員下達命令。

美國反對女性當兵的偏見更為強烈，但由於急需勞動力，軍方因此不得不做出讓步。大約有四十萬名女性在武裝部隊各單位服役，其中有六萬三千人在陸軍婦女輔助兵團，該兵團於一九四三年後改稱陸軍婦女兵團。婦女兵團的出現源自於一九四二年五月共和黨眾議員愛迪絲・羅傑斯（Edith Rogers）在國會推動的立法。這項立法曾在國會引發冗長的辯論，反對女性入伍的男性議員擔心，女性從軍可能導致武裝部隊的道德敗壞。[66]陸軍與空軍堅持，女性應該屬於「輔助」軍隊的單位而非軍隊「本身」，但到了一九四三年七月，國會通過了《第二羅傑斯法案》（Second Rogers Bill），女性完全進入軍隊已經勢在必行。[67]這項變革導致徵兵制度的簡化，志願者也源源不斷地湧入。然而，陸軍航空軍仍不允許空軍輔助兵團的女性進入美國空中預警與防空體系。[68]美國海軍在戰爭剛爆發的時候也不願意接受女性，但在缺乏男性組成輔助部隊的狀況下，海軍最終同意成立婦女單位，而且特別為這個單位取了一個冗長的名稱：女性緊急志願役（Women Accepted for Volunteer Emergency Service），簡稱WAVES，剛好與海軍呼應。這個新單位於一九四二年八月成立，但與陸軍不同的是，海軍認為這些入伍的女性應該完全成為海軍的一部分（而非僅是海軍的輔助部隊），只不過該單位的女兵只能交由女性軍官團指揮。[69]到了戰爭結束時，大約有八萬名女性緊急志願役從海軍訓練學校畢業。至於女性黑人志願役，她們在一九四五年以前幾乎無法進入美國軍隊服役，少數進入美軍服役的也只能駐紮在美國本土，例如陸軍婦女兵團的黑人部隊第六八八八中央郵政營。這個營由一名女性黑人軍官帶領（女性黑人軍官總共也只有兩名），一直到戰爭快結束時才被派到英國處理堆積如山的未寄出郵件。[70]然而，這些女性士兵負責的事務難道就不能與男性共同分攤處理？無論在英國還是美國，女性被分配到的往往是救濟與照護的工作，但女性也渴望爭取其他的工作。如果民主國家認為戰爭是全民共同承擔的責任，那麼更應該允許女性承擔作戰任務，以此來促進國內團結，並且證明所有民眾，不分男女，都必須共同分攤責任。

將國內剛出廠的飛機飛到空軍基地，或者是將飛機從某個訓練中心飛到另一個訓練中心，或者是駕駛飛機進行目標訓練，這些都是女性志願役在民主國家執行的任務中最危險的幾項。一九四〇年一月，航空運輸輔助隊在英國成立，同時招募合格的男女人力加入。總共有一百六十六名女性擔任輔助飛行員，其中十五人喪生，包括英國最著名的女飛行員艾米（Amy Johnson）。[71]另一名著名的女飛行員是美國人賈桂琳（Jacqueline Cochran），她自願加入英國航空運輸輔助隊，之後返回美國。儘管一開始遭到陸軍航空軍總司令阿諾德的反對，但賈桂琳還是於一九四二年九月成立女子飛行訓練分遣隊。一九四三年，在賈桂琳主導下，分遣隊與婦女輔助運輸中隊合併成女性空軍飛行員部隊。在美國，女性飛行員的培訓規模遠比其他國家來得龐大，總共有兩萬五千名志願者參加訓練，不過最後只選拔出一千零七十四名合格的女性飛行員，其中有三十九名意外身亡。與英國女性飛行員一樣，美國女性飛行員無法取得完整的軍人身分，加上男性一向認為飛行員是男性專屬職業，在這種偏見下，女性要成為飛行員十分困難。在某些營區，女性只能駕駛老舊或性能不佳的飛機進行目標訓練，或甚至連基地都進不去。沒有黑人女性能夠加入女性空軍飛行員部隊，哪怕她們自願也不行。一九四四年底，女性飛行員訓練計畫遭到終止，因為受過訓練的男性飛行員已經過剩，強大的遊說團體反對女性接受飛行訓練，認為這會對男性飛行員的就業構成威脅。到了戰爭結束時，女性飛行員已經完成一萬兩千六百五十二次運送任務，駕駛過七十八種不同機型，包括B－29超級堡壘這種連男性飛行員也不太敢駕駛的巨型轟炸機，因為這種飛機早期存在著許多技術問題。一九七七年，在經過長期爭取承認之後，美國國會終於通過立法，認定這群女性飛行員是二戰的退伍軍人。[72]

蘇聯對於女性入伍並不存在任何顧忌。對德作戰第一年，蘇聯損失大量的男性人力，徵召女性當兵就成了不得不的做法。二戰期間，大約有八十五萬名女性服役於蘇聯武裝部隊，其中五十五萬人在紅軍與空軍正規部隊，三十萬人在防空與後方部隊，估計另外有兩萬五千名女性士兵與游擊隊並肩作戰。[73]儘管戰前持續宣傳整個社會都應該起身捍衛革命，但當戰爭爆發且各地徵兵站真的擠滿了自願入伍的年輕女性時，還是讓蘇聯政權感到不知所措。共產主義青年運動的年輕女性大約有四百萬人自願入伍組成「人民軍」（opolchenie），這個民兵組織奮勇抵抗入侵的德軍，卻遭到擊潰。[74]雖然蘇聯男性有義務參加全國軍事訓練計畫，但女性如果能說服地方官員讓她們參加，那麼這項計畫也沒有理由排除女性。一九四一年十月，蘇聯官方首次徵召女性入伍，史達林允許三個航空作戰團動員女性加入。戰時女性參與空軍的人數大幅增加，針對德國基地的夜間轟炸任務絕大多數都由女性部隊執行，其中著名的第四十六親衛夜間轟炸機航空團執行了兩萬四千次任務，贏得了二十三枚蘇聯英雄勳章。[75]同樣知名的還有一九四三年五月設立的中央女子狙擊手訓練學校，這是基於前一年女性狙擊手創造了豐碩戰果而獲准設立；總共有一千八百八十五名狙擊手從這所學校畢業並且前往前線作戰，但殺死的德軍士兵數量並沒有詳細紀錄。[76]

到了一九四二年四月，蘇聯政府終於正式承認需要徵召女性來補充前方男性的損失。與西方不同的是，西方徵召女兵之後，往往安排她們從事女性專屬的工作，但蘇聯徵召女兵從事專屬工作的比例卻非常低。空軍動員的四萬名女兵中，只有一萬五千人擔任辦事員、圖書館員、廚師或倉儲人員，其他兩萬五千人則受訓派往前線擔任駕駛員、裝甲兵與通信兵。加入武裝部隊的五十二萬名女性中，將近十二萬人參與了地面與空中作戰，超過十一萬人在前線擔任非作戰的軍事專門人員。[77]女性面臨的環境與男性一樣艱困，但她們還要遭受男性毋需承受的剝奪感，除了女性軍服供應不足，女性衛生與醫療用品也同樣短缺。與西方部隊不同，蘇聯部隊不存在女性不能在前線指揮男性作戰的性別偏見，但這並不表示性別偏見完全不存在。「他們把女人硬塞到我的部隊裡，」一名師長如此抱怨，「這群伴舞團！這是戰爭，不是跳舞，這是可怕的戰爭！」[78]儘管如此，在戰爭期間，整個前線依然可見女性的蹤影。雖然蘇聯女性的參戰經驗是意識形態與人力短缺下必然的產物，但總體戰的極端需求確實符合蘇聯的觀點：為了在偉大的衛國戰爭中存活下來，必須對社會進行絕對動員。

交戰國的新兵被徵召入伍時，往往很少質疑動員的必要性。當國家在進行總體戰，戰鬥人員也把大規模的軍事動員視為理所當然。二戰時的軍隊譁變非常少見，逃兵或叛逃較為普遍，但也只占動員總數的一小部分。不服從命令的情況時有所聞，但軍隊生活與紀律上的違法亂紀，主要反映的是入伍者本身的社會網絡，而不應該解釋成對集體動員的不滿。就算出現類似譁變的例子，通常也是特定狀況下引發的抗爭，而非反對戰時徵召入伍。舉例來說，印度陸軍曾經數度發生短暫譁變，有些是反對被派往海外，有些是為了抗議英國堅持錫克士兵必須理髮、去掉纏頭巾與戴上鋼盔。對錫克教徒來說，纏頭巾與長髮是絕對不能妥協的傳統，因此印度與香港的錫克士兵才會發起抗爭，反對英國的政策。香港有八十三名錫克人被軍事法庭宣判犯下譁變的罪名，其中十一人被處以重刑。[79]在美國，武裝部隊的種族隔離政策引發黑人士兵與黑人飛行員的強烈不滿，導致他們群起反抗。早在美國參戰之前，美軍就曾爆發嚴重的譁變事件。一九四一年，北卡羅來納州布拉格堡附近發生白人軍事警察與黑人士兵的激烈槍戰，導致兩人死亡與五人受傷。最嚴重的暴力事件發生在一九四三年，至少十個不同營區發生暴動與槍戰。第三六四步兵團的北方黑人被迫接受他們從未遭受過的種族隔離規定，在心生怨恨之下，於密西西比州的范多恩營爆發重大衝突。譁變平息之後，第三六四步兵團被派往太平洋最北邊的阿留申群島以示懲罰，在整個戰爭期間都駐紮在當地。[80]

美國也曾爆發最嚴重的民眾反徵兵抗爭。一九四〇年秋天的《兵役登記法案》（Selective Service Bill）與一年後的兵役延長，在全美各地引發孤立主義者與反戰團體示威，他們認為沒有必要進行大規模徵兵。一九四一年夏天的民調顯示，將近半數的受訪者反對兵役延長。記者到各個新兵營調查後發現，年輕士兵普遍感到幻滅與憤恨，他們在營中無事可做，除了作戰訓練不足，也幾乎碰不到武器。根據估計，有半數新兵一有機會就會逃兵；九成受訪者對於政府強迫他們入伍感到氣憤。就在《兵役登記法案》即將延長前夕，各個新兵營爆發嚴重暴動，顯示新兵對於兵役不滿的程度。《兵役登記法案》在眾議院僅以一票之差獲得通過。[81]這一事件堪稱是當時任何國家在處理徵兵議題時所面臨的最嚴重政治危機。逃避兵役的現象顯然存在，但這主要是個人選擇，而非集體決定的結果。美國人最終還是接受了集體徵兵這件事。在一九四一年十二月戰爭爆發後，集體徵兵也美國成為通往勝利的唯一道路。

經濟動員

所有交戰國最關切的，就是國家是否有能力供應足夠的武器、裝備與補給來維持國家徵召的龐大作戰部隊。若想維持足夠的供應能力，還會產生另外兩項根本問題：如何籌措戰爭資金，以及如何提供充分的糧食與補給給絕大多數的平民，好讓他們能夠支撐起全國動員。作戰部隊的消耗量十分驚人。戰時各個大國生產的武器數量必須足以供應動員的龐大人力使用。軍事裝備的研發、生產與分配，這部分將留待第六章討論，但戰時的生產與大規模軍事徵兵對於身為納稅人、儲戶、消費者與工人等大後方民眾確實有著非常直接的影響。後方必須出錢支持戰爭，在戰時命令下長時間工作，還要眼看著國家生產的絕大多數糧食與物品送進軍隊的食堂與倉庫。全國總動員意謂著工作變得更辛苦，報酬變得更少，而且沒有人會為此發起抗爭。

軍備其實只是軍事消耗這座巨大冰山的一角。一般而言，武器的取得只占軍事預算的百分之十五到二十。武裝部隊數量龐大到足以自成一個經濟體。軍隊不僅進口武器，也進口糧食、各種消費品、紡織品、化學品、石油產品、用來運輸或維修的專門設備，另外德國與蘇聯軍隊還需要大量牲口。數百萬名作戰與後勤人員必須要有地方住，還需要興建軍事基地、機場與補給站。即使平民的糧食短缺，也必須確保軍隊的糧食供應無虞。英國士兵每天要攝取四千五百卡的熱量，遠超過英國平民每日的配給額（也高於印度與殖民地部隊每日的糧食供給）。[82]戰爭初期，德國士兵配給的肉類是平民的三倍（到了後期達到四倍），麵包則是兩倍以上。咖啡、巧克力、香菸與菸草、果醬與蔬菜也優先配給到軍隊，德國平民能取得的量愈來愈少，到最後甚至完全短缺。[83]除了糧食之外，軍事經濟也吸收了大部分的消費品。一九四一年，德國服裝業生產量有一半是軍服；生產的家具有八成進了軍隊，牙膏與鞋油等化學消費品也有八成供軍隊使用；軍隊還消耗了六成的油漆刷、木箱與木桶，以及百分之四十四的皮革製品等等。一九四一年，估計德國民間生產的物品有半數提供給軍事單位。甜食的供應對武裝部隊尤為重要，因此甜食產業往往能優先分配到勞工以進行生產。[84]

事實上，早在戰爭爆發之前，這群龐大的軍事消費者已經從根本上扭曲了交戰國的經濟。一九三〇年代重整軍備的風潮早已造成明顯的影響，當時國民生產投入在軍事支出的比例陡升到和平時期史無前例的高點：德國在一九三八年到一九三九年的軍事支出達到國民生產的百分之十七，蘇聯則是百分之十三。一戰前夕，德國的軍事支出僅占國民生產的百分之三，沙俄則是百分之五，部分原因在於當時的武器沒有二戰時期複雜與昂貴。[85]一九三九年五月，德國工業勞動力在政府指示下有將近三分之一為武裝部隊工作；一九三七年到一九三九年，德國工業投資有三分之二投入於軍事與以戰爭為核心的計畫。蘇聯於一九三八年推動的第三次五年計畫，撥款兩百一十九億盧布進行國防投資，相較之下，一九三六年的國防支出則僅有十六億盧布。[86]即使在和平時期，這種規模的支出計畫也會嚴重限制民間消費者的可用物品，以及經濟上非戰爭產業的可用資源。隨著亞洲與歐洲爆發戰爭，各國政府都不得不面對總體戰與全民動員的經濟現實。

從一戰經驗可以得知，在軍事需求、財政穩定與人民生活水準之間維持平衡極其重要。戰爭初期，經濟動員總是倉促進行，往往造成嚴重的通貨膨脹與財政危機，而且難以在軍事與民間需求之間合理分配資源。糧食短缺經常引發工人抗爭與社會不滿。一九一七年俄國無力支持戰事與一九一八年同盟國戰敗，主要原因都在於國內發生經濟與社會危機。人們因此認為，想要讓總體戰成功，唯一的辦法是必須避免社會與財政危機再度發生。而要避免這些危機，關鍵在於瞭解戰爭投入對國家經濟結構的影響，使軍隊在獲得足夠資源的同時，又不至於影響整套財政體制或消費者需求。因此，動員的專業知識就顯得格外重要。傑出的英國經濟學家凱因斯（John Maynard Keynes）就曾寫下極具開創性的作品《如何籌措戰費》(*How to Pay for the War*)，書中談到如何實現消費、儲蓄與賦稅之間的平衡而又能避免通貨膨脹，他也因此於一九四〇年夏天被英國財政部禮聘為特別顧問。[87]德國經濟部長馮克於一九三九年秋天成立教授委員會，負責解決籌措戰費與控制消費的問題；德國經濟學家則建立臨時的國民所得統計來說明如何平衡賦稅、儲蓄與消費以滿足軍事需要。[88]日本於一九三八年六月成立國民儲蓄獎勵委員會，該會成員由社會與經濟專家出任，負責激勵儲蓄、限制消費與避免通貨膨脹。[89]各國經濟學家都把「總體戰」當成一個明確的經濟問題。獨裁國家與民主國家在面對總體戰的問題時，解決的方式幾乎沒什麼差異，兩者不約而同採取了某種形式的戰時「計畫經濟」。

各交戰國面臨的第一個挑戰，就是如何支持大規模總體戰，又要同時避免失控的通貨膨脹。大規模動員不可避免將產生鉅額的財政赤字，儘管這些赤字可以透過徵稅加以降低，或者是將其經濟效果延緩到戰後，但整體而言仍對經濟造成沉重的負擔。在美國，政府為了籌措戰費而發行的長期與中期國債，使國債水準創下新高；在英國，戰時支出大約有百分之四十二由各種國債支應。一九三九年時，英國政府預算赤字僅是溫和的四億九千萬英鎊，到了一九四三年已急遽增加到二十八億英鎊，國債金額達到原先三倍。德國國債在戰時增加了十倍，從三百億馬克增加到三千八百七十億馬克，約占戰時支出的百分之五十五。日本在一九四五年的赤字大致與德國相同。只有中國政府採取一戰時期各國的做法，完全仰賴印鈔：一九四五年，中國政府的赤字達到百分之八十七。[90]這些資金一般是向現有銀行與信貸機構籌措，這些機構別無選擇，只能買下政府發行的公債。蘇聯經濟是其中的例外，蘇聯的中央計畫與物價管制政策致力平衡收支，透過共產黨獨創的會計系統使現有的稅收與關稅收入得以支應戰時支出。蘇聯國債只有一千億盧布，蘇聯政府的戰時收入則有一兆一千一百七十億盧布，國債只占收入的百分之八點九。[91]

有些經濟體在戰時會採取延後支付的做法，直接從占領地或帝國殖民地進口物品，但在戰爭期間不支付價金。柏林當局從占領國進口重要戰爭物資，卻從未支付總價超過一百九十億馬克的金額，德國表示要等到打贏戰爭之後才付款；此外德國也以借款名義從歐洲占領地區取得兩百五十四億馬克，用來購買其他物品。[92]英國向英鎊區進口價值三十四億英鎊的物品，卻決定在戰爭結束之前暫時不交付貨款——這種做法在實務上已經構成經濟脅迫。[93]德國與英國都仰賴帝國占領區提供可觀資金：德國有七百一十億馬克的戰時支出來自於占領區，英國則要求印度提供戰爭資金，逼迫印度政府承受其經濟規模難以負擔的赤字，再向印度人民課徵重稅。[94]德國政權也向遭到迫害的猶太人榨取金錢與物品，例如從猶太人身上洗劫的黃金，或者是在滅絕營取得的金牙，都被存放在瑞士銀行裡，用來購買重要的進口物品。在德國，估計猶太人的財產價值可以達到七十到八十億馬克，從股票、貴金屬到珠寶，全被國家根據限制猶太人所有權的法律與強迫猶太人「雅利安化」的計畫為由沒收充公。在被征服的地區，猶太人擁有的一切都可以任意攫取，猶太人的財產收益全被國家奪走。貴重物品全存放在位於柏林的帝國財政部戰利品處，用來充實國家資金。[95]

高赤字支出很可能造成凱因斯所說的「通膨缺口」，也就是經濟體內貨幣流通的數量與一般民眾可以購買的商品數量出現落差。這種缺口曾在一戰引起嚴重通膨，因此必須想辦法彌補缺口。所有交戰國都瞭解這個問題的嚴重性，而除了中國之外，所有交戰國都採取了非常類似的解決方法：加稅、鼓勵或堅持高儲蓄率、控制薪資與物價、限制民眾取得軍隊剩餘的消費品。但在中國，加稅是個窒礙難行的選項，因為中國最具生產力的區域遭到日本占領，使中國關稅收入減少百分之八十五，鹽稅減少百分之六十五，而這兩種稅收偏偏是中國政府傳統的收入來源。戰時危機使政府舉債困難，減少支出又會使國家蒙受戰敗的風險。儘管中國政府嘗試對所得、土地與製造業開徵新稅，但最終只能訴諸印鈔；而增加貨幣流通量的結果，便是惡性的通貨膨脹。中國政府在一九三七年發行了十四億法幣，到了一九四五年增加到四千六百二十三億。[96]在其他國家，由於民眾比較願意配合政府需求，因此籌措戰費與減少消費者購買力是較為有效的做法。儘管如此，加稅、舉債與增加儲蓄畢竟是迫使民眾以個人方式直接資助戰爭，等於是讓民眾為國家做出經濟犧牲。對於長久陷於分裂與遭受戰火蹂躪的中國來說，這些選項顯然不可行。

以徵稅來解決戰時支出的問題，是各國在一戰期間逐漸發展而成，但效果不一。二戰期間，政府大幅提高稅率，使這個時期的稅收通常約占政府收入的四分之一到二分之一。在美國，戰爭投入使民眾所得快速地全面提升，政府收入有百分之四十九來自租稅，最主要又來自於首次開徵的所得稅。一九三九年仍有百分之九十三的美國人不用繳納聯邦所得稅，而儘管在戰時針對首次納稅人建立一套複雜的財政結構極其困難，但到了一九四四年，已經有三分之二有收入的人必須繳稅。為了要讓戰時犧牲能真正符合民主精神，羅斯福堅持課徵超額利潤稅，這項稅收成為僅次於所得稅的政府收入來源。[97]日本也開始對受僱人口課徵所得稅，日本個人所得稅率從一九三九年的百分之六提高到一九四四年的百分之十五，但仍無法填補快速增加的政府支出。與其他戰時經濟體不同，日本的租稅收入只占日本戰時支出的四分之一。[98]

英國與德國有較悠久的所得稅傳統，兩國在戰時都大幅提高租稅門檻與間接稅稅率。由於認為戰時犧牲必須由全民平均分攤，因此兩國政府都對收入最高的階層課以高稅率。在英國，一九三九年稅後年所得超過四千英鎊的還有一萬九千人，但三年後只剩下一千兩百五十人。所得稅總稅收也增加為原來的三倍，從一九三九年到一九四〇年的四億六千萬英鎊，增加到一九四四年到一九四五年的十三億英鎊。[99]德國於一九三九年針對個人所得徵收緊急附加稅，也對產業徵收超額利潤稅，使德國的直接稅稅收從一九三八年的八十一億馬克增加為一九四三年的兩百二十億馬克。德國同樣針對經濟狀況較佳的階層設定所得稅門檻。年所得一千五百到三千馬克（絕大多數半技術與技術勞工的薪資落在這個位階）的稅率提高了五分之一，而年所得三千到五千馬克的稅率則提高了百分之五十五。在戰爭初期，德國支出有半數來自於稅收，這點與該國在一戰時無法適當徵稅有很大的差異。儘管如此，德國政府依舊擔心民眾會因為稅率太高而進行抗爭。[100]

儲蓄議題也深受一戰經驗影響。一戰時，在愛國心驅使下，許多民眾認購戰爭債券，但債券價值卻因為通貨膨脹而大幅滑落，德國的戰爭債券更因為戰後貨幣崩跌而變成廢紙。英國與德國都不願重蹈一戰覆轍，不再大張旗鼓地推動資金籌募計畫。英國雖然發行了「國防債券」與「國民儲蓄憑證」讓民眾自由購買，但個人儲蓄的增加絕大多數集中在郵局、儲蓄銀行或互助會帳戶的小額存款，政府其實毋需對民眾進行說服或強制就可以動用這筆資金。[101]德國也採取了相同做法，德國財政部長稱之為「無聲的財政」。政府大力宣傳鼓勵民眾儲蓄，加上商店也沒有多少商品可以買，小額投資人於是將資金存入儲蓄銀行或郵局存款帳戶，存款金額從一九三九年的二十六億馬克增加為一九四一年的一百四十五億馬克。郵局存款開戶人數也從一百五十萬人增加到八百三十萬人。[102]這些存款被政府用來支付戰費，存戶因此在無意間資助了戰爭。一戰經驗使德國民眾對於戰爭借款充滿了不信任，因此當一九四一年底德國政府推出讓民眾自願加入的「鐵儲金」（Iron Savings）時，民眾顯得興趣缺缺。鐵儲金是每個月直接從薪水扣款，這筆款項將進入專門的存款帳戶，並且會設定為特別凍結帳戶，直到戰爭結束後才能使用。鐵儲金的成長因此十分緩慢，反觀其他形式的個人儲金則在戰時增加為原來的四倍。[103]英國與德國的存戶都希望將增加的薪資儲蓄起來，為戰後困難的經濟狀況預做準備。從英德兩國的儲蓄潮可以看出，一般民眾不會為了國家而在財務上冒險，他們與資本家一樣，也想利用戰爭賺一筆。

日本與蘇聯比較少受到一戰經驗的影響，這兩個國家更傾向於用愛國主義號召民眾購買政府債券或增加個人儲蓄以投入戰爭。然而，無論是日本還是蘇聯，儲蓄在這兩國幾乎都不能算是個人的自主行為。日本與蘇聯從一九二〇年代開始就致力鼓吹民眾購買債券以支持國家的現代化，兩國社會因此形成一種節儉的風氣。蘇聯以農場與工廠為中心，將購買債券組織成一種集體行動，如果有人公然反對，就有可能成為公敵與遭受批鬥。蘇聯在各地設有促進國家信貸與儲蓄委員會，負責監督民眾進行儲蓄。委員會鼓勵工人組成小組，每個小組都分配了一個固定的儲蓄額度，小組工人或農民必須平均分攤達成這個額度。由於擔心不服從可能帶來的後果，因此債券經常出現超額認購的狀況。政府還推出新形式的「樂透」債券，中獎的人可以獲得皮草大衣、珠寶、手錶或餐具，不過當時民眾急需的其實是更基本的消費品，而且曾有中獎的人抱怨這些獎品從未送到他們手中。[104]

在日本，除了進行公共宣傳鼓勵儲蓄與購買債券，還施行了一套社會策略，利用團體儲蓄的方式將反對的聲音降到最低。在政府施壓下，日本各地開始成立儲蓄協會。與蘇聯一樣，每個協會都分配一定的儲蓄額度，協會每個成員必須共同分攤這筆額度。到了一九四四年，這樣的協會總計有六萬五千五百個，會員達到五千九百萬人。同年，日本民眾的可支配所得有百分之三十九點五用來儲蓄，這是相當驚人的數字。除了一九四一年之外，日本每年的儲蓄額都是超標。[105]每個工人的儲蓄額都是根據需求加以制定，然後如同繳稅一樣預先從薪資扣除。[106]除了個人儲蓄，國債也成了每個鄰里的目標，同樣也定出配額。鄰居聚在一起開會決定彼此分攤多少，因此每個人都知道其他人家裡要分攤多少債券。不服從大家的決定意謂著將遭受公開羞辱，還有可能遭到更嚴重的差別待遇，包括不能領取配給品。[107]儲蓄被視為最重要的愛國職責，但一九四四年由國家進行的意向調查卻發現，百分之五十七的受訪者表示，他們儲蓄是因為目前用不到這筆錢；百分之三十八的受訪者則表示，這筆錢是要留給自己的子女。[108]

美國籌措戰費的一項重要手段，就是宣傳購買債券。雖然美國在推動民眾購買債券上不像日本與蘇聯那樣具有強制性，但施壓要求認購的狀況卻普遍且持續，導致國債最後的認購金額達到四百億美金，大大紓解了籌措戰費的壓力。與日本一樣，美國有些債券的認購是採取直接從薪資扣除的方式，不過大約一半的債券銷售是間接的。還有一些債券採取小額購買的方式，通常少於一百美元，到了戰爭結束時，小額購買的債券也銷售了九億九千七百萬美元。美國在推銷國債時把國債當成是一種商業計畫。美國財政部長摩根索（Henry Morgenthau）就曾表示：我們的目標是「利用債券來販售戰爭，而非利用戰爭來販售債券」。[109]美國政府運用現代廣告技術，僱用電影明星來推銷債券，例如由克羅斯比（Bing Crosby）高唱《買張債券吧》；此外還有六百萬名志工挨家挨戶拜訪家庭、工廠與俱樂部。與日本的鄰里組織一樣，美國認購債券有很多情況是出於半自願。同樣地，民意調查顯示民眾購買債券主要不是基於愛國心，有多達三分之二的受訪者表示，他們購買債券只是為了協助國家購買武器供派往海外作戰的丈夫與兒子使用。戰爭期間，總計八次的國債認購活動為後方民眾與前線將士建立起直接的聯繫。[110]

另一種填補通膨缺口的方式，便是進行一連串的管制措施，如控制物價、薪資與消費品的生產，其中管制消費品的生產尤其必要，因為戰時商品嚴重缺乏，經常使得消費者買不到商品。控制物價與薪資息息相關，一戰時期由於未進行管制而導致物價失控，導致薪資價值急遽下跌，最後引發工人抗爭。在二戰爆發之前，德國為了負擔高昂的戰前軍事支出，已經有數年的時間對物價與薪資進行控制。德國在一九三六年任命的物價委員擁有廣泛的權力，負責維持民間各項支出的物價穩定，德國因此得以在戰時維持生活成本指數上升不到百分之十。至於平均週薪在長工時推升下，提升的幅度也僅略高於百分之十。[111]雖然商品品質下降，長時間工作也造成勞動力損害，但與一戰嚴重的通貨膨脹相比，德國在二戰時確實成功避免了通膨，德國的制度因此成為物價穩定的典範。與德國一樣，日本在參與二戰之前，已經因為對華戰爭而對物價與薪資進行管制。日本從一九三七年開始控制糧食與紡織品價格，一九三九年四月之後開始控制薪資。然而，由於日本的軍隊與消費者爭搶相同的產品，導致日本的物價水準並未因為管制而停止攀升。一九三九年九月，日本政府頒布價格等統制令，範圍不僅涵蓋絕大多數消費品，也包括租金、費用、貨運成本與薪資，所有價格全固定在法令施行前一天的水準。到了一九四三年，物價控制的範圍已遍及七十八萬五千種物品，由相關部會與地方當局負責執行。直到一九四三年為止，新體制一直能夠穩定物價指數。然而，到了戰爭最後幾個月，當最基本的消費品也出現短缺時，通膨便開始失去控制，黑市的出現也讓物價問題更加嚴重，當局於一九四三年十一月成立的中央物價控制委員會對於這些問題完全無能為力。[112]儘管日本的薪資因為企業之間為了爭搶稀少的人力資源而快速上升，但到了一九四四年，實質薪資依然比戰前縮水了三分之一，隔年更是只剩戰前的一半。[113]與此同時，中國的通貨膨脹早已失去控制，一九四五年的平均實質薪資比戰前短少將近三分之二，許多工人不得不在最低生存線之下辛苦生活。[114]

二戰迫使英美放棄物價與薪資的自由市場機制。與專制政權不同，英美在進行國家管制時必須考慮企業利益與勞工組織。戰爭初期，英國對於物價與薪資完全未進行任何實質管制，通貨膨脹因此開始惡化。到了一九四〇年底，英國生活成本指數已經比前一年高出三分之一，凱因斯等經濟學家預測的危機也似乎即將發生，有人建議提高薪資以縮小薪資與物價的差距。儘管工會願意接受薪資限制與七月剛成立的國家仲裁法庭的裁決，一九四〇年還是有大約八十二萬一千名工人罷工，這是戰時罷工的巔峰。勞動部表示，政府的首要目標是想辦法讓「全體勞工都能感到滿意」，英國戰時薪資率的上漲速度因此超過了生活成本。延長工時、加班費與紅利使英國工人平均週薪上漲將近四成，而民間家戶生活成本則上漲了三分之一。英國對物價管制採取漸進方式：一九四〇年八月，政府同意對糧食進行補貼，讓所有基本糧食成本維持穩定；在一九四一年的預算中，政府決定讓租金與燃料價格固定不動，同時鼓勵民間市場生產者集中與合理生產以降低成本。一九四一年七月，政府終於通過《商品與勞務法》（又稱《物價控制法》），讓國家有更大權限控制最高價格與最大利潤率。[115]企業與勞工都參與了決策，避免讓外界產生國家專斷控制的印象。凱因斯為此表示，透過集體方式來處理通膨危機，「可以讓民眾覺得這種做法符合公平正義。」[116]

相較於歐洲，美國企業與一般民眾更不信任國家介入經濟，這點可以從一九三〇年代為了處理經濟大恐慌的新政所引發的衝突明顯看出。然而，面對武裝部隊消耗民間消費者所需的半數物品，羅斯福政府不得不尋求辦法來控制物價與薪資。美國從一九三九年開始重整軍備，使得物價進一步提高，但政府最初的做法是鼓勵企業自行限制價格上漲。一九四一年，軍事支出快速增加，以往針對物價所做的任何限制完全失效。儘管堅持控制鋼鐵、橡膠、石油等戰略物資價格，美國政府仍發現消費者物價指數在一年內急升了百分之十二，批發價格甚至上漲了百分之十七。一旦開戰，美國政府瞭解有必要採取緊急行動。一九四二年四月，物價管理局對所有物品實行一般最高價格管制。這項被簡稱為「高價管制」的措施，要求企業商品價格必須固定在某個基準日上，但價格畢竟是由企業自行訂定，因此資本家在會計上還是有許多可以操作的空間。一九四二年，通貨膨脹仍沒有停止的跡象，勞工開始感到不安，因為工會已經同意限制薪資上漲，也簽訂了不罷工協議。一九四三年四月，羅斯福總統終於迫使企業與工會同意在戰時凍結所有物價與薪資，這項措施交由新設立的經濟穩定局執行。羅斯福表示，「釘緊價格」的做法執行得頗有成效，部分原因在於負責固定價格的官員仰賴六千個地方配給單位回報違法狀況，例行地施加懲罰。換句話說，商品價格是由聯邦官員決定，形同放棄了自由市場機制。在戰爭的最後三年，美國消費者物價指數每年只上漲百分之一點四，比所有交戰國都要低。[117]

這些經濟策略主要針對的是大眾，因為平民必須承受軍事消費增加與民間各項消費品大量減少的衝擊。只有美國與加拿大這兩個擁有豐富經濟資源的國家，才有能力同時增加軍備與民間消費品產量。從一九三九年到一九四四年，美國糧食消費增加百分之八，但衣服與鞋子增加百分之二十三，家庭用品（不包括耐久財）增加百分之二十六，菸草與酒增加百分之三十三。相較之下，英國糧食購買量減少百分之十一，衣服與鞋子減少百分之三十四，家庭用品減少超過一半。[118]雖然美國的個人消費成長有著不同的估計數字，但與一九三九年這個經濟大恐慌後整個一九三〇年代消費最高的一年相比，美國在戰爭期間的個人消費依然出現明顯的增長。官方數字顯示，美國平均每人的實質支出（扣除海外軍隊與根據物價上漲進行調整之後）在一九三九年是五百一十二美元，到了一九四五年則是六百六十美元。[119]如果考慮戰時主要耐久財（尤其是汽車）生產量下降到極低的水準，上述數字就顯得更加突出。也就是說，美國人除了購買戰爭債券，還花更多的錢購買衣服、鞋子、酒與香菸。

除了美國這個例外，其他交戰國的個人消費都受到大幅削減，以便將資源轉移給軍隊。就像加稅與認購戰爭債券一樣，削減消費也被視為動員戰爭不可避免的結果，一般民眾也認為這麼做理所當然。有幾個方式可以讓民眾減少有形消費，避免花費剩餘所有：首先是配給消費品，特別是糧食與衣服，關閉不必要的民間生產或將其轉換成軍事生產。其次是透過摻假或標準化來降低消費品的品質。第三，讓消費品製造者缺乏原料與勞工來進行生產。在英國與德國，家庭用品都被製造成廉價的標準形式，如英國市場上的「實用產品」與德國市場上的「標準產品」，雖然選擇減少，卻能維持最低程度的供給。若以一九三八年為基準指數一百，則英國總合消費支出從一九三八年的一百降到一九四四年的八十六，非糧食的消費降幅更大：衣服從一百降到六十一，家庭用品從一百降到七十三，家具從一百降到二十五。[120]

今日仍有不少人認為，德國民眾是直到戰爭末期才開始節衣縮食，然而事實剛好相反：德國人從戰爭一開始就比英國人更大幅度且更有系統地抑制消費。從一九三九年秋天起，所有物資若非進行配給，就是生產遭到限制或禁止。德國平均每人消費支出早在戰前就已經開始下降，開戰之後更是迅速下跌。以一九三八年為基準指數一百，一九四一年價格調整後的消費指數下跌到八十二，最終在一九四四年下跌到七十；如果把大日耳曼國較為窮困的併吞地區也涵蓋進去，則指數分別是七十四點四與六十七。希特勒政權認為德國在一九一八年戰敗的主因是社會危機，因此希特勒極力避免社會危機出現，設法讓所有民眾能維持「最低限度的生存」。戰爭期間，儘管遭受盟軍密集轟炸，德國人依然維持最低限度的刻苦生活，排除了所有非必要的糧食與家庭用品。一名美國記者在一九四一年提到，德國人過著「徹底斯巴達式」的生活，只能勉強忍受。[121]與英國人一樣，德國人也必須「湊合著過日子」，舊衣服、鞋子與家具都要靠自己縫補修理。一九四三年與一九四四年，德國城市遭到猛烈轟炸，家庭用品的大量損失迫使工廠不得不重新生產消費品。然而，許多被炸毀的物品之所以能獲得替補，主要是因為倉庫裡存放了大量從被流放與殺害的猶太人家裡沒收的家具、衣服與鞋子。

日本與蘇聯的戰時消費者面臨的狀況與其他國家不同，兩國的生活水準相對較低，總體戰的需求幾乎耗盡了平民人口所需的絕大多數資源。在日本，民間供給的順位排在後頭，而且從一九三〇年中期之後就持續下降。政府宣傳要求民眾過著刻苦節儉的生活；一九四〇年，新法規限制消費生產，「奢侈是敵人」的口號成為戰時文化的官方修辭。[122]民間生產者只能生產糧食，其他生產都必須停止，或者是將資源用來生產軍火。一九四三年四月擬定的日常必需品計畫將重點放在糧食、家庭燃料與紡織品，但同年紡織產業卻完全被分配來進行軍事生產。政府的目標是將民間消費減少三分之一，但政府愈是堅持將資源優先投入於已經不利的戰事上，消費品的生產就下跌得更多。到了一九四四年，消費品生產已經降至戰前水準的一半，到了戰爭結束時更是只剩五分之一。[123]在蘇聯，民間供給也排在戰爭產業後頭，只達戰前水準的三分之一。實質價格的零售貿易額，從一九四〇年的四千零六十億盧布，下跌到戰時一九四三年的一千四百七十億盧布；蘇聯的平均家戶消費與歐洲相比已經偏低，但到了一九四三年依然下跌到戰前的六成。絕大多數消費者面臨的問題是政府允許不同的價格水準。配給的糧食與戰爭物資受到管制，但其他物品則任由需求壓力決定，並且出現嚴重的通貨膨脹。薪資的漲幅跟不上物價，絕大多數俄國消費者的生活都要比官方數字顯示的來得惡劣。[124]所有關於蘇聯戰時生活的描述都顯示平民生活在赤貧之中，但與二十年前推翻沙皇政府的大後方危機不同，此時的蘇聯仍有剛好足夠的糧食與燃料（與國家恐怖）來避免社會崩潰。

日本與蘇聯的狀況顯示，糧食供給在維持大眾正常運作與願意進行戰爭上有著絕對的重要性。

各國政府採取的措施無不呼應著邱吉爾的堅持：「為了維持國內民眾的精力與決心，一切必需的供給絕對不能少。」[125]控制農業生產與維持糧食貿易是讓動員獲得普遍成功的關鍵。美國與大英帝國自治領都屬於糧食過剩地區，因此唯有美國與大英帝國自治領不用面對平民糧食短缺的急迫問題，儘管如此，高度的軍事需求與廣泛的糧食出口依然讓這些糧食過剩地區必須對糧食供給實施有限的配給與管制。在美國，絕大多數民眾就算沒有吃得比較好，至少也維持跟戰前一樣的水準。平均每日攝取熱量實際上高於一九三〇年代水準：一九三八年，每人攝取熱量三千兩百六十大卡，一九四三年更是達到戰時高峰的三千三百六十大卡。[126]雖然肉類、咖啡、糖與乳製品最終都必須配給，但相較於各國標準，美國的配給量可說極為慷慨。每人年肉類消費量從一百四十三磅（六十五公斤），增加到一九四四年的一百五十四磅（七十公斤），使美國人飲食的蛋白質分量達到歷史新高，不過這份官方數字低估了黑市（所謂的 meateasies）的肉類消費量，因為在國家控制體系之外的農民與屠宰場也會把肉送到黑市去賣。[127]更重要的是，透過《租借法案》，美國願意無償提供大量糧食給其他同盟國。對蘇聯來說，四百四十萬噸的糧食無法解決糧食問題，卻能讓飢餓的士兵與平民活下去。[128]

在糧食短缺地區，包括一九四一年到一九四二年喪失五分之三農業區與三分之二糧食供給區的蘇聯，各國政府無不想盡辦法維持適當的熱量攝取，特別是要讓工廠工人與礦工吃飽，並且透過配給確保對日漸減少的糧食進行公平分配。配給的份額無法做到完全平等，例如德國礦工與鋼鐵工人每天可攝取四千兩百大卡，「一般」消費者則只有兩千四百大卡。而隨著戰爭持續，蘇聯、日本與德國逐漸連維持配給都難以做到，但到了戰爭最後幾個月，只有日本實際陷入糧食供給崩潰的狀況。在配給減少的環境下，一旦武裝部隊能夠獲得所需的份額，就表示武裝部隊以外的民眾不可能維持戰前的糧食水準。各國政府只能選擇增加高熱量的糧食，而無法顧及蛋白質、脂肪與新鮮農產品的補充，這代表絕大多數都市消費者只能擁有充滿澱粉的單調飲食，缺乏維生素等營養。這樣的食物其實足以生存，只不過長期而言會損害健康。西北歐的主食是馬鈴薯，義大利是小麥，日本與中國則是稻米。馬鈴薯容易種植，即使在貧瘠的土地也能生長，而且富含營養。英國從一九四〇年到一九四四年的馬鈴薯產量增加超過五成，德國馬鈴薯的消費量也比戰前多了九成。[129]在蘇聯，一九四四年的馬鈴薯產量比戰前多了百分之一百三十四，對許多俄羅斯人來說，就連在集體農場裡工作的人也一樣，馬鈴薯是唯一的營養來源。一九四二年四月，蘇聯名義上的元首，蘇聯最高蘇維埃主席團主席加里寧（Mikhail Kalinin）甚至針對馬鈴薯向全國民眾提出呼籲：「如果你們想擊敗德國法西斯入侵者贏得勝利，那麼你們必須拼命種馬鈴薯，愈多愈好。」[130]

相較之下，馬鈴薯以外的主食往往較難滿足糧食需求。在以玉米與小麥為主食的義大利，農業生產從戰前的水準一路下滑，更糟的是，義大利需要出口糧食以換取戰爭需要的石油與原料；到了一九四三年，糧食淨產出減少了四分之一，配給糧食的熱量減少到僅剩九百九十大卡，不過絕大多數的糧食生產與消費並未涵蓋在配給體制之內，這些糧食往往因為嚴重通膨而價格高漲。[131]稻米是最具挑戰性的農產品，不僅對日本消費者是如此，對於整個受亞洲戰事影響的地區也是如此。一九四一年四月之後，日本都市消費者每日的稻米配給是三百三十公克，可以提供基本的一千一百五十八大卡，其餘熱量則以小額配給的其他糧食補足。然而到了一九四四年到一九四五年，由於美軍進行海上封鎖，大日本帝國各地稻米的供給量急速下跌，與戰前相比，稻米消費量幾乎少了四分之一。此時都市消費者每日的熱量攝取已經下降到一千六百大卡到一千九百大卡，不足以維持長時間工作所需。[132]

糧食短缺地區的農業面臨許多共同問題。男性勞動力被軍隊大量徵召、農業機械設備破舊損壞且許多根本無法替換、生產化學肥料的原料被拿去生產火藥、牲口與曳引機被軍方徵用。在德國，人造肥料供給在戰時減少了一半，用來生產農業設備的鐵的分配量，也從一九四一年的七十二萬八千噸，下降到一九四四年的三十三萬一千噸。戰爭初期，百分之四十五的男性勞動力遭到動員，只能由女性來進行農業生產。到了一九四五年，德國本土農業勞動力已有百分之六十五點五是女性，另外也投入了大量外籍工人與戰俘的勞動力。[133]在蘇聯，機器設備已經完全從集體農場消失，肥料也無法獲得優先配給，男性勞動力減少到只剩一小部分。到了一九四四年，農村勞動力已有五分之四是女性；原本由牲口拉動的犁，現在改由一群女性一起拖拉。[134]英國的經驗是例外。戰前，英國有七成糧食供給來自於海外。艙位的短缺與德國的潛艦戰迫使英國政府迅速進行國內農業生產，大量投資機器、設備與肥料生產以協助轉型。曳引機生產增加了百分之四十八，脫粒機增加了百分之一百二十一，馬鈴薯收穫機增加了百分之三百八十一；牲口普遍未受到徵用，因為英國陸軍幾乎已經完全摩托化。國內的穀物生產從一九三九年的四百二十萬噸增加到一九四四年的七百四十萬噸，完全彌補了穀物缺口，使英國在戰時完全不用實施麵包配給。[135]英國在戰前就已推動農業現代化與有利增加民眾營養攝取的政策，使得英國人在戰時可以比其他糧食短缺地區的消費者吃得更好。

由於糧食供給十分重要，人們因此想了一些辦法來補充配給物品的供給與增加後方人口的每日熱量供給——有些辦法合法，但更多是不合法。主食的需求造成畜牧業的衰退與可耕地的增加，導致令人吃驚的結果。好比在英國，從和平時代末期到一九四四年，農產品的熱量值幾乎增加了一倍。在日本，當局堅持種植高熱量作物，於是水果、花卉與茶等五十種農產品的種植受到限制或禁止。[136]另外一種增加可耕地的方式相當簡單，就是鼓勵民眾自行種植農作物，特別是都市民眾。美國廣泛推廣「勝利菜園」，在戰時總共出現了兩千萬座菜園（一九四三年，番茄的收成因此創下紀錄），英國民眾則在政府勸導下發起「為勝利翻土」運動，民眾在自家草坪與空地進行翻土，開始種植蔬菜與水果。到了一九四三年，英國總共有一百五十萬處空地供應當季作物來補充戰時的單調飲食。在日本，民眾開始在鐵路邊上的土地與學校操場種植作物。[137]空地的使用也拯救了蘇聯的勞動力。一九四二年四月，克里姆林宮允許城市工人利用未開墾的土地，到了一九四四年，總共已有一千六百五十萬處空地生產蔬菜、水果甚至肉類。另有六十萬名武裝志工負責守衛這些空地以防止饑民偷竊。[138]

在糧食短缺且短缺無法填補的地區，開始出現成分摻假與代用的食品。一九四二年，英國的白麵包變成了米黃色，因為麵粉業者奉命提取更多穀物的殘餘物；日本的白米變成棕色也是一樣的道理。日本農商省糧食替代局試圖研發一種「粉末飲食」，用乾橡實、地瓜葉或桑葉混和麵粉製成，但未能成功。在德國，雖然民眾不喜歡，但從紡織品到咖啡的代用品仍獲得廣泛使用。茶葉以野生植物與莓果來取代，咖啡則改用大麥製成。柏林人很快就為這些代用品取了難聽的綽號：代用咖啡被稱為「黑鬼汗水」，加在代用咖啡裡的摻假奶粉被稱為「屍水」。一九四一年，義大利流通著一本標題為《別浪費》的小冊子，上面介紹用麵包屑製成的「假魚」或「假肉」食譜，還有不用糖或蛋製作的「自給自足」甜點，以及沒有咖啡的咖啡。[139]

當各種方式都無法解決糧食短缺的問題時，黑市便成了令人難以抵擋的誘惑。現實上，絕大多數市場並未受到糧食管制與配給體制的限制，這些市場與其說是非法，不如說處於法律地位不明的灰色狀態。在蘇聯，當局允許配給制度之外存在一定程度的糧食買賣，這些糧食主要來自於小農地，出售的價格完全不受政府管制。非配給的糧食價格上漲超過十倍，遠非絕大多數都市勞動力所能負擔。與蘇聯一樣，日本與義大利也擁有大量農村人口，當局對於民眾到鄉村尋找食物的行為睜一隻眼閉一隻眼，這些飢餓的城市人口會想盡辦法向農村人口購買多餘的糧食。在日本，通常會叫孩子到鄉村購買糧食，不只是因為孩子比較能引發農民同情，也因為警察對孩子比較不會像對付其他作奸犯科的人那樣嚴厲。從一九三〇年代開始，隨著糧食愈來愈缺乏，日本黑市也跟著發展起來。一九三八年，日本設立「經濟警察」取締規避配給與操縱價格的行為，往後十五個月，經濟警察總共逮捕了兩百萬人。都市家庭為了生存，不得不從事非法交易，警察無論怎麼取締與控制，都無法產生效果。[140]在中國，祕密警察（軍統）也負責取締囤積居奇、走私與黑市，這些非法行為往往出現在介於中國政府、地方軍閥與日本占領者之間的三不管地帶。同樣地，即使處以數百萬元的罰鍰，也無法打擊這些非法交易。[141]

在配給制度較為有效且管制較有組織的社會，非法交易通常被視為犯罪行為，而且也依刑法加以處置。德國早在一九三九年九月四日就頒布了經濟犯罪法令，其中涵蓋任何想規避糧食供給管制與配給的行為。最高刑度可以達到死刑，有幾件轟動一時的案子被判處反叛人民罪，犯罪者遭到處決。[142]然而這當中也存在著灰色地帶，少數交易可以存在於朋友或可以信賴的店鋪老闆之間，不過風險依然很高。英國實施糧食配給的範圍較小，當局防範的重點在於避免各地零售商哄抬價格，造成通膨升溫。要防止這種情況非常困難，但英國政府終究研擬出一套監督制度。然而當這項制度一上路，告發的數量便開始直線上升。在整個戰爭時期，英國糧食部起訴了至少十一萬四千四百八十八件違反市場管制與非法交易的案子，但所謂懲罰也不過是些許罰金或短暫拘留。因此在戰時的英國，黑市買賣始終十分猖獗——弔詭的是，英國卻是所有交戰國中糧食供給較為慷慨與廣泛的國家。[143]

官員擔心糧食供給不足可能影響戰爭的人口動員，但這種憂慮其實是杞人憂天，二戰也並未像一戰末期那樣出現革命危機。儘管如此，這不表示所有人都能擁有相同的機會取得糧食。政治與商業菁英不僅吃得好，還能大擺宴席，曾經參加克里姆林宮的晚宴或曾經與邱吉爾共進晚餐的人都見識過這些場面。德國納粹黨高層可以任意開啟上了封條的倉庫，享用裡面的菸草、咖啡與奢侈品。東京的時髦餐廳持續服務日本的有錢人，餐廳外頭的許多民眾卻骨瘦如柴。城市與鄉村通常有著明顯對比，但蘇聯是例外，蘇聯集體農場的農民只能留下少許自己種植的農作物，他們必須四處尋找額外的糧食。德國當局試圖管制農村所謂「自給自足者」保留農作物的數量，他們頒布一連串複雜法規，對每位農民可以擁有的麵包、肉類、奶油、雞蛋與牛奶數量定下配額。在日本，稻米市場由政府管制，政府對於每個農戶規定了配額，藉此限制農村人口對農作物的消費量。[144]儘管如此，辦法是人想出來的，當德國與日本的城市民眾為了躲避轟炸而疏散到農村時，他們看到城市裡長時間從未出現的糧食，多樣且大量。農民寧可冒險也要囤積糧食，甚至與非法的屠宰業者合作。

在最脆弱的幾個國家，都市消費者必須持續忍受極度貧乏的飲食。戰後對義大利的估計發現，一九四二年到一九四三年大約有七百萬到一千三百萬的都市居民糧食供給「低於最低生理需求量」；蘇聯與日本在戰爭中期的糧食配給同樣無法維持正常的身體需求。[145]蘇聯與日本都成功防止饑荒發生（日本差一點就爆發饑荒），但兩國工人必須在飲食不佳的狀況下努力工作，持續處於飢餓狀態，健康也持續耗損。另一個嚴重的問題是，配給額度意謂著你有權得到多少糧食，但不表示糧食真能送到你的手上。官員有時會苛扣原本該分配給飢餓工廠工人的糧食。[146]蘇聯民眾沒工作就沒有權利獲得配給，戰爭期間因此餓死的民眾數量不詳。蘇聯工人如何能在粗劣飲食、寒冷且不衛生的環境下一天工作十到十四個小時，始終都是個難以解釋的問題。蘇聯與日本工人要不是死於營養不良，就是因為超時工作而在他們操作的機器旁倒下，這除了源自於嚴厲的社會壓力要求人們集體行動，也源自於國家高壓的強制手段。

隨著蘇聯逐漸奪回被德國占領的失地，蘇聯工人的處境也開始跟著好轉，但日本可就沒有那麼幸運。到了一九四五年，日本都市人口已經面臨饑荒危機。日本從帝國各地進口的稻米，從一九四一年到一九四二年的兩百三十萬噸，下降到一九四四年到一九四五年的二十三萬六千噸，後方的稻米產量也從一千萬噸下降到戰爭最後一年的五百八十萬噸。[147]日本的進口受到美軍潛艦與空中的封鎖，日本商船船團在一九四五年已有五分之四遭到擊沉。美軍的轟炸也造成八百萬都市人口疏散到鄉間，不僅破壞了收穫週期，也影響了糧食分配。到了一九四五年夏天，平均每人糧食消費量已降到一千六百大卡，但這只是平均數字，實際上存在著嚴重分配不均的問題。糧食危機引發日本保守派菁英的擔憂，他們認為糧食短缺很可能引發社會動亂，甚至出現像沙皇時代的共產革命。一九四五年六月，內大臣木戶幸一向裕仁天皇示警，認為糧食危機很可能表示「當前的局勢即將無可挽救」。儘管傳統轟炸與原子彈轟炸皆造成廣泛的社會混亂，但革命終究沒有爆發。裕仁天皇最終在八月十日做出投降的決定，至少有部分原因是裕仁擔心日本帝國在被美國擊敗之前，就因為饑荒造成的社會動亂而覆滅。[148]

無論在歐洲還是亞洲，饑荒的出現最終都要歸因於戰爭造成的破壞。雖然自然因素也扮演了一定角色，但最大規模的饑荒主要都是人為。在希臘占領區，德軍的給養完全仰賴當地，也就是說從一九四一年四月開始，德軍就拿走了當地所有糧食庫存，也奪取了所有馱獸來搬運這些糧食。德軍無情地徵用，完全無視希臘都市人口的需要。希臘傀儡政府實施的配給制度因此完全崩潰，因為一百三十萬名小農不願接受政府以固定價格收購糧食——他們大可囤積穀物，再販售到黑市賺取更高的利潤。[149]到了一九四一年秋天，雅典—比雷埃夫斯（Athen-Piraeus）這個主要都市地區獲得的糧食已不到需要量的四分之一。麵包只能不定期地進行配給，從每日三百公克降到一百公克；紅十字會與其他慈善團體設立的免費供餐處只能提供十五萬人飲食，而飢餓人口卻在一百萬人以上。[150]九月，饑荒已近在眼前，德國占領者拒絕提供協助，他們認為這是義大利征服的區域，應該由義大利人負責。義大利運送了一些糧食，但不足以解決供給與運輸的危機。在英國海軍封鎖下，中立國的糧食也無法運進希臘。在一九四一年冬天的雅典，死亡率增加了六倍以上，最脆弱的民眾要不是餓死，就是因為缺乏抵抗力而病死。一九四二年二月，英國政府在強大民意壓力下同意放鬆封鎖，但到了六月才成立瑞典與瑞士救濟委員會負責將糧食運進封鎖線進行分配，直到七月才終於有大量糧食送進雅典。一九四二年八月，有八十八萬三千名雅典人仰賴免費供餐處維生，約占雅典人口的八成。[151]在占領期間，糧食短缺的問題始終未能解決，但饑荒危機在一九四二年到一九四三年獲得緩解。根據紅十字會的估計，一九四一年到一九四四年至少有二十五萬人直接或間接死於飢餓與營養不良。

在亞洲，戰時發生的三場大饑荒奪走了超過七百萬條性命。其中有兩場還是發生在盟軍控制的地區，分別是印度東北部的孟加拉與中國的河南省；另一場則發生在日本占領的法屬印度支那東京地區。饑荒有部分原因是氣候造成，例如霜害、氣旋或旱災，但自然原因造成的糧食損失不足以引發大規模糧食短缺。在這三場饑荒中，糧食短缺主要是戰爭造成的市場扭曲與分配不均的結果。隨著緬甸稻米供給減少，孟加拉首當其衝。一九四二年，緬甸小農生產的稻米被投機者收購一空且加以囤積。米價從一九四二年十一月的每孟德（maund，三十七公斤）九盧比，上漲到隔年五月的三十盧比，不僅窮困的無土地勞工無力購買，就連之前出售稻米的農夫也買不起。印度政府決定收購穀物來餵養加爾各答的勞動力，並且允許稻米在市場上自由交易，然而這些做法反而使局勢更加惡化。當孟加拉爆發饑荒時，印度政府並未立刻意識到問題的嚴重性。原本應該從稻米過剩地區運送稻米的貨船，要不是為了避免日本奪取貨船而停止出航（停止出航的貨船占了可用的六萬六千五百艘貨船的三分之二），就是已被軍隊徵用。[152]結果就是印度其他省分雖然有過剩的稻米，卻無法運到孟加拉。當局經過一段時間之後才發現問題所在。英國總督一方面對於在印度報紙上看到死者與垂死之人的照片感到難過，另一方面卻又動用宣傳來反制這類「無濟於事的恐怖故事」。一九四三年十月，當局終於採取措施，對現有的稻米進行配給與分配，然而此時估計已有兩百七十萬到三百萬名孟加拉人死亡。[153]

一九四二年，中國河南省稻米歉收，加上無法從緬甸與越南進口稻米，使得稻米短缺趨於嚴重。富有的地主與投機者向貧困農民收購穀物並且進行囤積，耕牛與男性勞動者的短缺更進一步降低了地方的生產力。鄰近各省拒絕釋出過剩穀物，國民政府也無法提供有效的救濟措施。從一九四二年十月到一九四三年春，大約有兩百萬到三百萬人死亡，估計占了全省人口的三分之一。類似的狀況也發生在印度支那。一九四二年八月，日本與維琪法國地方當局簽訂協議，每年從印度支那徵收一百萬噸的上等稻米。殖民國向數百萬名小農徵收穀物，但米價上漲卻使得富商開始收購稻米囤積居奇。從一九四三年底到一九四五年夏天，印度支那東京地區的民眾開始遭受饑荒或近乎饑荒的災害，造成大約五分之一人口死亡。[154]在前述四場大饑荒中，糧食缺乏都是人為造成的，原因不外乎軍事掠奪、中間商的貪婪、政府當局的無能或漠視。

男性人力與女性人力

除了財政與糧食，總體戰進行的集體動員還意謂著將所有四肢健全的民間勞動力全部動員起來。這個現象符合戰前對總體戰的核心定義：投入所有人力資源以達成贏得戰爭的唯一目標。這項非比尋常的主張依然與一戰的成敗經驗有關，而且這項主張並非只是說說而已。所有交戰國都為了相同目的動員所有勞動人口投入戰爭，而當所有交戰國最後都面臨勞動資源不足的問題時，他們都開始把動員對象擴大到所有可僱用的人口，以取得新的勞動資源。工人在軍隊以外的前線作戰，但他們也被定義成類似軍人的身分。美國宣傳品要求工人把自己視為「生產的士兵」，與海外的美國大兵並肩作戰。蘇聯勞動法明文將工人定義成軍人：一九四一年十二月二十六日的法令更是規定，無故曠工等同「逃兵」，最高可判處監獄營八年徒刑。雖然德國並未正式將工人軍事化，但蓋世太保設立的「工作教育營」卻提醒民眾，「在戰爭中，每個人必須最大程度地貢獻自己的勞力」，否則後果自負。[155]

面對這場戰爭，國家與政府組織只能全力動員與分配所有的勞動力。勞動策略如此重要，負責勞動分配的部會因此實際掌握了龐大權力。然而在絕大多數狀況下，這些部會往往形成多頭馬車，各自採取做法控制戰時經濟，勞動配置與生產計畫的整合很少能一氣呵成。有時候，就連勞動配置這項業務也可以區分成不同部門。美國的全國戰時勞動委員會必須與戰時人力委員會進行政策協調（美國為了進行戰爭，一共設立了一百一十二個新部會，這只是其中兩個）。在德國，勞動部必須與另外兩個機構競爭，一個是萊伊領導的德國勞動陣線，另一個是招克爾（Fritz Sauckel）擔任的勞動配置總監，後者設立於一九四二年，負責增加外國勞工的徵召數量。美國與德國都因為缺乏統一的勞動計畫而難以做到生產最大化。

英國的勞動政策較為集中化。一九三九年四月頒布的《全國勞工徵召法》（National Labour Conscription Ordinance）與三個月後頒布的《人民動員法》（People's Mobilization Ordinance）很快就規定了勞動配置（不久便轉變成徵召），這兩部法令建立了全國性的勞動計畫以投入戰爭。工會領袖貝文（Ernest Bevin）加入一九四〇年的邱吉爾內閣，並且被任命為勞動大臣，之後通過的《國家兵役法》使國家可以在有需要的時候進行勞動配置，這讓貝文取得一定程度的執行權力。他曾向其他閣員坦承，「這在英國是史無前例」。[156]「全國就業登記」的實施也使貝文得以掌握英國人力結構的全貌，簡化了戰時勞動資源重分配的過程。這種權力在美國不可能存在，因為美國有著反對國家控制的堅強傳統。感到挫折的羅斯福總統最終在一九四四年一月將《國家兵役法》送進國會，試圖解決勞動短缺的問題，但這項法案依舊遭受龐大反對，於四月在參議院遭到否決。一名記者歡呼說，這項表決代表「美國不應該受獨裁制度統治」。儘管如此，美國還是推動了若干勞動配置計畫，鼓勵民眾戰時就業。美國戰時人力委員會將工人配置到至少三千五百萬個工作崗位上，但這些工人都是自願的，而非受到徵召。[157]

各交戰國就業結構的不同，主要表現在農業的勞力密集度上。日本、義大利與蘇聯的農業勞力密集度較高，英國則非常低，英國的勞動力主要集中在工業與服務業。對於工業化與都市化程度較高的經濟體來說，核心議題主要是將工業內部的勞工從民間生產轉移到戰爭相關的承包業務，而非將工業以外的勞工吸收到工業內部。在德國，直接投入戰爭生產的工業勞動力比例，從一九三九年的百分之二十二，增加到一九四三年的百分之六十一，製造業則是從百分之二十八增加到百分之七十二；在英國，非必要的工業產業喪失了四成的勞動力，到了一九四三年，三分之一的工業勞動力都集中在武器的直接生產。[158]農業產業較為龐大的國家，則會從農業徵召勞工，必要的話還會讓這些勞工投入工業。戰時日本從農業徵召了一百九十萬名工人，這些人投入於軍備生產。一九四一年，蘇聯從農村徵召了將近五十萬名年輕人，讓他們進入勞工預備學校學習戰時關鍵工業需要的技能。義大利由於缺乏工程工人，因此戰時從鄉村與手工業徵召人力接受訓練計畫。[159]在美國，從一九四〇年到一九四五年，農場工人減少了將近一百萬人，但所謂的「第一類產業」（包括絕大多數軍備生產）卻從一九四〇年的五百三十萬人增加到三年後的一千一百萬人，不僅吸收了農場工人，也吸收了消費或白領產業的員工。而在失業人口與未充分就業的可用人力資源方面，各經濟體的狀況也大不相同。一九三九年戰爭爆發之前，德國已經達到充分就業。蘇聯也宣稱沒有失業人口，就連年輕女孩也必須在糟糕的環境下一天工作十小時。另一方面，英國在一九四〇年夏天仍有一百萬人失業，美國則有超過八百萬人失業，另外還有數百萬人只有短工時的工作。到了戰爭結束時，美國的失業率微乎其微，只剩六十七萬人失業，就業人口已高達六千五百萬。英國在一九四四年的失業率平均也只有百分之零點六。[160]

無論各國的勞動結構存在多少差異，隨著戰爭持續延長，各交戰國都出現了一個共同特徵：工人短缺。軍隊需要人力，要維持非作戰人口的最低供給也需要人力，這些都限制了與戰爭相關的軍備、設備與原料供給的可用人力。開戰初期，最缺乏的就是技術工人。雪上加霜的是，對勞工的需求增加，促使工人往薪資較高、工作條件較好的地方移動，無論政府再怎麼努力控制勞工移動，設法讓工人繼續待在原先的工作崗位上，雇主或工廠經理都會對工人照單全收，哪怕相關文件並未備齊，因為實在太過缺人。在蘇聯，儘管無故缺勤會遭到嚴懲，但戰時「擅離職守」的人居然多達一百八十八萬人，而這些人最終都會在別的地方找到新工作，為蘇聯的戰爭投入做出貢獻。[161]在日本，「擅離職守」相當普遍，大企業雇主總能引誘勞工在未經授權下冒險離開原來的工作崗位到新的地方任職，而這些雇主也會協助這些勞工偽造必要文件。日本厚生省試圖固定薪資，並且在一九四一年十月實施「全國工作手冊制度」，又在四個月後通過《勞工離職管制法》以控制工人流動，然而黑市薪資的出現仍舊對這類措施構成挑戰。[162]在美國，工人並未受到法令或勞動營的威脅，因此難以強迫工會同意戰時政府禁止工人更換工作。大約有兩千五百萬名美國人會前往其他郡或州尋找更好的工作，其中包括一百萬名南方美國黑人，他們希望到北方的工業城市尋找機會。然而這些離鄉背井尋找工作的黑人卻飽受歧視，軍火產業的雇員只有百分之三是黑人，因為雇主認為這些黑人缺乏足夠的技能。[163]

有很多方法可以解決工人短缺的問題，最簡單的做法是延長工時與額外輪班。不分年齡性別，也不分日夜，所有人都要輪班十到十二小時，這是戰時許多工人的共同經驗。在日本與蘇聯，工人必須每天工作，完全沒有假日，這樣的要求使許多工人因為勞累與疾病而弄垮身體。所謂的「重新配置」，就是把工人從消費產業、手工業或服務業這些非必要的職業「梳理」出來，使軍隊能夠得到新兵，而戰時產業也能得到額外的工人。一九四一年三月實施的英國「生產集中」計畫，授權政府關閉二十九種產業，將這些產業資源重新配置在各產業最大與最有效率的公司裡。[164]德國在戰時持續進行「梳理」工作，但最大規模的勞動轉移其實出現在開戰的最初兩年。到了一九四二年，德國人數龐大的手工業已經有四成勞動力轉移到戰時產業，許多都是年紀較大的技術工人；到了一九四〇年夏天，消費產業的男性就業人數減少了五十萬人以上，許多人要不是進軍隊服役，就是轉移到戰時產業。[165]

生產「合理化」(rationalization)也可以解決工人短缺的問題。更有效率的工廠空間布局，更廣泛地使用專門化的工具機，使用能容納生產線的大型廠房形成規模經濟，這些都能減少平均每個工人的勞動投入與增加勞動產出。在英國與德國，國家會派出督察員巡視每家工廠，找出績效不佳的廠商，要求這些廠商學習各產業優秀廠商的做法。效率為國防產業帶來大量收益，而效率的提升往往來自於工廠工人的建議。一九四一年，德國有三千家公司推行建議制度，一九四三年增加到了三萬五千家。工人提出的建議如果有效，就能獲得紅利或額外的配給。[166]一九四二年四月，英國電氣公司生產一架哈利法克斯轟炸機需要四百八十七名工人，但一年後只需要兩百二十名工人。一九四三年，德國引進生產線來製造三號戰車，每輛戰車工時從四千小時減少到兩千小時；德國航空發動機生產合理化之後，BMW每具航空發動機的工時從一九四〇年的三千兩百六十小時降到一九四三年的一千兩百五十小時。[167]結果就是德國的戰時產業生產力大為提升（以每人產出來衡量）。蘇聯廣泛實施量產來滿足戰時需求，國防產業每個工人提升的價值從一九四〇年的六千零十九盧布，增加到一九四四年的一萬八千一百三十五盧布。戰時產業的生產力增長是所有交戰國共同的現象，但另一方面，農業與消費產業生產力則普遍陷入停滯或甚至衰退，因為這些產業原本的技術工人都遭到動員，取而代之的全是未經訓練的工人。[168]

由於徵召大量男性進入軍隊，加上戰時急需工業與農業勞工，動員女性因此成為首要之務。與自願入伍的女性一樣，身處後方的女性也瞭解自己是總體戰不可或缺的一環，而不只是戰時男性的替代品——儘管戰時的描述卻總讓人留下這樣的印象。女性身為工人、選民、黨員或服務志工，她們在戰前就跟男性一樣，都是社會組織的成員。在戰前，各國女性在勞動力上占有相當程度的比例，英國與美國較低（開戰時接近百分之二十六），德國與日本較高（分別是百分之三十七與百分之三十九），蘇聯最高，達到百分之四十。在戰時，英美這兩個民主國家的女性就業大幅擴張，其他國家則因為女性參與率原本就比較高，因此擴張有限，通常女性要不是從民間生產重新部署到戰時生產，就是在缺乏男性協助下，繼續經營店鋪、公司行號或農場。各國女性參與工業生產的規模有所差異，而造成差異的主要原因還是與農業產業有關。蘇聯、日本與德國的農村勞動力約占總勞動人口的三分之一到二分之一，而農村勞動力大部分是女性。隨著戰爭持續，女性對男性的比例也逐漸提高。在蘇聯，一九四一年集體農場勞動力有一半是女性，到了一九四五年女性占比已高達八成。在日本，女性占比也從一九四〇年的百分之五十二增加到一九四四年的百分之五十八。在德國，女性占本國農村勞動力的比例也從一九三九年的百分之五十四點五增加到一九四四年的百分之六十五點五。[169]女性對戰爭投入的貢獻不可或缺。由於糧食供給在戰時有著較高的優先性，因此將女性從糧食生產重新部署到工業生產並不可行。在總體戰的背景下，女性農場工人就跟女性工業工人一樣，都屬於生產前線的一部分。

在英國與美國，一旦開始動員女性便代表勞動力將出現大量淨增加，因為將有數百萬名女性投入工作，特別是已婚女性。從一九四〇年到一九四四年，美國女性勞動力增加了五百二十萬人，其中三百四十萬人是已婚女性，絕大多數人的孩子都已經長大，八十三萬兩千人則是單身。[170]儘管數字令人印象深刻，但這樣的增長只存在於紙面上，絕大多數美國女性依然待在家裡，許多人擔任紅十字會的志工，或者協助推銷國債，或者幫忙照顧小孩。在戰爭期間，實際上有兩百萬名女性放棄全職工作，許多女性則是衡量自身情況，有辦法的時候才去工作，只有五分之一的女性勞動力投入製造業。絕大多數填補男性空缺的女性擔任的都是公司行號、銀行、商店與聯邦政府的工作。[171]美國政府拒絕任何徵召女性的想法。面對潮水般蜂擁而來想要應徵戰時工作的女性，美國各界起初的反應就像軍方一樣半推半就。然而逐漸地，隨著國防相關產業出於必要開始招募與訓練女性員工之後，一些男性管理高層也開始克服內心的偏見。

與許多男性相比，女性很快就證明她們是更為可靠的工人——認真、有條理、靈巧、有耐心。一九四二年之後，有愈來愈多女性從事戰時工作。一名航空產業主管便對記者說：「男性員工就算了，多給我一點女性員工。」[172]在這個時期，加州一些大型新飛機製造廠的勞動力超過半數都由女性填補，而這些製造廠的量產流程也做了調整以配合技術較低的女性工人，同時減少工作造成的身體負荷。[173]英國的狀況跟美國大致相同，在戰爭第一年，女性工人只額外招募到三十二萬人，主要是因為這些戰時工廠的雇主對於訓練女性與男性一起工作感到遲疑，而許多男性員工也討厭勞動力遭到「稀釋」。女性就業人數從一九三九年的六百二十萬人，增加到一九四三年的七百七十萬人，然而與美國一樣，許多初次工作的英國婦女在取代男性的同時也希望自己從事的是白領工作。為了解決戰時需求問題，英國於一九四二年與一九四三年進行了有限徵召：第一次針對年輕單身女性與沒有子女的寡婦，第二次則針對沒有子女的已婚女性。絕大多數的工廠女性勞動力都來自於原本在民間產業工作的女性，由政府將其重新部署到生產軍事設備的工廠。[174]

德國與蘇聯也對女性勞動力重新部署，這兩個國家女性工作的比例原本就非常高。事實上，在戰爭剛爆發的時候，德蘇女性工作的比例就已經比英美女性在戰爭後期工作比例達到巔峰時還要高（見表4.3）。一九三九年，德國十五歲到六十歲的女性勞動參與率（即就業率）已經達到百分之五十二，而美國在戰爭高峰期卻只有百分之三十六，英國則是百分之四十五。

從國際標準來看，蘇聯女性勞動力在各個產業的高度參與是相當罕見的：例如在一九四〇年，女性占了工業勞動力的百分之

表 4.3　女性占本國勞動力比例，1939-1944 年（百分比）

國家	1939	1940	1941	1942	1943	1944
英國	26.4	29.8	33.2	36.1	37.7	37.9
美國	-	25.8	26.6	28.8	34.2	35.7
蘇聯 I	-	38.0	-	53.0	57.0	55.0
蘇聯 II	-	-	52.0	62.0	73.0	78.0
德國	37.3	41.4	42.6	46.0	48.8	51.0
日本	-	37.8	-	42.0	-	-

蘇聯 I= 所有公部門就業。蘇聯 II= 集體農場勞工。

四十一，一九四三年提升到百分之五十三；戰前運輸工人有百分之二十一是女性，到了一九四三年增加到百分之四十。在德國與蘇聯，絕大多數加入戰時工人行列的女性都是從民間企業轉移到國防工業，原來的工廠要不是從生產民間物資轉變成生產戰爭物資，就是因為業務不屬於戰時必需而關閉，因此德蘇的女性參與並未造成勞動力的淨增長。蘇聯女性都要接受勞動徵召，未參與的女性不是太老就是生病，要不然就是要負責照顧小孩。

德國政府曾經想過徵召所有女性人口，但最終只徵召年輕的單身女性，這些女性別無選擇，只能到工廠工作。德國政府也鼓勵已經生育的已婚婦女上半天班，大約六到七個小時。到了一九四四年，已經在工作的婦女有一千四百八十萬人，而上半天班的已婚婦女也達到三百五十萬人。數百萬名婦女自願從事民防、急難救助或加入黨的福利組織。在德國政府努力下，到了一九四四年，德國女性占本土勞動力的比例終於超過百分之五十一，然而隨後盟軍飛機的轟炸，使得數百萬德國婦女與孩童必須疏散到鄉村地區，這些母親因此無法再繼續從事戰時工作。當日本於一九四五年遭受猛烈轟炸時，日本的國內勞動力有百分之四十二來自於女性，主要從事農業與商業。一九四一年，日本徵召十六歲到二十五歲的年輕女性，總共有一百萬人被動員；一九四三年九月，徵召範圍調整成十四歲至二十五歲，動員人數增加了三百萬人。女性甚至也要到礦場挖礦，戰爭時期礦場的女性工人也增加了一倍。[175]

即便接受徵召投入戰時工作的女性已達數百萬，然而性別歧視並未因此終止，性別平等也未因此而有所進展。女性很少擔任監督或管理職，女性也未能從事最具技術性的工作。從事白領工作的女性通常都是低薪的辦事員、祕書或服務人員。戰時美國女性工人擔任工匠、領班或技術工人的比例，只從百分之二點一提升到百分之四點四。一九四四年，即使男女從事的工作大致相同，美國女性的平均週薪依舊只有三十一美元，男性則是五十五美元。在英國，女性平均薪資率仍只有男性的一半。[176]婦女或女孩要在現有的工作條件待上數年通常是不可能的，除非是像科切吉娜與其他數百萬蘇聯女性在當局逼迫下持續工作，直到身體垮掉為止。原本只僱用男性的公司並未提供女性專用的廁所或醫療設施，在這種狀況下依然要求女性要連續上班十個小時。當女性因為疲憊、生病或家庭問題而出現較高的缺勤率，男性便用一貫的偏見嚴詞批評她們。許多女性面臨的壓力遠比男性來得大，除了照顧小孩與爭取配給物品，下班之後還必須整理家務，最後才能休息睡覺。為了緩和女性的雙重責任，國家開始設立日間托兒所。到了一九四四年，德國的托兒所總共可以照顧一百二十萬名嬰兒；在美國，儘管國家不認為設立日托中心是國家的責任，但依然出現了三萬間以上的日托中心，不過負責照顧的孩子卻只有十三萬人。由於一些經營不善的日托中心疏於照顧孩子而被媒體披露，因此部分職業婦女寧可把孩子留在家中，（因父母均工作放學後只能獨自在家的）「鑰匙兒童」與遭到忽視而產生的少年犯罪浪潮也引發美國國內的熱烈討論。[177]

對於試圖打造「新秩序」的德義日帝國來說，還有一種人力資源可以剝削，那就是在占領區強制徵召工人來填補本國勞動力的不足。數百萬名工人在占領區為占領者工作，他們工作的地點可能是建設工地，可能是道路與鐵路鋪設地，也可能是農場與工廠。根據估計，德國大約強制徵召了兩千萬人在歐洲工作，日本在亞洲的新帝國強制徵召的人數則缺乏詳細資料。日本也強制徵召了大量中國工人在滿洲、內蒙古、朝鮮與日本本土從事戰時工作。從一九四二年到一九四五年，大約有兩百六十萬名中國人實際上淪為奴隸，在惡劣環境下工作卻拿不到任何薪水。[178]日本的朝鮮殖民地工人生活條件較佳，因為日本在朝鮮半島上建立工業以滿足戰時需求，當地因此需要大量的朝鮮工人。一九三三年，在工業、營造與運輸業工作的朝鮮人只有二十一萬四千人，但到了一九四三年卻增加到了一百七十五萬人，包括製造業的四十萬人。幾乎所有朝鮮人都淪為領取最低薪資的勞工，但仍有一群朝鮮工程師與商人因為戰時生產需求而獲利。[179]其他朝鮮人則沒那麼幸運。強制勞動計畫也延伸到日本殖民地，到了戰爭結束時，估計有兩百四十萬名朝鮮人以惡劣的工作條件在日本工廠與礦場工作，占了工業勞動力的四分之一。[180]

德國的戰爭經濟規模遠比日本來得龐大，對勞工的需求也更為急迫。戰爭期間，德國愈來愈仰賴非德國勞工充當勞動力。一九四四年底，在德國與併吞區——所謂的「大日耳曼國」——工作的外國人達到八百二十萬人，本國勞動力則是兩千八百萬人。整個戰爭期間，估計德國的外國工人、戰俘與勞動營囚犯在一千三百五十萬人到一千四百六十萬人之間，他們成了德國人力資源的一部分。到了一九四四年，他們已占民間勞動力的五分之一以上。[181]德國的外國勞動力由各國人民組成，希特勒政權將他們分成不同類別，分別給予不同的待遇。其中有一小群外國勞動力是自願加入。一九三九年春天，德國已經有四十三萬五千名外國工人，他們是受到德國大規模重整軍備提供的工作機會與高薪吸引而來。許多人來自德國的鄰邦，這些國家很快在一年之內就遭到德國征服占領；另外也有許多人來自德國的盟邦義大利，到了一九四一年，德國的義大利工人達到二十七萬一千人。[182]一九四〇年，德國征服荷蘭與法國之後，大約有十萬名荷蘭人與十八萬五千名法國人自願前往德國為德國公司工作。一九三九年被德國併吞的波蘭地區，估計也有三百萬名波蘭人為德國工作。[183]這些到德國工作的外國勞工，表面上看起來是自願，實際上帶了點強迫的成分。被占領國的產業衰退與失業率上升，在經濟上構成壓迫，這種壓力迫使工人前往德國尋找工作。在義大利，墨索里尼答應給予希特勒一批義大利工人，以換取德國提供必要的戰爭物資。義大利各地的法西斯官員於是開始鼓勵或者施壓義大利農業工人與工廠工人動身前往德國。希特勒與墨索里尼也簽訂戰時協議，由義大利政府補助這些工人薪資讓他們可以將錢寄回給在義大利的家人。換言之，德國經濟不僅取得了需要的勞工，也不用給予這些勞工全額的薪資。[184]

德國也強迫戰俘勞動。除了蘇聯與日本之外，所有交戰國都批准了一九二九年的《日內瓦公約》，而該公約明文限制了戰俘勞動的範圍，規定不許直接將戰俘用於與戰爭相關的工作。對於英美戰俘，德國人或多或少會謹守這些禁令。德國在一九三九年俘虜了三十萬名波蘭戰俘時，最初也要求這些戰俘必須待在德國農場工作，這些都還在公約允許的範圍之內。九個月後，德軍俘虜了一百六十萬法國戰俘，其中有三分之一是農場工人。超過一百萬人被關押在德國，半數以上像波蘭人一樣必須在德國農場工作。然而，當工業勞動需求增加，德國開始想辦法規避《日內瓦公約》的限制。德國認為，波蘭既然已經滅亡，波蘭戰俘自然就獲得平民身分，因此可以從事《日內瓦公約》禁止的工作。在法國戰俘方面，為了規避國際法對戰俘使用的限制，德國在一九四三年四月創設了一個「轉變」戰俘的特殊類別。由於法國在強制脅迫下派了不少工人來德國工作，做為回報，德國於是將自願工作的法國戰俘歸類為「民間工人」，將他們視為可以領取正常薪資的工業勞工。到了一九四四年中，大約有二十二萬名法國戰俘因為這項協議而獲利。[185]

東歐與南歐戰俘的命運大不相同。對於蘇聯戰俘，不存在任何法律問題，因為蘇聯並未批准《日內瓦公約》。德蘇戰爭第一年，絕大多數蘇聯戰俘不是因飢餓或疾病死去就是被殺，之後希特勒勉才為其難地同意讓蘇聯戰俘在大日耳曼國境內從事勞動。在德國境內工作的蘇聯戰俘數量不多，到了一九四四年八月只有六十三萬一千人，絕大多數蘇聯戰俘都在東方，為德國武裝部隊與占領當局工作。一九四三年九月，當義大利向盟軍投降時，被德軍擒獲的義大利士兵也無法受到《日內瓦公約》保障。德國將俘虜的六十萬名義大利士兵歸類為「軍事拘留犯」而非戰俘，因此可以要求他們從事任何種類的勞動。德國當局與民眾痛罵這些義大利拘留犯是軸心國的叛徒，他們因此得不到足夠的糧食，居住環境惡劣，經常遭到霸凌，工作時也受到騷擾。到了戰爭結束時，總共有四萬五千六百名義大利士兵在囚禁中死亡。[186]

德國在一九四二年出現了勞動短缺，缺口之大即使有外國人自願到德國工作或強迫戰俘勞動也無法填補。一九四二年春，德國政府開始強制德國占領區民眾到德國境內勞動。這項轉變出現在一九四二年三月，納粹黨圖林根大區長官招克爾被任命為勞動配置總監。在此之前，德國早已對波蘭人民實施強制勞動，到了一九四一年底也已有超過一百萬名波蘭人在德國工作，絕大多數從事農業與礦業。[187]招克爾的職責是為不斷擴張的軍火產業尋找更多工人。東歐比西歐占領區更容易實施強制勞動。一九四一年十二月，德國推動全面勞役，男性從十五歲到六十五歲，女性從十五歲到四十五歲，都必須強制勞動。少部分人是自願前往——烏克蘭人與白俄羅斯人面帶微笑坐上開往德國火車的照片，被用來鼓勵民眾前往德國。然而幾乎沒有人響應，於是在一九四二年春天，德國全面實施強制勞動並且派出正規部隊圍捕年輕的蘇聯男女。德國與地方人士合作，規定他們一定的工人配額，要求他們無論用什麼方法都要把符合額定數量的工人送往德國。第一年，有一百四十八萬人遭運往德國，其中三十萬人被遣送回來，因為這些人要不就是年紀太大或病得太重，要不就是懷有身孕。往後幾年圍捕行動持續進行，到了一九四四年八月，已有兩百一十萬名蘇聯工人在德國工作，約略超過半數是女性。這些人全配戴臂章，臂章上繡著明顯的「O」，顯示他們是「東方工人」（Ostarbeiter）。[188]

德國想在西歐與南歐實施強制勞動較為困難，因為這兩個地區既有的國家尚未遭到征服與消滅。要徵召法國勞工必須先與維琪法國的貝當元帥政府協商。一九四二年六月，招克爾與法國總理拉瓦爾達成協議，法國同意提供十五萬人給德國工業。拉瓦爾仍希望德國獲勝，他同意授權法國勞動當局實施強制登記與配置，讓法國工人到德國工作兩年（法國將這項措施稱為「解救」）。* 這項措施證明難以執行，於是維琪法國也在一九四三年二月推行強制勞役，規定二十歲到五十歲的所有男性都必須在法國或德國為德國人服勞役。到了一九四四年，大約有四百萬名工人直接為德國占領軍工作，而從一九四二年到一九四四年，四項所謂的「招克爾行動」（「徵召」宣傳）也為德國本土

* 譯注：法國希望藉由提供工人給德國，讓德國同意釋放法國戰俘，因此將這項行動稱為「解救」。

增添了七十二萬八千名男女工人。[189]招克爾行動在荷蘭與比利時徵召了將近五十萬人。當義大利向盟軍投降時，招克爾於一九四三年九月前往羅馬，要求在德軍占領的義大利地區（大約義大利半島的三分之二）推動類似計畫。他的目標是徵召三百三十萬名義大利工人，但最終只徵召到微不足道的六萬六千人，此外他只能仰賴義大利的軍事拘留犯與十萬名原本就自願前去德國工作、卻因為義大利放棄戰爭而滯留在德國的義大利工人。[190]到了這個時候，法國與義大利民眾已經瞭解德國徵召勞工背後的意涵。兩國的年輕男女紛紛離家參與抵抗運動，或者尋找別的方式規避徵召。招克爾行動到了後期成效不彰，加上盟軍對德國本土的無情轟炸，使得德國開始改變政策。德國將徵召勞工的權力下放給占領區當局，即使徵召的人數再少，也要送到德國強制勞動。

不同類別的外國工人面對的工作條件也不同，但這些工作條件多半十分惡劣，最糟的狀況曾使得戰時的強制勞動者出現百分之十八的死亡率。[191]西歐工人的生活條件較佳，糧食配給與德國工人相同，這種狀況直到戰爭最後一年出現普遍的糧食短缺才有所改變。從各方面來看，西歐的工人不是奴工，甚至可以領取經常性的薪資。在扣除稅金與食物住宿成本之後，西歐工人平均週薪是三十二馬克，德國工人則是四十三馬克。西歐工人也享有同樣的疾病或意外的福利給付。西歐工人在使用各項設施與前往商店購物時必須遵守宵禁與各項管制規定，而且與德國工人一樣必須遵守嚴格的紀律與工作契約條款，如果持續違反，他們最終也會被送進集中營。

反觀東方工人的狀況則完全不同。東方工人一般都住在鄰近工作地點的簡陋營房，行動受到嚴格限制，在扣除粗劣飲食與住宿成本之後，他們每天十到十二小時的辛苦工作最多只能換得六馬克的週薪。雖然許多工人發現在德國的工作條件遠比在蘇聯來得好，紀律上的要求也差異不大，但東方工人起初的生產表現卻遠低於德國工人或西歐工人。一九四二年針對外國工人的調查顯示，法國工人(這個時期絕大多數法國工人仍是自願前來德國工作)的生產力是德國工人的百分之八十五到八十八，俄國人是百分之六十八，波蘭人只有百分之五十五。[192]後來發現，改善糧食供給與提升薪資有助於提升生產表現。一九四二年，東方工人的週薪提升到平均九點八馬克，到了一九四三年，工人若能達到要求，每週就能拿到十四馬克。最成功的東方工人是女性，她們很快被大量配置，負責生產軍火與軍事設備。招克爾尤其喜歡徵召蘇聯女性，因為他認為蘇聯女性在工業勞動上展現出健康與活力。他在一九四三年一月對一群德國官員說道：「她們可以持續工作十個小時，就算是男人的工作她們也都能做。」一旦這些女性工人懷孕，那麼她們要不是被迫墮胎，就是把孩子放在日托中心，然後直接被帶回工廠上班。[193]到了一九四四年，蘇聯女性的生產力估計達到德國工人的百分之九十至一百，而蘇聯男性工人主要從事建設與挖礦，其生產力大約是德國工人的八成。

所有調查都顯示，要讓南歐工人有效工作非常困難，特別是希臘工人。南歐工人的生產力大約落在德國工人的三成到七成之間。如果是在建築工地工作的戰俘，那麼英國戰俘的表現是最差的，生產力還不到德國工人的一半。[194]許多外國工人透過怠工與違反紀律的方式來表達對強制勞動與苛刻對待外國人的不滿。儘管如此，德國依舊需要這些非德國勞工。為了從外國勞工身上榨取出更多勞動力，德國勞動陣線委託工作心理學研究所對五十萬名外國工人進行性向測驗，想瞭解他們是否被分配到最適合的工作崗位。這項計畫甚至擴大到集中營囚犯身上，這些囚犯被送進工廠工作，但身體虛弱的往往撐不到幾個星期就死去。[195]相較於德國工人，要讓外國工人遵守紀律其實反而容易，特別是絕大多數的女性工人。一九四四年，在科隆的福特工廠，德國工人平均每日缺勤率在巔峰時高達百分之二十五，但外國工人平均只有百分之三。[196]到了一九四四年八月，外國工人占了德國農村勞動力的百分之四十六，所有礦工的百分之三十四，所有工業工人的四分之一。[197]在軍備生產產業，有三分之一的勞動力來自於外國工人，當初他們就是因為國家遭到德國侵略而不得不來德國工作，而現在他們仍被迫為德國生產軍事設備。[198]

一九四四年，外國工人的徵召數量逐漸減少，抵抗與規避徵召的行動愈來愈普遍，此時由集中營供給的工人數量也逐漸增加。一九四二年八月，德國集中營有十一萬五千名囚犯，但囚犯人數在一九四四年八月已增加到五十二萬五千兩百八十六人，一九四五年一月更是增加到七十一萬四千兩百一十一人。到了這個階段，幾乎所有囚犯都是非德國人，其中包括了抵抗運動分子、政治異議人士、不聽管教的外國工人與猶太人，這裡的猶太人都是經歷流放與滅絕營大屠殺的倖存者。一九四二年春天，希姆萊的親衛隊設立了經濟與行政總部，試圖更充分地運用集中營與猶太流放者的勞動資源。被送到滅絕營的猶太人，大約有五分之一會被挑選出來強制勞動，這些人絕大多數是年輕男女。這些囚犯實際上成了奴工，要不是在親衛隊的企業裡工作，就是分批送到數百家德國企業裡做事，這些德國企業必須出錢向德國財政部購買這些工人：技術工人一天六馬克，無技術的男女工人一天四馬克。[199]到了戰爭結束時，德國各地分布著數千座集中營，裡面的勞工個個疲憊而憔悴，穿著破爛制服，經常遭受德國守衛毒打、霸凌或殺害，這樣的場景並不讓人感到陌生。雖然德國的目標是從這些不幸的囚犯身上盡可能榨取更多的勞動力，然而集中營裡卻處處充滿刻意的暴行，成了總體戰下一齣殘酷的諷刺劇。

如果勞動動員是一把梯子，那麼站在最底下那根橫木的受害者就是猶太人。早在一九三八年，德國勞動機構就已經提出猶太人強制勞動的計畫。猶太男性被迫進行強制勞動登記，一九三九年夏天已有兩萬名猶太人在隔離的單位工作，地點主要是在德國的建設工地；到了一九四一年，五萬名猶太人被送進全國各地大小不一的集中營，其中一些小型集中營可能一次只收容幾名工人。這種模式也出現在波蘭占領區，大約有七十萬名猶太人被迫強制勞動，然而這些猶太人並非待在親衛隊管理的集中營裡。[200]此時的猶太人還不是囚犯，直到一九四一年，親衛隊從正規勞動機構手中接管了猶太人強制勞動計畫。這些隔離的猶太工作小隊被併入親衛隊的集中營系統中，連同從滅絕營中挑選出來的猶太人一起強制勞動，暫且逃過了死亡的命運。勞動短缺意謂著最晚到了一九四三年初，仍有約四十萬名猶太人在大日耳曼國與波蘭占領區強制勞動。猶太勞工的處境要比其他囚犯或強制勞動的工人來得艱苦嚴峻，然而德國面臨的經濟壓力意謂著德國不想讓這些猶太人一下子工作到死。猶太男女工人往往先遭受營養不良與疾病的折磨，最後在強制勞動下，硬是將僅剩的勞動力壓榨出來，這些被視為德國死敵的猶太人才得以斷氣。各種形式的強制與奴役勞動造成的確切死亡人數難以估計，但就親衛隊集中營的工人來說，他們在營中存活的時間往往不到一年。工人的死亡人數估計有兩百七十萬，其中有許多來自集中營，而且有非常高的比例是來自歐洲各地的猶太人。[201]如此高的死亡率，充分顯示總體戰非理性的局限，以及希特勒政權如何在種族優先性與戰時經濟必要性之間做出取捨。

蘇聯對囚犯勞動力的榨取也顯示出同樣的矛盾。蘇聯在全國各地設有五十九座古拉格集中營，此外還有六十九座地方集中營與強制勞動據點，這些營區早在戰爭爆發前十年就已經設立，用來進行長期的強制勞動。戰時大約有三分之二的囚犯在工業產業工作，其餘則在礦場與林場工作，礦場與林場的工作條件對身體的傷害極大。集中營當局奉命盡可能榨取勞動力與盡可能減少「休息日」，然而戰時糧食缺乏，加上一天工作達到十六小時且醫療照顧欠缺，造成平均有三分之一的囚犯病倒或無法繼續工作甚或死亡。[202]史達林會定期監督囚犯的生產績效，確保這些犯人並未規避勞動而影響戰爭投入。未能達到標準的囚犯，拿到的糧食會慢慢減少而陷入飢餓，至於績效超標的囚犯則能獲得休息時間與額外的配給做為獎賞。病得太重無法工作的囚犯會被汰除，由仍有工作能力的囚犯替補。一九四三年四月，政府頒布《懲罰德國法西斯主義惡棍、間諜、背叛祖國者及其幫凶的措施》，並且根據法令建立了特殊苦役營（katorga），囚犯必須在極其艱苦的環境下工作更長的時間，無論寒暑，全年無休。就像德國奴工營裡的猶太人，苦役營的囚犯實際上必須工作到死，必須為極度缺乏工人投入戰爭的蘇聯貢獻出僅剩的一點勞動力。從一九四一年一月到一九四六年一月，蘇聯為總體戰榨取勞動力的各類監獄制度總共造成九十三萬兩千名囚犯死亡，充分證明了它的無效率。[203]

抗爭與生存

男性人力與女性人力面臨的工作條件存在著很大的差異，在每個國家的狀況也不盡相同。在美國與英國（不包括海外帝國），工人享有合理的戰時生活水準，薪資與儲蓄同時增加，隨著戰爭持續，生活條件也跟著改善。甚至工人若願意的話，還有權擔任工會代表。德國的勞動力（不包括囚犯與強制勞動的工人）吃得比較不好，無法獲得工會保障，當盟軍開始轟炸城市時，生活的條件也急遽惡化。蘇聯與日本的勞動力在整個戰爭期間一直面臨著營養不良、長時間工作、上級嚴厲督導與生活水準急遽惡化的問題。在車里雅賓斯克，工人必須在暖氣不足的狀況下忍受嚴寒，而工廠的安全毫無保障，上級又不斷以懲罰要脅，甚至經常可以看到女孩在沒有穿上鞋子或靴子的狀況下工作，她們的腳因為寒冷與凍傷而起水泡與潰爛。

雖然存在如此迥異的經驗，但工人與消費者卻有一項經驗是相同的：他們必須忍受嚴苛的工作制度、漫長工時與持續不斷的短缺，這個過程不是幾個星期或幾個月，而是持續數年之久，而且沒有人知道這樣的磨難何時才會結束。總體戰的動員讓一般民眾承受了無比的壓力，因為戰爭吸取了愈來愈多原本應該供應給民間經濟的資源。我們無法簡單解釋一般民眾如何忍受這段煎熬的過程，如果硬要提出一種說法來涵蓋各種不同的政治體制、社會結構與經濟制度，那麼勢必會造成扭曲。對成千上萬的民眾來說，總體戰成了一種生活方式。愛國心或憎恨敵人也許可以讓工人堅持一段時間，但不足以讓他們長期忍受下去。對勝利的期盼或對失敗的擔憂顯然對民眾心理構成一定影響，不過德國人與日本人在面臨即將到來的軍事崩潰時，卻是頑固地繼續奮戰；至於英國與美國民眾在一九四四年勝利的曙光乍現之時，民心士氣反而陷入低迷。

需要先瞭解的是，絕大多數工人之所以能夠在戰爭中堅持下去，主要還是為了想賺取更多薪資，而不是受到宣傳操弄而認同這場戰爭。戰爭提供了完全就業、賺取額外薪資的機會（即使在蘇聯，能夠超越生產要求的工人也能得到額外的配給與其他特權）、儲蓄以供戰後花用的可能、學習新技術與提高薪資等級的前景，另外對女性工人來說，可以賺取比戰前更高的薪資並且讓自己取得獨立的地位。有一個例子也許可以說明工人是如何找理由讓自己堅持下去。一九四三年，一名瑞典商人訪問漢堡各個層級的碼頭工人，他想知道是什麼原因讓這群在政治上並不支持希特勒政權的工人願意繼續為這個政府工作。受訪者一致表示，他們辛苦工作是為了讓德國勝利，因為他們不想回到經濟大恐慌的失業與艱苦。他們認為同盟國勝利可能會讓德國分裂（事實證明後來確實是如此），還會讓他們陷入貧困。而最重要的是，德國工人不想再被指控他們背叛了軍隊，「刀刺在背」。在戰爭的最後一年，英國政治宣傳試圖鼓動德國工人反抗獨裁政府，但從魯爾與萊茵蘭工業區流出的報告顯示，德國工人沒有意願也沒有能力重演一九一八年的革命。一份報告表示：「納粹德國不存在革命的環境，既沒有革命領袖，也沒有革命組織。」工人們等待德國戰敗，之後再重建新的德國。[204]

我們或許可以從另一個角度，來思考戰時工人為什麼能堅持下去：後方民眾如果針對連年戰爭與長期承受的苦難發起抗爭，能為他們帶來什麼好處？所有交戰國政府最怕看到的應該就是後方民眾發起抗爭，但二戰時工人發起的抗爭數量，與工人實際經歷的社會與經濟待遇卻呈現負相關。美國與英國的工人待遇最好，但勞工抗爭卻還是每隔一段時間就會發生，哪怕工會早在開戰初期經達成協議，只要政府尊重工人利益，那麼工會就暫時停止罷工活動並與政府合作。在英國，未經授權的罷工活動造成平均每年一百八十萬工作日數的損失。一九四〇年，英國發生了九百四十次罷工，一九四四年增加到三千七百一十四次，不過九成的罷工持續不超過一個星期。有些罷工是為了瑣碎小事，例如「女領班的態度很跋扈」或「拒絕與愛爾蘭人一起工作」等，但這些也反映出罷工主要是為了狹義的工人利益，例如工作劃分、紀律、技能稀釋或薪資率，沒有人是為了反戰而發起罷工。[205]

在美國，工會嘗試遵守不發動罷工的承諾，但戰爭初期不斷升高的物價加上未能因應調整的薪資率，導致工人發起非官方的抗爭活動。美國在戰爭期間總共發生了一萬四千四百七十一次「野貓」罷工，這些罷工同樣很少持續超過一個星期，只有百分之六超過兩個星期。在美國，罷工也同樣關乎薪資與工作條件，而與戰爭無關，但美國政府的反應卻比英國來得強硬。[206]即使是在戰前，當負擔美國四分之一戰鬥機產量的加州北美航空工業公司工廠發生重大罷工事件時，美國政府馬上派出兩千五百名士兵進駐工廠，用槍口對著工人逼迫他們上工，這場罷工就此結束。至於戰時發生的罷工抗爭事件，往往被絕大多數美國民眾視為叛國。一九四三年，為了反制賓州無煙煤礦場發動大罷工，國會無視羅斯福的勸告，通過了《史密斯—康納利戰時勞資爭議法》（Smith-Connally War Labor Disputes Act），賦予政府控制與戰爭密切相關的公司以及對非官方罷工發起人提起刑事訴訟的權利。該法立即在同年十二月遭受考驗：一場非法的鐵路罷工事件促使聯邦政府接管整個鐵路網達三個星期之久，直到工會讓步並且接受國家提出的薪資方案為止。[207]即使是企業領袖也不能豁免。到了戰爭晚期，一名公司總裁拒絕接受「工人加入已設有工會的工廠就自然成為工會成員」的規定（這項規定在戰時使工會成員從一千萬增加到一千五百萬），結果美國司法部長親自率領一小隊穿著軍服的士兵將他趕出辦公室並且接管公司。

這類程度的工人抗爭事件不可能在專制體制內發生，無論是軸心國還是同盟國。在專制國家裡，罷工是非法的，而罷工對工業生產的危害也是顯而易見的。人們會從政治角度而不是從維護工人利益的角度來詮釋抗爭，抗爭會被視為是對戰爭投入與政權的挑戰。在德國與蘇聯，屢次罷工最終會被送進集中營。儘管如此，日本、中國與蘇聯的惡劣勞動環境依舊很容易引發工人不滿，或迫使工人更換工作來逃避原有的環境與低薪。早在一九三九年之前，日本工會就已經受到限制，到了一九四〇年更是完全停止活動；工會原本在一九三九年有三十六萬五千名成員，到了一九四四年完全歸零。儘管如此，警方紀錄仍顯示一九四四年出現了兩百一十六起工業抗爭，不過總數不超過六千人，只占勞動力的一小部分。有些工人因為沒有工會代表而進行怠工或粗製濫造，有時甚至進行破壞。[208]日本勞工受到嚴密監視，當局會觀察他們是否帶有同情共產黨的傾向，有嫌疑的人就會遭到逮捕與不當對待。安全部隊只要得到一丁點證據就會大肆渲染，對外宣傳共產黨的滲透已日趨嚴重，然而這些革命威脅完全出自他們的虛構。[209]在中國的國防產業中，工人受到軍法管轄與工廠的嚴苛管理，儘管如此，仍有成千上萬的工人冒險逃離工作崗位，成為一種間接抗議的方式。

公司表示每年都需要補充半數的技術勞工，並且指責共產黨從中搗亂，引誘工人前往共產黨控制的地區，然而絕大多數工人離開只是為了尋找壓迫較少且可以領到較多錢糧的工作。逃跑的工人一旦被武裝警衛抓到，將被扣除部分薪資與配給的糧食以示懲罰。[210]在蘇聯，工人可以向派駐工廠的共產黨官員訴苦，然而這麼做依然有風險。工人必須在指定的工廠工作，不能自行更換，因此無故缺勤就成了一種間接抗議惡劣工作條件或嚴重不當對待的方式。照理說，這麼做的風險很大：根據一九四二年一月政府一份祕密決議顯示，國防產業的工人無故缺勤將在一日內通報軍事檢察官，而軍事檢察官將對缺勤員工處以最高五年到八年關押在勞動營的刑期。然而在實務上，這種做法完全行不通，最終絕大多數被定罪的逃亡工人都無法尋獲。有時候，當檢察官準備要起訴時，工人早已死亡或者已經入伍當兵；但有時候，檢察官也會反過來指責工廠管理不善，無法為工人提供適當的工作條件，因此將工人無罪釋放。[211]

德國工人的工作條件普遍優於蘇聯工人。德國工人與德國雇主都在德國勞動陣線設有代表，德國勞動陣線是希特勒掌權後於一九三三年設立的組織。雖然德國工人沒有權利罷工或抗爭，但他們可以請求勞動陣線官員督促雇主提供適當的工作設施或維持有效的防空避難場所。但除此之外，德國的制度就與蘇聯一樣嚴苛。違反工作紀律（起初的定義十分狹義）的案子十分少見：一九四〇年有一千六百七十六件，一九四一年則有兩千三百六十四件。一九四二年，官方對於違反工作紀律重新定義，針對更廣泛的行為進行懲罰，結果當年度違反工作紀律的案子大增到一萬四千件。有愈來愈高的比例與女性工人有關，因為女性必須同時肩負工作與家務，導致她們更容易缺勤與出現疏失。絕大多數違反工作紀律的工人會收到警告，少部分會被送進監獄，極少數人則是進了集中營。一九四一年五月，希姆萊設立新的懲罰機構「工作教育營」，只要工人被斷定行為對戰爭投入構成嚴重威脅，就會被送進該地。工作教育營由蓋世太保管理，一九四四年已有超過一百座營區，關押的不只是德國工人，還包括數千名被指控破壞生產設施或怠工的外國強制勞動者。「工作教育」只是好聽的說法，實際上這裡的環境極其惡劣，囚犯飽受虐待，整體的狀況與集中營沒什麼兩樣。[212]外國工人由於工作條件普遍較差，因此有時確實會冒險發動罷工。一九四二年四月，埃森克虜伯（Krupp）廠區有六百名義大利工人為抗議糧食不足與缺乏菸草而發動罷工；同月，漢諾威的義大利工人也因為葡萄酒與起司供給不足而罷工。這些工人被派駐工廠維持秩序的工作警察壓制。從一九四二年五月到八月，平均每月都有兩萬一千五百名工人被捕，其中百分之八十五是外國工人。抗爭的義大利工人被視為滋事分子而被遣返回義大利，然後由義大利的法西斯警察予以逮捕。在德國工人方面，違反工作紀律的行為從一九四二年之後開始減少。一九四四年上半年，參與抗爭的德國工人只有一萬兩千九百四十五名，反觀外國工人則多達十九萬三千零二十四名。證據顯示，德國工人有愈來愈支持戰爭投入的趨勢，但這項共識應該不是光憑當局的高壓手段就能達成。[213]

每個交戰國的工人發起的抗爭，規模都十分有限，充分顯示國家有充足的力量讓全國民眾一致支持總體動員的戰略。儘管高壓手段無所不在，就連民主國家也不例外，然而光憑高壓手段不可能贏得所有民眾的支持。國家有充足的能力大規模動員民眾，不僅能確保糧食的固定供給，對於勞動力的必要需求也能做出有彈性的回應，而且能盡可能針對各個階層進行廣泛徵召。國家的成功使得二戰期間從未發生像一戰時期與一戰之後的革命騷亂，只有義大利是唯一的例外。墨索里尼於一九四三年七月遭到推翻，在此之前的幾個月，即將面臨的戰敗、轟炸、通貨膨脹與糧食短缺已導致義大利社會陷入動盪。大規模動員建立在國家與民眾的共同信念上，這也構成了現代戰爭的總體性格。無論在前線還是後方，全民動員進行總體戰的信念從未受到嚴重質疑。不願順從或不瞭解總體戰意義的人，會飽受各種政治宣傳的攻擊，這些宣傳不僅激勵每個人為戰爭貢獻一己之力，也將反對者貼上不愛國甚或叛國的標籤並將其孤立，就像蘇聯的工人與管理人員被指控怠忽職守與漫不經心，或是一萬八千名美國人被同胞向聯邦調查局舉報犯下破壞生產的罪行。[214]無論在哪個國家，要組織總體戰都需要全民參與，但總體戰要能夠運行，也要人民發自內心地認同總體戰的意義才行。一九四五年，美國評論家麥克唐納（Dwight Macdonald）對於這場剛結束戰爭所顯示的人民與國家關係提出總結：「正因在這場戰爭中，現實的個人最為無力，**他的**統治者才必須盡最大的努力，不僅要讓國家成為實現人民目標的工具，也要讓國家成為人民性格的延伸。」[215]麥克唐納其實可以在這項反思中另外添入「她的」二字。因為不管是男性或女性、年輕人或老年人、自由人或不自由人，總體戰要求所有人都必須為了共同目標全力付出，投入戰爭與工作。這個時刻史無前例，在此之前難以出現，在此之後也幾乎沒有出現的可能。

一九四三年七月十二日，盟軍發起入侵西西里島的哈士奇作戰，英國士兵努力涉水上岸。在兩棲作戰中，從運輸艦下船是一項艱鉅的任務。士兵必須爬下繩網（可以看到登陸艦旁邊掛著繩網），然後攜帶重裝備上岸。圖源：*Shawshots/Alamy*

CHAPTER

第五章

5

軍事作戰的技藝

「希特勒派了二十五個裝甲師穿越俄國邊界，他們接下來發生的事，將成為未來蘇聯偉大戰爭故事的核心。德國裝甲師是希特勒的劍刃，是步兵與砲兵的開路機器。裝甲師勝利，德國人就勝利，裝甲師失敗，德國人就失敗。」

——克爾（Walter Kerr），《俄羅斯陸軍》（*The Russian Army*），一九四四年[1]

克爾的判斷簡潔而吸引人，彷彿「擊敗德國裝甲師」就足以解釋德國與歐洲軸心國為什麼打輸第二次世界大戰。克爾是《紐約先驅論壇報》（*New York Herald Tribune*）派駐莫斯科的代表，他在二戰期間都待在蘇聯。克爾訪談了紅軍將領，記錄他們的戰爭經驗，並在史達林格勒會戰後返回美國。克爾對德國裝甲部隊的觀點，很大一部分仰賴傳聞與臆測。「二十五個裝甲師」是莫斯科相當流行的誇張說法，就像當時人認為德國在巴巴羅薩作戰中總共出動一萬八千輛戰車，同樣也是一種渲染之詞。儘管這些資訊是錯的，但裝甲師是現代地面戰爭的核心卻不一定是錯誤的說法，只是論點還不夠完整。在二戰時期的所有創新發明中，結合戰車、摩托化步兵與砲兵的完整機械化部隊，是決定陸戰成敗的最重要元素，幾乎所有交戰國都爭相仿效。紅軍到了一九四五年已經組織了四十三個戰車軍，此時終於輪到他們執行德軍在一九四一年進行的作戰。

克爾的觀察隱含另一個更重要的問題，同盟國為什麼最終能在戰場上贏得勝利？一開始節節勝利的軸心國，為什麼最後反而輸掉這場戰爭？答案取決於雙方學習發展與運用作戰組織、裝備、戰術與情報等「戰力加成」(force multipliers)的程度。戰力加成可以大大增強陸海空三軍的打擊能力，特別是在戰爭一開始處於劣勢的時候。如果戰鬥艦、步兵、砲兵、甚至騎兵等較為傳統的單位仍持續出現在絕大多數海戰與陸戰（其重要性確實不可低估），那麼通常決定其戰場表現的因素就是戰力加成。最常被強調的發展，就是機械化戰爭，以及伴隨而來的空對地戰術支援。裝甲部隊的組織編組及作戰序列的整合，改變了陸地作戰的方式——先是德國陸軍率先採用，然後盟軍也隨之跟進。戰術空軍原本在第一次世界大戰時已廣泛使用，但高速單翼機、地面攻擊機與高性能中型轟炸機的出現，再搭配或裝載致命武器，進一步提升了戰機在戰場上能發揮的空間。空權興起也促成了海上的兩棲作戰革命。這場革命先是出現在太平洋戰場（日軍先推進而後盟軍反攻），接著也出現在歐洲戰場（盟軍在北非、西西里島、義大利與諾曼第進行兩棲登陸）。這種複雜的聯合作戰需要陸海空三軍通力合作，才有辦法將軍隊送上敵軍嚴密防守的海岸，建立持久固守的據點。對於掌握海權的同盟國來說，唯有發動兩棲作戰才能成功登陸占領區與敵軍作戰。要成功進行兩棲作戰，盟軍就必須學習如何把軍力從海上投射到陸地上。

除了裝甲部隊、空戰與海戰的發展，我們也不可忽略電子作戰的演進與應用。無線電與雷達的出現，成了現代戰爭不可或缺且地位日趨重要的存在。現代無線電科技可以集中掌控所有空軍單位，全球海戰也需要靠無線電通信來指揮。無線電還可以讓戰場指揮官更有效地管理瞬息萬變的複雜戰場態勢，更不用說對小部隊來說是宛如命脈般的存在，因為小部隊需要無線電來尋求支援或協調現地作戰行動。無線電波的研究促成雷達的研發，雷達最初引進是針對從海上逼近的敵軍進行預警，但很快就更進一步運用在各個戰場。雷達能對戰術攻擊機進行預警，對於反潛戰爭的成功做出巨大貢獻；雷達也能為海上艦隊提供預警，或讓陸上砲兵及海上艦砲精確打擊目標。二戰期間，隨著盟軍學會生產與運用科技戰中最尖端的技術，盟軍因此得以在電子作戰上取得決定性優勢。

無線電也是戰時情報與反情報作戰的核心，包括發展複雜的欺敵作戰，而這也是本章討論的最後一種「戰力加成」。情報作戰的領域很廣，有些有助於提高戰力，有些重點則與戰力無關。作戰情報與戰術情報最能有效提升武裝部隊的作戰效率。二戰期間，盟軍大部分時間都能比敵軍享有更充分的情報與更有效的敵我評估，只不過我們很難判斷這類情報對實際作戰產生的效果有多大。同樣地，儘管欺敵作戰獲得廣泛運用，但往往效果不彰。話雖如此，欺敵作戰一旦成功，還是能夠對整場戰役帶來關鍵影響。蘇聯軍隊就是善於欺敵的大師：一九四二年十一月天王星作戰造成軸心國軍隊慘敗，一九四四年六月德國中央集團軍遭到殲滅，都是蘇聯欺敵作戰成功所致。盟軍在諾曼第登陸前進行的欺敵作戰，其成效令人懷疑，但確實鞏固了希特勒原先的想法，認為諾曼第只是佯攻，加萊才是盟軍主要的登陸地點。對盟軍來說，健全的情報與成功的欺敵皆有助於抵銷敵軍高超的戰鬥技巧，特別是眼前的敵軍決心固守新帝國的每一寸土地。情報作戰與欺敵作戰因此就跟裝甲作戰、空中作戰、兩棲作戰及電子作戰一樣，充分說明二戰的最終勝負完全取決於軍隊能否學會這些作戰技藝。

裝甲作戰與空中作戰

當德軍於一九三九年入侵波蘭時，世人親眼見證了一場軍事組織革命：德軍派遣六個裝甲師打頭陣，還有俯衝轟炸機、轟炸機與戰鬥機從旁協助，擔負起空中攻城錘的角色。但德軍成功入侵波蘭一事，也產生許多誇大不實的說法。在這場人稱「閃擊戰」的戰役中，戰車被視為致勝關鍵，此後「閃擊戰」一詞便在西方廣為流傳（儘管德軍自己從未使用這個詞彙）。戰車贏得了近乎傳奇的名聲，同樣獲得世人注意的還有容克斯Ju-87俯衝轟炸機——當它朝著目標俯衝時會響起一陣宛如「耶利哥號角聲」般令人恐懼的尖嘯。如克爾所描述，在一般人心中，德國戰車部隊是「鋼鐵與火焰」的大軍，「在納粹號令下」掀起戰爭。[2]

戰車其實不是新武器，也非德軍所獨有。波蘭戰役的發起可以追溯到一九二〇年代德國陸軍對一戰晚期作戰失利所做的評估，當時協約國發動「百日攻勢」，以戰車與飛機做為矛頭，一路撕開德軍的西部前線。在《凡爾賽條約》限制下，德國陸軍無法發展或擁有戰車，這種狀況直到一九三〇年代中期才得以解除。除了德國之外，各國在戰間期都開始大力發展戰車，不過絕大多數都屬於輕型戰車或迷你戰車，上面只配備一挺機槍，例如日本的九四式輕型戰車就是一九三〇年代生產數量最多的戰車。[3]中型戰車直到一九三〇年代後半才出現，通常配備中等的三十七公釐主砲與一挺機槍。一九四〇年，法國陸軍率先推出第一輛重型戰車B1，配備了七十五公釐與四十七公釐主砲，以及兩挺機槍。二戰爆發之後，戰車與自走砲的火砲才陸續升級成七十五公釐或更粗的砲管。[4]早期戰車絕大多數用來支援步兵作戰或進行偵察任務，當時對戰車是否能獨立擔負攻勢任務的看法不一。英美認為戰車是從傳統騎兵部隊演變出來的兵種，因此傾向於將戰車當成傳統騎兵來使用，也就是說在絕大多數情況下，戰車都被打散分配到各個步兵師之中，負責提供額外的機動火力與保護步兵的側翼。蘇聯在一九三〇年代初曾一度把戰車當成裝甲鐵拳，用來打穿敵軍防線並且包圍敵軍，這種觀念是受到當時蘇聯參謀總長圖哈契夫斯基（Mikhail Tukhachevsky）的影響。然而圖哈契夫斯基在一九三七年遭到官方整肅，直到二戰爆發前幾年，這一作戰觀念才獲得德國陸軍採用。

做為前線武器，戰車有優點也有缺點。與大多數火砲相比，戰車更具機動性，可以穿越大範圍的障礙物與崎嶇地形，可以用來對抗敵軍火砲、機槍陣地或小型要塞。此外，雖然這種情況比較少見，但戰車也可以用來對付敵軍戰車。輕型戰車配備機槍，可以用來對付敵軍步兵，如對華戰爭時的日本戰車。儘管如此，戰車本身其實是一種脆弱的武器。戰車一般移動速度緩慢，二戰時期的重型戰車尤其如此。德國六號戰車「虎式」重達五十五噸，最高時速僅約三十公里，而且移動距離有限，非常需要定期維修，因此實戰中這類戰車無法像原本設想的那樣用來突破敵軍防線與擴大戰果。[5]戰車很容易出現機械故障，因此在戰車後方必須緊跟著維修營，否則一旦出現機械故障或小損害就可能被迫放棄整輛戰車。雖然戰車的裝甲在二戰時逐漸增加，但即使是最重型的戰車也無法抵禦針對履帶、車身側面與後方進行攻擊的砲火。戰車乘員的作戰環境極度惡劣，好比輕型戰車幾乎擠不下所有人，乘員因此必須在狹小空間裡執行任務。即使是稍微寬敞一點的中型與重型戰車，乘員也動輒多達四五人，要在令人產生幽閉恐懼症的車內進行有效射擊、裝彈與無線電通信，依然對戰車兵構成嚴峻挑戰。能見度受限，引擎的巨大聲響掩蓋了外部敵軍或友軍的砲火聲，車內瀰漫著煙霧，使原本已相當炎熱的車內更加難熬，更不用說戰車隨時都有被擊中的可能。一旦車內起火或金屬碎片射進車內，狹窄的出口將令乘員難以逃生。「我們滿臉都是血，」一名蘇聯戰車車長提到自身經驗時寫道：「……小小的鋼鐵碎片嵌進我們的臉頰與額頭。什麼都聽不見，車內瀰漫著有毒的砲彈煙霧，我們忙得精疲力盡……。」[6]

更重要的是，戰車容易受到各種反戰車武器的攻擊。當戰車發出轟隆巨響，無情地朝著士兵駛來時，士兵們雖然感到恐懼，但他們還是有各種方式可以癱瘓敵軍戰車，包括使用重型火砲、戰車、戰防砲、手榴彈、火箭彈發射器、吸附雷或反戰車步槍。當戰車性能在戰爭時期陸續升級時，反戰車武器與彈藥也同樣獲得提升。各國陸軍紛紛組織小型的「戰車獵人」步兵部隊，這種單位會巡迴戰場尋找落單或癱瘓的戰車，再使用近戰武器來摧毀戰車。例如日軍使用的「刺突爆雷」會將炸藥固定在木棍前端，由士兵手持木棍接近戰車，然後朝戰車伸出木棍，用炸藥炸毀戰車——然而這種做法通常連那名士兵也會跟著喪命，因此被美軍稱之為「白癡木棍」。德國也有所謂的「雙重炸藥包」，士兵必須冒險將炸藥包扔到敵方戰車的砲管上，幾分鐘後引爆炸藥，就能讓敵方戰車失去作戰能力。[7]絕大多數配置到前線進行戰鬥的戰車不是損壞就是遭到摧毀。就連以重裝甲著名的虎式與虎王戰車也是如此：總計生產了一千八百三十五輛，卻有一千五百八十輛遭到擊毀。[8]蘇聯T－34戰車在戰場上的預期壽命不超過二到三天，蘇聯生產了八萬六千輛這型號的戰車，其中有八萬三千五百輛損毀。換言之，除非能做到迅速修復車輛，否則要維持機械化戰爭是不可能的。[9]裝甲革命反而促成其勁敵反裝甲武器的演進，反裝甲能力因此變得與裝甲武器同等重要，正如為了對抗敵方的戰術空軍而必須在規模與有效性上大幅提升防空火力一樣。裝甲師普遍具有兩種能力：機動攻勢作戰的能力，以及機動防衛敵方裝甲與空軍的能力。裝甲師能否存戰場中倖存，就有賴這兩種能力的結合。

然而，光憑戰車本身很難有效發揮戰力。在戰場上，戰車如果跑在步兵前面，很可能陷入孤立，最後遭到反戰車武器擊毀。戰車與飛機一樣，無法占領領土。裝甲部隊在作戰時能取得成功，主要仰賴聯合兵種作戰的發展。戰車是裝甲部隊的核心，但必須與摩托化步兵、摩托牽引砲或自走砲、戰防砲、野戰防空砲、機動工兵營與維修部隊緊密合作。唯有透過聯合兵種作戰，而非只靠戰車本身，才能讓裝甲編隊發揮強大的打擊力。聯合兵種作戰是裝甲部隊致勝的關鍵，這種作戰很大程度仰賴於機械化與機動性。為了成功，所有支援裝甲作戰的兵種都必須使用卡車、野戰車輛、裝甲運兵車與拖車，讓所有兵種一同前進，而不是尾隨在戰車後面。

德國的盟邦日本與義大利就是因為無法做到聯合兵種作戰，因而無法發揮裝甲單位的完整戰力。日義兩國都認知到聯合兵種組織的重要性，但兩國都因為缺乏相應的工業資源（尤其是石油）而無法讓軍隊大規模摩托化與機械化。一九三四年，日本成立第一支裝甲部隊「獨立混成第一旅團」，該旅團下轄一個戰車營、一個摩托化步兵營、一個工兵與砲兵連、一個機動偵察部隊。但日本野戰軍無法接受獨立部隊的理念，在中日戰爭開打後不久就解散了第一旅團。第一旅團解散後，原有的輕型戰車打散分配到各個步兵師團擔任支援任務。一九四二年，有鑑於德國裝甲作戰的成功，日本終於成立三個聯合兵種戰車師團，之後成立的第四個戰車師團負責防守日本本土。這些戰車師團很難部署於太平洋島嶼戰爭，這可以解釋日本為什麼沒有把戰車擺在戰爭生產的優先順位上。日本在一九四四年只生產了九百二十五輛戰車，一九四五年更只有兩百五十六輛。日本只是逐一地將戰車師團投入支援步兵。一九四四年，一個戰車師團在菲律賓遭到殲滅；一九四五年八月，另一個戰車師團在滿洲投降，至於第三個戰車師團在華南地區行進一千三百公里之後，由於沒有適當的替補與維修，最終也面臨崩潰的命運。[10]

義大利於一九三六年組建了第一支聯合兵種機械化部隊「摩托化機械旅」（Brigata motomeccanizzata），該旅下轄一個戰車營、兩個步兵營與一個砲兵營。摩托化機械旅後來升級成裝甲師，而且加入更多支援兵種。但就像日本一樣，義大利在整個二戰期間只組建了三個裝甲師，而且只被當成步兵軍級單位下的一支部隊來使用。根據義大利的陸軍準則，「作戰的決定性要素」是步兵，而不是作戰車輛。[11]義大利裝甲部隊起初是由飛雅特3000B輕型戰車組成，這種戰車配備了效果不佳的三十七公釐主砲，此外還有CV-33與CV-35這兩種配備無砲塔機槍的迷你戰車，這種戰車對機動裝甲作戰可說是毫無價值。一九四〇年，義大利生產了M11／39中型戰車，但不久就因為裝甲防護不足而停止生產；之後於一九四一年生產的M13／40戰車配備了改良的四十七公釐高速砲，但裝甲厚度依然不超過三十公釐，可見義大利無法生產出符合現代裝甲作戰條件的戰車。二戰期間，義大利總共也只生產出一千八百六十二輛戰車。義大利的三個裝甲師，有兩個在艾拉敏會戰遭到消滅——當會戰接近尾聲時，這兩個裝甲師已經打到連一輛戰車都不剩。無論是日本還是義大利，這兩個國家都沒有發展出成熟的裝甲作戰準則。在太平洋戰爭發生的少數幾次機動作戰中，日軍戰車直接衝向美軍戰線，形同裝甲部隊版的萬歲衝鋒，結果一下子就被美軍的反戰車武器殲滅。

德國從一九一九年後就被剝奪建立現代陸軍的權利，但也是在德國，機械化與摩托化部隊的作戰優勢首次獲得充分發揮。一九一九年戰敗之後，德國陸軍認為與「決定性會戰」失之交臂是德國在一戰的敗因，因此開始思索如何提高軍隊的速度與打擊力，使其能成功進行一場決定性會戰。德國在一九三二年進行陸軍演習時，利用模型車輛證明了機動作戰的潛力。在摩托化部隊督察官魯茲少將（Oswald Lutz）與年輕的古德林少校激勵下，往後三年，德國開始組織裝甲師，首批三個裝甲師於一九三五年成立。成立裝甲師的首要目標是確保戰車不會被支援兵種有限的機動性拖累，因此得將摩托車、步兵、砲兵、偵察單位、工兵與通信單位全都摩托化，讓裝甲師擁有獨立的戰鬥力。[12] 一些陸軍高層希望將機械化與摩托化單位盡可能部署到整個德國陸軍之中，不過德國陸軍最終沒有採取這項意見，而是決定讓戰車成為具備強大打擊力的裝甲核心。古德林於一九三七年寫道：「集中運用裝甲部隊，要比分散到各個部隊更為有效。」[13] 無論如何，當時德國引擎工業的規模也只能生產數量有限的車輛，加上必須加速重整軍備，德國確實無法做到陸軍全面摩托化。德國武裝部隊實際上是用了兩支陸軍開啟了二戰：一支是具備機動性的現代陸軍，另一支是移動緩慢的步兵，仍然仰賴馬匹與鐵路來進行運送。當希特勒的裝甲師一路打進蘇聯時，他們身後跟著一支動用了大約七十五萬匹馬的陸軍（包括馬夫、糧秣車與獸醫）。一九四二年，由於車輛不夠，德國又在歐洲占領區徵用了四十萬匹馬來拖運火砲與重武器。[14]

德國入侵波蘭使用了六個裝甲師，一九四〇年五月入侵西歐使用了十個裝甲師，這些裝甲師是步兵揮出的裝甲鐵拳。這兩場戰役的勝利讓世界各國注意到德國機動作戰帶來的激烈衝擊，也讓各國開始競相效仿。但這兩場戰役其實也凸顯出裝甲部隊快速發展的問題，以及補給裝備時遭遇的困難。在德國入侵法國與低地國使用的兩千五百七十四輛戰車中，五百二十三輛是一號戰車，上面只配備了機槍；九百五十五輛是二號戰車，配備了火力不佳的二十公釐主砲；三百三十四輛從捷克擄獲的戰車；只有六百二十七輛是擁有較大口徑主砲的三號戰車與四號戰車，然而這兩種戰車的主砲都無法輕易擊毀或癱瘓敵軍較為重型的戰車。伴隨裝甲師協同進攻的步兵與工兵，許多都是搭乘卡車，而非裝甲運兵車。法國陸軍擁有三千兩百五十四輛戰車，許多屬於較為重型的戰車而且配備較好的武器。[15]儘管德軍的裝甲部隊在數量與品質上都不如法軍，但德軍還是獲得勝利，部分是因為擁有空中支援，還有一部分是因為法國陸軍把絕大多數戰車打散到步兵師裡，而非集中運用裝甲兵力，但最主要的原因還是德國裝甲師運用了機動支援兵種，擁有良好通信，可以擔負起占領土地與消滅敵方車輛的任務。法國戰役中有一場戰車對決戰車的戰鬥，發生在比利時小鎮讓布魯（Gembloux）。在這場戰鬥中，德軍戰車車長發現，法軍戰車的行動因缺乏無線電而極為笨拙，只能分散成幾個小隊而無法大規模出擊，開砲緩慢且不精確。法國輕型戰車在這方面的問題更嚴重，因為輕型戰車的砲塔只有單人操作，車長既要負責射擊，又要負責指揮戰車前進。[16]這場戰鬥充分顯示聯合兵種準則的優勢與單純仰賴戰車所造成的限制。

一九四一年，為了入侵蘇聯，德國陸軍一方面增加裝甲師的數量，另一方面卻不得不降低個別裝甲師的戰力。德軍將裝甲師擴增到二十一個，組織成四個主要的裝甲兵團，結果每個裝甲師只配備了一百五十輛戰車，而非入侵波蘭時的三百二十八輛。德軍動員了三千兩百六十六輛戰車，其中一千一百四十六輛是三號與四號戰車，其餘則是戰力相對不足的捷克戰車與二號戰車。巴巴羅薩作戰開始幾個月後，紅軍戰鬥序列完全崩潰，令德國裝甲部隊大為振奮。戰事開打六個月後，蘇聯原本可用的兩萬八千輛戰車與自走砲中，損失達到了驚人的兩萬零五百輛，但德軍損失也持續增加。[17]一九四一年八月，德國戰車戰力已經減少一半；到了十一月，德軍投入戰場的五十萬輛各式車輛中，只剩七萬五千輛還能正常運作。在戰爭的最後幾年，德國機械化部隊的損失直線上升，巨大的損失與後方生產狀況不佳，嚴重限制了德國裝甲部隊的戰力。一九四三年，德國生產的各式戰車只有五千九百九十三輛，同年蘇聯與美國總共生產了五萬三千五百八十六輛。一九四三年七月庫斯克會戰開打時，德軍平均每個機械化師僅擁有七十三輛戰車，已經遠遠不如入侵時期擁有的數量。德軍在庫斯克的第九軍團甚至需要五萬匹馬才能正常推進，第四裝甲軍團則需要兩萬五千匹馬。[18]

隨著軍力平衡開始朝同盟國傾斜，德國不得不對戰車使用準則進行修正。一九四三年中之後，德國裝甲部隊從一個用來突破敵軍戰線、擴大戰果並進行包圍的兵種，開始轉變成進行守勢作戰的兵種。即使在守勢作戰中，裝甲部隊也可以發動攻擊。在東線戰場，德軍將機械化部隊集中組成「裝甲戰鬥群」（Panzerkampfgruppen），由戰車、機械化步兵與牽引式火砲組成，專門部署在關鍵的危險地區，而且仍維持獨立的聯合兵種作戰模式。這些裝甲戰鬥群的重點此時已經轉變成消滅逼近的敵軍裝甲部隊，主要使用戰車、反戰車步兵部隊與反戰車武器，包括自走砲與配備具有穿甲能力七十五公釐主砲的突擊砲（二戰結束時突擊砲已經成為德國陸軍數量最多的裝甲戰鬥車輛）。[19]此外，擁有高射速七十五公釐主砲的新型五號戰車「豹式」，以及配備了八十八公釐主砲、可以擊毀所有戰車的六號戰車「虎式」，這兩種戰車都曾參與德國在東線的最後一場戰略攻勢庫斯克會戰。此後這兩種戰車便被重新部署成為執行有限之戰術反擊任務的機動預備隊，有時甚至會完全放棄機動作戰，成為固守陣地的防衛用火砲。也就是說，原本用來發動攻勢裝甲作戰的部隊，到了戰爭最後兩年卻變成了防衛反戰車作戰專業，這樣的改變確實頗為諷刺。一九四三年，德國陸軍組織了反戰車防線，根據預測的敵軍前進路線，將戰防砲部署在藏匿的防禦點，以伏擊敵軍的裝甲部隊。這種做法其實是仿效過去蘇聯的「反戰車口袋」戰術——紅軍會引誘德軍裝甲部隊進入一個周圍被自然障礙與地雷包圍的地區，再集中火力攻擊這個地區。同年，德軍推出兩種新型的反戰車武器，分別是別稱「戰車殺手」的八十八公釐反戰車火箭彈發射器，以及僅能單次射擊的反戰車武器「鐵拳」（儘管如此，鐵拳發射的彈頭可以穿透超過一百四十公釐的裝甲）。這兩種手持的輕型武器可以由受過訓練的士兵使用，能夠癱瘓各種類型的中型與重型戰車。德國生產了超過八百萬支「鐵拳」，讓撤退的德軍能以此來有效遲滯敵軍重裝甲部隊的推進，此舉完全反轉了德軍開戰之初採行的作戰策略。[20]

相較之下，盟軍在一九四〇年法國戰役慘敗與德軍入侵蘇聯之後，開始密切注意德軍的做法，重新思考自身的裝甲準則與組織。英國與美國的裝甲部隊必須從零開始進行發展與組織；蘇聯戰車部隊在一九四一年夏天幾近全滅，迫使蘇聯必須深刻改變裝甲部隊的部署方式。英國與美國都享有一項優勢，那就是兩國在戰間期是所有交戰國中陸軍摩托化程度最高的國家，而且都擁有大型的引擎工業，車輛的庫存也足以讓陸軍全面現代化。美國與英國使用卡車與裝甲運兵車運送步兵，幾乎不用馬匹。不過，英美的裝甲部隊源自於他們的騎兵傳統，這種傳統使英美傾向於建立全戰車裝甲部隊而非聯合兵種——也就是把戰車當成馬匹一樣，建立清一色的戰車部隊來追擊敵軍或打穿敵軍戰線。

英國在一九二〇年代曾經嘗試過聯合兵種，但之後又改成沒有步兵或砲兵的全裝甲部隊。英國於一九三一年建立戰車旅，這是一支全戰車部隊，後來成為機動師的核心（機動師很快改名為英國裝甲師）。[21]一九三九年，英國決定將戰車部隊一分為二：一個是戰車旅，使用裝甲較厚的中重型戰車如「瑪蒂達」（Matilda）、「邱吉爾」與「瓦倫丁」（Valentine）做為步兵支援武器，依附於步兵師之下；另一個是裝甲師，使用速度較快的「巡航」（Cruiser）戰車代替騎兵扮演傳統的機動角色。步兵戰車旅每隔一段時間就會升級更大口徑的主砲以對抗敵軍的裝甲部隊，但仍然依附在步兵師之下擔任支援任務。英國第一裝甲師在法國遭到消滅之後，英國又在一九四〇年到一九四一年秋天組建了七個裝甲師。由於這些裝甲師在缺乏其他兵種支援下顯得十分脆弱，因此英國終於在一九四二年決定重組裝甲師，一方面減少戰車數量，另一方面則增加摩托化步兵與強化反戰車與防空能力。一九四三年，第六裝甲師成立，這支裝甲師主要由曾經服役北非的南非部隊組成，擁有一個戰車旅、一個摩托化步兵旅、三個砲兵團、一個戰防砲團與一個防空砲團，最後還有一個二十五磅自走砲團，火力相當於一個標準德軍裝甲師。[22]儘管如此，與德國和蘇聯對裝甲部隊的投入相比，英國的裝甲師仍遠遠不足，而一般也認為英國的戰車品質有待加強。到了戰爭結束時，英國只有五個裝甲師與八個陸軍戰車旅，每支部隊都極度仰賴美國的M4「雪曼」戰車，這是一九四二年後美國大量租借給英國的武器。[23]英國的戰爭投入多半集中在空軍與海軍。

在一九三九年之前，美國幾乎沒有任何裝甲部隊。與英國一樣，美國也在一九三九年建立第一支裝甲部隊第七騎兵旅，而做法只是將馬匹換成了一百一十二輛小型裝甲車做為偵察之用。一九四〇年七月，在評估德國在波蘭與法國的戰果之後，美國成立了首批共兩個裝甲師，但這兩個裝甲師完全由戰車組成。一九四一年在路易斯安那州的演習中，清楚顯示只憑藉大量戰車很容易被反戰車武器消滅。美國於是迅速對這些裝甲師進行改進，加入聯合兵種以取得平衡，例如步兵、砲兵、反戰車武器、偵察營、工兵與勤務部隊。裝甲師完全摩托化與機械化，每支裝甲師有三百七十五輛戰車與七百五十九輛輪型或履帶裝甲車，目的與德國裝甲師一樣，都是為了打穿敵軍戰線。美國裝甲部隊第一位指揮官霞飛將軍（Adna Chaffee）制定的野戰手冊上寫著，「裝甲師的角色是仰賴具有強大火力與機動性的獨立部隊進行高度機動作戰，特別是攻勢作戰……。」[24]然而，美國最初在突尼西亞的戰役遭遇了各項問題，因此不得不做出重大變革。原本計畫建立六十一個裝甲師改為十六個，裝甲師的角色也改為在重裝甲步兵突破敵方戰線後，由裝甲師追擊與擴大戰果。這項準則後來在一九四四年七月下旬的諾曼第突破包圍上起到非常重要的作用。

美國並未建立更多的裝甲師，而是組織了七十個戰車營，讓每個步兵師都擁有一個戰車營，如此一來所有美軍地面部隊都變成了裝甲部隊。相較於德國與蘇聯都發展了重型戰車，美國卻不急著發展，因為美軍認為重型戰車速度過於緩慢，而機動性才是致勝的關鍵。M4雪曼中型戰車與衍生出來的各式型號，最初目的是用來支援步兵與進行追擊，但雪曼戰車也適合從事各項任務，例如在太平洋戰爭中對抗無數的日軍掩體與碉堡。雖然雪曼戰車在實戰中不是德國豹式與虎式戰車的對手，但雪曼戰車堅固耐用，有相當高的妥善率。雪曼戰車的生產數量也完全輾壓敵軍。一九四四年十二月，德軍在西線有五百輛豹式戰車，但盟軍卻有五千輛M4雪曼戰車。[25]美軍機動部隊也研發了各種反戰車武器，包括手持的「巴祖卡」（Bazooka）火箭彈發射器，裡面裝填了反戰車彈藥。M1巴祖卡（巴祖卡這個名字源自於一種喜劇樂器，因為外表類似而得名）在火炬作戰中首次登場，之後又出現改良版本M9A1，使用威力更強大的彈頭，並且在兩年後廣泛使用。美國總共生產超過四十七萬六千支巴祖卡火箭筒給裝甲師與步兵師使用。戰車、反戰車自走砲、戰防砲、巴祖卡與反戰車飛機的合作運用，足以挫敗敵軍的裝甲作戰，其中最著名的戰例就是一九四四年八月盟軍在法國莫爾坦擊敗德軍的反攻。[26]

裝甲能力最重大的轉變發生在蘇聯。在漫長的蘇德戰線上，部署了最多的德國裝甲部隊，但也正是在這條戰線上，德國裝甲部隊最終遭到擊潰。一九四一年，蘇聯裝甲部隊的失敗暴露出眾多缺失。在德國入侵前夕，蘇聯擁有大量戰車，但有很高比例並未做好作戰準備，在全部的一萬四千兩百輛戰車中，只有三千八百輛能上戰場，而且絕大多數並不是著名的T－34，而是較小較輕型的戰車，完全無法與德軍的裝甲部隊及砲兵對抗。[27]一九四一年六月，駐烏克蘭機械化軍指揮官莫古諾夫少將（Rodion Morgunov）在報告裡（在烏克蘭，德軍裝甲師以五百八十六輛戰車面對蘇軍的三千四百二十七輛戰車，並且摧毀了其中的三千一百二十七輛）感嘆，蘇軍無法集中機械化部隊，情報與通信能力低落，沒有無線電、零件與燃料，也沒有清楚的戰術計畫。[28]一九四二年春天之後，蘇聯對裝甲部隊進行重整，放棄一九四〇年建立的準則，不再將機械化部隊分散到各個步兵軍團。調整後的基本作戰部隊是戰車軍，裝備了一百六十八輛戰車、戰防砲與防空砲、一個卡秋莎多管火箭砲營。兩個戰車軍加上一個步兵師即組成一個戰車步兵軍團，火力相當於一個德國裝甲師。起初，紅軍由於缺乏有經驗的指揮官而表現不佳，但隨著愈來愈多戰車步兵軍團成立，裝甲部隊也開始集中運用，紅軍逐漸學會德軍的作戰方式。一九四二年九月之後，戰車軍團獲得聯合兵種機械化軍的補充，這些機械化軍裝備了兩百二十四輛戰車，擁有高比例的步兵及大量戰防砲與防空砲的支援。隨著軍事資源供給逐漸充裕，戰車軍團與機械化軍也持續升級。[29]一九四三年，蘇聯戰車軍的戰車數量從一百六十八輛增加到一百九十五輛，一九四四年，戰車軍開始獲得升級後的T－34／85中型戰車、IS－1與IS－2重型戰車，後兩種戰車分別擁有一百公釐與一百二十二公釐主砲，是當時最先進的戰車。

蘇聯總共建立了四十三個戰車軍與二十二個機械化軍，使紅軍擁有各交戰國規模最龐大與最集中的裝甲部隊。新戰車軍團用來突破敵軍較弱的戰線，然後追擊與包圍敵軍，這種做法與一九四〇年到一九四一年的德軍完全一樣。原本使用汽油引擎的蘇聯戰車，在改用柴油引擎之後，最大作戰範圍達到原來的三倍，大大提高了機動性；無線電的使用，也使指揮與通信出現革命性的變化。雖然蘇軍仍存在訓練有限與技術缺陷的問題，但戰術部署的改善顯然影響了德蘇雙方的損失比。一九四一年到一九四二年，蘇聯裝甲部隊每損失六輛車輛才能換得德軍損失一輛；到了一九四四年損失比已達到一比一，這主要歸功於蘇聯發展出較為有效的戰防砲，如七十六公釐的Zis－3與威力強大的一百公釐BS－3。持續生產與有效的維修體系意謂著到了一九四四年底，紅軍已經擁有超過一萬四千輛戰車與自走砲，而德軍只有四千八百輛。盟軍在西線有六千輛戰車，而德軍只有一千輛。紅軍與盟軍充分記取了一九四〇年與一九四一年的教訓。

※ ※ ※

空軍在對地支援機種的發展上，也出現了類似裝甲部隊發展的現象。原本在一九三九年時，德國空軍無論在準則與設備上均享有領先地位。與陸軍裝甲部隊一樣，德國空軍也是在戰爭爆發前幾年才成立，然而德國飛行員所說的「作戰空戰」（operational air war）其實是吸取了一戰經驗與教訓而來。一九二〇年代，德國國防部成立四十個以上的空戰研究小組，幾乎所有小組都致力研究如何在戰線上贏得且保持空優以支援地面攻勢。[30]一九三六年的手冊《空戰指導》定義空軍本質上屬於攻勢行為，與陸軍和海軍聯合作戰以擊敗敵軍武裝部隊。飛機首先用來消滅敵方空軍及其組織，而後在主要戰場建立空優；一旦獲得空優，空軍就能支援地面攻勢。首先是間接支援，空軍要對距離前線兩百公里內的敵方補給、通信與預備部隊進行阻絕以孤立戰場，之後則使用中型轟炸機與地面攻擊機直接支援地面部隊。[31] 這是戰術空軍的經典陳述。從一九三五年到一九三九年戰爭爆發，新飛機設計如雨後春筍般出現，容克斯Ju－87俯衝轟炸機、亨克爾He－111轟炸機、道尼爾Do－17轟炸機、容克斯Ju－88中型轟炸機、梅塞施密特Bf－109戰鬥機與Bf－110戰鬥機，這些都是「作戰空戰」觀念下的產物。直到戰爭結束，這一觀念都是德國戰術空軍的核心。然而在戰爭末期，儘管這些飛機持續升級，絕大多數都已落後於盟軍的空軍技術。空軍的組織方式反映了作戰的優先順序。在每個主要的陸軍集團軍後面，都有一個由各種航空兵種組成的機隊，如偵察機、戰鬥機、俯衝轟炸機、轟炸機與運輸機，這些飛機都用來支援地面攻勢，而且都受到獨立指揮與中央管制，具有高機動性。到了一九三九年，德軍在空對空與空對地之間都已建立了有效的無線電通信網。

戰爭期間，德國空軍支援前線作戰的組織基本上沒什麼變化。入侵法國時，德國空軍明顯發揮極大效果，超過兩千七百架戰機集中壓制盟軍空軍，攻擊盟軍後方補給、增援與各項勤務，而且直接支援戰場，攻擊敵軍部隊與砲兵。地面部隊可以在一個小時內呼叫到空中支援，這完全要歸功於德國地面部隊與空軍的緊密聯繫。反觀駐法國的英國皇家空軍，在陸軍尋求支援時往往需要三個小時才能做出回應。俯衝轟炸機的空襲對敵軍造成巨大的心理衝擊，儘管轟炸還無法做到非常精確。一名法軍中尉在德軍渡過繆斯河時遭遇德國飛機轟炸，他日後寫道：「所有人一動也不動，沒有人發出聲音，大家的背都弓起來，全身蜷縮在一起，嘴巴張開，避免耳膜被震破。」[32] 入侵蘇聯時，德國出動了兩千七百七十架飛機，幾乎沒有比入侵法國時增加多少，這是因為德國的飛機產量難以擴張的緣故。不過這些飛機依然產生了巨大效果，在幾個星期之內就消滅了蘇聯空軍，直接支援德國裝甲部隊發動大規模攻勢，長驅直入蘇聯領土。德國空軍使用炸彈、機槍與機砲空襲機場、通信中心、部隊集中結區與戰場要地。德國飛行員奉命攻擊緊鄰德軍進攻部隊的蘇聯裝甲部隊，他們都已受過訓練，有能力在空中區別出德蘇裝甲部隊的不同。一名Bf-110飛行員在回憶錄裡寫道：「我們的攻擊成果愈來愈豐碩，可以從大量起火燃燒的車輛及戰場上散落各處的癱瘓或被遺棄戰車看出。」[33]德國空軍的集中，就跟德國裝甲部隊的集中一樣，能最大程度地提升其打擊能力。直到史達林格勒會戰為止，面對組織鬆散、訓練不足的蘇聯空軍，德國空軍始終能維持前線空優。但就在史達林格勒會戰之後，兩國空軍軍力的平衡開始出現輸贏互見的局面。

德國戰術空軍成功的祕訣，很多時候其實是一種常識性的後見之明。其他交戰國的空軍都無法在戰爭爆發前發展出有效的戰術空軍準則，這是由於兩個彼此衝突的壓力導致。第一種壓力來自於陸軍，陸軍希望空軍能對地面部隊提供密接支援，在部隊上方維持防衛的「空傘」。每當陸軍提出各項要求時，空軍總是得將飛機打散分配給各集團軍，並且聽從各集團軍的指示。第二種壓力剛好相反，一些空軍將領希望發展獨立的空軍戰略，利用飛機的彈性與飛行距離進行遠離戰場的作戰，甚至直接攻擊敵軍後方。一九三〇年代陸軍對空軍的看法，反映出飛機做為戰爭工具的一項明顯缺點。一九三五年，美國陸軍准將恩比克（Stanley Embick）總結飛機的「內在限制」：

飛機無法永久占領或控制陸地或海洋，飛機除非處於飛行狀態，否則一無是處，而且必須仰賴地面與海上部隊提供保護。飛機很脆弱，無法抵禦最小型的火箭彈，無法在惡劣天氣下飛行，而且造價昂貴。[34]

與戰車一樣，飛機也面對愈來愈強大的防空砲威脅，這些防空砲除了能打下飛機，也能迫使飛機遠離重要的攻擊目標。恩比克有充分的理由補充說，當前的科技使得飛機難以精確擊中目標，除非是降低飛行高度。有人認為飛機在二戰時期扮演著「戰車剋星」的角色，這種說法其實過於誇大。因為除非發展出更先進的地面攻擊武器與彈藥，否則一般來說要從空中攻擊地面微小的目標是極為困難的。

在日本、義大利、法國、蘇聯與美國，飛機被陸軍視為輔助性武器，最適合在陸軍控制下對地面部隊進行密接支援，而這些國家的空軍組織方式也反映了這種優先順序。唯有在英國，空軍才得以發展出自己的戰略觀，而不是以投入地面作戰做為首要之務。英國皇家空軍在一九一八年成立，是第一個獨立的空中軍種。英國皇家空軍也長期與陸海軍抗爭，以維持自身的自主性。英國皇家空軍的首要目標，是針對未來敵軍的轟炸攻勢建立空防，並且發展空中打擊武力以向敵軍後方進行轟炸。這兩項目標充分顯示空權觀念與陸權觀念的差異，而且也符合一九二〇與三〇年代英國的地緣政治立場：在經歷一戰的慘重人命傷亡後，英國希望避免敵軍入侵，同時不希望再進行一場大規模的地面衝突。這種重視空防與戰略轟炸的想法，顯然不同於「作戰空戰」觀念，後者主要出現在德國的作戰計畫中。至少在戰爭初期，「作戰空戰」的觀念證明是成功的。

一九四〇年，英國與法國空軍在法國戰役的失敗，凸顯出兩國空軍與德國空軍的差異。兩國空軍都未準備好把攻擊敵方空軍當成首要目標，也未做好支援組織，確保戰場空優。一九三七年，法國空軍部頒布的《主要空軍部隊戰術運用指示》堅持「參與地面作戰是空軍**最基本的任務**」。[35]陸軍希望空軍與個別的軍團與集團軍緊密合作，而且期望空軍把偵察敵軍砲兵與從空中保護地面部隊視為首要之務。結果就是一九四〇年的法國空軍完全失去彈性且兵力嚴重分散，加上法軍通信方式相當原始，更讓局勢惡化。[36]英國從未針對陸空聯合作戰做過任何準備。一九三八年，英國皇家空軍計畫主任斯萊塞（John Slessor）與陸軍中校奈伊（Archibald Nye）擬定了臨時手冊《野戰的空軍運用》，希望由陸軍建立一支擁有戰鬥機、轟炸機，以及與陸軍聯合作戰的空軍部隊，並且統一聽令於地面部隊指揮官。但斯萊塞與奈伊提議的提案卻遭到空軍部否決，因為空軍部認為這等於在幫陸軍大開方便之門，讓陸軍擁有一支獨立於空軍部之外的陸軍航空軍。戰爭爆發後，陸軍部與帝國陸軍參謀總長持續施壓，希望建立戰爭大臣貝里夏（Leslie Hore-Belisha）所說的「由陸軍控制的空中單位」，空軍參謀總長依然堅決反對任何顛覆英國皇家空軍獨立性的嘗試。[37]

最後，陸軍只能接受前進空中打擊部隊提供的老舊輕型轟炸機，然而這些老舊飛機不久便遭到德國空軍重創。一支戰鬥機與偵察機小隊也奉命協助陸軍，不過這支小隊並非聽命於陸軍，而是聽從空軍參謀總長、轟炸機司令部與戰鬥機司令部指揮。陸軍與空軍並未建立聯合司令部，導致陸空軍種之間通信不良，陸軍與空軍也未嘗試進行統合反擊作戰。與法國空軍一樣，英國皇家空軍在面對德軍進攻時只能採取守勢，在面對敵軍戰鬥機與無數野戰防空砲時也沒有適當的裝備因應（盟軍甚至連防空砲也缺乏）。英國皇家空軍對於參與地面作戰完全抱持負面看法。斯萊塞就認為，「飛機不是地面戰場的武器」，他的說法獲得第一線空軍將領支持。斯萊塞表示，攻擊敵軍機場是「不經濟的支出」，因為敵方可以輕易藏匿或轉移空軍兵力。[38]一九四〇年五月中，英國皇家空軍奉命轟炸德國的工業城市，以間接削減德軍在法國的戰力。英國在運用戰術空軍上的負面經驗，反過來強化空軍將領的信念，認為未來最有效運用空軍兵力的方式，就是在敵軍後方進行「戰略轟炸」。

儘管到了一九四五年時，英國皇家空軍已具備全面的戰術能力，但英國皇家空軍其實是花了很長一段時間摸索，才從堅守戰略空軍的立場發展出新的戰術空軍能力。法國戰役失敗後，英國陸軍在巴薩洛繆中將（William Bartholomew）主持下成立委員會，檢討這起戰役何以失敗與如何改進。陸軍責怪英國皇家空軍未能為陸軍提供空傘，保護他們不受敵軍空軍攻擊，雙方會在往後三年為了控制戰場上的空軍資源而持續激辯。[39]英國皇家空軍的戰術能力最終是在環境驅使下被迫產生。由於當時英國地面部隊唯一能與軸心國交戰的地方是在北非，但在北非英國皇家空軍不可能遠程攻擊敵軍後方。英國皇家空軍中東司令部因此只能專注進行「作戰空戰」，否則英軍駐中東總司令魏菲爾將軍很可能會直接掌控英國在中東的所有飛機——魏菲爾始終希望陸軍能直接控制空軍，以阻止敵軍對大英帝國部隊發動奇襲。駐防中東的英國皇家空軍從最初的隆莫爾空軍少將（Arthur Longmore）到一九四一年六月之後的泰德空軍中將，兩人開始發展出非常類似德國「作戰空戰」的模式。他們堅持只有空軍將領才能控制與指揮空中資源，而且試圖像德國那樣集中空軍兵力。德國因為這種做法而獲得成功，但要仿效德國的模式十分困難，因為陸軍將領不斷要求空軍掩護，將空中資源浪費在防衛巡邏或攻擊防守嚴密的地面目標，導致機隊損失持續擴大。泰德希望空軍與陸軍司令部的地點能夠盡量靠近，如此比較能協調作戰策略，但在一九四一年與一九四二年上半年的戰鬥，兩軍司令部有時相隔超過一百三十公里遠。[40]戰爭前幾年，英國皇家空軍只能雜亂地取得由英國與美國製造的各式飛機，沒有專用的對地攻擊機隊，也沒有有效的中型轟炸機。英國皇家空軍最終能從這些雜亂無章的飛機中建立起「作戰空戰」的模式，可說是這場戰爭中的一項傑出成就。

一九四一年九月，泰德任命紐西蘭人亞瑟·康寧漢空軍少將擔任西部沙漠空軍司令，這是英國戰術空軍成功成立的關鍵。亞瑟·康寧漢最大的貢獻，就是他屢次拒絕陸軍空中密接支援的要求。艾拉敏會戰勝利之後，亞瑟·康寧漢在一本談陸空合作的小冊子上表示，空軍必須集中運用才能發揮效果，而且必須在空軍直接指揮與控制之下。亞瑟·康寧漢還寫道：「陸軍不能期盼或希望直接指揮空軍」——邱吉爾其實早在一九四一年十一月就已經達成這項結論，當時他發了一封措詞嚴厲的電報給魏菲爾，要他停止主張成立陸軍航空軍。邱吉爾寫道：「地面部隊不能理所當然地認為要仰賴飛機來抵禦空中攻擊。」這在當時英國是相當罕見的政治直接介入作戰準則的情況。[41]陸軍與空軍的爭端解決之後，兩軍種的聯合作戰才有了成功的契機。

亞瑟·康寧漢與泰德進一步發展原本由德國空軍擘畫的三階段作戰戰略：首先取得空優，其次孤立戰場，最後直接支援地面戰爭。最後一個階段必須清楚標記出「轟炸線」以避免誤擊友軍，誤擊這個問題在一九四二年夏天之前一直嚴重困擾著空中密接支援任務。英國也決定將空軍與陸軍司令部設在相鄰的位置，而且使用新的無線電設備、機動雷達與空中支援管制部隊系統。該系統會跟隨陸軍進入戰場，陸軍呼叫空中支援的時間因此得以從平均二到三小時縮短為三十分鐘。[42]英國皇家空軍現在裝備了颶風戰鬥機，該機配備了火力強大的機砲，可以密接支援打擊敵方戰車，這是英國首次生產出能有效執行空對地任務的攻擊機，此外還有向美國租借的戰鬥轟炸機P－40D，後改名為「小鷹」（Kittyhawk）。一九四二年夏末，當隆美爾準備攻打埃及時，大英帝國空軍已經完全掌握了制空權。英國皇家空軍對敵軍造成的損害，剛好呼應了兩年前德國空軍在法國的輝煌戰果。那年八月，隆美爾對阿蘭哈法發動攻勢，卻遭到英國戰術空軍阻止。兩個月後，當蒙哥馬利反攻艾拉敏時，英國皇家空軍也同樣完全掌握制空權。隆美爾日後說道，任何部隊若被迫與擁有空優的敵人作戰，「感覺就像蠻族碰上了現代歐洲軍隊。」[43]

一九四二年十一月，英美遠征軍發起火炬作戰，在西北非進行登陸作戰。當初在西非沙漠會戰好不容易學到的教訓，此時又要痛苦地再學習一遍。無論是英國皇家空軍的東方空軍部隊，還是杜立德空軍少將指揮的美國第十二航空軍，都對戰術空軍如何在埃及與利比亞獲得勝利一無所知。儘管邱吉爾在十月曾經再度干預，堅持陸軍與空軍必須採取「利比亞模式」，但這些人依然充耳不聞。[44]盟軍最初在突尼西亞與德國和義大利空軍的交手情況，簡直就是把先前在西部沙漠已經逐步改正的錯誤又再犯了一遍：英美空軍司令部之間幾乎毫無通信，因為他們各自分派到的任務是對各自地面部隊進行密接支援。遠征軍總司令艾森豪堅持陸軍有權直接指揮空軍單位，英美並未嘗試針對敵方空軍進行協調作戰，英美的地面部隊指揮官也都堅持戰鬥機必須巡邏前線提供空傘。作戰中沒有專用的地面攻擊機，美國戰鬥機飛行員也沒有地面掃射的經驗，最初飛機上也沒有掛載外部彈架進行阻絕作戰。盟軍只取得五座全天候機場，當豪雨季節來臨時，空軍的機動性便受到嚴重限制。盟軍損失慘重，陸軍將領抱怨軍隊經驗不足：首次面對槍林彈雨的士兵普遍出現心理創傷，因此將領要求不計一切代價進行空中密接支援。[45]種種失敗顯示，英美兩國空軍在遠離非洲戰場的現實下，完全未從「利比亞模式」學到任何教訓。

美軍在二戰的主流意見認為，戰術空軍必須在陸軍指揮下依照陸軍要求對地面部隊實施密接支援。陸軍將領普遍反對航空軍希望取得獨立地位的主張，但一九四一年路易斯安那州的大規模陸空聯合演習顯示，陸軍顯然完全不瞭解飛行部隊的運作方式。陸軍航空軍戰術學校做成的結論與德國空軍相同，認為應該採取三階段式作戰空戰，但陸軍認為密接支援才是飛行部隊的首要任務，拒絕妥協。一九四二年四月出版的第一本戰時野戰手冊提到戰術空軍的任務時，堅持「地面部隊指揮官……有權決定所需的空中支援」。艾森豪司令部在火炬作戰前夕發布了「飛行部隊作戰單位直接支援地面部隊」的訓令，明白表示飛行部隊必須接受地面部隊指揮。[46]英國陸軍司令安德森中將同樣也帶著英國陸軍對空軍的偏見，他反對空軍獨立作戰，因此支持美軍的看法，認為空軍應該由地面部隊指揮。幾個星期之後，西北非的盟軍戰術空軍陷入一場災難。杜立德雖然是第十二航空軍的指揮官，卻只被賦予諮詢的權限，他於是要求盟軍「放棄我們當前糟糕透頂的組織」並正確運用飛行部隊。[47]艾森豪很快就發現自己誤解了戰術空軍的性質，於是在一九四三年一月的英美卡薩布蘭加會議上，對於整個組織進行徹底檢討，才有了採納西部沙漠戰術經驗的決定。指揮體系的集中是第一步。泰德被任命為地中海空軍總司令，美國空軍將領史巴茲擔任西北非空軍司令，亞瑟・康寧漢擔任英美聯合戰術空軍司令。他們立即停止提供陸軍「空傘」，推翻陸軍指揮官要求空軍支援的權利，接著對軸心國空軍採取攻勢戰術空戰。

一九四三年二月，同盟國空軍與陸軍高層在的黎波里這座利比亞港都召開高峰會。蒙哥馬利在會議中表示，空軍必須成為獨立兵種以建構空軍所想的空優，會議最後決定採用「利比亞模式」。幾個月後，美軍出版了新版野戰手冊《航空軍的指揮與運用》，手冊一開頭即用大寫字母寫著：「陸軍與航空軍彼此平等……陸軍與航空軍並非彼此的輔助單位。」手冊也提到亞瑟·康寧漢的三階段作戰觀念，這是美國航空軍軍官返回華府後協助制定的版本。[48]雖然在日後的戰役中，陸軍與航空軍互不信任的現象仍未化解，但北非戰役造成的組織與準則變革，卻主導了戰術空軍的運用直到戰爭結束為止。改良的通信、情報與設備，包括美國的P－51野馬戰鬥機（在改裝後稱為A－36阿帕契地面攻擊機）與英國皇家空軍可以發射火箭的霍克颱風（Hawker Typhoon）戰鬥轟炸機，這些都增強了英美戰術空軍的打擊能力。一九四四年六月，為了支援入侵法國而動員的美國第九航空軍與英國第二戰術航空軍，已經與當初競逐火炬作戰而彼此爭執的英美空中部隊大不相同。在解釋同盟國何以獲得勝利時，除了關鍵的機械化部隊，同盟國的戰術空軍也同樣扮演著關鍵角色。相較之下，德國的戰術空軍最後卻走向崩潰。為了因應盟軍的轟炸攻勢，德國空軍被迫撥出三分之二的戰鬥機與絕大多數防空砲來進行防禦。由於缺乏各種類型的戰鬥機與燃料，德國空軍不得不派出訓練不足的飛行員應戰。[49]希特勒的作戰部長約德爾一級上將在一九四五年六月被訊問時表示：「能否在整個戰場贏得完整空優，最終決定了戰爭成敗。」[50]

若將一九四四年底的蘇聯戰術空軍也算入西方的戰術空軍，那麼盟軍與德國空軍數量的差異將會更加懸殊。雖然德國軍事高層在戰時與戰後都極力貶抑蘇聯空軍的重要性，但面對德國空軍初期的勝利，蘇聯空軍進行的變革之大，一點也不遜色於英美空中部隊所做出的巨大改進。與機械化部隊一樣，蘇聯的空軍準則與組織也深受一九三〇年代晚期軍事改革的影響：空軍單位必須依附在陸軍軍團之下接受指揮。蘇聯的作戰準則強調空軍必須直接支援地面部隊，兩者構成聯合的陸空攻勢力量。不同於德國的「作戰空戰」或西方的「利比亞模式」，蘇聯空軍認為取得空優與密接支援地面部隊這兩者在準則上並沒有明顯區別，因為光是轟炸遙遠的機場與補給並不能打贏戰爭，想要獲勝就得在戰場上消滅敵軍的戰鬥機與轟炸機。在蘇聯於一九四〇年出版的《戰鬥機作戰規定》中，將戰鬥機視為戰鬥中獲得空優的主要工具。[51] 一九四一年六月，蘇聯曾經試圖攻擊德軍後方，然而速度緩慢的轟炸機在無人護航下遭德國戰鬥機無情擊落，使得蘇聯陸軍決定放棄遠程轟炸，將空軍的用途限制在戰場上進行戰術作戰。整個戰爭期間，蘇聯持續強調空軍的戰場密接支援角色。蘇聯的作戰準則也認為，對於緊鄰前線的區域進行有限的阻絕打擊也是一種地面支援作戰。到了戰爭晚期，蘇聯飛行員可以執行所謂的「自由獵人」(okhotniki)戰術，對於新發現的地面目標進行攻擊，條件是距離前線不能超過二十四公里。[52] 與其他交戰國不同，蘇聯戰術空軍只局限於支援地面部隊。諷刺的是，當德國空軍兵力逐漸萎縮，而地面戰鬥愈來愈艱困與漫長時，德國空軍開始放棄過去的「作戰空戰」模式，轉而強調對陸軍進行密接支援。也就是說，蘇聯空軍並未仿效德國空軍，反倒是德國空軍開始模仿蘇聯空軍。

一九四一年夏天，蘇聯空軍的表現極為糟糕，幾乎所有調往西部軍區的飛機都遭到摧毀。這促使蘇聯開始在不變動作戰準則的前提下，改革空軍提供戰場支援的方式。一九四二年春天，年輕的空軍將領亞歷山大・諾維科夫（Aleksandr Novikov）因擔任列寧格勒與莫斯科防空任務表現傑出而被任命為空軍總司令，他立即著手改變蘇聯空軍的組織方式。亞歷山大・諾維科夫廢除了附屬於個別軍團與師的「陸軍航空兵」與「部隊航空兵」，也反對空軍必須聽從陸軍指揮。他另外成立了「航空軍」，由戰鬥機、轟炸機與地面攻擊機組成，類似德國空軍的航空軍團。十七個航空軍統一由空軍將領指揮，空軍將領會在司令部裡與陸軍集團軍司令一同會商如何支援地面部隊。航空軍首次採取集中方式進行作戰。為了在攻勢的關鍵點增加航空軍集中程度，蘇聯大本營組織了戰鬥機、轟炸機與地面攻擊機預備隊，以便需要時可以用上。與裝甲部隊一樣，航空軍具有高度機動性，多達四千輛車輛可以讓航空軍快速移動到前進空軍基地或迅速撤退。亞歷山大・諾維科夫與參謀還進行了其他改革來增加航空軍的作戰效率：通信與情報蒐集全面使用無線電與雷達、維修擺在最優先的位置、實施有效的偽裝與欺敵以避免發生一九四一年飛機幾乎完全遭到殲滅的慘事。最重要的是裝備改進。新型的Yak－3與La－5戰鬥機或戰鬥轟炸機已經可以趕上德軍最新型的Me－109與Fw－190戰鬥機，而且可以在改裝後掛載炸彈與火箭。蘇聯的Il－2攻擊機被德國士兵稱為「黑色死神」，是二戰生產最多的地面攻擊機，可以配備火箭、炸彈（特別是德國士兵畏懼的破片殺傷炸彈）或榴彈發射器。一九四三年，Il－2攻擊機又加裝了一門三十七公釐機砲，可以用來摧毀戰車。Il－2攻擊機生產的數量十分龐大，幾乎全數投入前線戰場，該機種除了能摧毀德軍裝甲部隊，還可以轟炸地面人員，德軍士氣因此大受影響。

蘇聯空軍花費大量時間進行重整，以建立新的通信網與生產新型號的飛機。蘇聯空軍原本的訓練時數太少，從一九四二年到一九四三年，蘇聯飛行員可能只接受幾個小時的飛行訓練就必須上戰場，結果造成居高不下的陣亡率。過於著重戰場飛行也導致蘇聯空軍在作戰時必須直接面對德軍防空砲火與步兵的地面火力，使飛行員身陷險境。蘇聯飛行員也開始學習運用無線電通信。蘇聯在戰爭期間一共興建了八千五百四十五座機場，數量十分驚人，但其中五千五百三十一座只有簡易的泥土跑道，飛機連降落都很危險。儘管如此，在史達林格勒與庫斯克會戰中，德國空軍與蘇聯空軍的實力已經開始拉近。一九四三年中期之後，蘇聯對德軍發動一連串攻勢作戰，蘇聯空軍的戰術也在這個過程中臻於成熟。蘇聯地面攻擊機支援蘇聯裝甲部隊突破德軍戰線，為前進的地面部隊開路，蘇聯戰鬥機則持續進行攻勢巡邏，讓德軍戰鬥機無法靠近。到了一九四五年，隨著德軍數量減少與作戰能力降低，蘇聯開始嘗試在德軍前線後方進行大規模阻絕作戰，但這項作戰依然被視為是對戰場的直接支援。在這個階段，蘇聯紅軍在前線已擁有一萬五千五百架飛機，是德軍的十倍。雖然日後針對蘇聯空軍與裝甲部隊的研究顯示蘇軍相對缺乏效率，但蘇聯空軍與裝甲部隊依然是盟軍勝利不可或缺的一環，正如四年前德國仰賴空軍與裝甲部隊獲勝一樣。

兩棲作戰的興起

一九四三年，英國海軍上將基斯勳爵（Lord Roger Keyes）在劍橋大學里斯—諾斯講座（Lees-Knowles lectures）演講時提到，「要發動與維持一場兩棲作戰，必須掌握戰場的制海權，除了動用空軍，還要仰賴海軍的作戰能力。作戰範圍不僅是在水面與水下，還包括天上。」[53]如果二戰時陸戰與空戰不可避免地結合在一起，那麼海戰與空戰也是如此。與一戰不同，兩棲作戰在二戰取得了成功，在歐洲與太平洋戰場都扮演著重要角色，更是盟軍最終贏得戰爭的關鍵。

兩棲作戰是一種混合作戰，需要陸海空三軍聯合發起攻擊，並且維持與擴大占領區直到敵軍遭到擊敗為止。兩棲作戰不同於一般常見的登陸或登岸，後者多半未經抵抗。兩棲作戰如同字面上的意思，就是從海上打到陸上。在戰間期，絕大多數國家的海軍與陸軍都不願從事兩棲作戰，部分是因為兵種成見使他們不願進行跨兵種合作，另一部分是因為當時普遍認為飛機等現代武器的發展，已使攻下防守嚴密的海岸線成了不可能的任務。一九一五年到一九一六年，協約國在土耳其加里波里戰役的慘敗，充分顯示兩棲作戰的困難，同時也成為戰間期批評者反對兩棲作戰的負面教材。唯有隔著太平洋彼此對峙的日本與美國認真看待兩棲作戰，他們認為未來美日兩國要是發生戰爭，那麼從戰略與作戰層面來說，兩棲作戰勢屬必要。地理決定了美日兩國需要在西太平洋島鏈建立海外基地，而要攻擊與奪取這些海外基地，唯一的方式就是兩棲作戰。

美國早在一戰之前就已開始思考與日本發生衝突的可能，當時還曾擬定了「橘色戰爭計畫」。

但直到一九一九年日本接管德屬島嶼（馬紹爾群島、馬里亞納群島與加羅林群島）做為國際聯盟託管地之後，美國才嚴正看待未來與日本開戰時可能要進行的兩棲作戰。一九二〇年代，日本違反國聯規定，開始祕密建造海軍設施與機場，這是往後二戰日本建立廣大太平洋國防圈的雛形。面對日本在西太平洋採取的新戰略態勢，美國海軍也著手建立因應。一九二二年，美國對橘色計畫進行修正，其中貢獻最大的是美國海軍陸戰隊情報軍官埃利斯中校（Earl Ellis）的一篇論文，〈密克羅尼西亞前進基地作戰〉，這篇論文為美軍的兩棲作戰準則奠定基礎。埃利斯瞭解從海上發動攻擊與陸戰或傳統海戰有著根本差異。他對於未來對灘岸守軍發動進攻的描述，清楚預言了二十年後太平洋中部的衝突：首先是需要大批訓練有素的海軍陸戰隊，還要從水雷與障礙物中清出一條通道讓登陸艇接近海岸。接著海軍必須從側翼提供火力支援，壓制敵軍砲火；海軍航空隊要支援地面部隊，砲兵營與通信營必須上岸協助海軍陸戰隊建立灘頭堡。然後必須標記與管制灘頭，加速艦隊讓人員與補給順利上岸的速度，好最大化第一波打擊力道。埃利斯在結論中表示，兩棲作戰的「成敗完全繫於灘頭」。[54]雖然一九二〇與一九三〇年代海軍與陸軍都對兩棲作戰興趣缺缺，但海軍陸戰隊部分人士仍接受了埃利斯的看法，於一九三四年出版了第一本《登陸作戰暫定手冊》。這本手冊成為海軍一九三八年出版的《艦隊訓練一六七：登陸作戰準則》的核心，而這項準則也在部分增補後主導了整個太平洋戰爭。只可惜埃利斯本人未能活著看到自己的想法實現。埃利斯有酒精成癮的問題，他在一九二三年前往日本控制的加羅林群島進行間諜任務時，因為不明的原因死亡。[55]

日本兩棲作戰能力的發展與美國非常類似。一八九〇年代，日本開始著手建立海外帝國，無論目標是亞洲大陸還是太平洋島嶼，日本陸海軍都必須學習從海上投射軍力來擊敗任何潛在敵人。一九一八年，日本陸海軍共同撰寫的手冊《兵力運用綱要》提到可能要以兩棲作戰入侵美屬菲律賓，一九二三年的版本又增列關島美軍基地為入侵目標。日本陸軍在仔細研究一戰的加里波里戰役後認為，不能只仰賴海軍來進行兩棲作戰。一九二一年，日本陸軍開始進行攻擊灘岸守軍的訓練，並於一九二四年出版第一本相關陸軍手冊《上陸作戰摘要》。一九三二年，陸海軍共同擬定最終版本的《上陸作戰綱要》。日軍準則強調迅速的艦岸運動，海空軍提供支援保護登陸，使用專門登陸艇將部隊與補給從運輸艦運往灘頭，盡可能利用夜間使守軍難以辨識，使用發光漆浮標來指引登陸艇。但是陸軍與海軍都認為只需要部署相對較少的部隊。海軍成立了特別陸戰隊，兵力大約一個營（接近一千名官兵），用來進攻防衛較薄弱的太平洋基地；陸軍則希望登陸的兵力能達到師團以上的等級，然而一旦分散進行登陸，兵力也會變得十分有限。[56]

日本陸軍很早就看出兩棲作戰的關鍵，在於需要專門的登陸艇與登陸艦運送人員、車輛與補給上岸並且迅速卸載。對於軸心國與同盟國來說，兩棲作戰專用艦艇的發展將是決定戰爭勝敗的重要因素。一九三〇年，日本陸軍擁有兩種摩托化登陸艇，大型登陸艇可以運送一百名士兵，船首有斜板可以讓人員順利搶灘；小型登陸艇可以運送三十名士兵或十名士兵與十匹馬，但船首沒有斜板。兩種登陸艇都配備了武器與裝甲來防禦敵方砲火。為了運送登陸艇，陸軍工兵建造了八千噸的登陸艦神州丸，艦上設有井圍甲板與船尾艙門。當海水湧入井圍甲板後，停放在船艙裡的登陸艇就能浮起來直接開上灘頭。一九四一年建造的更大型登陸艦秋津丸還可以搭載飛機。[57]中日戰爭爆發的第一年，駐華英美觀察家看到了神州丸與大型登陸艇的運作方式。其中一名年輕的美國海軍陸戰隊中尉克魯拉克（Victor Krulak）寄了一份報告給海軍陸戰隊司令霍爾科姆（Thomas Holcomb），並且附上自己設計的登陸艇模型。霍爾科姆立刻進行遊說，希望建造吃水淺且船首有斜板可以讓士兵直接上岸的登陸艇，但他花了兩年多的時間才讓海軍瞭解這種登陸艇對於兩棲作戰至關重要——登陸用的突擊艇在國會中特別受到孤立主義遊說團體的反對。一九四三年，美軍的車輛人員登陸艇與船塢登陸艦都正式服役，而這一切的源頭乃是一九三〇年代日本的創新發明。[58]

對日本與美國來說，太平洋前線確實需要針對兩棲作戰進行準備，但對歐洲來說，兩棲作戰似乎是不太可能發生的戰爭場景，因此幾乎沒有國家對此做出人員與裝備上的準備。歐洲各國認為自己面對的將會是大規模地面戰爭。英國雖然擁有世界數一數二的海軍與全球帝國，但對英國而言，攻擊岸上守軍進行搶灘登陸似乎是遙不可及的事。一九一八年後，英國曾對加里波里戰役仔細進行研究，但一九二〇年設立的跨部會聯合作戰委員會卻做成結論，認為各兵種應該維持獨立，避免針對登陸作戰進行聯合規畫。英國現有的九千多名皇家海軍陸戰隊負責守衛現有的英國海外海軍基地，而非擔任兩棲突擊部隊的核心。英軍於一九二二年首次頒布的《聯合作戰手冊》中，幾乎沒有任何兩棲作戰相關的指引。一九三九年歐戰爆發時，英國陸軍認為他們會像一九一八年一樣與法國人一同作戰，完全沒有想過英軍會被逐出歐陸，當然也不認為需要準備大規模兩棲作戰攻擊敵人的海岸防線。不料到了一九四〇年夏天，這樣的惡夢劇本居然成真。原本在一九二〇年代，英國針對兩棲作戰所做的準備就只是在登陸艇委員會的推動下研發小型摩托化登陸艇。到了一九三八年，海軍也只取得八艘這樣的登陸艇。同年，英國海軍下令建造運送人員的兩棲突擊艇與運送戰車的登陸艦，這項偶然的決定使英國取得兩艘標準的兩棲作戰鬥艦艇，剛好用於一九四三年與一九四四年的兩棲作戰。[59]然而英國的兩棲作戰能力僅止於此，實際上英國是否能發動更大規模的兩棲作戰始終頗有疑問。

德軍的兩棲作戰能力更為有限。占領挪威的行動使德國喪失大量海軍艦艇，整個入侵過程中也未能組織完整的兩棲突襲作戰。一九四〇年夏天，德國準備進行海獅作戰，目標是登陸英國南方。這項行動實際上可以說是從零開始，雖然德國陸軍已經盡可能做好充分準備（包括騰出廣大的貨艙空間放置糧秣，因為他們也要將馬匹運到英吉利海峽對岸），但陸軍與海軍仍缺乏專用的登陸艇或運輸船，也缺乏重型軍艦從側翼支援，更缺乏在設防灘頭卸載的經驗，有效的艦岸通信更是付之闕如。德軍計畫使用臨時調派的三千四百二十五艘汽船與拖曳駁船來運送二十二個師的部隊，這個充滿雄心的計畫能否實現，完全仰賴德國空軍能不能在英國南部建立制空權。陸軍參謀總長哈爾德將軍在作戰計畫書裡提到空優的段落旁，潦草地寫下一行字：「不可缺少的條件。」[60]即使擁有空優，作戰的風險也很高。這場戰役原本可能是歐洲戰場第一場大規模兩棲作戰行動，但最後不僅因為德國在不列顛空戰失利而無法執行，也因為缺乏安全準則、專門的兩棲登陸設備與受過訓練的部隊而被迫取消。當希特勒的盟友墨索里尼打算在一九四二年三月進攻馬爾它島，來一場「成果豐碩的突襲」時，也遇到相同的問題。[61]對軸心國來說，馬爾它島宛如芒刺在背，每當運送人員與物資越過地中海前往北非前線時，馬爾它島總是對運補船團構成威脅。義大利於是擬妥了入侵與攻占馬爾它島的計畫。這項作戰計畫（C3作戰）早在一九三〇年代就已經擬定，但到了一九四二年為了因應馬爾它島防務的強化而予以修改。希特勒對於義大利的計畫並不熱衷，他只希望義大利的行動不會影響隆美爾的沙漠作戰。當義大利海軍開始實際瞭解島上的狀況時，他們才發現這座島是「全世界防守最嚴密的地方」，因此萌生了退卻的念頭。[62]義大利軍隊沒有專用的登陸艇，也沒有對設防海岸進行兩棲突擊的經驗，加上整個馬爾它島有英國皇家空軍支援，外圍還有無數的英國潛艦護衛。義大利海軍顯然誇大了英國守軍的兵力，但登陸作戰失敗的風險確實很高，於是這場行動僅在計畫階段就胎死腹中。

一九四一年十二月，太平洋戰爭爆發，這是兩棲作戰與支援兩棲作戰的準則與裝備首次真正面臨考驗。日軍發動一連串登陸作戰，目標是馬來半島、荷屬東印度、菲律賓及太平洋中南部幾座由英國、澳大利亞與美國統治的島嶼。日軍在各地掌握了制海權與制空權，這是發動成功兩棲突擊的必要條件。多年來，日軍已經在中國海岸與河川三角洲進行過多次登陸作戰，在這方面有著豐富經驗。日軍雖然預期登陸時會遭遇抵抗，但實際上這些海岸並未設防。在夜色掩護下，加上日軍在攻擊前已經做了充分的情報工作，因此擴大了日軍登陸作戰的衝擊力道，讓各地人數有限的守軍猝不及防。日軍第一場登陸作戰是在馬來亞東北部哥打巴魯附近，當地的印度守軍駐守在碉堡中，防線十分薄弱。儘管損失了幾艘登陸艇與間歇地遭到鄰近機場起飛的飛機轟炸，日軍依然在幾個小時之內朝內陸挺進了數英里，並在空中部隊強力支援下，成功滲透到守軍後方。兩棲作戰的階段很快結束。這一波登陸作戰中最引人注目的例子，就是幾個星期後由山下奉文中將率領第二十五軍進攻新加坡島的戰役，因為在這場戰役中，山下奉文擁有的火砲與士兵數量都不如新加坡守軍。一九四二年二月八日到九日晚間，日軍橫渡柔佛海峽進行登陸作戰，此役成為兩棲作戰的經典戰例。不過整場作戰過程與其說是依照準則，不如說更仰賴將領的臨場發揮。日軍的佯攻計畫成功讓英軍將領堅信，日軍的主要目標是新加坡島的東北角。事實上，防守較為薄弱的西北角才是日軍真正的登陸地點。在發動攻擊前，日軍先以重砲與空軍轟炸守軍，削弱他們的兵力，然後在深夜利用充氣艇與小型汽艇載運第一波四千名步兵渡過海峽抵達防守最薄弱之處。日軍一波接一波地登岸，滲透了守軍防線。到了早上，盟軍北部防線已經遭到突破。超過兩萬名士兵，連同補給物資與武器及兩百一十輛輕型戰車順利渡過海峽。六天後，新加坡守軍向山下奉文投降。[63]

日軍成功攫取整個太平洋中南部島嶼，兵鋒最遠達到所羅門群島與一部分新幾內亞島，這讓西方盟國感受到整個太平洋的局勢就跟歐洲戰場一樣棘手。想讓日本放棄這些島嶼，唯一的辦法就是實施兩棲作戰消滅島嶼上層層設防的日軍。然而，日軍雖然是兩棲作戰的先驅，但在成功拿下這些島嶼之後，就再也沒有實施過兩棲作戰。日本只有在所羅門群島與新幾內亞發動過幾次失敗的反攻登陸，除此之外就沒有像開戰初期那樣發動大規模兩棲作戰。日本陸軍研發了一種新運輸艦（第百一號型），負責為征服地區的守軍進行補給，而非對盟軍收復的島嶼採取新一波的兩棲作戰；日本海軍新造的一等運輸艦也用來執行相同任務，這種運輸艦的速度較快，可以規避美軍的飛機與潛艦。然而，即使日軍想反攻美軍收復的島嶼，在日本生產的運輸艦數量太少的狀況下，日軍也難以對防守嚴密的美軍發動大規模兩棲作戰。

主動權現在到了美國手中。到了一九四一年末，美軍的兩棲作戰能力比起兩年前顯然已有長足的進步。一九三三年，美國海軍授權海軍陸戰隊成立艦隊陸戰隊，專門進行兩棲作戰。一九三六年，艦隊陸戰隊只有一萬七千多人，這支部隊在海軍陸戰隊最強悍的將領史密斯的指揮下，開始轉變成卓有成效的聯合兵種單位，而且獲得海軍陸戰隊航空兵的支援。艦隊陸戰隊是世界上唯一一支專門從事兩棲突擊的部隊，到了一九四一年下半年，艦隊陸戰隊的人數達到五萬五千人，一九四二年夏天達到十四萬三千人，戰爭結束時則達到三十八萬五千人。[64]從一九三六年到一九四一年，每年進行的艦隊演習都會演練兩棲作戰，讓艦隊陸戰隊有寶貴的機會可以從許多錯誤中學習。在一九四一年的第七次演習中，艦隊陸戰隊終於充分體會到在敵軍砲火下進行搶灘登陸的複雜程度。美國陸軍也認識到正規部隊未來也需要參與兩棲作戰，於是幾乎一字不漏地照搬海軍的《艦隊訓練一六七：登陸作戰準則》手冊做為陸軍的野戰手冊，而且開始訓練陸軍自己的兩棲作戰部隊。一九四〇年，美國海軍終於同意生產由紐奧良造船商希金斯（Andrew Higgins）設計的登陸艇，這種登陸艇有龐大空間可以載運人員與車輛，並成了美軍登陸艇的標準配備，直到一九四三年升級成更大型的登陸艇，裝設了登陸斜板。這類人員與車輛登陸艇在整個戰爭期間總共生產了至少兩萬五千艘。第二項發明是兩棲牽引車輛，這是從發明家暨工程師羅布林（Donald Roebling）生產的「鱷魚」履帶車發展出來的計畫。當初羅布林生產履帶車主要是用來在佛羅里達島礁群之間航行，由此發展出來的兩棲牽引車輛又被人稱為「兩棲履帶車」（Amphtracks）。這種兩棲車輛配備了武器與裝甲，可以運送人員或車輛通過許多太平洋島嶼環礁的淺水區，成為日後兩棲作戰必不可少的利器。這種履帶車在戰爭期間大約生產了一萬六千輛，後期的版本在車首加上斜板加速人員車輛的卸載。最後，海軍陸戰隊還需要運輸艦運送貨物、人員、車輛與登陸艇。在戰爭爆發前一年，美國開始徵用與改裝貨船，後來又研發出專用的戰車登陸艦，這種登陸艦在船首設置大門，可以前進到岸邊淺水區卸載人員、車輛與補給物資。這三種兩棲作戰鬥艦艇與車輛成為戰時美軍兩棲作戰的開路先鋒。[65]

一九四二年夏天，在羅斯福總統堅持下，美軍決定進攻所羅門群島南部的瓜達康納爾島。這是美軍首次進行大規模兩棲突擊行動，但此時的美軍幾乎都還沒有配備前述介紹的兩棲專用裝備。要將準則轉變成實踐需要一段複雜的學習過程，對於沒有兩棲作戰經驗的將領與成千上萬海陸志願兵來說更是如此。負責指揮兩棲部隊的海軍將領是以脾氣暴躁知名的屠納海軍少將，他認為在缺乏制空權與制海權的狀況下，這次任務注定失敗。一九四二年一月在乞沙比克灣舉行的大規模兩棲作戰演習，登陸的狀況一團糟，沒有任何部隊抵達指定的灘頭。當海軍陸戰隊終於從紐西蘭臨時基地啟程前往瓜達康納爾島時，在斐濟科羅島（Koro Island）舉行的大規模演習證明是一場更大的災難——沒有任何登陸艇成功穿過珊瑚礁抵達灘頭。[66]計畫倉促導致船運不足，海軍陸戰隊不得不將四分之三的車輛、半數的必要彈藥與三分之一的配給留在紐西蘭。儘管如此，八月七日早上在日本機場附近的主要登陸作戰依然遵循埃利斯當年所擘畫的模式，先由軍艦上的重砲進行岸轟與航空母艦艦載機進行轟炸，接著士兵們從運輸艦側面的外掛繩網攀爬下船，成排的登陸艇井然有序地出發。結果這場登陸作戰並未遭到抵抗，海軍陸戰隊很快就攻占機場，但狹小的灘頭堡很快就成為往後六個月日軍陸海空持續攻擊的目標，直到日軍放棄這座島嶼為止。這場戰役因此仍是一場不折不扣的兩棲作戰。

這場登陸作戰雖然最終成功，但也暴露出許多缺失。日軍未能攻擊運輸艦或炸掉堆積在灘頭上的補給物資，只能說是美軍運氣好。若非如此，這場作戰很可能演變成一場災難，使美軍不願再進行後續的兩棲登陸計畫。仔細研究這場戰役，就會發現不少需要調整的地方。最嚴重的便是指揮問題。屠納是兩棲部隊指揮官，但他無法指揮協助兩棲突擊的海軍特遣艦隊，更不用說在行動開始兩天後，佛萊契海軍中將就因為擔心日軍的魚雷轟炸機而下令航空母艦撤離，這讓灘頭上的海軍陸戰隊完全暴露在日軍的空中攻擊之下。這一狀況直到美軍飛機可以飛抵修復的機場後才獲得改善。另一方面，屠納根據《艦隊訓練一六七：登陸作戰準則》堅持自己除了指揮登陸作戰，在海軍陸戰隊上岸之後，仍有權指揮海軍陸戰隊。但海軍陸戰隊司令范德格里夫特少將卻認為海軍陸戰隊上岸之後，海軍軍官就無權指揮海軍陸戰隊，因為海軍軍官沒有地面作戰的經驗。一九四二年十一月，在海軍陸戰隊總司令部的壓力下，太平洋艦隊司令尼米茲獲得海軍軍令部長金恩上將的許可修改登陸準則，讓海軍有權指揮艦岸運動，但士兵一旦上岸，指揮權就必須移交給海軍陸戰隊或陸軍指揮官。儘管有許多海軍將領反對這項改革，但這項改革卻在往後的作戰中證明極為重要。特別是在西南太平洋戰場，麥克阿瑟的陸軍司令部曾實施過二十六次登陸作戰，幾乎都沒有遭遇嚴重抵抗。

第二個有待改善的問題是後勤。在遙遠的港口裝載貨物時，沒有人遵守準則的規定讓最重要的貨物優先卸載上岸。在瓜達康納爾島，船隻只要有適當時機與地點就開始卸貨，導致大量物資堆放在岸邊，而灘勤人員也未能有效組織海岸線，結果大量軍火、汽油、糧食與醫療物資雜亂無章地堆放在一起，毫無偽裝與保護。三天後，由於屠納擔心運輸艦會遭受日軍攻擊，於是撤離了運輸艦，導致海軍陸戰隊足足有六天時間沒有得到補給。屠納日後會利用這次經驗對後勤鏈進行改革。一九四二年十一月，海軍改革的完整指示出爐，試圖讓艦岸卸載的速度最大化：灘頭上必須用大型告示板清楚標記、灘勤人員必須優先上岸、物資必須盡快運送到安全地點。對灘頭進行適當組織是兩棲作戰的成功關鍵，這點埃利斯早在二十年前就已正確預言。[67]

歐洲戰場的第一場兩棲作戰，同樣暴露出盟軍的缺乏經驗。一九四〇年，邱吉爾堅持創設聯合作戰司令部，準備組織特種部隊襲擊歐洲海岸。聯合作戰司令部第一任司令是基斯海軍上將，一九四二年之後改由蒙巴頓海軍中將擔任。司令部不僅進行突擊作戰，也開始計畫與訓練部隊進行兩棲作戰，準備重返歐陸。為了測試英國各軍種聯合的程度，英軍計畫於一九四二年八月突擊法國北部的港口城市第厄普。之所以選擇港口為目標，是因為英軍認為未來的入侵行動無法經由灘頭進行補給。八月十九日，正當范德格里夫特的海軍陸戰隊努力固守瓜達康納爾島灘頭之際，英國也派遣了一小支由運輸艦與登陸艇組成的分遣艦隊，在僅僅四艘驅逐艦護航下開始接近法國海岸。銀禧作戰是一場混亂的災難。德軍早已做好準備部署重兵，並且對這些不幸的登陸艇與貨物進行猛烈砲擊。登陸的二十七輛戰車遭到摧毀或喪失作戰能力，三十三艘登陸艇遭到殲滅，一艘軍艦沉沒。上岸的六千零八十六名英軍與加拿大軍隊，多達三千六百二十三名陣亡、受傷或被俘，而海空軍的傷亡人數達到六百五十九人。做為學習經驗，這場戰役的代價實在太大。英國很快就進行事後檢討，而這場災難的教訓也非常明顯：首先要提供強大海軍火力支援的必要性，還要從空中對防區進行轟炸，出動空中支援對抗敵軍戰機。此外還需要改善不良的通信，得要有專用的兩棲指揮艦協調兩棲突擊作戰（美國在瓜達康納爾戰役之後也達成同樣結論，理由也大致相同）。最後，盟軍也必須設計特殊車輛突入與清除灘頭防禦工事。這場災難之後，英國皇家海軍設立了「J特遣艦隊」，這是一支海軍突擊艦隊，負責發展兩棲作戰技術與進行兩棲作戰訓練。這支艦隊對接下來的戰爭產生不小的助益。[68]

第厄普使盟軍瞭解到，在歐洲進行兩棲作戰與在日本島嶼周邊進行登陸作戰完全不同。在歐洲，敵軍的優勢在於擁有漫長的內部交通線，可以迅速增援與取得大量補給；即使成功登陸，也只是表示兩棲作戰階段結束，接下來還要準備迎接大規模地面作戰。相較之下，在太平洋戰場的日本守軍與本土軍隊完全隔絕，只能隔著大海仰賴漫長而不確定的補給與增援。在這些島嶼上，光憑兩棲作戰就能決定勝敗，只是要一個接著一個島嶼持續進行。美國為了擊敗日本而投入大量資源在兩棲作戰上，原因就在這裡。瓜達康納爾戰役之後，美國海軍與海軍陸戰隊建立的作戰部隊規模遠遠超過日軍，這是為了確保在每次兩棲突擊時美軍都能牢牢掌握戰場的制海權與制空權。美軍在攻擊瓜達康納爾島時總共動用了七十六艘艦艇，但在一九四五年四月進攻沖繩島時，竟動用了一千兩百艘艦艇。這也解釋了美軍為什麼每次戰役之後都要詳細檢討，找出先前作戰的種種缺失。即使如此，當一九四三年十一月美軍首次大規模攻擊吉爾伯特群島塔拉瓦環礁外防守嚴密的貝蒂奧島時，戰況依然顯示美軍還有很多地方需要學習。海軍陸戰隊第二師負責攻擊貝蒂奧島與島上的日本空軍基地，這場戰役被認為至關重要，因為攻下貝蒂奧島之後，依據美軍多年來的計畫，就能以此為跳板攻擊其他南洋群島，然而這場戰役卻帶來與瓜達康納爾島迥然不同的挑戰。日軍在這座小島建立密集的防禦工事。步槍與機關槍的交叉火網覆蓋了整座小島，還有五百座強化碉堡，上面覆蓋了木頭、鋼筋、混凝土與珊瑚礁岩，從地面上幾乎看不出來，此外還有岸防砲、輕型戰車、野戰砲與迫擊砲的火力支援。日軍在灘頭設置了鐵絲網、地雷與混凝土四角錐狀障礙物，在灘頭後方還用椰子樹幹搭建了堅固的木牆。貝蒂奧島是日本島鏈防線中最堅固的一座，島上的指揮官柴崎惠次海軍中將曾經說過一句名言：「一百萬名美國人要一百年的時間才能打下塔拉瓦。」[69]

事實證明，美軍可以用高昂的代價在三天內攻下塔拉瓦，但這是美軍首次對一座防守嚴密的目標發動攻擊，各方面的問題差點就讓這場兩棲作戰功敗垂成。首先是屠納海軍少將與史密斯為了指揮權再起爭執，前者再次成為兩棲作戰部隊指揮官，後者只被允許在一旁觀看而不許指揮海軍陸戰隊作戰。十一月二十日早上，美軍發動攻擊，但擔任兩棲作戰指揮艦的馬里蘭號（*Maryland*）戰鬥艦卻因為使用重砲岸轟，導致艦上無線電通信意外中斷，指揮與管制立即受到影響。登陸前的海軍砲火支援與空中攻擊對於島上強化過的碉堡並未構成嚴重損害。當登陸艇接近岸邊時，美軍沒有派出小型艦艇提供近岸砲火支援，導致日本守軍獲得將近二十分鐘的喘息時間，也使他們能夠從轟炸中回過神來重新恢復火砲運作。登陸艇無法穿過島嶼四周的環礁，海軍陸戰隊只能仰賴數量不多的兩棲牽引車輛（儘管史密斯曾憤怒地要求更多車輛，但最後只收到了一百二十五輛）才能抵達岸上。貨船由於遭到岸上日軍的砲火襲擊，卸載貨物的作業陷入困難，而且也與岸上的海軍陸戰隊失去聯繫。補給物資再度雜亂地堆在岸上，火砲與車輛卻卡在珊瑚礁附近。雖然安排了七百三十二輛各式車輛參與攻擊，但開戰第一天只有少數抵達岸上。灘頭上的部隊必須冒著砲火拼命清除障礙物。當希金斯登陸艇運送第二波部隊上岸時，登陸艇必須在離岸八百公尺的地方讓人員下船，海軍陸戰隊員必須在機關槍掃射下高舉武器涉水搶灘。美軍的轟炸毫無效果，唯一的成果是炸毀了日軍的電話通信線，使柴崎惠次中將無法聯絡各地守軍協調作戰。貝蒂奧島的勝利主要仰賴海軍陸戰隊的決斷與勇氣，即便他們面對的是寧死不降的敵人。海軍陸戰隊有九百九十二人陣亡，僅三天就達到瓜達康納爾戰役六個月的陣亡數字。日本海軍第七特別陸戰隊與第三特別根據地隊本隊原本有兩千六百零二名官兵，最後只有十七人被俘。島上還有兩千兩百一十七名不幸的朝鮮勞工，當這場戰役結束時只剩下一百二十九人還活著。[70]

美軍隨後對塔拉瓦戰役的諸多缺失進行詳細檢討，試圖找出問題所在。攻擊的第一天差點就面臨失敗。美軍往後針對日軍島鏈的作戰，幾乎每一場都遭到守軍頑強抵抗，但塔拉瓦戰役的教訓使美軍對兩棲作戰準則與實踐做出進一步改革，確保未來不會重演塔拉瓦戰役的混亂場面。預計要在盟軍反攻法國時負責指揮西部特遣艦隊的寇克海軍少將（Alan Kirk），親自前來太平洋戰場瞭解塔拉瓦戰役的問題，以避免同樣的錯誤再度發生。首先要改進的是指揮結構：塔拉瓦戰役之後，軍方堅持必須對海軍兩棲部隊指揮官與地面部隊指揮官做出區隔。其次，為了協調作戰，決定以擁有較佳通信設備的專用突擊指揮艦取代先前作戰時採用的改裝戰鬥艦。第三，塔拉瓦戰役的砲火支援雖然大量卻沒有效果，軍方決定大幅增加砲轟時間，而且改用穿甲彈來擊穿敵軍加厚的火砲掩體。當入侵部隊接近海岸時，會進行近迫砲火支援與俯衝轟炸機攻擊，持續對守軍施加壓力。第四，改善裝備，而這一改變將對往後的作戰產生關鍵影響。海軍陸戰隊需要更多兩棲牽引車輛，接下來對格洛斯特角（Cape Gloucester）發動的大規模兩棲突擊，每個師就裝備了超過三百五十輛兩棲牽引車輛。此外，輕型戰車也被雪曼中型戰車取代，其中一些配備了火焰噴射器。美軍發現火焰噴射器是清除碉堡與掩體最有效的方式，之後部隊也開始裝備背負式火焰噴射器。貝蒂奧島危機之後，後勤問題也遭到全面檢視。補給物資必須在離岸特定轉運點進行運送，如此才能確保補給物資能抵達灘頭的正確地點。而搭載必需補給物資的登陸筏預先停放在出發線上，讓登陸艇能快速將其運送到岸上。最後是增加灘勤人員，使其能適當協助卸載補給物資；如果可能的話，將滿載的卡車也運送到岸上，並且利用專用登陸艇讓卡車能直接從船艙開上灘頭。[71]

美軍吸取塔拉瓦戰役的教訓，使此後直到一九四五年四月沖繩戰役為止的兩棲作戰效率有了明顯提升。沖繩島是琉球群島最大的島嶼，位於日本南方一千一百二十五公里，美軍預計在沖繩島進行登陸作戰之後，接下來將在同年稍晚對日本本土發動兩棲突擊作戰。沖繩戰役的規模已經接近盟軍在歐洲的入侵作戰：多達四百三十三艘突擊運輸艦與登陸艦分別在環太平洋十一座港口裝載人員武器。運送的距離超過數千公里，使用的幾乎都是吃水淺的船隻。當船團緩慢航向目的地時，每次的波浪起伏都會造成巨大的聲響，人員、車輛與物資因此處於極端不適或不穩定的狀態，許多暈船士兵身上沾滿了嘔吐物。攻擊部隊規模達到十八萬三千人（兩個海軍陸戰隊師與三個陸軍師），這是迄今為止太平洋戰場兩棲作戰集結的最大兵力。在沖繩島海岸外，美軍艦艇進行大規模密集岸轟，而訓練有素的海軍陸戰隊空地任務部隊，也在海軍陸戰隊登陸與建立灘頭堡時開始進行直接空中支援。另外有水下爆破大隊協助清除登陸障礙物。[72]突擊部隊取得大量兩棲牽引車輛、中型戰車與火焰噴射器。灘勤人員登陸的人數達到五千人，負責管制與分配武器裝備，聯合突擊通信連負責協助灘勤人員，確保灘頭與艦岸通信能維持有效聯繫。大約有三十一萬三千噸的貨物順利卸載，根據計畫存放，然後準時運送給前線部隊。

這一次，日本陸軍司令部也從先前的作戰學到教訓。沖繩島指揮官牛島滿放棄在灘頭進行防禦，因為這種做法在先前的戰役（包括塔拉瓦戰役）從未成功過。他決定在島嶼內陸洞穴與隱藏的掩體建立防線，由超過十萬名日軍駐守。出乎美軍預料，一開始的登陸完全未遭受抵抗。接下來朝島嶼內陸挺進時，實際上已經演變成單純的地面作戰，後勤補給則仰賴海上運輸。與先前的作戰不同，美軍花了八十二天才完全清除沖繩島上的敵軍。七千三百七十四名美軍陣亡，大約十三萬一千名日軍與沖繩人被摧毀的掩體與洞穴活埋，或者是被步兵的火焰噴射器燒成灰燼。然而，當時認為太平洋戰場接下來還會出現更大規模的兩棲作戰。一九四四年九月，美軍聯合戰爭計畫委員會針對日本南部的九州制定了進攻計畫，史稱「奧林匹克作戰」，規模多達十三個師、七千兩百架陸海軍飛機與三千艘艦艇。進攻部隊將在三處灘頭登陸，奪取機場與在島上建立強大的空中支援。最後這項作戰計畫與隨後入侵日本本島的兩棲作戰都在一九四五年八月日本投降後遭到取消。海軍兩棲部隊接下來的任務變成是在八月與九月運送同盟國占領軍進駐日本，以及協助中國軍隊返回日本占領的沿海地區。[73]

二戰規模最大的兩棲作戰依然是「海王星作戰」(Operation Neptune),這是一九四四年六月盟軍反攻法國西北部大君主作戰的兩棲作戰代號。這場兩棲突襲行動與太平洋戰場的小島和沿海登陸作戰迥然不同。海王星作戰的規模顯得異常龐大,而且行動目標是敵軍嚴密防守的海岸線。一九四四年夏天,德軍已經在此集結了三十四個師(必要的話還會召集更多部隊),而且花了兩年時間構築強大的海岸防禦工事,也就是「大西洋長城」。負責指揮防務的隆美爾元帥也在灘頭與水中設置障礙物、地雷與交叉火網。岸上守軍內部的交通線直通德國,至少理論上可以透過這些交通線獲得增援,這是德軍擁有的關鍵優勢。最麻煩的是,加里波里的幽靈仍糾纏著這次行動,這或許解釋了邱吉爾與英國軍事高層為什麼對這次行動興趣缺缺。邱吉爾想到的不只是加里波里,還有挪威、敦克爾克、克里特島與第厄普等失敗經驗。但另一方面,儘管遭遇許多問題,美國高層卻能提出許多成功的例證,如北非、西西里島與義大利,以及在極度困難下仍攻克了瓜達康納爾島。不過,這次行動的戰略風險確實遠高於島嶼戰役或之前幾次入侵歐洲的行動。入侵貝蒂奧島失敗不會對美軍在太平洋上的推進造成重大影響,但海王星作戰失敗將使西方盟國面臨一場戰略災難,不僅將損害與史達林的關係,使史達林懷疑盟軍開闢第二戰場的決心,也會對美國、英國與加拿大的民心士氣造成難以預測的傷害。美軍在兩棲作戰上已經累積許多成功經驗,使他們對於海王星行動充滿信心,但英國在海王星行動之前一年半的時間在歐洲的兩棲作戰全以慘敗收場,這使得英國對這次行動有所保留。[74]

一九四二年十一月的火炬作戰,是盟軍在歐洲的第一場兩棲作戰。雖然做為「敵軍」的維琪法國僅在摩洛哥與阿爾及利亞部署了有限兵力，在北非地區的海上運補也不足，但盟軍登陸摩洛哥與阿爾及利亞的行動還是比第厄普突擊行動暴露出更多值得記取教訓之處。盟軍希望說服維琪法國不要抵抗這次登陸作戰，但維琪法國軍事當局還是把盟軍行動視為入侵法國領土。與入侵瓜達康納爾島的瞭望臺作戰一樣，火炬作戰準備的時間相當匆促，很多時候都必須仰賴隨機應變。搭乘登陸艦與運輸艦經由大西洋前去作戰的部隊，絕大多數都是毫無兩棲作戰經驗的新兵。日後有人回憶時提到他們沒有經驗到什麼程度：「我們從來沒看過海，更不用說搭過船。」[75]在船上，這些新兵只能利用灘頭模型與登陸艇模型進行簡短訓練。與太平洋戰場的海軍陸戰隊不同，這些陸軍士兵並未準備好面對登陸時可能面臨的反擊。由於船隻不足，一些新兵甚至只能搭乘汽車行駛在起伏的地形上，用來模擬在海上遇到波浪的情形。摩洛哥的登陸作戰陷入一團混亂，太多的登陸艦艦長缺乏經驗，既沒有適當的地圖，也未有效標記出通往灘頭的接敵航道。士兵緩慢爬下船側的金屬網，在陸軍的堅持下背負四十公斤重的裝備，在海中搖搖晃晃地前進，然而這種做法早已被太平洋戰場的海軍陸戰隊揚棄。引擎失靈、船隻碰撞及登陸艇在抵達岸上時遭法國飛機襲擊而陷入混亂。一艘運輸艦在第一波攻擊中派出二十五艘登陸艇，卻有十八艘沉沒，第二波派出的九艘也有五艘沉沒。盟軍在波濤洶湧中想要將戰車運上岸，結果卻造成許多戰車陷在沙裡。行動第一天，只有百分之二的物資成功上岸。英美聯軍在阿爾及利亞的登陸作戰比較井然有序，因為使用了信號浮標清楚標記了接敵航道，但英軍仍堅持以港口做為主要目標，因此重蹈了第厄普的覆轍。結果奧蘭與阿爾及爾兩地一直要等到從灘頭登陸的部隊抵達才得以攻占。[76]至少，登陸部隊最後還是壓制了所有反抗力量，粉碎了兩棲作戰必定失敗的說法。然而就像從瓜達康納爾島到沖繩島一樣，從火炬作戰到海王星作戰，盟軍還有一段很長的路要走。一九四三年九月在義大利半島的薩來諾登陸作戰與幾個月後的安奇奧登陸作戰，都曾讓盟軍陷入危機，進而暴露出盟軍兩棲作戰的其他缺失。

要反攻法國，首先就得克服指揮權的爭議。西方盟國已經達成共識，由艾森豪將軍擔任盟軍最高統帥，但作戰本身分成指揮兩棲登陸的海軍指揮官與指揮地面作戰的陸軍指揮官，這一區分在太平洋戰場已是標準的作業流程。反攻法國的海軍與地面指揮官都由英國人擔任，前者由雷姆賽海軍上將（Bertram Ramsay）指揮海王星作戰，後者則是蒙哥馬利元帥指揮大君主作戰的地面部隊。戰術空軍部隊是兩棲作戰的核心，統一聽命於英國皇家空軍司令李馬洛空軍中將。戰略轟炸機部隊則由艾森豪直接管轄，只在他認為適合時使用——這項決定違背了轟炸機司令的勸告。這場從海上到岸上的作戰行動，整起計畫與組織達到迄今為止無法想像的規模。九百萬噸補給物資橫渡大西洋，運送到英國支援入侵行動。三十五萬名男女軍民負責組織補給線，協助訓練與部署參與歐洲戰役的數百萬名士兵，並且研發專門武器設備讓大規模登陸作戰能順利建立灘頭堡。[77]當參與第一波攻擊的師級部隊數量從三個增加到五個，且預計在諾曼第的戰線必須延伸得更寬時，用來運輸的艦艇數量也隨之大增。此時由於地中海與太平洋兩個戰場競相爭取運輸艦艇與增援的資源，差點就讓反攻法國的兩棲計畫難以執行。一九四三年，在諸多反對入侵法國的理由中，船運一直是個主要因素，雖然海王星作戰是西方盟國計畫中的重要作戰，卻始終擺脫不了作戰艦艇、運輸艦與登陸艇缺乏的問題。

一九四三年擬定的海王星作戰計畫，最初總共需要兩千六百三十艘各式登陸艇與至少兩百三十艘用來運輸沉重車輛與補給物資的重要運輸艦（戰車登陸艦）。從西方盟國整體的工業產能來看，要生產這些數量的艦艇似乎不成問題。從一九四〇年到一九四五年，美國建造的登陸艇總數達到驚人的六萬三千零二十艘，不過其中有兩萬三千八百七十八艘是在一九四四年六月之後建造，這是為了因應太平洋戰場的龐大需求。儘管如此，太平洋與地中海戰場的龐大損失，以及這兩個戰場對登陸艇的持續消耗（其實對這兩個戰場來說，登陸艇在戰略上並非必要。但邱吉爾不惜讓海王星作戰推遲兩個月，也要在一九四四年對羅得島發動兩棲入侵行動），造成相關需求難以協調。[78]參與第一波攻擊的師級部隊數量擴增，使船運壓力持續升高。到了一九四三年八月，登陸艦與登陸艇終於被列為特別緊急事項而加速生產。但生產新登陸艇需要時間，而在塔拉瓦戰役之後，許多額外資源都已經緊急配置給太平洋戰場使用。

最後大約生產了四千艘可用的登陸艇，結果證明這樣的數量已足以在最初作戰中建立灘頭堡。最關鍵的短缺是大型戰車登陸艦，絕大多數戰車登陸艦都是在美國俄亥俄河岸邊的造船臺生產。戰車登陸艦可以直接登陸灘頭，卸載車輛與補給物資，在沒有港口的狀況下，戰車登陸艦也能適當地補給岸上部隊。艾森豪希望得到至少兩百三十艘戰車登陸艦，但到了一九四四年，仍有許多戰車登陸艦部署於地中海準備進行預定的兩棲作戰，艾森豪因此認為可用的戰車登陸艦數量不足以運輸必要的補給物資。一九四三年十月，在羅斯福與金恩的直接命令下，盟軍開始進行應急的生產計畫。從該年十一月到隔年五月總共生產了四百二十艘新戰車登陸艦，但許多登陸艦在橫渡大西洋之後仍然來不及參與入侵行動。不過這些戰車登陸艦倒是參與了日後的再補給計畫。緬甸與地中海的兩棲作戰取消之後，也多出一些額外可用的戰車登陸艦。到了D日，艾森豪終於湊足兩百三十四艘戰車登陸艦。為了執行作戰，陸軍堅持每艘戰車登陸艦都必須滿載，甚至要求超載，同時也採取緊急措施確保所有戰車登陸艦都能使用。到了六月一日，離D日還有五天，已經有兩百二十九艘戰車登陸艦可以作戰。[79]

海王星作戰的準備完全不同於太平洋戰場，後者在缺乏準備下，遭遇緊急狀況只能隨機應變。準備橫渡英吉利海峽的數百萬官兵，則是花了好幾個月進行定期與密集的訓練。一開始是小規模演習如何下船與搶灘，最後在一九四四年五月初於英國南岸進行一連串的大規模演習，代號「法比烏斯」(Fabius)，而且使用了實彈與地雷。然而，海王星作戰確實嚴重缺乏訓練有素的水兵來操作運輸艦與登陸艇。許多軍官只是在美國上了短期課程就來指揮登陸艇，其他軍官則是在德文郡南岸斯萊普頓灘頭的兩棲訓練學校受訓。英國皇家海軍設立了臨時海軍官校，初級軍官在這裡接受訓練以管理兩棲突擊艇，但並未觸及深海航行。受訓之後，這些年輕軍官就被期待要嫻熟雷姆賽司令部下達指令。這些指令數量多如牛毛，將近一千兩百頁，涵蓋兩棲突擊階段的所有面向：針對歐洲戰場的兩棲作戰，盟軍以太平洋戰場的灘勤人員為藍本，發展出專門的團隊與裝備。包括為了去除灘頭上防禦工事而設立的三十二個海軍戰鬥爆破單位，以及來自各戰術空軍部隊的飛行員，他們陸續受訓成為火砲觀測員。部分自由輪則改裝成雷達測繪單位，以協助戰鬥機進行空對空攔截；空中偵察的密集巡邏也取得了比過去兩棲作戰更完整的情報。為了讓戰車快速抵達灘頭而研發的兩棲「複合驅動戰車」(即DD戰車),這種戰車理論上可以利用自身的動力行駛上岸。此外還有「犀牛」渡輪,這是一種大型登陸筏,可以將貨物運送到灘頭。最後是兩棲運輸車(DUKW),這種六輪式的兩棲裝甲車不僅可以將貨物運上岸,也可以將貨物運送到部隊作戰的地方。五月十五日,雷姆賽告訴艾森豪,作戰已經準備就緒,人類史上最大規模的兩棲突擊行動即將展開。五月二十八日,雷姆賽向龐大的部隊下令「執行海王星行動」。[80]

這場諾曼第入侵行動,顯示盟軍的兩棲作戰能力已從最初的盲目摸索進展到相當成熟的階段,已經非常接近於一九二〇年代埃利斯和海軍陸戰隊所構想的準則。兩棲作戰的先決條件是制海與制空,而盟軍到了一九四四年六月已經完全掌握兩者。入侵行動獲得一千艘以上各型軍艦的支援,盟軍也能出動多達一萬兩千架各式飛機。一九四四年上半年,德國空軍被迫回防德國本土並遭受盟軍的沉重打擊。海王星作戰前夕,德國第三航空軍團在法國北部只能出動五百四十架各式飛機,其中戰鬥機只有一百二十五架。[81]盟軍對制海權的掌握也相當充分。儘管德國試圖以魚雷快艇與潛艦進行干預,但這支由七千多艘各式艦艇組成的龐大艦隊,只有三艘貨輪與十餘艘海軍小船被擊沉。出動的四十三艘德軍潛艦中,有十二艘受損,十八艘被擊沉。[82]

六月六日最初的目標是猛烈攻擊與迅速登陸,拿下穩固的灘頭堡、去除海岸防禦工事、建立足夠的後勤支援與防堵敵軍發動的反攻。在諾曼第海岸寬廣的正面上,盟軍選擇了五處彼此區隔的灘頭,英加聯軍負責進攻黃金、朱諾與寶劍灘頭,美軍負責進攻猶他與奧馬哈灘頭。特殊爆破大隊清除灘頭上的障礙物之後,再由兩百輛掃雷車在雷區標記出能夠通行的走道,登陸艇滿載著暈船的緊張士兵開始了前往岸上的旅程，其中一些登陸艇甚至要航行十五公里以上。德軍防線遭受盟軍海軍艦艇的岸轟與大型四發動機轟炸機的猛烈轟炸，以及改裝的登陸艇從近岸齊射火箭、俯衝轟炸機與中型轟炸機也發動戰術攻擊進行支援。轟炸無法摧毀防禦工事，但可以癱瘓守軍，使守軍無法對盟軍搶灘做出及時因應。重型轟炸機與海軍岸轟造成的損害相對輕微，但灘勤人員與飛機「觀測員」卻能引導砲火轟擊撤退到灘頭後方的德軍。原本以為由缺乏經驗的士兵組成的盟軍部隊很可能在登陸時陷入混亂，但實際上的表現卻井然有序。當登陸艇、兩棲戰車與成堆的箱子抵達岸上時，很快就從雜亂無章恢復秩序，補給物資與人員迅速湧入，鞏固最初的登陸陣地。到了中午，英軍已經完全占領負責進攻的三個灘頭，軍隊開始朝內陸移動以進一步鞏固占領地區。在美軍負責進攻的猶他灘頭，登陸部隊由於受到轟炸煙霧影響而偏離登陸地點，但剛好這個地點的德軍守備較為薄弱。到了傍晚，在猶他灘頭登陸的美軍已經朝內陸挺進了十公里。

D日的最主要戰鬥發生在由美軍攻擊的第二個灘頭：奧瑪哈。奧馬哈灘頭是歐洲戰場的塔拉瓦。儘管奧馬哈灘頭最終還是在重重困難下成功被盟軍占領，但與塔拉瓦戰役一樣，這回所有能出錯的地方通通出錯。首先是一開始海軍岸轟的時間太短，火箭齊射的距離太近，沒打中目標，重型轟炸機投彈的位置又太遠，全落到防禦工事的後方，因此當登陸艇經過漫長的航行抵達灘頭時，德國守軍有足夠時間恢復並且在槍砲陣地就定位。當第一波美軍抵達灘頭時，德軍的迫擊砲、火砲與機關槍一齊射擊，形成了一道密集的火網，摧毀了登陸艇，也重創第一波上岸的美軍。惡劣的海象吞沒了兩棲戰車，讓戰車連同困在裡面的乘員一起沉入海底。二十九輛兩棲戰車只有兩輛上岸，反觀寶劍灘頭的三十四輛有三十一輛抵達，而加拿大進攻的朱諾灘頭，二十九輛也有二十一輛成功上陸。[83]率先登陸的海軍戰鬥爆破單位遭受德軍猛烈攻擊，損失了大量人員與機具，最後只在第二波與第三波步兵抵達之前清出五條狹窄的通道。在海岸線上，毀損的登陸艇與裝備阻礙了後續抵達的部隊，登陸艇無法依照計畫上岸，現場一片混亂。登陸艇卡在船隻殘骸與士兵屍體之間，只能倉皇讓部隊盡快下船，因為在灘頭上要後撤是極度危險且近乎不可能達成的任務。

德軍無情地開火射擊。兩個小時後，奧馬哈灘頭的入侵行動看起來即將失敗。與塔拉瓦戰役一樣，殘存美軍的勇氣與決心使他們克服艱難。在緊急呼叫驅逐艦支援後，十幾艘艦艇脫離艦隊主力的行列，冒險進入淺水區，在離岸只有幾百公尺時全力對德軍火砲掩體開砲。近距岸轟也是太平洋戰場學到的經驗，這種做法證明比重砲岸轟更為有效。由於灘勤人員傷亡慘重，無法引導砲火射擊，驅逐艦只好自行掌握時機開砲。採取近岸火力支援雖然是應急的做法，但卻產生決定性的影響，使美軍得以在已經清除地雷的狹窄礫石通道中繼續推進。[84]到了傍晚，美軍終於避免了最糟結果，與在塔拉瓦一樣，成功建立了小灘頭堡。死傷與失蹤人數依然不明，但估計超過兩千人傷亡，與海軍陸戰隊在貝蒂奧島的傷亡差不多。

兩棲登陸作戰一旦遭遇決心堅守的敵軍，就不可能一切都按照計畫進行。而在朝灘岸進攻的過程中，什麼樣的錯誤都有可能發生。但在第一天結束時，盟軍已經取得穩固的占領區。即使奧馬哈灘頭損失慘重，也不足以危及整場兩棲突擊行動。就算德軍沒有把兵力保留在他們原先預期的盟軍登陸地點加萊，而是全力防守諾曼第，光憑盟軍在登陸後一個星期運抵灘頭的人員、裝備與物資，就足以使德軍無法依照希特勒的命令將盟軍「推回海中」。到了六月十一日，盟軍的龐大船團已經將三十二萬六千人、五萬四千輛車輛與十萬四千噸物資運抵灘頭堡。即使是在一片狼藉的奧馬哈灘頭，到了六月十七日，也就是雷姆賽海軍上將宣布入侵行動的兩棲作戰階段已經成功完成的那天，也有五萬噸物資運抵當地。[85]這是歐洲最後一場大規模兩棲作戰。盟軍在歐洲與太平洋戰場經過一段漫長的學習過程，終於順利將兩棲作戰準則轉變成訓練有素的部隊、適當的裝備與戰術意識。這些都是盟軍最終獲得勝利的關鍵，如果沒有這些部隊、裝備與戰術，盟軍不可能進攻防守嚴密的海岸與建立永久的灘頭堡，也不可能把德軍逐出占領區。加里波里的幽靈如今終於可以安息。

戰力加成：無線電與雷達

一九四五年，美國科學資訊聯合委員會出版的刊物表示：「無線電偵測與測距，是自飛機發明以來，改變戰爭樣貌最大的一項發展。」無線電偵測與測距的首字母縮寫，就是所謂的「雷達」。[86]該刊物的說法雖然誇大，但裝甲作戰、戰術空軍、兩棲作戰與海空作戰在二戰期間的成熟發展，確實很大程度仰賴前線電子作戰的演進，而前線電子作戰使用的就是無線電與雷達。無線電波的技術發展，在一九三〇年代後半達到巔峰。美國在一年之內，先是海軍研究實驗室展示了美國第一個脈衝雷達，接著是前通信部隊軍官阿姆斯壯（Edwin Armstrong）發現了調頻（FM, Frequency Modulation），最後是美國陸軍設計了能偵測飛機的脈衝雷達系統。這一年是一九三六年，而在短短五年後，當美國被迫參加二戰時，美國已經建立了從巴拿馬運河到阿留申群島的防禦雷達網。美國還有海軍雷達可以偵測水面艦艇與自動導引砲火，航空母艦艦載機上裝設了對海搜索雷達，所有戰車都裝設了調頻無線電，陸軍航空軍也設置了空中攔截雷達。相關領域的發展呈指數成長，即使到了戰時也持續不輟。

一戰期間幾乎沒有人使用無線電。靜止不動的前線仰賴有線通信與電話，或者是仰賴傳令兵、旗號與信鴿。裝甲部隊與飛機的出現，促使通信必須發展出新的形式，因為固定的電話線路已經難以發揮作用。戰間期民間無線電科技的發展，顯然可以運用到軍事上。到了一九三〇年代，各國軍事研究單位都在探索將無線電運用在地面與海上戰場通信的可能，除了可以直接指揮前線，也可以讓前線的步兵、砲兵與裝甲部隊在現地通信。起初，大多數國家的陸軍仍維持有線通信，因為有線通信較為安全且聲音品質較佳，但各國空軍都需要無線電，因為飛機與飛機或飛機與地面管制中心之間只能仰賴無線電通信。水面艦艇與潛艦使用無線電，對於艦隊與指揮中心之間的作戰通信極為重要。儘管如此，無線電仍有需要克服的缺點。早期的無線電設備相當笨重，天線也非常長。調幅（AM, Amplitude Modulation）無線電成為一九三〇年代的標準配備，但這種無線電很容易被攔截，頻率會出現漂移，還會出現雜訊。戰線上的無線電距離很短，有時不超過一公里。若在移動的車輛上，就幾乎無法使用調幅無線電。若在船上，無線電則會因為發射艦砲產生的震盪效應而受到影響。無線電也無法在極端溫度、高濕度或大雨中操作，精密的電路有可能會鏽蝕。當時的無線電通信也不安全，很容易被敵軍攔截利用（除非訊息已經譯成密碼）或被敵軍通信部隊干擾。只有當地面作戰的局勢瞬息萬變或是在空戰時，無線電才能以明碼發出，因為在這種情況下訊息就算被攔截也不會對戰局產生影響。上述這些缺點都在二戰時期出現，因為此時對無線電的需求大增。然而，無線電的安全性與存續性問題始終未能完全解決。

一九三〇年代後半，成立裝甲部隊的德國開始尋求更好的通信方式。德軍率先探索上自高層將領下至前線小部隊使用無線電管制戰場的可能性。一九三二年六月，德國舉行大規模陸軍演習，名稱就叫做「無線電演習」（Funkübung），以捷克斯洛伐克入侵德國做為假想場景來測試無線電通信。德軍透過這次演習建立了複雜的通信準則與無線電實際運作的基礎。在西班牙內戰中，被派去協助佛朗哥將軍的德軍部隊獲得了寶貴經驗，確認裝甲部隊透過無線電聯繫可以發揮最大的優勢。[87]到了一九三八年，德國每個裝甲部隊都配有一輛裝甲指揮車來協調部隊行動，裝甲部隊指揮官就坐在裝甲指揮車內，利用無線電設備來控制部隊或與戰術司令部聯繫。一九四〇年，德國裝甲部隊有兩百四十四輛指揮車，入侵蘇聯時，增加到三百三十輛——這項創新是德國裝甲編隊進行有效作戰的基礎。[88]所有的德國戰車都安裝了標準雙向無線電通信設備，這使得德軍戰車在一九四〇年入侵法國與低地國時取得決定性優勢，當時法軍有五分之四的戰車沒有使用無線電。法國軍官為了指揮戰車部隊，有時必須從一輛戰車跑到另一輛戰車，對著艙門大吼，好讓裡頭的人聽見。[89]相較之下，德國每個裝甲師都有一個設備完善的專門通信營，負責維持整個部隊的無線電聯繫。德軍的無線電訓練相當嚴謹，所有通信都必須使用「獅」、「鷹」、「雀鷹」等代號且必須愈簡潔愈好。他們還會使用「簡表」上的詞彙，以避免占用頻道或向敵軍暴露自己的位置。[90]德國無線電通信的高標準一直是德國陸軍能夠（即使在撤退時）維持戰力的重要原因。

在裝甲車輛居於核心的戰場上，無線電成為今日所謂「指揮與管制」的基礎。若是任由每一輛戰車自行其是，或者火砲沒有中央指揮，將使整支部隊在戰術上居於劣勢。儘管如此，各國裝甲部隊要仿效德國的做法仍需要時間。即使到了一九三五年，英國陸軍野戰規定依然沒有提到無線電。儘管無線電在一九三九年迅速發展，但傳令兵與電話線依然是一九四〇年前線通信的主要工具。英國戰車最終還是使用了標準的WS 19調幅無線電，可以在戰車與戰車以及戰車與高階司令部之間雙向通信。但正如前述，要在移動車輛上使用調幅無線電相當困難。[91]蘇聯與日本戰車一般不會裝設無線電，只有前線戰車指揮官才有無線電設備，但就算有，品質與效能都不佳，數量也很稀少。日軍進行裝甲作戰時，通常是藉由手勢、照明彈或擁有複雜顏色與圖案的旗號系統來傳達指令。[92]蘇聯在一九四一年慘敗，主要原因之一就是各級部隊普遍缺乏無線電。在英美慷慨提供二十四萬五千臺野戰無線電設備後，情況才逐漸改善。當小部隊也能取得無線電時，戰車指揮官就可以使用無線電指揮與管制戰車部隊，但蘇軍對無線電的使用程度顯然無法與德軍相比。

與英國陸軍一樣，一九三〇年代美國陸軍認為電話線與傳統傳令兵才是適當的通信方式——事實上，美國在一九一八年派往歐洲的遠征軍就是採用這種方式。但在新成立的機械化部隊（很快就改名為裝甲部隊）施壓下，陸軍通信部隊實驗室開始研發高品質的調頻無線電設備以供戰車使用，而且使用石英晶體來維持穩定頻率、良好接收效果與避免干擾與攔截。一九四〇年夏天在路易斯安那州舉行的演習顯示，調頻無線電對於管制戰場裝甲部隊有著很好效果。SCR-508於是成為標準的戰車無線電設備，可以在戰車與戰車以及戰車與戰術司令部之間進行雙向通信，SCR－508也在一九四四年歐洲的主要裝甲作戰中充分證明其價值。[93]調頻石英晶體唯一的問題是容易因為老化而突然故障。美國物理學家伯頓（Virgil Bottom）受僱於通信部隊實驗室的石英晶體部，他最終發現問題所在並及時在諾曼第登陸戰之前找到了解決方法。到了一九四四年，美軍每支部隊擁有的無線電數量不僅是各交戰國中最多的，無線電設備的可靠度與性能也是最好的。[94]

對步兵部隊來說，特別是支援戰車推進的步兵部隊，最容易出現通信問題。早期的無線電龐大笨重，在行進間難以操作。然而絕大多數作戰都是機動作戰，因此必須找到方法讓地面部隊可以與裝甲部隊或砲兵通信，並且透過對前方步兵進行「聲音管制」來確保戰術上的有效部署。要建立一套通信網路，讓司令部與小部隊及小部隊與小部隊聯繫起來，這件事本身並不容易，主要是因為裝甲部隊、砲兵與步兵使用的無線電頻率不同。英軍直到一九四五年才引進共同頻率，而美軍直到一九四四年最後幾個月才讓步兵與裝甲部隊使用相同的無線電頻率。以美軍的作戰模式來說，步兵與戰車應該要一起前進，因此兩個兵種無線電頻率不同確實構成問題。步兵一般使用的無線電是SCR－586調幅「手提對講機」（手機的原型）與較大型需要兩個人操作的SCR－300調幅「步行對講機」，而這兩種對講機都與戰車使用的SCR－508調頻無線電不相容。為了呼叫支援或提供情報，步兵必須透過戰術指揮中心傳遞訊息，這個程序太過緩慢，無法讓人立即取得需要的回應。為了規避這個問題就需要找出變通辦法：美軍有時候會把步兵無線電放在戰車裡，但戰車的噪音與行進使步兵無線電的效能受到限制。最常見的解決方式是使用焊在戰車後方的野戰電話，這個電話可以與戰車內部對講機聯繫。步兵可以直接指示戰車乘員目標所在與可能風險，不過步兵也有可能因此成為敵方狙擊手的目標。[95]

雖然前線無線電對協助小部隊協調行動與呼叫支援極為重要，但實際上要建立這樣的通信網路卻十分困難。除了頻率不穩定、真空管破損或工程品質不佳等技術問題，無線電通信也很容易受到大雨、海水、河水與不適合的地形影響。山地與丘陵限制了無線電通信的距離，甚至讓無線電完全中斷，如盟軍一九四三年初在突尼西亞遭遇的狀況，或者在義大利往北推進時也經常如此——士兵必須把無線電綁在騾子上，運到山頂才能讓無線電恢復功能。無線電操作員在作戰時也顯得特別脆弱。好比當他們參與兩棲作戰時候，沉重的設備偶爾會讓他們沉入水中。而無線電的天線特別容易洩露無線電操作員的位置，敵方的狙擊手不會放過這點，並且把無線電操作員視為主要目標。儘管如此，隨著無線電設備變得愈來愈可靠輕便，無線電也開始配發給小部隊，由一到二人負責操作。德國暱稱「朵拉」的Torn Fu. d與暱稱「古斯塔夫」的Torn Fu. g無線電，都是可靠且容易攜帶的電設備，通信距離可達十公里。英國部隊配備效能較差的WS 38「步行對講機」，通信距離不到一公里，另外還有需要由兩人操作的大型設備WS 18，通信距離達到八公里。雖然一般認為WS 38不太可靠，但在戰爭期間這種可攜式的WS 38還是生產了十八萬七千臺，在整個歐洲都可看到這種無線電設備的身影。英國陸軍在整個二戰期間總計取得了五十五萬兩千臺無線電設備，充分見證了無線電在戰場上不可或缺的價值。[96]

前線無線電的問世有一段曲折的歷程。在太平洋戰場，美軍初期作戰無線電通信品質不佳，導致了不必要的嚴重傷亡。一九四三年十一月的塔拉瓦戰役，指揮艦馬里蘭號就是缺乏適當的無線電設備與搶灘的海軍陸戰隊通信。當時戰鬥艦主砲的震盪效應影響了無線電的效能，而海軍陸戰隊上岸之後，他們攜帶的海軍TBX與TBY無線電又因為泡水與電池沒電而無法運作。到了一九四五年四月的沖繩戰役，專用的指揮艦已配備性能較佳的無線電，對於組織戰術戰場大有助益，降低了傷亡人數。[97]一九四二年十一月，英美首次在北非進行兩棲登陸，同樣也未能建立有效的無線電通信網路。調幅無線電會受到暴雨與頻率擁擠的影響。許多無線電操作員都是在艦艇行經大西洋時在船上接受簡單訓練，無線電的供給與替換也面臨不足。更糟的是，美軍與英軍的無線電系統並不相容，必須經過調整才能相互通信。由於無線電的表現不佳，英軍由奧斯汀少將（Alfred Godwin-Austen）組織了委員會，負責評估以往的經驗，讓無線電能發揮更大的效果。委員會及時在一九四四年三月做出結論，可以在入侵諾曼第之前針對無線電的使用進行改善。[98]到了一九四四年，無線電終於成為英美必要的軍事裝備。此時英軍使用的無線電數量已是一九四〇年的十倍。美軍在D日擁有九萬臺無線電發射器，絕大多數是較可靠的調頻石英無線電，這些無線電使用全新的頻率以混淆德國的通信情報人員。在這個階段，美國一個月已能生產兩百萬臺石英無線電，反觀戰前一年只能生產十萬臺。一九四四年七八月間，盟軍在法國境內長途追擊德軍，無線電發揮了很大的功效。無線電還可以與地面雷達配合，有效指揮與管制盟軍砲兵部隊的強大火力。[99]

二戰期間戰術空軍的演變也與無線電息息相關。空軍希望取得高效能無線電，而且也優先配置無線電。一九四〇年夏秋之際，英國參與不列顛之役的飛機都裝設了特高頻無線電，飛行員可以彼此通信，也可以與地面管制站聯繫。一旦雷達或地面觀測站發現敵軍入侵，就由地面管制站指揮飛機前往目標空域。飛機進行防衛時，必須仰賴無線電整合整個作戰空域。相較之下，攻擊方的飛機要進行組織則較為困難，不僅要仰賴前進地面管制中心對攻擊飛機進行聲音管制，在發現需要摧毀的地面目標時，也需要無線電讓飛機與陸軍（或海上艦艇）相互聯繫。德國陸軍與空軍的無線電頻率雖然不同，但德國空軍在波蘭與法國戰役中依然成功完成任務。德國空軍在陸軍部隊派駐了聯絡官，負責整合空中與地面作戰。入侵蘇聯時，空軍在每個裝甲師都派駐了通信聯絡小隊，負責呼叫空中支援。到了一九四三年的東線戰役，德軍戰車指揮官與支援的飛機已可以直接無線電聯繫，兩個兵種都使用相同的無線電頻率。[100]

在戰術空軍的無線電管制上，盟軍同樣需要好幾年的時間才能趕上德軍。法國戰役慘敗後，英軍由伍德爾中校（J. Woodall）組織了一個聯合陸空小組，負責協調陸軍與空軍的角色。一九四〇年九月完成的《伍德爾報告》建議成立聯合管制中心，在接收到前線通信部隊提供的詳細目標資訊之後，便能立刻派遣飛機趕往需要的地區。儘管這項提案獲得正式批准，然而在北非進行沙漠作戰時，除非有足夠的飛機與技術良好的無線電操作員，否則要對移動快速的飛機進行無線電管制極為困難。此外，陸軍對無線電存有偏見也是急需克服的問題。[101]一九四一年秋天，前進空中支援戰術通信網路成立，前線部隊終於可以用無線電呼叫空中打擊，但前線部隊的要求必須先送回英國皇家空軍司令部尋求批准，導致作戰時機延宕。一九四二年初，英軍終於建立更複雜的無線電通信網路，並且設立可以隨陸軍移動的前進空中指揮中心，能夠運用特高頻無線電指揮正在空中執勤的飛機從一個地面目標移動到下一個地面目標。大約有四百輛特高頻通信車輛跟隨陸軍移動，透過無線電提供敵軍陣地的詳細資訊讓飛機進行攻擊。至此，英軍的通信技術不僅仿效了德軍，甚至超越了德軍。[102]

蘇聯空軍也必須向德軍學習。戰爭開始的前幾年，由於缺乏無線電，偵察機有時甚至必須先降落回機場才能警告其他飛行員準備作戰，然後再起飛帶領飛行員前往目標區，用目視的方式讓他們知道目標在哪裡。在沒有無線電的狀況下，蘇聯空軍部隊必須採取跟隨領隊的編隊隊形，使得他們很容易成為德軍攻擊的目標。德軍因為配備了無線電，因此可以更靈活地作戰。紅軍戰爭經驗分析部的報告特別提到，蘇聯空軍作戰協調管制的不足。一九四二年下半年，新任空軍總司令亞歷山大・諾維科夫在史達林格勒前線引進了中央管制的無線電導航系統，利用無線電與雷達引導飛機攻擊空中與地面目標。另外還建立了輔助地面管制站，透過無線電與空軍基地及飛機聯繫，這些管制站位於前線後方二到三公里處，管制站彼此之間相隔八到十公里。蘇軍頒布的新野戰手冊「針對空軍提出指令，要求空軍必須以無線電管制、通知與引導飛機」，此後德國飛行員幾乎很快就能看到蘇聯飛機升空進行攔截。要在整個廣闊的前線設立無線電網路需要時間，要讓蘇聯飛行員瞭解與仰賴無線電管制也不是馬上就能做到。最初，蘇聯軍隊傳遞訊息時並未譯為密碼，德軍通信情報人員可以很輕易地截聽蘇軍情報。蘇聯的無線電系統在一九四三年七月的庫斯克防衛戰役上並沒有特別突出的表現，直到夏秋季獲得美國供應的無線電站與美國租借的四萬五千臺空用無線電，才使蘇聯得以在長期反攻中讓軍隊人數優勢發揮到最大。[103]

與蘇聯空軍一樣，美國陸軍與海軍航空隊都經歷了一段艱苦的學習過程。一九四二年八月的瓜達康納爾戰役，呼叫空中支援是決定成敗的關鍵，然而海軍、海軍陸戰隊與陸軍航空軍卻使用各自不同的無線電頻率。應急的做法是建立「空中前進觀測員」系統，觀測員使用裝有兩個麥克風的改良無線電進行回報，讓鄰近的海軍無線電也能收聽。[104]在一九四二年十一月西北非的登陸作戰中，空用無線電的效能不佳，主要是因為缺乏適當的補給與人員，難以迅速建立可靠的無線電與雷達網。陸軍航空軍司令史巴茲抱怨說美軍擁有一個「拙劣又難用的通信系統」，更不用說英國與美國的空中管制頻率也不一樣。[105]北非戰場的教訓，最終催生出更好用的通信系統。盟軍反攻法國時，為了進行地面支援作戰，空中支援小組也跟隨陸軍部隊出動，如此才能立即向空中支援管制站要求空中支援。到了一九四四年夏末，空中支援小組配置了一名無線電操作員，負責在前導戰車中使用特高頻無線電，在空中巡邏的飛機也使用空軍配備的SCR－522無線電，因此操作員可以立刻呼叫飛機進行空中支援。在這個階段，戰場上已經相對較少出現德軍飛機，美軍因此可以使用小型的L－5「馬蠅」(Horsefly)聯絡機在地面部隊前方飛行，並以無線電回報可能的目標。[106]無線電現在已構成複雜通信網的一環，可以連結起地面管制站與飛機、飛機與飛機以及飛機與地面部隊。軸心國與同盟國的無線電通信系統都未盡完善，但無線電確實放大了飛機在戰場上的打擊能力。而隨著同盟國逐漸學會如何運用無線電，優勢也開始朝同盟國傾斜。

無論是用來進行空中戰鬥還是支援地面部隊，無線電可以有效管制飛機，其實與雷達的演進與發展密不可分。傳統上，預警來襲敵機的方式是使用大型的聲波感測器，然而這種感測器在作戰時用處不大，經常只能偵測到微弱的噪音。為了尋求更有效的預警方式，軍方開始嘗試運用無線電波來進行偵測。各國都在進行無線電波的研究，而研發雷達所需的科技實際上各國也都具備。有兩項關鍵零件分別來自於日本與德國，一項是一九二六年由日本物理學家八木秀次研發的八木天線，另一項是一九二〇年德國發明的磁控管（Barkhausen-Kurz tube），用於製造接受器與發射器。不過這兩項專利都已授權給國外，因此實際上各國都能取得這兩項零件。一九二〇年代末與一九三〇年代初，電視的商業發展同樣遍及整個工業化世界，而且對雷達的發展有著重要貢獻，其中陰極射線管可以用在雷達設備上，能將偵測到的物體顯示成容易判讀的影像。民間產業在提供引領創新上扮演著重要角色，也使雷達成為可能，如德國的德律風根、美國與英國的奇異公司、日本的日本電氣等等。或許不令人意外的是，由於科學的跨國性質，與雷達相關的研究幾乎同時發生於各主要國家，而這些國家日後也都成為了交戰國。因此，我們很難說是哪個人或哪個國家「發明」了雷達。

如果雷達的發展是一九三〇年代的必然趨勢，那麼雷達最初的起源其實既是充滿遠見，也是機緣巧合。一九三四年下半年，匈牙利物理學家特斯拉（Nikola Tesla）提出的主張吸引了英國空軍部科學研究主任溫珀里斯（Henry Wimperis）。特斯拉表示，集中無線電波可以形成「死光」，擊落來犯敵機。溫珀里斯於是要求無線電研究站站長華生瓦特（Robert Watson-Watt）調查這項主張的可行性。華生瓦特回報說，這項主張在科學上並不可行，但無線電射束雖然「無法用來毀滅目標，卻可以用來偵測目標」。一九三五年二月二十六日，華生瓦特根據他利用無線電脈衝與反射回波測量電離層的成果，在距離英國廣播公司ＢＢＣ設置於達文特里（Daventry）的發射器幾英里遠的地方進行實驗。一架亨德里・佩吉・赫福德轟炸機（Handley Page Heyford）沿著無線電射束飛行，反射出清楚的信號給地面接收站。實驗結果終於提供了一個防禦敵機攻擊的有效方法，華生瓦特興奮地叫道：「英國再次成為一座島嶼！」[107]

英國團隊一直被視為「測距與測向」的發明者，但他們不知道的是，早在一九三四年十一月，美國海軍工程局就已經提出「以無線電偵測目標」的專利申請。一個月後，美國海軍研究實驗室也證明脈衝雷達可以偵測到一點五公里以外的飛機，而美國陸軍通信部隊實驗室也在同年開啟了「無線電定位」計畫。德國物理學家庫恩霍爾德（Rudolf Kühnhold），同時也是德國海軍無線電研究單位主任，也在一九三四年利用無線電波偵測船舶，隔年五月，也就是達文特里實驗之後不到三個月，他就成功證明脈衝雷達的用途。[108]蘇聯的研究起步更早，一九三三年八月，列寧格勒中央無線電實驗室獲得總砲兵局授權研究無線電偵測以協助防空。一九三四年一月三日，蘇聯物理學家奧什切科夫（Pavel Oshchepkov）在列寧格勒一棟建築物的屋頂進行實驗，顯示無線電信號可以被遙遠的物體反射。[109]幾乎所有的國家在取得相關發現後就立刻瞭解它的軍事用途，而雷達也突然間成了各國急欲隱藏的祕密。

雖然各國同時發現了雷達，但隨後的發展卻出現歧異。相較於不採用脈衝間距而是以連續波傳輸為基礎來偵測的雷達，英國、美國與德國都是從一開始就採用脈衝雷達。這種雷達大約每微秒會發射一個脈衝，然後會在幾微秒後接收到偵測物體的回波。這個過程可以增強無線電射束與測量接收器與物體的距離（防空的關鍵要素），也能測得物體的飛行方位。高度（或方位角）的估計較為困難，但可以額外添加設備來加以解決（英國增加了測角器，可以計算飛機的方位）。連續波傳輸雷達對距離、高度與方位的指示不盡理想，甚至無法測量。蘇聯的雷達研究就是因為空軍與陸軍看法不一而陷入多頭馬車的情況：空軍堅持使用脈衝雷達，但陸軍卻以為連續波雷達已可滿足防空砲的需求。然而，事實證明陸軍的想法完全行不通，因為連續波雷達無法計算飛機的距離。更慘的是，一九三七年到一九三八年大清洗時期的政治干預，導致許多資深的無線電與雷達研究人員遭到逮捕，包括雷達先驅奧什切科夫，他被送進古拉格關了十年。[110] 一九三〇年代的日本海軍與陸軍普遍不相信雷達偵測的用途，而當日本終於在一九四一年於中國沿海與日本本島建立初步的雷達系統時，這些連續波雷達站只能指示飛機出現，卻無法偵測飛機的距離與方位。日本的雷達系統因此在作戰上毫無用處，但日本還是維持這套系統直到戰爭結束為止。日本陸軍與海軍在發展雷達上不願合作，而少數致力研究無線電的科學家與工程師則被軍事體制邊緣化，因為軍方並不信任民間的介入。[111] 義大利的狀況更糟。義大利於一九四〇年參戰時，國內根本不具備發展雷達的能力，對無線電偵測的研究也擺在較低順位。軍方傾向於選擇連續波雷達，但即便如此，整個義大利海岸也未建立適當的雷達網。一九四一年，義大利終於改成在海岸與艦艇防衛上使用脈衝波雷達，代號「秧雞」（Folaga）與「貓頭鷹」（Gufo），但最終只生產了十二個，難以影響大局。義大利陸軍研發了「山貓」（Lynx）飛機偵測雷達，但直到投降前也只是少量生產。義大利的雷達網最終在一九四三年完成，然而卻是由德國人設置的，目的是保護駐紮在義大利的德國軍隊。[112]

陸軍與海軍起初對雷達偵測的興趣，都集中在對來襲敵機進行預警，提供足夠資料與時間來啟動防空措施，或讓戰機緊急升空攔截。一九三〇年代中期，英國開始認為雷達是降低轟炸機攻擊潛在威脅的重要手段。政治人物與民眾也對遭受空襲感到憂心，他們認為在即將到來的戰爭裡，這樣的威脅勢必會造成關鍵影響。一九三五年下半，距離達文特里實驗過後還不到一年的時間，英國首次下令在南岸與東岸建立五座「連鎖家園雷達站」。到了一九四〇年，從西南部的康瓦爾到最北邊的蘇格蘭，總共設立了三十座雷達站。為了偵測低空飛行的飛機，又設立了三十一座「連鎖家園低空雷達站」。這些雷達站的表現不盡理想，因為早期雷達只能偵測海面，無法偵測內陸飛機，因為陸地偵測會受到地面雜波的干擾。飛機的高度也很難精確測量，部分是因為許多操作員只受過簡單訓練，需要實際作戰經驗才能充分發揮雷達站的效能。[113]儘管如此，一旦將雷達整合到無線電及電話網中，雷達就能發揮功能及時警告英國戰鬥機，使其在一九四〇年順利攔截經常在日間入侵的德軍飛機。雷達的性能在二戰期間不斷改善，而且其對抗的敵軍戰機也逐漸減少。

一九三〇年代晚期，美國擔心日本或德國飛機可能從拉丁美洲的基地發動突襲，因此開始在沿海地區裝設防空雷達。一九三七年，美國政府授權發展遠距偵測雷達，到了一九三九年已成功研發出機動與固定雷達。一九四〇年，美國設立首座固定式雷達SCR-271以防衛巴拿馬運河；同年二月，防空司令部開始運作，建立雷達站網與空中攔截部隊連結，這套雷達站網與英國的雷達系統大致相同。由於缺乏訓練有素的人員，而且在重整軍備的大環境下，各方都競相提出需求，導致雷達站的興建時間延長。結果就是到了珍珠港事件發生時，美國東岸只設立了兩座雷達站、太平洋地區六座。這些雷達可以偵測方向與距離，卻無法偵測高度。此前許多雷達站都在戰爭部指示下設在山頂，之後便不得不拆遷到高度較低的地點才能讓雷達充分發揮效能。美國的海岸雷達在經過持續調校後才得以達到英國雷達的水準。最後，美國總共在太平洋岸建立了六十五座雷達站，在東岸建立了三十座雷達站，廣大的雷達網才告完成。到了戰爭末期，地面管制攔截雷達SCR－588已可以在同一螢幕上同時追蹤敵機與友機，而且還能提供距離、方向與方位角數據。至於SCR－516雷達則與英國連鎖家園低空雷達相同，能偵測方圓一百公里以外的低空飛機。[114]美國的東岸與太平洋沿岸到頭來並未遭受敵方的空中攻擊，因此由雷達、戰鬥機基地、無線電通訊與地面觀測站構成的複雜系統從未受到考驗。但對一九四〇年的英國來說，這套系統對生存卻是至關重要。美國雷達站實際處理的主要是國內空軍大量的訓練飛行。光是一九四二年七月，洛杉磯防空地區就監控了十一萬五千架次的訓練飛行，卻沒有偵測到任何敵機。[115]諷刺的是，這套在戰時從未受到考驗的雷達系統，唯一一次偵測到敵機就是準備攻擊珍珠港的日本軍機，結果雷達卻完全未產生預警的功能。一九四一年十二月，美軍已經在歐胡島北岸的歐帕納山脊設立雷達站。十二月七日清晨，兩名雷達操作員如實回報有大量機群逼近，結果上級卻告訴他們那是我方的轟炸機前來支援太平洋基地。隨著雷達螢幕逐漸充斥著背景雜音，兩名操作員遂放著雷達站不管，自行出去吃早餐。[116]

德國空軍在德國的西部邊界與歐洲占領區的北部海岸，設立了最精密與偵測範圍最廣的雷達防衛螢幕。從一九四〇年五月首次空襲英國，到一九四五年五月戰爭結束，這兩個地區的空戰從未停歇。德國空中預警雷達是由兩家德國民間公司GEMA與德律風根研發，德國空軍通信長馬提尼將軍（Wolfgang Martini）將這個設備交由德國空軍使用以建立防空系統。GEMA公司發明了「弗蕾亞」(Freya)雷達，利用廣無線電波長進行偵測，偵測範圍可以達到岸外一百三十公里。一九三九年，德國進一步改良雷達，增加了目標高度測量，使戰鬥機能精確進行攔截。一九四〇年，德國繼續提升雷達性能，把八個弗蕾亞雷達連結成一座雷達，代號「水妖」(Wassermann)，偵測距離達到三百公里。一九四一年，德軍再將十六個弗蕾亞雷達連結起來，新雷達代號「猛獁象」(Mammoth)，偵測距離同樣也是三百公里。有了加強版的雷達，英國飛機一從英格蘭東部基地起飛，就會被德軍偵測到。德律風根無線電研究實驗室主任倫格(Wilhelm Runge)研發了火砲射向賦予雷達，代號「符茲堡」(Würzburg)，使防空砲火更為精準。「猛獁象」與「符茲堡」成為德國防空系統的標準配備。到了戰爭末期，符茲堡由「大符茲堡」與「曼海姆」(Mannheim)加以補充，曼海姆是一種火控雷達，偵測距離三十公里，可以提高防空砲命中率。一九四四年，為了對付低空飛行的戰鬥轟炸機，德軍引進機動搜索雷達Fu MG407。這種雷達安裝在改裝卡車上，可以持續移動，填補弗蕾亞與符茲堡雷達之間的空隙。[117]

雷達與戰鬥機防衛部隊、探照燈以及防空陣地共同組成代號「天床」(Himmelbett)的防線，不過這道防線通常稱為「卡姆胡伯防線」，防線名稱來自帝國戰鬥機防衛部隊第一任司令官卡姆胡伯將軍(Josef Kammhuber)。德軍雷達帶從瑞士邊境開始，經過法國北部與比利時，最遠抵達德國丹麥邊境。與英美一樣，德國雷達系統的運作並不完美。不僅缺乏具備技術的雷達操作員，雷達的生產也非常緩慢。到了一九四二年春天，只有三分之一的防空砲裝設了符茲堡火砲射向賦予雷達系統。[118]後來發現，雷達很容易受到人為干擾，特別是小型的金屬箔片(英國稱為「窗戶」，而美國稱為「穀殼」）——自一九四三年夏天開始，盟軍投放了成千上萬的金屬箔片來覆蓋德軍的雷達螢幕。儘管如此，德軍的防衛帶配備了遠距雷達偵測、雷達管制火砲與雷達管制的戰鬥機攔截，不分晝夜地進行防衛工作，造成英美轟炸機的慘重損失。到了一九四三年冬天，德軍雷達幾乎完全瓦解了盟軍的轟炸機攻勢。

不讓空軍雷達專美於前，海軍雷達也在一九三〇年代中期迅速跟進，開始進行預警工作。事實上，英國、美國與德國的海軍研究機構正是促使雷達從靜態海岸偵測系統往前邁進的主要推手。一般而言，研究步調的快慢可以反映出海軍是否願意承認空權已經改變了戰鬥艦與飛機在維護海權上的均勢。對海軍而言，以無線電偵測來襲飛機是避免空襲造成嚴重損害的唯一辦法，除了能及早警告航空母艦，也能啟動其他軍艦的防空系統。雷達還能協助航行，不僅可以避免船隻在戰鬥或護航時發生碰撞，也能偵測水面船隻與潛艦。有了火砲射向賦予雷達，就可以利用夜間、起霧與雲層掩蔽自身行蹤攻擊敵艦——一九四一年三月二十八日的馬塔潘角海戰就是一個早期案例。在這場戰役中，數艘義大利軍艦遭到英軍擊沉。不過，在海上使用雷達也帶來新的困難：雷達不能接觸到水與冰，天線容易受到天氣與戰鬥影響。而且雷達需要穩定的平臺，但船隻卻會隨著海浪而顛簸搖晃，雷達也會因為艦艇發射主砲造成的震動而無法運作。德國戰鬥艦俾斯麥號在與英國皇家海軍首次交火後雷達便無法運作，導致俾斯麥號無法偵測到劍魚式魚雷轟炸機來襲，最終遭魚雷攻擊而癱瘓。[119]這些問題後來都陸續找到解決辦法，使雷達成為海戰獲勝的關鍵因素，尤其英美的海軍雷達研究與發展開創了日後許多新科技的應用。

在英國，由於岸基預警系統不符合大型艦艇的需求，海軍實驗處於一九三五年開始獨力進行研究，並於該年九月成功複製達文特里的脈衝雷達實驗。一九三七年，海軍通信學校接續這項研究，一年後研發了第一個能偵測飛機與水面艦艇的海軍作戰雷達７９Ｙ型，並且實驗性地裝設在羅德尼號（*Rodney*）戰鬥艦上。往後兩年，這套雷達系統持續調整改良，使其能給予防空砲正確的射擊距離或者使艦艇主砲能瞄準遙遠的水面艦艇。７９Ｙ型後來衍生出不同的型號：２８１型用來偵測艦艇、２８２到２８５型發展成武器測距儀，不過這類設備需要海軍人員熟悉性能之後才能真正發揮效果。此外，為了偵測低空飛行的飛機，對海搜索雷達也在經過調整後組成了２８６型。[120]艦載機裝備了對海搜索雷達Mk. II，而正是這種雷達在一九四一年五月讓勝利號（*Victorious*）航艦的劍魚式魚雷轟炸機在低雲層、海況惡劣與夜幕低垂下找到了俾斯麥號。德國雷達同樣也是在海軍的督促下獲得發展。德國第一座岸基與海基作戰雷達是DeTe-I，一般稱為「海上節拍」(Seetakt)。一九三八年，升級成DeTe-II的雷達成為空軍弗蕾亞雷達的發展範本。DeTe-II雷達最初裝設在命運多舛的袖珍戰鬥艦斯皮上將號（*Admiral Graf Spee*）上。德國海軍於一九三八年引進敵我識別系統，稱為「初生子」(Erstling)，空軍之後也跟著採用。[121]飛行員使用預先設定的脈衝信號聯繫己方雷達，顯示他們並非敵軍，這樣操作員就不會下令開火。到了一九四〇年，所有主要國家的空軍都已採用敵我識別系統做為標準配備，不過敵我識別系統的信號很容易被攔截而遭敵方利用，或者又以美國為例，美國許多飛行員在近岸進行訓練飛行時，往往因為沒有敵機入侵而危險地忽視敵我識別系統。義大利由於沒有發展敵我識別系統，因此義大利飛行員經常抱怨他們會無差別地遭受來自盟友德國的防空砲射擊。

美國海軍實驗室也在一九三四年開始獨立進行雷達研究計畫，到了一九三七年四月，海軍完成戰鬥艦上的雷達測試。一九三九年一月，海軍在紐約號戰鬥艦裝備第一個作戰雷達XAF。隔年，兩名海軍軍官用首字母縮寫創造了「雷達」一詞，他們原本只是為了替研究命名，但不久「雷達」這個詞彙就被整個英語世界沿用，用來表示所有形式的無線電偵測。海軍也對雷達做了各項調整以符合海軍的需求。一九四一年底，海軍引進SK雷達，這種雷達運用了平面位置指示器這項基礎發明，可以顯示戰鬥環境與周圍的地理影像。航空母艦能夠區別敵我飛機，對艦載機來說非常重要，於是從一九三七年開始，美國海軍開始發展自身的敵我識別系統。一九四一年，所有艦載機都裝設了對海搜索雷達，此外也開始發展雷達導引的轟炸瞄準器，這項設備使艦載機可以在夜間或多雲的天氣轟炸敵軍艦艇。一九四四年，駐紮在中國的美國第十四航空軍宣稱擊沉了十一萬噸的日本船隻，他們使用的就是能在夜間轟炸小型目標的雷達轟炸。到了戰爭結束時，美國總共生產了兩萬七千座標準對海搜索雷達。[122]美國陸軍與空軍幾乎沿用了所有海軍雷達設備，並且基於自身的需求加以調整改造。火砲射向賦予雷達不僅在海上，在陸上也是防空砲重要的附屬裝備。英國的火砲射向賦予雷達Mark II（GL-Mk II）平均每四千一百發砲彈可以擊落一架飛機，反觀早期並未裝備雷達的Mark I需要一萬八千五百發砲彈才能擊落一架飛機。海軍使用雷達之後，各國空軍也開始使用空中攔截雷達，讓飛機在地面雷達協助下能在夜間或惡劣天氣下接近敵機。一九四一年初，英國皇家空軍夜間戰鬥機引進地面管制攔截，德國飛機的戰損於是從百分之零點五增加到百分之七。德國在戰爭晚期發展出來的「列支敦斯登」（Lichtenstein）與ＳＮ２空中攔截雷達，同樣也成功引導德國夜間戰鬥機攻擊盟軍轟炸機群。

早期脈衝雷達使用的都是廣波長。德軍雷達使用的是分米，通常是五十公分的波長，其他雷達波長絕大多數介於一點五公尺到三公尺之間。一九三〇年代初，人們已經知道如果使用微波，不僅可以提高雷達精確度，還有更多其他功能。但由於德國與日本最初的研究結果顯示，憑藉既有的真空管無法製造出微波雷達，因此使用微波的嘗試只能暫告中止。就像首次觀測到無線電回波一樣，微波科技的關鍵突破也是一連串幸運的偶然。一九三九年，英國真空管發展協調委員會把研發高功率真空管、使其能在厘米波長下運作的任務外包給牛津、布里斯托與伯明罕三所大學。在伯明罕，澳洲物理學家奧利芬特（Marcus Oliphant）僱用了兩名年輕的博士生藍道爾（John Randall）與布特（Henry Boot）參加他的研究團隊。科學家長久以來一直對速調管或磁控管（這兩種先進真空管是過去微波研究的基礎）何者能產生厘米波長所需的必要功率有所爭論，但藍道爾與布特不打算理會這些爭議，他們同時使用這兩種真空管並將兩者融合起來，形成所謂的「振盪多腔磁控管」。首次實驗顯示，多腔磁控管可以產生高功率。一九四一年二月二十一日，藍道爾與布特向奧利芬特與其他團隊成員展示多腔磁控管，顯示多腔磁控管可以產生九點八公分的波長。接下來的生產工作就交給英國奇異公司，奇異公司的實驗室取得英國皇家海軍的贊助，負責生產速調管與磁控管。五月，奇異公司生產出可運作的型號，八月，電信研究機構進行展示，顯示振盪多腔磁控管在脈衝系統下可以產生清楚的回饋，即使是微小物體的回波也能接收得到（在展示中，他們讓人在附近的懸崖頂上騎腳踏車，腳踏車上的金屬牌子產生了明顯的回波）。多腔磁控管被定名為E1198之後，就被放入金屬盒中。同月，蒂澤德（Henry Tizard）率領的科學代表團帶著這個金屬盒子前往美國。九月十九日，這個金屬盒子祕密在華府重要科學家會議上揭露，引發劇烈的回響。從英國護送多腔磁控管前往美國的波文（Edward Bowen）回憶說，我們這時才發現，「放在桌上，擺在我們面前的這個東西，也許可以挽救盟軍的命運」。[123]

振盪多腔磁控管轉變了英國與美國的雷達。蒂澤德代表團把多腔磁控管交給美國微波委員會，條件是對方能組織量產。量產的任務交給了貝爾電話實驗室，到了戰爭結束時，貝爾電話實驗室已經生產了超過一百萬個多腔磁控管，其中絕大多數從一九四一年的「綑綁式」多腔磁控管加以改良，強化了頻率穩定性。此時，雷達研究已經在美國武裝部隊取得重要地位。波士頓麻省理工學院輻射實驗室在杜布里吉（Lee DuBridge）的領導下，把發展微波科技視為主要目標。在美國參戰的第一年，為了避免資源重複投入構成浪費，便於一九四三年夏天在英國設立輻射實驗室的分支單位。[124]先前在戰場上發展的雷達，此時都被擱置，準備迎接更精準且更多工的設備。最初優先生產的是微波空中攔截雷達與微波火砲射向授予雷達，使防空砲具備自動測距與射擊的功能。一九四二年夏天，空中攔截雷達SCR-520問世，之後又升級為SCR-720。由於微波雷達的性能優越，美軍決定在所有戰機上裝設微波雷達，英國空軍隨後跟進，以空中攔截雷達Mk. X取代於一九四二年四月引進的Mk. VII。火砲射向授予雷達SCR-584是戰時最成功的雷達。利用裝在M9預測儀上的類比電腦來測量距離與高度，之後火砲便可自動精準地射擊敵機。這種雷達不僅可以用在防空砲上，也可以用於地面戰鬥，可以穿透煙霧與黑暗，追蹤彈道並且偵測敵軍迫擊砲、車輛乃至於單兵的軌跡。在D日當天，總計有三十九座雷達被運到諾曼第岸上。美軍火砲與防空砲因此可以精確命中目標。125

起初發展的微波雷達波長是十公分，然後是三公分，到了戰爭結束時已減少為一公分。轟炸機利用三公分波長來偵測地面，藉此更精確地命中目標。英美兩國在雷達研究上因為競爭而出現摩擦，轟炸機使用的微波雷達也成為兩國爭論的焦點。英國研發了H2S設備，波士頓輻射實驗室則把自己研發的版本稱為H2X，雙方都不願建立相容的系統。英美在防空砲彈引信的微系統上取得較多的合作成果，這種引信可以利用小雷達追蹤目標，然後在正確時刻引爆。澳洲物理學家布特曼（William Butement）在英國研究雷達，他在一九四〇年首次提出新型引信，蒂澤德科學代表團將他的發明帶到美國。隔年，布特曼的概念在美國獲得充分發展。一九四三年一月，「近炸引信」首次投入太平洋戰場，用來對付敵機，並轉變了太平洋戰場的艦空作戰方式。然而，盟軍在歐洲戰場卻很少使用近炸引信，主要是擔心這項科技會落入德軍手裡。儘管如此，近炸引信卻可以在英國空域使用，而且成功運用在反制V1飛彈上，估計有五成的V1被近炸引信擊落。一九四四年底，近炸引信終於在法國與比利時戰役登場。在突出部之役中，裝了近炸引信的砲彈至少擊落了三百九十四架德軍飛機。到了一九四五年，盟軍估計已生產了兩千兩百萬枚近炸引信。126

微波雷達證明是海戰的珍貴資產。英國海軍部升級對海搜索雷達，使其能更精確地偵測德軍潛艦。一九四一年初，271型雷達準備就緒，這是第一座加入作戰的微波雷達。在使用微波的狀況下，雷達不僅可以偵測到潛艦，就連伸出海面的潛望鏡也一覽無遺。一九四一年十一月十六日，第一艘被微波雷達偵測到的潛艦在直布羅陀外海被擊沉。英國皇家海軍的艦載微波雷達擁有較佳的火砲射向賦予設備、導航設備與目標指示器。美國海軍堅持仰賴海軍研究實驗室而非麻省理工學院輻射實驗室來研發海軍雷達，並且生產了種類多樣的厘米雷達以供艦載機、航空母艦與其他軍艦使用。大型軍艦與輕型航空母艦裝設了SM與SP雷達，這些雷達可以用三維角度偵測飛機。一九四二年底，隨著十厘米Mk. 8雷達的引進，火砲射向賦予變得更加精密，能讓海軍艦砲完全仰賴儀器射擊，還能追蹤砲彈的軌跡，或是在雷達螢幕上顯示目標。Mk. 8雷達首次使用是在瓜達康納爾戰役：夜裡，一艘毫無防備的日本艦艇在十二公里外遭到擊沉，但這項新科技對於絕大多數艦長來說實在太具挑戰性。一九四二年十二月，尼米茲海軍上將下令，所有大型軍艦都必須成立作戰中心，協助協調與傳布雷達資訊，讓指揮官自行運用指揮。所有艦隊都設立了「戰鬥情報中心CIC」，代號「凱迪拉克計畫」(Project Cadillac)。每個戰情中心都配置大量的無線電與雷達操作員，但最關鍵的人物是「評估員」與「協調員」，前者負責評估作戰局勢，後者負責溝通資訊，給予空中作戰、防空砲或艦艇主砲需要的情報。[127]一旦指揮官熟悉了這種新科技，雷達便在戰爭的最後兩年起到關鍵作用。到了一九四四年，美國在太平洋地區的海戰已經轉型成電子戰，日本海軍完全不是對手。

微波雷達使英國與美國的電子作戰提升到德日難以望其項背的程度。在戰爭之初，德國的雷達研究曾經生產出使用五十公分波長的優異雷達，但一九三〇年代初的微波研究卻毫無建樹，導致德國在戰爭期間完全沒有意願恢復微波研究。戰時德國的雷達研發受到獨裁制度特有的保密文化阻礙，在這種氣氛下，任何消息外洩都會受到懲罰。一九四〇年，戈林任命普倫德爾（Hans Plendl）擔任高頻研究主任，結果此人在一九四四年遭到撤換，理由是他讓關押在達豪（Dachau）集中營的猶太科學家協助修理雷達，「將機密洩露給非德國人」。普倫德爾很幸運並未被送進集中營，但電子公司西門子的研究主任邁亞（Hans Mayer）就沒這麼好運，他因為「談話不謹慎」而被關進達豪集中營。雷達研究還因為多頭馬車而窒礙難行，各個單位之間缺乏溝通聯繫，也未能建立清楚的優先順序。一九四三年二月，德國從墜毀的英國史特靈轟炸機上取得多腔磁控管，但即便如此，德國也沒有辦法好好利用。德國人根據飛機墜毀的地點將拾獲的磁控管命名為「鹿特丹裝置」，再將其送到德律風根實驗室，該實驗室到了一九四三年夏天已經生產了幾個微波裝置，但並未使用。他們研發了十厘米火砲射向賦予雷達，代號「馬堡」（Marburg），但部署在德軍防空砲的數量並不多；一九四五年一月，德國研發了另一種微波雷達供德軍夜間轟炸機使用，代號「柏林」，但到了一九四五年三月才用於作戰，此時已無法扭轉空戰戰局。[128] 德國並未製造出近炸引信，如果有的話，可能會在對抗盟軍轟炸機的戰役上做出巨大乃至於決定性的貢獻。

日本的雷達研發受到陸軍與海軍研究機構關係不睦的負面影響，而且日本軍方也不信任民間大學與商業研究實驗室的科學家。根據八木秀次的說法，這些科學家往往被當成「外國人」看待。從國際標準來看，日本的磁控管研究已屬先進，但軍方卻對這項研究興趣缺缺。一九四〇年與一九四一年，日本兩度派代表團前往德國，德國向他們展示了數量有限的德國雷達設備，此後日本軍方才開始重視雷達研發。一九四二年初，日軍攻占新加坡與科雷希多島，取得了英軍與美軍的雷達，這讓日本實驗室得以進行逆向工程來發展日本自己的雷達。但整個研發非常緩慢，等到運用敵方科技製造出第一部雷達投入作戰，已經是一九四四年的事。與德國一樣，日本的研究計畫也是多頭馬車且過度保密，這些都構成理性發展的障礙。日本重要的無線電研究實驗室有多達半數研究磁控管與雷達的工程師被徵召入伍，在軍中淪為一名普通步兵。缺乏物資與技術人員，導致發展的優先順序遭到扭曲。許多電子零件的品質極差，因為這些零件都是轉發給無經驗的小工廠製造，而這些小工廠往往缺乏關鍵的金屬材料。日本既有的雷達很容易受到美國電子反制的干擾，這項電子反制計畫是由美國科學家特曼（Frederick Terman）推動，他於一九四二年擔任無線電研究實驗室主任。一九四五年，美軍對日本本土進行空中作戰時，使用了一種名為「豪豬」（Porcupine）的干擾器。這種干擾器可以產生強大的無線電噪音來干擾日軍的防空雷達。到了戰爭末期，日軍終於引進了規模有限的微波雷達，首先是艦載雷達22型，然後是夜間戰鬥機專用的空用雷達FD-3，但這種空用雷達只生產了一百部。這些雷達都沒有平面位置指示器，無法顯示作戰成像。當日軍終於有了平面位置指示器時，已是一九四五年七月。直至戰爭結束，日本都沒有發展出高功率的多腔磁控管。[129]奇妙的是，曾經在一九三四年促使華生瓦特調查無線電偵測的「死光」觀念，反而在一九四五年被日本研究人員當成孤注一擲的手段。日本人發現，只要集中無線電射束，就可以在十分鐘內殺死一隻位於三十公尺外的兔子。然而，幾個月後，兩枚原子彈落在廣島與長崎，每枚原子彈裝設了四個雷達引信。[130]

對盟軍來說，無線電與雷達對戰力提升做出了重大貢獻。我們偶爾會聽到有人說，戰爭並不是靠科技打贏的，科技的運作也不一定擁有一致的效率，或是科技也不見得沒有技術上的問題，但科技確實讓盟國的陸海空三軍在戰爭的最後幾年取得關鍵優勢。這項優勢反映出同盟國政府、科學家、工程師與軍隊的緊密結合。無線電波研究在英美受到政府任命的委員會贊助，有大量的資金挹注，而且早在美國參戰之前，研究人員與使用者之間就已經進行高度的開放合作。美國擁有先進的電子產業，因此有能力大量生產雷達。由於需要大量的合格人員，因此訓練的規模也十分驚人。從一九四二年到一九四五年，光是太平洋艦隊雷達中心就訓練了十二萬五千名軍官與人員。到了戰爭結束時，進行雷達與無線電研究的美國海軍與陸軍實驗室僱用的員工也超過一萬八千人。[131]而這樣的優勢，並未存在於軸心國陣營之中。

戰力加成？情報與欺敵

一九四四年六月二十三日，日本運輸潛艦伊五十二號載運了黃金、鎢、鉬、鴉片、奎寧、橡膠與錫，突破盟軍封鎖前往德國，卻在與德軍潛艦會合後，於前往比斯開灣途中，遭美軍復仇者轟炸機投擲的聲波導引魚雷擊沉。美國戰鬥情報處破譯了該潛艦的無線電訊號，因而能夠連續追蹤數個星期，並且在確切地點攔截潛艦。德國與日本代表在法國西岸洛里昂焦急地等待日本潛艦抵達，他們打算把日本潛艦成功突波盟軍封鎖一事當成重大成就予以公開宣揚。然而時間一分一秒過去，沉沒的潛艦再也未傳來任何無線電訊息，人們只好認為這艘潛艦已經遭到擊沉，再加上盟軍此時已經從諾曼第灘頭堡順利突破，慶祝活動只好匆促取消。一九四四年，二十七艘運輸潛艦有十八艘因為訊號情報而洩露行蹤，最後全數遭到擊沉。最後一艘突破封鎖的水面艦艇同樣也因為雷達情報掃描而於一九四四年一月被擊沉。[132]

盟軍從無線電通信取得的戰術情報，決定了伊五十二號運輸潛艦的命運。這種戰術情報通常稱為「訊號情報」，也就是SIGINT，不過就其內容而言，更應該說是「通信情報」，也就是COMINT。無論處於哪一條戰線，只要能成功攔截與解讀訊號情報，就能取得最重要的作戰與戰術情報來源。反攻法國期間，盟軍透過無線電通信取得德國陸軍三分之二的情報訊息。德國情報單位下轄的西線外國軍情處處長曾說，訊號情報是「所有情報人員的心上人」。[133]訊號情報雖非獲取情報的唯一來源，但卻是最重要的一項。除了訊號情報之外，軍事與海軍情報還可以仰賴所謂的「人力情報」，也就是從間諜或戰俘取得情報，但這些情報不一定可靠（特別是當間諜遭敵方收買而故意提供錯誤情報時）；或者是來自俘獲的文件，但要從這些文件窺探敵軍的意圖或傾向並不容易；或者是來自空拍偵察照片，這些照片如果能適當地加以解讀，往往可以得出僅次於訊號情報的重要資訊。[134]無線電攔截的優點在於能涵蓋敵軍作戰與戰術活動的所有面向，其牽涉的地理範圍與軍隊數量極為廣泛而龐大。美國海軍的破譯密碼部門OP－20－G在大西洋之戰期間破譯了十一萬五千則德國海軍通信；到了一九四三年初，英國政府編碼與解碼學院每月也能破譯三萬九千則德國謎式密碼機通信。從一九四三年底到戰爭結束，每月平均破譯量甚至高達九萬則。[135]從無線電通信取得的資訊之多，反映出二戰時無線電深入軍事與海軍作戰的程度。

每個交戰國都使用了「戰術情報」與「作戰情報」。至於涉及敵軍計畫、意圖與行為的「戰略情報」則非常難以蒐集。二戰期間，各交戰國甚至多次出現嚴重的戰略誤判事件，好比美國的政軍高層未能預見日本即將在一九四一年十二月發起攻擊、日本誤判美國人不敢發動全面性的戰爭、德國低估蘇聯在一九四一年的實力、史達林無視超過八十次德國即將入侵的警告而造成嚴重後果，或是盟軍頑固地預期光靠轟炸就能讓德國崩潰等等。這些誤判絕大多數都是根據情報所下的決定，然而在判斷過程中卻不乏一廂情願的思考，或者是受到孤注一擲、種族或政治偏見的影響，有些甚至是因為外交電文破解得太過輕易而對內容感到懷疑。例如珍珠港事件之前，美國就破譯了代號「魔術」的日本外交電文，卻未能及時採取行動。戰略情報經常成為勝利氣氛瀰漫下的受害者。一九四四年十二月，德軍發起秋霧作戰，這場反擊作戰起初能獲得成功，關鍵就在於盟軍深信遭到痛擊的德軍已無法進行有效反擊，即使可靠的通信情報已經提供相反的證據。同樣地，德軍也曾相信蘇聯部隊已經土崩瓦解，導致他們忽略了與此相左的情報證據。

從「戰力加成」的觀點來看，作戰與戰術情報要比戰略與政治情報來得重要。作戰情報的組織與實行，反映出特定軍事文化的建立與運作方式，以及情報在多大程度上被納入戰爭決策體制之中。沒有強權會刻意忽視作戰情報，差別僅在於如何判斷輕重緩急。日本軍事情報單位分成兩個組織：陸軍參謀本部第二部與海軍軍令部第三部。然而，無論是參謀本部還是軍令部，兩者在組織上都輕視情報，而且不讓情報人員參與作戰計畫的擬定。聯合艦隊司令部只設有一名情報軍官，而聯合艦隊轄下各個艦隊也只設有一名情報人員。在與敵軍作戰時，海軍指揮官必須獨自做出判斷。[136]日本並未設立中央的機構或委員會來統合情報，參謀本部與軍令部因此各行其是。當陸軍的密碼分析破解了美軍的M－94與M－209機器密碼時，他們還故意不讓海軍知道情報內容。[137]

與日本一樣，德國的軍事情報組織也不想讓情報人員過於介入作戰，對於向民間擴大招募情報人員之事也存在保留。結果就是德國陸軍參謀本部的1c支部得負責情報與軍隊宣傳等其他活動。德國的空軍與海軍也設有自己的情報部門。一九三九年，空軍情報部門D5只有二十九名情報人員，戰時雖然逐步擴充，但他們對作戰指揮官依然沒有太大的影響力。與陸軍一樣，德國空軍的情報人員也要負責空勤人員的福利、新聞發布、審查與宣傳。[138]德國各軍種的情報參謀員額很少，但負責的工作卻很多，情報參謀雖然能提供建議，但能否獲得採納則由德國各級將領自行決定，他們可以完全不理會情報而自行下達作戰訓令。與日本一樣，德國三軍各自進行情報蒐集與分享，並未統一設立中央機構進行協調。德國各地指揮官都配置了一名低軍階的參謀，負責解讀空中偵察照片，但德國不像英國那樣在梅德梅納姆（Medmenham）設有中央情報解讀中心，可以統一解讀情報，再將資訊發送給全體武裝部隊。[139]德國各軍種需要的訊號情報也未能像英國一樣整合成一個全國性的情報中心。即使德國在戰術層面做了有系統且豐富的情報蒐集，但作戰層面的情報卻無法順利整合。

情報在英國與美國扮演著較為吃重的角色，而且涉及的不僅只有武裝部隊（每個軍種同樣都設置了自己的情報部門），就連民間也廣泛投入其中。一九四〇年，英國將軍方需要的科學情報工作予以機構化，一年後美國也隨之跟進。英國早在一九三六年就成立聯合情報委員會，負責定期為戰時內閣與武裝部隊評估各項情報，再將情報整合到戰略與戰術層次的作戰計畫。三軍需要的訊號情報全集中在編碼與解碼學院所在的布萊切利園，這裡在全盛時期曾經僱用了一萬人，絕大多數是女性平民。民間專家的參與反映出民主國家戰爭動員的性質，民主國家對於情報人員（無論是軍方還是非軍方）比較不帶有偏見，願意讓他們參與作戰的規畫與評估。受僱從事翻譯或解碼的人員許多是精通古典或現代語言的大學學者。英國皇家空軍情報部門在戰時僱用了七百人，其中只有十人是空軍軍官。[140]更重要的是，英美兩國簽訂了正式協定，讓彼此能分享情報評估資訊，最後還建立了一定程度（幾乎是毫無限制）的情報合作。英美也致力於將情報分享給蘇聯，但雙方的合作幾乎是單向的，西方並未因此獲得更多情報來源。蘇聯只是一味地接受情報而未做任何回饋，態度也十分蠻橫粗野。[141]

在所有交戰國中，美國戰前的軍事情報系統是最落後的。美國的戰鬥部隊沒有專責的情報人員，也沒有專門訓練情報人員的機構。一九四一年，美國陸軍與海軍開始擴充情報部門，陸軍成立了G2，海軍成立了海軍情報局，但就像日本一樣，當時美國的陸海軍並未做好情報整合工作。一九四一年夏天，陸軍成立航空軍情報支部A-2，該部主要仰賴英國皇家空軍無償提供的資料以及與澳洲情報單位合作。與英國一樣，美國情報部門也廣泛招募民間專家、學院人士或符合資格的大學教授。陸軍成立軍事情報局，在團級部隊建立作戰情報小隊，小隊裡也加派具備德文或日文能力的人員，使其在現場能立即訊問戰俘或翻譯俘獲的文件。海軍情報局的工作聚焦於太平洋，到一九四一年為止，美國海軍對於這個地區可說是一無所知。在海軍介紹日本飛機的手冊上，雖然已經有不少詳細資訊，但關於三菱「零式」戰鬥機的部分居然仍是一片空白。[142]海軍情報局總部設在華府，但在戰場上，作戰情報小隊與照片偵察的資訊則是送往太平洋地區聯合情報委員會，再由該委員會把大量情報資料分送給太平洋戰場的各作戰部隊。[143]陸軍訊號情報局設於維吉尼亞州阿靈頓廳，相當於美國的編碼與解碼學院。海軍在華府也有自己的情報局，而隨著戰事持續，陸軍與海軍情報局也逐漸發展出緊密的合作關係。到了戰爭末期，情報已經成為美國在各層面戰爭投入的必要元素。

蘇聯軍事情報組織與其他交戰國有著根本上的差異。早在一九四一年之前，情報蒐集，也就是「偵察」（razvedka），就已經是蘇聯作戰準則的核心。從總司令部到最小的戰術單位，每個蘇聯陸軍與空軍編隊必定涵蓋了情報人員。至於更廣泛的作戰情報，前線蒐集到的資料會回報給格魯烏（GRU，即紅軍情報總局）以完整掌握敵軍意圖；集團軍、軍團與師司令部也各自進行作戰與戰術情報的蒐集、分析與共享。各層級司令官都有自己的情報長官與參謀，這些情報人員必須與作戰司令官密切合作。司令官必須明確提出自己需要什麼情報、獲取情報的手段與必要的兵力。在作戰時，集團軍司令每二到三個小時進行一次情報報告，軍團司令則是每一到二個小時進行一次。這些情報實際上都是在戰線蒐集的作戰情報，主要是對敵方前線進行空中偵察（如果可能的話）、襲擊、伏擊與火力偵察來取得。一九四二年後，間諜與滲透者在游擊隊協助下可以滲透到敵軍前線後方十五公里處。前進觀測員會冒險躲在接近敵軍前線的地方，負責回報敵軍砲兵與機槍陣地的位置。蘇軍也會派出規模五到八人的襲擊小隊，目標是攫取文件、武器與戰俘，俘獲的戰俘要接受嚴酷的訊問。人力情報構成了蘇聯絕大部分需要的資訊來源，訊號情報則是直到戰爭後期才開始頻繁使用。情報是蘇聯軍事作戰的必要成分，在這裡看不到德國或日本對情報的不信任。[144]從一九四二年起，蘇聯情報工作的準則與組織，連同陸軍與空軍的其他改革，都變得更加嚴格與明確。一九四三年後，情報蒐集更強調各軍種之間彼此協調與系統化，不過實際運作並不完善。一九四三年四月，史達林下達訓令，要求情報人員努力蒐集情報，偵察德軍打算在哪個方向集中兵力——儘管如此，蘇聯最後還是嚴重錯估德軍在庫斯克會戰投入的兵力。[145]

雖然各大國都積極投入情報運作，但情報還是存在明顯的限制。這主要與情報運作的性質有關，而這些限制也影響了軍事將領相信或懷疑情報的程度。情報形成的圖像往往拼湊而不連貫，原因可能出在無法長期持續解讀敵軍通信，或者是對間諜或敵軍叛逃者提供的資訊做了有瑕疵的評估，又或者是無法正確解讀空中偵察照片。對西方盟軍來說，最糟糕的例子就發生在一九四〇年五月，當時盟軍飛行員看到德軍裝甲部隊在阿登集結並且向總部回報，結果法軍各級將領卻對此視而不見。人們在評估既有資料時，經常犯下一般人都會犯的錯誤，例如過度樂觀、想為混亂的事實找出合理的理由、機構本位主義等等。每個國家的情報工作都要求守口如瓶，即使像英國這種各階層都能參與情報活動的國家，依然禁止不同部門進行情報交流。好比在編碼與解碼學院負責破解低階密碼的人員，就不被允許知道謎式密碼機的「極機密」破解內容，以免造成機密外洩。在英國，「極機密」訊息只能由特別聯絡小組傳送；在美國則是交由特別安全軍官傳送，而且在閱讀之後就要予以銷毀。[146]最重要的是，各國都會定期更換訊號情報使用的代碼與密碼，這意謂著在更換之後會有長達幾個星期甚或幾個月的時間都無法破譯新的情報。從一九四二年二月到十二月，英美的密碼分析人員一直無法破譯德國海軍的謎式密碼通信。德國在一九四三年三月再度更換新密碼，英美因此又必須重新解碼。一九四二年大部分時間到一九四三年初，德國海軍情報局破譯了英國海軍的三號密碼，結果英國海軍在一九四三年六月改用五號密碼，德國海軍因此必須重新解碼。[147]在D日之前，盟軍原本有能力破譯柏林與駐巴黎總司令部之間的電文，但德軍卻在六月十日這一關鍵時刻更改密碼，使盟軍完全失去對德軍動向的掌握。一直要到九月，盟軍才又重新破譯德軍密碼。[148]

就算訊息可以解讀，破譯的電文往往數天後才能送達，有時已經來不及用於作戰。例如德國駐法國潛艦總司令部獲得的破譯電文，絕大多數都無法及時派上用場。轉譯也是一項挑戰。從攔截通信取得情報資訊，到最後的翻譯版本，中間要經過好幾個階段。從最初在無線電接收站聽到敵軍編碼訊息，經過解碼、訊息翻譯、打字，最後送到情報單位桌上。情報人員必須擁有足夠的語言能力才能真正運用情報。英國負責翻譯德文或日文訊息的人往往只具備基本的閱讀能力，接受日語訓練的人只上過簡短入門課程，使用的還是過時的課本與字典。出錯難免，特別是整個情報任務的規模極其龐大。戰爭期間，已經不堪負荷的編碼與解碼學院需要翻譯的俘獲文件數量呈現指數成長。一九四三年初，英國海軍情報局需要翻譯一千份文件，到了隔年夏天已暴增到一萬份。[149]在美國，由於非常缺乏會說流利日語的美國白人，陸軍因此於一九四一年開始招募日裔美國人擔任日文筆譯與口譯的工作，這項計畫在一九四二年強制監禁日裔美國人之後仍繼續進行。到了一九四五年，兩千零七十八名日裔美國人從軍事情報局語言學校畢業，許多人被派到太平洋戰場與前線部隊一同作戰，冒著傷亡風險參與島嶼登陸戰，並且負責訊問被俘的日本人。[150]美國海軍拒絕招募日裔美國人，海軍與海軍陸戰隊轉而鼓勵大學生到科羅拉多州波德（Boulder）的海軍日語學校就讀。這群大學生只知道有限的日文軍事術語就被送到戰況激烈的太平洋戰場。他們時常得要說服海軍陸戰隊不要殺死所有日本人，否則將沒有人可供訊問。[151]

避免情報外洩最重要的辦法，就是確保無線電能安全無虞地傳遞訊息，避免遭到敵軍攔截。而對於蒐集情報的人來說，他們的主要任務就是運用各種方法及時破解敵軍為了訊息安全而設下的各種障礙。保護無線電通信的密碼機器系統日新月異，要破解電文確實是一項艱鉅的任務。有時訊息是用普通文字寫成，情報人員便可省下許多麻煩——儘管如此，在詮釋訊息時還是有可能出錯。空勤人員往往會用一般語言通信，經常忽略無線電防護措施，這種狀況特別容易發生在美國與蘇聯飛行員身上，但正在進行作戰的地面部隊也會如此，一方面可能是因為編碼耗時太久，另一方面則是部隊之間傳遞的只是例行性訊息。德軍在蘇德前線截獲的通信，百分之九十五並未編碼。一九四四年九月，德軍在義大利前線截獲的盟軍電文中，兩萬兩千兩百五十四則未編碼，有編碼的則有一萬四千三百七十三則。[152]就算是未編碼訊息，也可能會產生問題。當英國的「Y」無線電攔截站首次聽到德國空勤人員以無線電傳送未編碼訊息時，站內人員都感到開心不已——但興奮之情很快就散去，因為沒有人聽得懂德語。[153]然而，最重要的訊息幾乎都會編碼以防止敵軍竊聽，部分訊息的防護會更加嚴密，會有各種排列組合變化後的密碼，讓破解變得更加困難。德國謎式密碼擁有五十二種變化，日本海軍與陸軍的密碼機總共至少有五十五種變化。[154]但相較於德日，英美情報局在解讀複雜密碼上顯然具有較大的優勢。

英美在破解敵軍通信上所做的努力，與他們的戰場遍及全球息息相關，而這也使他們把重點優先放在海軍與空軍上。對於英國皇家空軍與皇家海軍來說，戰爭初期為了保護英國本土免於遭受空襲，以及排除德義潛艦、軍艦與偽裝巡洋艦對航道的侵擾，攔截敵軍無線電通信便成為首要之務。而對美國海軍來說，在太平洋戰爭初期，解讀日軍密碼是避免海戰失利的必要工作。但隨著戰局轉守為攻，解碼也成為美軍發動關鍵攻勢不可或缺的工具，藉此消滅日本海軍與商船船團。英國攔截德國無線電通信的故事總是與「極機密」(Ultra)一同出現，這個字用來描述從德國恩謎式密碼機通信破解的電文。海軍原本選擇的代號是「噓」(Hush)，邱吉爾則堅持使用「波尼費斯」(Boniface)，直到一九四一年才確定使用「極機密」。然而，過於強調「極機密」一詞，不僅讓人忽視盟軍曾經有好幾個時期無法解讀德軍密碼，也讓人忽略「極機密」以外其他形式的訊號情報的重要性，這些情報不僅補充了「極機密」的不足，有時甚至提供了比「極機密」更為重要的訊息。謎式密碼電文的破譯起初來自於缺乏防護的德國空軍通信，第一則破解的電文出現在一九四〇年五月，主要歸功於俘獲的謎式密碼機與一九三九年九月德國入侵波蘭後逃往英國的波蘭密碼學家。電文的破譯往往緩不濟急，但隨著電機「炸彈」(bombes，轉譯自波蘭文的bomb)的使用，時間差逐漸縮短。「炸彈」是一種可以加速解碼過程的機器，起初這種機器可以用來破解三轉子謎式密碼，之後到了一九四三年，美國製造的「炸彈」已經可以用來破解更複雜的四轉子謎式密碼。當德國發動不列顛之役與倫敦大空襲時，「炸彈」還非常罕見；等到盟軍在地中海發起戰事時，「炸彈」已開始有限地使用，而這項破譯技術也適時地在阿蘭哈法戰役與艾拉敏會戰派上用場。令盟軍感到挫折的是，盟軍在大西洋之戰的高峰期曾有長達十個月的時間無法使用「炸彈」；盟軍在一九四四年後的西歐戰役期間同樣沒有使用「炸彈」的機會，因為德軍在占領區都是透過地面線路來進行通信。德軍的謎式密碼機主要用來傳遞戰場命令與後勤組織訊息，因此即使能破譯電文，依然無法從中看出德軍的戰略與作戰意圖。儘管如此，根據破譯的電文還是能一定程度窺知德軍動向，但使用這類電文仍須小心謹慎，必須避免讓德軍知道己方的密碼已遭盟軍破解。

「極機密」的實施往往必須與其他技術相互配合，關於這點，我們可以從不列顛之役與大西洋之戰的情報獲取過程看出。在空戰中，英國皇家空軍的Y無線電負責攔截站截聽德國空軍使用的無線電頻率，這些訊息有時並未編碼，有時只以低階密碼與無線電臺呼號送出，而這些都可以輕而易舉地加以破解。英國皇家空軍僱用會說德語的人擔任「計算者」（computors，原文如此），負責提供當前德國空軍部隊與調動資訊。此外，國土防衛部隊也運用無線電測向技術提供敵機起飛、航線與高度資訊，而且還能區別轟炸機與戰鬥機，這些都是雷達無法辨到的。Y無線電攔截站的總部位於曼徹斯特附近的奇德爾（Cheadle），在戰爭期間持續向英國皇家空軍戰鬥機基地提供重要資訊，而且每分鐘更新一次來襲敵機的最新訊息——相較之下，雷達只能每四分鐘更新一次。「極機密」攔截的訊息雖然無法提供有用的戰術資訊，卻能協助拼湊德軍的作戰序列。英國皇家空軍戰鬥機司令部司令甚至直到十月不列顛之役結束之後才得知「極機密」的存在。[155]

而在大西洋之戰中，盟軍也有類似的多元情報來源。其中比較重要的是在英國、美國與加拿大（最終擴及世界各地）設立的高頻測向（High Frequency/Direction Finding, HF/DF）無線電站。德國海軍通信使用高頻讓訊息傳遞到必需的距離，但這類信號很容易被盟軍攔截，德軍潛艦或偽裝巡洋艦因此在戰爭期間很容易遭盟軍定位。此外，德國潛艦在發現盟軍護航艦隊時，會根據《海軍短信號簿》（Kurzsignalheft）的指示使用簡短的「Beta」信號；當盟軍截獲德軍信號時，通常護航艦隊已經與德國潛艦接觸，此時要做的不是解碼，而是採取必要的閃避動作。在「極機密」無法提供海軍恩尼格碼的解碼電文時，攔截高頻與Beta信號就顯得至關重要，透過這兩種信號提供的完整資訊網，盟軍可以進行「通信分析」，顯示德軍潛艦所在的地點與戰力。無線電攔截起初是用於防衛，讓護航艦隊避免接觸敵方潛艦，但從一九四三年春天之後，無線電攔截開始用於攻擊，協助飛機與反潛艦艇獵殺德國狼群。無線電攔截證明是消除潛艦威脅的利器。[156]

盟軍在太平洋戰場的訊號情報也使用「極機密」這個代號來描述攔截到的日軍高階無線電通信。在珍珠港事件之前，訊號情報的取得幾乎毫無進展，美軍並未投入心力對日軍主要的海軍密碼JN－25b進行解碼。美軍位於菲律賓喀斯特無線電站的無線電攔截部隊在一九四一年底解讀了一部分日軍電文（不過海軍情報單位卻沒有好好運用這項情報），但日本海軍在珍珠港事件的前一個星期採用了新密碼，使美軍無法瞭解訊息內容。[157]位於夏威夷的太平洋艦隊無線電部隊在一九四二年春不眠不休花了幾個星期的時間，終於解開新密碼，及時掌握日軍入侵中途島的計畫。此後，海軍通信情報部門OP－20－GZ幾乎可以持續地破解日軍密碼JN－25。「極機密」提供了日本護航艦隊與太平洋島嶼駐軍數量的資訊。[158]「極機密」甚至得知日本海軍上將山本五十六前往吉爾伯特與所羅門群島巡視防務的例行航線。於是，在尼米茲海軍上將同意下，美軍派出P－38戰鬥機前去攔截日本聯合艦隊總司令的座機並將其擊落。即使如此，日本海軍仍未警覺到他們的海軍主要密碼已經遭到破解。一九四三年六月，美軍密碼人員又破解了日本陸軍補給各地駐軍的護航船團使用的船舶密碼。無線電情報使美國與澳洲的潛艦與飛機能夠找出大部分日本商船船團與護航艦艇的位置並予以擊沉。

一般而言，要攔截陸軍的無線電通信較為困難，部分原因在於陸軍傾向於透過地面線路來進行通信，而要攔截這類通信只能冒險深入敵後進行竊聽。只有在戰線變動劇烈的地方比較有機會使用無線電，儘管如此，要定期取得最新情報也不是容易的事。侵略偵察、照片偵察或訊問戰俘都能補充陸軍通信情報的不足。一九三九年，日本密碼分析人員破解了蘇聯陸軍密碼OK5，然而日本卻未能在同年八月的諾門罕戰役中獲勝，此後直到一九四五年八月蘇聯對日宣戰，日本都沒有使用這些密碼的需要。等到日本真的需要使用時，蘇聯卻已更改了密碼。[159]德軍入侵蘇聯時，由於情報人員有限，只能破解前線的低階密碼。一九四三年到一九四四年，德軍只破譯了蘇軍三分之一的電文，而且始終無法突破蘇軍總司令部的通信防護。[160]在北非戰場上，隆美爾無法攔截英國的陸軍通信，卻能截聽到英國皇家空軍與地面部隊的訊息內容——英軍直到一九四二年夏天更換密碼才得以防止情報外洩。德國並未像西方盟國一樣發展出類似「極機密」這種長期而持續的解碼技術，而是試圖以其他方式擷取情報，然而得到的資訊卻不太可靠。德國的空中偵察受到英國精心布置的偽裝工業與軍事目標欺騙，而德國的偵察機被擊落的數量也愈來愈多，這都使得德軍的偵察難以奏效。派出間諜也有風險，一方面可能被敵方的反間計欺騙，另一方面則是僅能取得很主觀的訊息。

盟軍採用了各種方式試圖獲取德國、義大利與日本陸軍的通信內容。太平洋戰爭初期，美軍一開始的幾場戰役對手都是日本海軍，因此並未特別留意日本陸軍的通信內容。一九四二年夏天，美軍只配置了二十五名密碼分析人員負責破解日本陸軍的通信密碼，一年後數量就增加到兩百七十人。儘管日本陸軍的密碼要比日本海軍的JN-25難破解，但美軍在一九四四年初於新幾內亞俘獲日本二十一師團撤退時遺留的密碼簿，密碼的破解開始取得進展。此後，美軍開始有能力定期對日本陸軍的訊息進行解碼。[161]在地中海戰場，盟軍一直無法破解義大利的密碼。布萊切利園的分析師把義大利密碼以代號「Zog」與「Musso」加以表示。義大利密碼以隨機的方式編成，也以隨機的方式解碼。然而，一九四一年，比較簡單的義大利船運密碼被盟軍破解，盟軍因此逐漸掌握義大利對北非軸心國部隊進行補給與護航的情報。[162]一九四二年夏天，在沙漠作戰的德國陸軍使用的恩尼格碼密碼也遭到破解。英國在開羅設立編碼與解碼學院分部，確保訊息內容能在阿蘭哈法戰役與艾拉敏會戰爆發前迅速傳遞給盟軍部隊。只不過在沙漠長途追擊與最終在突尼西亞擊敗軸心國部隊的過程中，「極機密」的助益並不大。[163]

正當北非戰場進行得如火如荼之際，英國解碼人員發現一個比謎式密碼訊息更重要的情報來源。德國陸軍發展了無線電電傳打字機線路，使用洛倫茨（Lorenz）公司的密碼附加裝置40型（*Schlüsselzusatz 40*，之後發展成42型）。這種裝置不需要像謎式密碼機那樣使用摩斯電碼，就可以把機密訊息傳遞出去。每個電傳打字機線路都有自己的密碼；到了一九四三年，德軍已經有十個電傳打字機線路，一九四四年初更增加至二十六個。德國陸軍利用電傳打字機線路傳遞作戰與戰略訊息，而且認為這種通訊方式安全無虞。在布萊切利園，情報人員以「魚」做為代號來表示德國的電傳打字機通信（這是根據德軍自己的代號「劍魚」而來）。英國解碼人員也從一九四二年初開始試圖破解德國電傳打字機密碼，然而成效有限。英國情報人員會為每個線路冠上某種魚類名稱，好比柏林與哥本哈根之間的線路稱為「大菱鮃」，柏林與巴黎之間的線路稱為「水母」，柏林與雅典之間的線路稱為「康吉鰻」等。[164]德國陸軍位於巴爾幹半島的司令部通信密碼首先遭到破解，到了一九四三年五月，凱賽林元帥駐紮於義大利的陸軍通信也遭到破解。為了加速解碼，英國最終研發了歷史上第一臺作戰電腦：一九四四年初問世的「巨像電腦一號」(Colossus I)。雖然普遍用於「極機密」解碼，但這臺電腦一開始的用途其實是為了破解「魚」，而非謎式密碼。巨像電腦二號每秒可以處理兩萬五千個字母，比過去機械解碼快了一百二十五倍。[165]一九四四年三月，柏林與德國陸軍駐巴黎總司令的作戰通信遭到破解，此後直到一九四四年九月，由於德軍定期更換密碼，盟軍再度失去對德軍通信的掌握。在戰爭的最後九個月，新型謎式密碼機的出現導致「極機密」的情報價值大幅降低，但盟軍還是可以從德軍的電傳打字機通信「魚」定期獲取訊息。[166]除了電傳打字機通信外，盟軍還有別的情報來源。從一九四三年四月開始，Y無線電攔截站針對德國陸軍中階通信進行攔截與破譯，包括戰車通信密碼等德軍低階通信也於同年底遭到破解，這些都有助於在D日入侵前對德軍部署拼湊出較為完整的圖像。英國特別行動執行處派往法國的探員與法國抵抗運動分子提供的人力情報，也讓盟軍更加清楚德軍的動向。蒙哥馬利的情報官說道：「沒有任何軍隊像我們一樣，對於敵軍的一切瞭若指掌。」[167]

過去已有大量的歷史文獻努力想證明情報蒐集（特別是訊號情報）有利於作戰成功，然而實際的功效如何仍存在爭議。當然，沒有情報的作戰勢必無法獲得戰果，這也是為什麼二戰期間各交戰國都致力於蒐集敵軍部署、戰力、科技創新乃至於作戰意圖的情報。然而情報的運用取決於資訊與各層面作戰計畫的整合，以及負責判斷當前戰場情勢的指揮官對情報的信任程度。情報在一層又一層複雜的決策機制中反覆折射，等到真正根據情報做出指示時，早已錯失寶貴的作戰時機。如此一來，即使是最好的情報也無法創造戰果。德軍入侵克里特島之前，盟軍情報人員首次從「極機密」破譯的電文中得到預警，並隨即將情報告知英軍指揮官，卻還是無法挽救英軍的失敗。一九四一年，魏菲爾將軍也曾收到緊急訊息，得知隆美爾即將於三月三日時發動進攻，但魏菲爾卻無視這項訊息，因此遭致慘敗。一九四〇年底，英國在科學情報上取得重大突破，他們發現德國空軍使用無線電導航，於是立刻採取反制措施來誤導敵機，卻還是無法扭轉往後幾個月德軍對英國的轟炸。事實上，雖然英國的反制措施使德國空軍無法精準轟炸港口與工業目標，卻造成更慘重的平民傷亡。情報在輔助作戰上最立竿見影的例子是海戰，由於海戰需要無線電信號做為通信工具，因此無論在何處，攔截與破解敵方通信永遠是海戰的核心。盟軍能夠成功攔截與破解德軍無線電通信，是盟軍能擊敗軸心國潛艦、保護護航艦隊與摧毀敵軍海上補給線的關鍵原因，而這也使得盟軍能夠更有效地進行其他戰役。在同盟國與軸心國進行的諸多漫長戰役中，情報戰明顯成為同盟國的戰力加成。情報戰的成功在某種程度上也有運氣的成分，因為無論是日本海軍還是德國海軍都沒有發現自己的密碼與通信遭到攔截破解。間諜與間諜活動、祕密情報與反情報的世界雖然精采刺激，但從戰爭整體來看，唯有日復一日例行性的分析與解讀，才能決定戰爭的勝敗。

除了情報之外，二戰時期的欺敵策略是否影響了戰爭？人們對此也存在類似的懷疑。欺敵屬於情報戰的一環，與情報蒐集互為表裡。欺敵的目的是讓敵軍無法得知己方的意圖與軍力部署，使己方能透過突襲讓敵軍陷入混亂，使攻擊力最大化，從而降低作戰成本。在現代戰爭中，欺敵的目標在於讓敵軍對於虛構的事物信以為真，並且讓虛構的狀態維持愈久愈好。二戰期間，欺敵範圍從最上層的主要戰略作戰，往下延伸到一般性的偽裝計畫，包括保護軍事基地、機場與提供臨時彈藥存放地點以躲避敵方空中偵察。雖然同盟國與軸心國在所有戰場都進行了欺敵作戰，但二戰時真正制度性地進行欺敵作戰的國家其實只有兩個：英國與蘇聯。德軍確實在一九四一年六月突襲蘇聯，日軍也確實在一九四一年十二月偷襲珍珠港與東南亞，這幾乎就是軸心國在二戰中少數進行過的戰略欺敵攻勢，然而這兩起攻勢其實不完全算是突襲。儘管德軍已經努力隱藏行蹤，但由於蘇聯布置了周密的間諜網，因此巴巴羅薩作戰到了一九四一年六月早已人盡皆知，只是史達林拒絕面對現實，才讓這場戰役成了一場突襲。至於日本的案例，日本海軍艦隊確實在無線電靜默下偷偷逼近夏威夷，完全隱匿了珍珠港行動，但日本海軍事前並未計畫採取欺敵措施。從德日的例子來看，與其說德日進行了突襲，不如說是美蘇領導階層自欺欺人。

英國在二戰期間進行了廣泛的欺敵作戰，到了戰後，欺敵作戰也成為英國官方歷史研究的熱門主題。[168]開戰之初，欺敵只是小規模進行，但隨著戰事進展，欺敵逐漸擴展成龐大的戰略目標。欺敵最初主要是為了防禦，用來對抗德軍可能的轟炸與接下來在一九四〇年夏天的入侵威脅。早在一九三六年，英國帝國參謀本部已經成立了偽裝諮詢委員會，思索如何讓脆弱的重要目標免於遭受敵軍轟炸機破壞。一九三九年戰爭爆發後，新成立的本土安全部採納了偽裝諮詢委員會的建議，成立了民防偽裝機構。[169]政府僱用了來自藝術、建築、電影與劇場界的偽裝專家，請他們投入大量時間偽裝重要的軍火工廠，或試圖將鐵路漆成綠色以融入鄉村景觀之中。英國皇家空軍也建立自己的欺敵部隊，由空軍部工程處長特納上校（John Turner）指揮，負責興建假機場，藉此引誘德軍飛機攻擊；他們總共興建超過一百座機場，上面還布置了假飛機與假機庫，這些偽裝物吸引德軍飛機攻擊的次數足足是實物的兩倍。[170]電影製作人巴卡斯（Geoffrey de Barkas）曾經參與一九四〇年開設的跨兵種偽裝課程的訓練，他在一九四〇年底率領一小隊偽裝人員前往北非戰場，在魏菲爾將軍指揮下，英軍首次將欺敵視為作戰的一項重要分支。

一戰期間，魏菲爾曾在巴勒斯坦親眼目睹對土耳其人進行欺敵作戰的成效，他因此深信欺敵是一種戰力加成：「我總是盡一切可能迷惑與混淆敵軍。」[171]一九四〇年十二月，魏菲爾說服跟他一樣肯定欺敵價值的邱吉爾授權中東司令部成立新單位「A部隊」，負責進行各項欺敵工作。魏菲爾任命閱歷豐富的克拉克中校（Dudley Clarke）擔任A部隊長官。克拉克在簡報中表示，要運用一切手段誤導敵軍以協助我軍作戰，而這些手段主要集中在間諜活動、虛假的無線電通信與巴卡斯的偽裝部隊。欺敵作戰產生的結果好壞參半，但邱吉爾依然熱心地任命前戰爭大臣史丹利（Oliver Stanley）掛名擔任倫敦本部的長官，負責協調欺敵行動。一九四二年五月，在魏菲爾呈交備忘錄，極力推崇欺敵作戰的各項優點之後，帝國參謀本部終於同意設立正式機構。新機構的名稱是倫敦控制局，原本的主管史丹利由畢文中校（John Bevan）接替，這個機構負責計畫、監督與協調英國的全球欺敵作戰。畢文的目標是使用欺敵手段，「使敵人虛擲自身的軍事資源」。美國軍方雖然對欺敵作戰抱持懷疑，但還是同意建立與英方對等聯繫的聯合安全控制局，該機構最初只有兩名軍官，負責為美國陸軍與海軍進行偽裝。[172] 欺敵作戰最初的重點幾乎完全集中在與軸心國部隊的沙漠會戰上。荒涼的沙漠地形很難從事偽裝，但為了保護盟軍不受攻擊與混淆敵軍，欺敵工作依然加緊進行。英軍會在港口設施與跑道塗上大量的暗褐色油漆，也會把空軍基地用油漆與掩蔽偽裝成住宅區；英軍使用當地材料製作「遮陽棚架」，再將棚架安裝在戰車上，這樣敵軍從上空俯瞰就會把這些戰車當成是卡車。反過來說，要把卡車偽裝成戰車則較具挑戰性，但使用當地的枝條還是可以解決這個難題。這些做法使英軍順利躲過德軍的空中偵察，巴卡斯於是將這些做法寫成一本訓練手冊《戰場隱蔽》，這本手冊被列為作戰需求，一共印製超過四萬冊。[173]

欺敵作戰的成效難以實際評估。而且盟軍不知道的是，隆美爾其實也有自己的情報來源：他截聽了美國駐開羅軍事隨員的訊息，也攔截了西部沙漠空軍與英國第八軍團之間的通信，因此他對盟軍的意圖與部署有著通盤掌握。一九四二年秋天，當盟軍開始準備第二次艾拉敏會戰時，欺敵作戰的效果開始顯現，因為此時隆美爾已經失去了前述兩種情報來源。這是地中海戰場最巧妙的一場欺敵作戰，如果沒有這場欺敵作戰，盟軍恐怕無法阻止至今連戰皆捷的隆美爾及其義大利盟邦入侵開羅與蘇伊士運河。這項欺敵計畫代號「貝特倫作戰」（Operation Bertram），一共分成六個行動，目的在於讓德軍以為盟軍主力將從戰線的南部發起進攻，但實際上盟軍準備運用裝甲部隊從北部突破。偽裝是致勝的關鍵。在戰線北部，大量的油料、糧食與軍火被巧妙地偽裝成停放的卡車；而在戰線南部，盟軍製作了大量的假補給物資，德軍飛機從空中俯瞰根本難辨真假。真實的卡車與戰車停放在南部，然後利用夜間在無線電靜默下往北部移動，卡車與戰車離開後，原本的空間便停放了假卡車與假戰車。在北部，三百六十門火砲巧妙偽裝成卡車。南部最後停放了高達八千四百輛的假交通工具、假火砲與假補給物資，讓德軍深信蒙哥馬利的戰爭計畫就是要從南部發動攻勢。克拉克也組織了二十五座幽靈無線電站，讓德國與義大利深信空中偵察得到的情報正確無誤，認定絕大多數盟軍兵力集中在南部。[174]與所有欺敵作戰一樣，計畫規模與複雜性一旦提高，出錯的可能性就會增加，但德軍最終還是吞下盟軍的誘餌，隆美爾渾然不覺地把裝甲部隊集中在錯誤的地方。儘管盟軍擁有壓倒性空優與數量更多的戰車與車輛，但最後仍僅以些微之差擊敗德軍——正是欺敵作戰讓盟軍得以險勝德軍。被俘的德軍與義軍將領坦承，他們以為盟軍要從南方側翼發動主要攻勢，而且在戰役開始後數天仍如此認為。等到他們發現受騙時，局勢已無法挽救。

貝特倫作戰的成功，促使英美在戰略上更全面地使用欺敵戰術。一九四三年夏天，做為一九四四年反攻法國長期準備工作的一環，英國帝國參謀本部批准了「掩護與偽裝」計畫，又稱為「帽徽作戰」(Operation Cockade)，其目標在於促使德軍相信盟軍將於一九四三年夏末進行橫跨英吉利海峽的入侵行動，藉此讓德國把兵力抽調到西方，以利盟軍在義大利與蘇聯作戰。美軍將領對這項計畫興趣缺缺，而德軍看穿盟軍使用雙面諜發布假情報的手段，並未受到盟軍「斯塔基作戰」(Operation Starkey)使用有限海空兵力佯裝準備進行攻擊所影響。[175]盟軍這幾次欺敵行動之所以失敗，主要在於欺敵想要掩護的真正攻擊行動最終並未發起，因此嚴重減損了這類掩護計畫的可信度。倫敦控制局發起的「帽徽作戰」最後完全失敗，而這次失敗差一點讓盟軍打消主意，不準備在一九四四年諾曼第登陸前採取任何欺敵策略。盟軍擬定的第二次欺敵行動，代號「雅億作戰」（Operation Jael），其目的在於讓德軍相信地中海將是英美在一九四四年採取軍事行動的主要戰場，並且認為盟軍將採取轟炸攻勢，而非實際入侵。美國陸軍將領清楚看出這項提案不可能騙過敵軍，最後雅億作戰遭到取消。[176]一九四三年七月，盟軍又擬定另一項計畫，代號「急流作戰」（Operation Torrent），這是針對一年後將進行的入侵作戰而採取的欺敵措施，企圖讓德軍搞不清楚盟軍的真正意圖：當盟軍主力入侵諾曼第時，還會有幾個師的兵力佯攻加萊，牽制德軍使其無法增援諾曼第。這項計畫很快也遭取消，因為計畫的佯攻規模太小，無法牽制德軍夠長的時間。[177]

盟軍之所以繼續保留欺敵做為入侵戰略的一部分，主要與邱吉爾有關。邱吉爾在德黑蘭會議上確認盟軍將從諾曼第登陸之後，便再度提出誤導德軍使其將兵力抽離法國北部的主張。他認為這是盟軍入侵成功的關鍵，但他的論點也反映出他對於兩棲作戰能否成功並無把握。畢文與倫敦控制局決定發起新的欺敵作戰，代號「保鏢作戰」（Operation Bodyguard），試圖讓德國人相信盟軍在一九四四年的主要軍事行動目標是巴爾幹半島、義大利北部與斯堪地那維亞，相信反攻法國的行動將往後推遲，最快也要到一九四四年底才開始。然而，就跟急流作戰與帽徽作戰一樣，保鏢作戰最終也未能達成目的。到了一九四三年底，德國最高統帥部與希特勒已經知道盟軍在不列顛群島集結兵力，目標是在隔年春天或夏天進攻法國。德軍確實顧慮盟軍有可能威脅挪威或巴爾幹半島，因此在這兩個地區部署了一定數量的部隊，但德軍仍然相信這些只是盟軍的次要目標，主要目標依舊是法國。

入侵諾曼第的欺敵計畫，最後還是要仰賴曾在地中海戰場有過實際欺敵經驗的人來執行。一九四三年十二月，克勒克的副手懷爾德上校（Noel Wild）被轉調到倫敦，在剛被任命為最高統帥官的艾森豪將軍麾下負責欺敵任務。蒙哥馬利也調任第二十一集團軍司令，為入侵諾曼第做準備。艾森豪與蒙哥馬利都重視欺敵工作，兩人過去也都因為欺敵作戰而獲益。懷爾德與特別工作部隊和第二十一集團軍的欺敵人員共同組成R小組，由史特蘭吉威斯中校（David Strangeways）領導，負責為諾曼第登陸作戰擬定欺敵計畫，代號「南方堅忍作戰」（Fortitude South）。另一方面，「北方堅忍作戰」（Fortitude North）則延續了保鏢作戰的宗旨，希望對挪威與瑞典鐵礦產地進行威脅可以分散德國注意力。但與先前的各項欺敵工作一樣，北方堅忍作戰對於德軍並未構成任何影響，因為德國早已在挪威部署重兵，因此毫無增援的必要。

最重要的欺敵計畫還是南方堅忍作戰，目的在於讓德國的政軍高層相信，盟軍入侵諾曼第的行動只是一場序曲，真正的重頭戲是跨越英吉利海峽最狹窄處對加萊進行登陸作戰。與艾拉敏會戰的貝特倫作戰欺敵行動一樣，南方堅忍作戰要佯裝成準備從某個地區發動主要攻勢的樣子，但實際上卻是要掩蓋從另一個地區發動真正攻勢的規模與時間。盟軍在英格蘭東南部設立了假的美國第一集團軍，並且任命巴頓將軍擔任集團軍司令，除了設置假的軍事設施，也偽造假的無線電通信。盟軍援用在沙漠的偽裝經驗，在英格蘭東部設置了假戰車與假火砲，但假登陸艇過於脆弱，很容易就會擱淺或損毀（只是德軍有限的空中偵察能力並未察覺）。與艾拉敏會戰相同，欺敵的好處在於盟軍可以先在英格蘭東南部駐紮一部分真正的軍隊，等到開戰前夕再將部隊轉移到英格蘭西南部，至於英格蘭東南部留下的空缺則派幾個師的預備隊與徒具番號的單位進行補充。這項欺敵計畫內容鉅細靡遺，而且嚴守祕密，絕不讓任何情報外洩。

盟軍利用雙面諜，讓德軍以為自己已經取得可靠的訊號情報與空中偵察情報。到了一九四二年，英國國內安全機構軍情五處ＭＩ５幾乎已經逮捕所有藏匿在英國境內的德國間諜，而且成功策反許多人，使其轉而為盟軍工作。盟軍為了南方堅忍作戰而策反了一位前西班牙間諜加西亞（Juan Pujol García），代號「嘉寶」。嘉寶虛構了一個間諜網，提供虛假的高層情報給德軍反情報局（Abwehr）。從一九四四年一月到六月，嘉寶提供了五百則訊息，試圖讓德國當局相信盟軍在英格蘭東南部與蘇格蘭集結大量兵力。嘉寶也試圖誤導德軍相信盟軍將入侵的時間延後到一九四四年底，然而這部分的收效不大。嘉寶的故事有著更值得注意的一面：由於德國持續破獲盟軍派往歐洲占領區的間諜，因此德國祕勤局有好幾年的時間都相信自己派往英國的間諜並未遭到盟軍追蹤與清除。盟軍在戰後發現，在德國國防軍最高統帥部正式留存的兩百零八份有關英國局勢的報告裡，居然有一百八十八份出自雙面諜之手，更不用說那些沒進到作戰司令部裡的假間諜報告。[178] 德國軍事情報局面臨的問題在於，隨著入侵的日子逐漸逼近，大量湧入的情報令他們無所適從。負責德國陸軍情報的西線外國軍情處完全受到誤導，他們對在英國集結的兵力情報完全錯誤。由於美國（假的）第一集團軍的欺敵作戰，使德軍將盟軍的兵力高估了百分之五十，德軍因此認為盟軍可能至少要發動兩起軍事入侵，一個在諾曼第，另一個更大規模的則是在加萊。兩起軍事入侵都有可能發生，對希特勒與他的將領來說，困難在於無法判斷哪一個是佯攻而哪一個不是。到了四月，德軍評估盟軍比較有可能登陸諾曼第或布列塔尼。但到了五月中旬，愈來愈多情報顯示英格蘭東南部的美國第一集團軍才是真正的主攻部隊，也就是盟軍雖然會先攻擊諾曼第，但只是輔助作戰。「極機密」與「魔術」的解碼電文使盟軍得以評估欺敵行動的成效，情況到了五月底已經很明顯：顯然德國從希特勒以下，全都深信加萊會是盟軍主力攻擊的目標。六月一日，日本駐柏林大使大島浩向東京發出的電文被盟軍破解，大島浩提到最近與希特勒交談，確認希特勒預料盟軍將先對諾曼第進行佯攻，然後「主力將橫渡多佛海峽開闢第二戰場」。[179]

入侵的時間依然成謎，德國陸軍情報局雖然收到雙面諜的訊息，提到盟軍的入侵行動將推遲到一九四四年底，但情報局認定這是盟軍「對於自身意圖刻意進行的偽裝」。[180]在無法確定盟軍實際登陸時間的狀況下，從四月到六月間，駐防法國北部海岸的德軍一直處於最高度警戒狀態，而這也使盟軍實際發起登陸作戰時，防守的德軍竟一度以為又是假警報而掉以輕心。六月五日，德軍西線總司令倫德斯特在盟軍入侵艦隊即將抵達法國外海的前幾個小時收到簡報，但簡報仍表示：「目前敵軍仍未有發動大規模入侵的跡象。」[181]以盟軍來說，南方堅忍作戰的重點在於維持假象，讓德軍以為虛構的美國集團軍會在諾曼第入侵作戰開始之後發動第二次入侵。儘管擔心盟軍將發動第二次入侵作戰，隆美爾仍迅速將裝甲師派往諾曼第，但德軍最高統帥部卻不願冒險讓法國東北部陷入無兵可守的狀態。假造的無線電通信，加上雙面諜持續提供看似可靠的情報，都使德軍各級將領深信根本不存在的美國第一集團軍確實準備發動攻擊。德軍從雙面諜以外的管道得到的大量情報也顯示，盟軍打算先登陸諾曼第、吸引大量德軍預備隊，再由美國第一集團軍發動第二次入侵作戰，登陸法國東北岸。從既有情報來看，德軍的推測並非沒有道理，而這也使德軍把二十二個師留在加萊按兵不動。到了七月，德軍將領終於認定，是諾曼第登陸的成功促使盟軍改變主意，把原本用來入侵加萊的美國第一集團軍投入到諾曼第戰場——也就是說，即使到了這個階段，德軍仍深信第一集團軍這個幽靈部隊真的存在。八月，希特勒終於下令，要加萊的部隊前往諾曼第進行戰鬥，然而為時已晚。[182]盟軍的欺敵戰術雖然可能被識破，但這場作戰最終還是獲得成功，這是因為盟軍的部署完全符合德軍理性的戰略估算。這場西方盟國最精心設計的欺敵作戰，不僅加強了盟軍的力量，也分散了德軍的兵力。盟軍面對這場作戰承受著輸不起的壓力，欺敵戰術的成功，大大降低了這場作戰的風險。

正當盟軍在西線執行南方堅忍作戰時，蘇軍也在東線進行另一起大規模欺敵作戰，目標是部署於白俄羅斯的德國中央集團軍。蘇軍發起的這場欺敵作戰，規模足以媲美盟軍為了大君主作戰而進行的佯攻行動，而且對於蘇聯境內的德軍前線帶來毀滅性打擊。如同盟軍為大君主作戰制定了堅忍作戰，蘇軍於一九四四年六月二十二日與二十三日發起巴格拉奇翁作戰，並且為此制定了欺敵計畫，而這次作戰可說是蘇軍長久以來學習戰略與作戰欺敵的精采結晶。一九二〇年代，蘇聯軍事準則已經認識到「maskirovka」（欺敵或隱匿）與「vnezapnost」（奇襲）的重要性，而接續制定的《紅軍野戰規範》也強調隱密的好處：「奇襲可以對敵軍造成震懾效果。」目標是隱匿我軍企圖，不讓敵軍得知我方兵力集中，然後出其不意發動攻擊。根據日後戰時野戰規範的說法，這麼做可以「驚嚇敵軍，癱瘓敵軍意志，使其無法組織抵抗」。[183]然而諷刺的是，一九四一年六月反而是蘇軍在毫無戒心的狀況下遭到德軍奇襲，暫時陷入混亂的蘇軍完全無法進行有組織的抵抗。一九四一年九月，蘇聯大本營堅持必須在各層級，也就是戰略、作戰與戰術層面落實欺敵與隱匿，而蘇軍也在往後的一百四十場前線行動中幾乎都用上了欺敵作戰。偽裝是蘇聯士兵的第二天性，他們擅長進行戰術隱匿與伏擊。但大規模的欺敵作戰必須仰賴周詳的夜間軍事調動、嚴格保密、絕對的無線電靜默（起初蘇軍缺乏無線電，因此要做到並不困難）與利用意想不到的地形。一九四一年底，正當德軍對是否進攻莫斯科猶豫不決時，有三個蘇聯軍團已經在德國情報單位的意料之外加入戰局。一九四二年，蘇軍在每個作戰司令部設立一名欺敵參謀人員，負責擬定欺敵作戰計畫，希望透過隱匿來協助紅軍抵擋不斷進犯的德軍。

這些軍事改革明顯展現出成效，例如蘇軍就在一九四二年十一月的天王星作戰成功切斷史達林格勒的德軍後路，或是八個月後的庫斯克會戰，以及一九四四年夏天德國中央集團軍令人震驚的慘敗。天王星作戰致勝的關鍵，在於蘇軍能夠徹底隱匿自身行動。蘇軍的將領、參謀人員與部隊，在德軍毫無察覺之下，包抄了軸心國部隊過於延伸的側翼，並且發動反擊。史達林堅持只能口頭下令，不能有地圖或任何印刷資料。無線電嚴格管制，違者嚴懲；步兵以往看到敵軍臨空都會射擊，此時則奉命不許開火。[184]史達林格勒的德軍走廊，其南北兩側悄然部署了三十萬名紅軍、一千輛戰車、五千門火砲與迫擊砲。走廊內駐紮著絕大多數來自匈牙利、義大利與羅馬尼亞的軸心國部隊，他們已經察覺紅軍的調動，但德國東線外國軍情處情報長官格倫將軍卻向他們保證，紅軍不可能大舉進攻。德國陸軍參謀總長柴茲勒將軍認為蘇聯嚴重缺乏預備隊，推斷紅軍沒有能力發動「大規模攻勢」。一九四二年十一月十八日，也就是紅軍發起天王星作戰的前一天，格倫仍未明確提醒軸心國部隊可能遭受的威脅。[185]蘇軍隨後採取的行動因此最大化奇襲的效果。等到軸心國部隊回過神來，敗局已難以挽回。史達林格勒的德軍完全斷絕外援，拯救他們的行動也胎死腹中。

蘇聯也在一九四三年七月的庫斯克會戰充分運用了欺敵與隱匿。在突出部的防守地區，蘇軍透過各種方式混淆德軍的空中偵察，他們建造大量的假砲兵陣地、假戰車基地與假指揮中心，運用複雜的偽裝技巧以假亂真，使德國裝甲部隊無法分辨蘇聯的雷區，必須等到第一輛戰車碰觸地雷爆炸後才能知道。捏造的無線電通信使德軍錯估蘇軍的兵力與部署，而嚴格的無線電紀律也讓蘇軍成功隱匿自身的實際規模與位置。蘇聯也把假機場弄得維妙維肖，在庫斯克會戰前，德國空軍曾經攻擊蘇軍機場二十五次，只有三次真正命中目標。[186]然而，蘇軍真正關鍵的欺敵戰術是把大量的預備隊部署在庫斯克突出部的後方，並且將其偽裝成防守兵力的一部分——實際上，這支部隊已經準備好，只要德軍在進攻蘇軍防線時出現頹勢，他們就會立即進行大規模反擊。同樣地，蘇聯也對預備隊的實際兵力做了萬全的隱匿，使德軍以為蘇聯只有有限的預備隊兵力，而且目的只是要協助突出部的守軍進行防衛。德國情報單位完全沒料到蘇軍會突然對突出部以北的奧勒爾與以南的貝爾哥羅、哈爾科夫進行反攻。蘇軍巧妙隱匿了軍隊的行蹤，使德軍完全沒察覺到蘇聯把軍隊調動到新攻勢的發起線上。與此同時，另一支蘇軍則在更南方的位置成功發動佯攻，牽制德軍的裝甲預備隊。

一九四三年八月，蘇軍發起的廣泛攻勢證明了奇襲有效，到了十一月，蘇軍已經擊退了俄羅斯境內中央前線的德軍，使其退回到聶伯河畔。

一九四四年六月，蘇軍發起巴格拉奇翁作戰，並且根據史達林格勒與庫斯克會戰的經驗採取了欺敵戰術。一九四四年的《紅軍野戰規範》明定，「針對每個行動與作戰進行支援時都必須運用」隱匿與欺敵，這是蘇聯作戰的必要元素。巴格拉奇翁行動只有朱可夫及華西列夫斯基等五個人知情，但他們被下令不許在電話、書信或電報中提到這場行動。在戰略層面，蘇軍透露給德軍的假消息則顯示，蘇軍即將對南方的巴爾幹軸心國家發起大規模攻勢，還將在北方沿著波羅的海海岸推進。德國陸軍情報單位原本就認為蘇軍夏季戰役的主要重點將擺在南方，因此對於蘇軍放出的假情報深信不疑。防守白俄羅斯的德國中央集團軍得到的情報顯示，白俄羅斯並非蘇聯的攻擊目標，然而事實剛好相反，蘇聯進行欺敵作戰，目的就是為了攻下白俄羅斯。[187]蘇聯必須神不知鬼不覺地把九個軍團與十一個軍的戰車、裝甲部隊與騎兵，以及一萬門火砲、三十萬噸的燃料與五十萬噸的口糧運到白俄羅斯前線。蘇聯在南方設置假的火砲、戰車與機場，並且部署真的防空砲進行保護，還煞有介事派出戰機巡邏。隱匿行蹤是一項極為艱鉅的任務。前線必須維持表面上的「正常」，必須持續不斷地開火與維持例行的無線電通信。所有接受調動的新部隊必須保持無線電靜默，而且只能在夜間行軍，這些部隊不許從事偵察突擊，以免被敵軍俘虜，上級也不會告知他們真正的作戰計畫（以免部隊中有人叛逃走漏消息）。蘇聯工兵偷偷在普里皮特沼澤（Pripet Marshes）以北的沼澤地搭建棧橋，就像法國戰役古德林的戰車部隊出其不意穿越阿登森林一樣，蘇聯裝甲部隊也令人意外地沿著這些棧橋蜂擁而出，殺得德國守軍措手不及。[188]雖然德軍前線將領曾提出警告，蘇軍正準備發動大規模攻勢，但陸軍總部卻認為這只是佯攻，拒絕額外提供中央集團軍所需的資源。六月二十二日晚間到二十三日清晨，蘇聯發起攻勢，僅過了幾個星期，德軍就已完全被趕出白俄羅斯，紅軍一直推進到維斯杜拉河畔，華沙近在眼前。這是德軍在二戰的最大一場敗仗。

蘇聯雖然強調欺敵戰術，但欺敵不一定能保證勝利。蘇聯的每一場勝利，往往是經由持續數星期的苦戰換來的。儘管如此，在所有對抗德軍的大型會戰中，欺敵都能達成混淆敵軍的效果，使己方的地面與空中部隊能更順利地完成任務。欺敵的價值，可以從蘇聯最後一場對滿洲日本關東軍的戰役得到明證。在此之前，日軍從未遭遇大規模的欺敵作戰。美軍將領在戰略上很少考慮欺敵作戰，因為這會讓他們會聯想起一九四一年十二月日本人發動的那場不光采偷襲。美國的聯合安全控制局，性質上類似於英國在歐洲進行欺敵作戰的倫敦控制局，該局試圖說服太平洋地區的美軍將領認真考慮欺敵戰術，但收效不大。一九四三年底，聯合安全控制局的軍官接到命令，要他們把欺敵作戰寫進美軍作戰計畫的附錄中，但這項舉動卻引發美軍前線將領的反彈。代號「婚姻」、「丈夫」、「小孩」、「瓦倫坦」與「藍鳥」等美軍為數不多的欺敵行動，幾乎未產生任何效果，主要是因為日本情報人員無法蒐集到美軍放出的假造作戰資訊，因此無法做出任何回應。日本在一九四四年與一九四五年分別強化千島群島北部與臺灣的駐軍，這其實是日軍自行評估後預先採取的做法，與美軍發起的「婚姻」（佯攻阿留申群島）與「藍鳥」（假裝要對臺灣與中國南方海岸進行登陸作戰）欺敵作戰沒什麼關係。[189]英國試圖利用在印度抓到的日本間諜做為雙面諜，卻難以奏效，因為日本間諜無法持續與日本情報單位保持聯繫，因此盟軍難以得知自己放出的假情報是否真的影響到日軍的作戰方針。[190]

對比之下，蘇軍則針對滿洲發動了一場典型的欺敵作戰：日本人已經察覺蘇聯把軍隊調往東方，但不清楚實際兵力規模。蘇聯的鐵路運輸只在夜間進行，鄰近滿洲的鐵路則用臨時的隧道加以遮掩以隱匿軍隊調動。蘇軍抵達定點之後，便立刻進行大規模偽裝與隱藏。關東軍不僅低估蘇軍兵力（蘇軍實際規模是日方估計的兩倍以上），而且也搞不清楚蘇軍的進攻方向（日軍認為有些地區裝甲部隊無法通過，但蘇軍卻成功克服地形障礙）與進攻時間。儘管蘇軍入侵的意圖已十分明顯，日軍仍認為紅軍必須等到秋末才能做好出兵準備，甚至要到一九四六春天才會進攻。當蘇軍發起攻擊時，日軍對於蘇軍部署與推進之速大感震驚，前線為之動搖。原本預估需要三十天的戰役，最後只經過十五天就結束。這支從十四年前（一九三一年）就開啟戰端的日本最大軍事力量，兵力達到百萬的關東軍，就在這場戰役中灰飛煙滅。[191]

有充分的證據顯示，詳細計畫與各方面協同合作的欺敵作戰在確保盟軍勝利上扮演著重要角色。如果沒有欺敵作戰，戰爭很可能拖延得更久，盟軍的死傷很可能會更加慘重。無論在艾拉敏、史達林格勒與庫斯克，還是在諾曼第、白俄羅斯與滿洲，即使存在著其他致勝因素，依然無法否認欺敵作戰是一項戰力加成。在英國與蘇聯，一連串重大失敗促使兩國急欲找出確保優勢的辦法，而欺敵就是其中之一。欺敵之所以能奏效，主要是因為盟軍享有的情報優勢，以及德國與日本情報評估能力的不足。儘管如此，對歷史學家來說，情報與欺敵在決定戰局上的地位，終究是不如裝甲部隊、空中力量、無線電、雷達與兩棲攻擊。

勝負之間：戰時的學習曲線

「學習曲線」(learning curve)是一個與戰時危機同時出現的詞彙，該詞首次出現於一九三六年，二戰期間用於評估美國造船工業的生產力進展。學習曲線除了可以用來衡量管理者與勞動者縮短了多少單位產出工時之外，似乎也可以用來貼切比喻戰時武裝部隊作戰能力的提升。學習曲線包括了兩種學習：組織學習與勞動學習。組織管理方面的學習十分重要，因為管理者可以創新技術，審視績效指標，找出需要改善的地方；勞工則需要適應與學習善用陌生的環境與設備。[192]這其實也是二戰時武裝部隊在做的事情，不過意義與評估工業生產力不完全一致，執行時未必盡如人意。軍事管理階層會評估軍隊的不足之處，改善戰術，提倡科技與組織創新，陸海空基層士兵則會接受訓練，使其更嫻熟戰鬥，並且接受必要的技術支援，從而能更有效地作戰。要評估戰爭的勝負，戰時的學習與適應能力乃是關鍵。

學習曲線意謂著評估結果、釐清因果相關與訓練相關人員，這些做法都需要時間。同盟國在戰爭初期雖然遭遇慘敗，但至少有充足的時間檢討該怎麼做才能扭轉戰局，這點對同盟國來說非常關鍵。儘管英美蘇三大主要同盟國在開戰之初不斷失利，但軸心國卻始終無法像德國於一九四〇年擊敗法國那樣盡早取得決定性戰果。德國與義大利無從入侵不列顛群島，在北非的戰事又陷入僵局，更無法一口氣擊敗領土過於遼闊的蘇聯。與此同時，日本也沒有手段入侵美國或英國。軸心國占領了廣大空間，卻無法迅速擊敗同盟國，也正因為空間遼闊，才使軸心國推進遲緩，最終在一九四二年達到極限，無法再有任何進展。雖然同盟國在一九四二年完全無法觸及日本、德國或義大利本土，但同盟國擁有時間而且掌控全球大部分地區，在開戰後的兩年間重新組織與改善自身的軍事能力。同盟國建立的軍事體制，被組織理論家霍恩（Trent Hone）稱為「複雜適應體系」，同盟國正是藉由這套體系通過了學習曲線的考驗。[193]

重要的是，同盟國不僅清楚認識到學習與改革的必要，還能發展出制度性的機制來進行學習與改革。這段檢驗與學習的過程，是蘇聯得以撐過一九四一年慘重物質損失與兵力傷亡的關鍵。一九四二年，蘇聯陸軍參謀總長徹底檢討蘇軍過去的問題並思考該如何改進，最後決定全面仿效德軍的做法。蘇軍隨即針對通信與情報蒐集進行破釜沉舟的改革，也在作戰與戰術層級重組武裝部隊、步兵師與空軍單位。[194]蘇軍的改革收到很大的成效，德軍將領是在付出沉重代價之後才認知到這一點。英國的陸海空三軍也在組織上進行了大幅度改革，陸軍機械化程度大為提高，也建立了有效的戰術空軍（英國原本在一九四〇年時幾乎不存在任何戰術空軍）。而在第厄普慘敗之後，英國也努力發展大規模兩棲作戰能力。為了記取教訓，英國成立了幾個委員會來進行改革，巴薩洛繆委員會研究敦克爾克戰役的影響，《伍德爾報告》探討了陸空合作，戈德溫與奧斯汀委員會（Godwin-Austen Committee）討論了通信問題，但真正刺激改革的還是開戰後一連串屈辱的慘敗，即便是首次得勝的艾拉敏會戰之後的幾場失敗也都有激勵改革的效果。[195]與戰爭初期相比，雖然英國地面部隊依然仰賴猛烈而精準的砲火與廣泛的空中支援，但此時英軍在戰術上已更為熟練，更少受到指揮結構的掣肘。一九四二年十二月，蒙哥馬利寫下《高階軍官戰鬥行為簡要須知》並且在軍中發行，允許下級軍官有更多自主空間決定以何種方式完成任務。蒙哥馬利的想法與許多批評英國陸軍做法的人相左，反而與德軍著名的「任務型指揮」不謀而合。[196]

對美軍來說，唯一能做的事就是學習。美國陸軍與陸軍航空軍的兵力規模較小、技術落後且缺少情報，要將倉促徵集的大量武裝部隊轉變成專業的軍事組織並不是一件容易的事。美國海軍的規模較為龐大，擁有的資源也較多，但仍有許多地方需要改進。最初在瓜達康納爾島及北非進行的戰役，暴露了美軍的諸多缺失，促使美軍對於自身需要補強的部分重新評估。美軍在突尼西亞凱撒林隘口慘敗之後，陸軍地面部隊指揮官麥克奈爾中將（Lesley McNair）要求建立「以訓練為基礎」的陸軍，也就是打造一支持續學習的部隊。在戰場上，重點在於識別與傳播和敵軍相關的戰術資訊，同時思考如何做出回應。戰鬥情報中心將會整合所有戰鬥經驗及資訊，並將摘要與建議傳送給正在接戰或即將面臨敵軍的部隊。在太平洋戰場（與歐洲戰場），由上而下的嚴謹指揮文化逐漸轉變成允許前線小部隊軍官自行裁量，以因應日軍寧死不降的戰術處境。[197]在歐洲，指揮與管制幾乎無法做到中心化。一九四四年，美軍指示派往義大利的第五軍團第二軍，在當地的戰場環境下，「指揮官必須負起全責，自行下令與裁決。不許推三阻四，不做任何決斷。」[198]美軍與英軍的戰力轉變相當全面，包括機械化陸軍的組織、有效的通信、更完善的情報、大幅改善的兩棲作戰準則與實行，以及積極的戰術空中力量，這些都是學習曲線上重要的一步。

軸心國同樣也在學習，包括挹注更多軍事投資，以及仔細觀察敵軍做法。然而，早期的勝利讓軸心國放慢改革的腳步，未能做出更全面的調整。在戰爭期間（也包括戰後），德軍將領普遍認為他們在各戰線面對的敵軍素質低劣。一九四二年，就在非洲軍差點於艾拉敏被殲滅的一個星期之前，非洲軍還提到盟軍對手「緩慢遲鈍，缺乏主動性與戰術規畫」。[199]在東線戰場，蘇聯初期的慘敗使德國對紅軍的戰力產生了刻板印象。一九四一年秋天，蓋爾將軍（Hermann Geyer）寫道：「每個德國士兵都有權覺得自己比俄國人優越。」[200]等到德國人開始改變看法時已經太遲。當德國陸軍透過裝甲與空軍聯合作戰成功進入史達林格勒時，也正是德國開始喪失聯合兵種作戰優勢的時候。戰爭爆發時，德軍的無線電與雷達科技領先盟軍，但到了一九四三年，盟軍已迎頭趕上。德國重啟一戰的潛艦戰，但最後同樣遭致失敗。德國雖然於一九四〇年成功突襲法國，之後又發起巴巴羅薩作戰，然而此後德國再也無法重演相同的戰果。日軍也面臨類似的狀況。由於日軍原本面對的是裝備落後的中國軍隊，日軍大本營幾乎沒有進行改革的急迫感。日軍接著又在一九四一年到一九四二年間藉由兩棲作戰取得一連串勝利，然而一旦日軍鞏固了太平洋諸島，就不再重視兩棲作戰。一九四二年初盟軍在太平洋地區的挫敗與投降，使日軍產生了輕敵的心態，間接造成往後日軍在面對美軍時始終採取寧可戰死而不願投降的態度。

相較之下，盟軍使用的戰力加成反映出戰爭初期盟軍軍事效能不彰與適應改進的必要。盟軍學習的過程並非一帆風順，不僅經常出現錯誤、虛耗甚或技術限制，但最終仍足以讓盟軍取得勝利。長久以來，人們始終認為軸心國維持著優異的軍事表現，或者以德國來說，德軍戰力顯然遠比任何同盟國部隊來得優秀，只是最終不敵同盟國龐大的軍事資源而已。[201]然而，資源優勢不代表一切。一九四一年的紅軍擁有比德軍更多的戰車與飛機，卻照樣被德軍橫掃。想要讓資源發揮效果，還必須搭配更好的軍事準則、組織、訓練與情報。盟軍必須在這些方面做出改善，才能讓資源優勢化成實際影響。戰鬥是真正的考驗，在太平洋、北非、義大利與法國，以及廣大的東線戰場，軸心國部隊最終還是被艱苦學習的盟軍擊敗。根據理論，工業「學習曲線」進展到最末端會變得平緩，此時管理者與勞動者對於自己所學的一切皆可以達到最適狀態。當盟軍的學習曲線在一九四五年抵達平緩末端，就是他們獲得軍事勝利的時候了。

一名女性工人檢查美國波音 B-29「超級堡壘」轟炸機的尾翼，美國在戰爭的最後兩年大量生產這類型的轟炸機，對日本進行遠距離轟炸。到了一九四四年，女性已占了美國飛機製造勞動力的三分之一。圖源：*Granger Historical Picture Archive/Alamy*

CHAPTER

第六章

6

經濟戰與戰時經濟

「美國工業精靈解決生產問題的能力，在世界上幾乎無人可以匹敵。他被召喚過來，帶著他擁有的資源與才能，投入到這場戰爭之中。鐘錶、農具、排字機、收銀機、汽車、縫紉機、割草機與蒸汽火車頭的製造業者，現在轉而生產引信與炸彈條板箱、望遠鏡架臺、砲彈、手槍與戰車。」

——羅斯福，《爐邊談話》，一九四〇年十二月二十九日[1]

「必須讓武器裝備的生產效率取得必要的增長，首先在武器裝備生產細節上進行修正，根據現代原則進行可能的量產，藉此讓製造方法合理化。」

——希特勒，《效率訓令》，一九四一年十二月三日[2]

在美國，針對武器裝備進行量產被視為是理所當然。一九四〇年五月，羅斯福總統下令美國空軍重新武裝，要求在一年內生產五萬架飛機。[3]羅斯福後來又介入戰車生產計畫，堅持一年生產兩萬五千輛戰車。當時人們一度懷疑這些目標是否有可能實現，但羅斯福在一九四〇年十二月《爐邊談話》提到的「美國工業精靈」，最終仍然滿足了美國重整軍備與戰爭的需要。到了一九四三年，美國僅憑一己之力，就能生產超過所有敵國總和的武器裝備。在此之前，軍事專家已經警告過希特勒，不要小看美國生產武器裝備的能力，但還是無法阻止他對美宣戰。就在日本攻擊珍珠港的前幾天，希特勒在最高統帥部簽署訓令，堅持德國的戰時產業必須進行簡化與標準化，使德國也能像美國一樣進行大量生產。

希特勒在戰略上雖然沒有提出過什麼特別具有創見的主張，但不難看出他從戰爭初期就已經意識到，若想打贏這場戰爭，先決條件就是必須盡可能做到最大規模的軍事產出。早在一九四一年十二月下達《效率訓令》前的幾個月，希特勒已經試圖以最高統帥的身分進行介入，希望讓軍工產業與軍方共同合作，運用德國的豐富資源讓產出最大化。一九四一年五月，希特勒召開會議，與會者有軍備與彈藥部長托德，以及武裝部隊戰時經濟局局長托馬斯將軍。希特勒在會中大致描繪自己的想法，希望讓戰時經濟更有效率。他指責軍方提出複雜的技術需求造成軍工產業的沉重負擔，於是要求「更簡單耐用的建造方式」，並且「推動初步的量產」。[4]希特勒下達訓令，要求陸海空三軍必須減少武器的款式數量與複雜度，往後在夏秋他又發布了幾道訓令，強調武器必須符合現代生產方法。到了十二月，希特勒終於在下達的訓令中清楚說明他的期望。一九四五年，史佩爾的副手紹爾（Karl-Otto Saur）向俘虜他的盟軍表示：「希特勒在一九四一年十二月三日下令之後，德國才真正基於實務目的落實合理化生產，如果沒有希特勒干預，德國恐怕不會將合理化理論付諸實踐。」[5]然而，並不是只要這道訓令一下達，所有生產就能步入正軌。兩年後，德國航空發動機生產部門長官維爾納（William Werner）抱怨說，整道生產程序依然「充滿強烈的工匠色彩」，因此他要求「根據美國模式」建立生產裝配線。[6]要弭平這兩種生產文化之間的鴻溝顯然不是一件容易的事，而這也成為決定最終戰爭結果的重要因素。

量產武器

第二次世界大戰時期各交戰國的軍事產出不僅史無前例，其產量至今也難以望其項背。然而，軍事產出的規模雖然龐大，其中卻只有一部分武器、車輛與艦艇是在符合「量產」的傳統定義下大量生產的。量產與「福特模式」有關，其起源是二十世紀初由美國汽車工業龍頭福特（Henry Ford）帶起的生產技術革命。福特模式的定義存在著各種詮釋：在美國，福特模式是一種將廉價標準消費品產出最大化的手段，資源與零件在合理控制下進入生產線，裝配工作則區分成無數易學且重複性高的小項目。在蘇聯，新生共產主義政權擁護福特模式，不僅將其視為蘇聯現代性的象徵，也認為合理的量產可以提供廉價商品給剛獲得權力的無產階級。只有德國以模稜兩可的眼光看待福特模式。德國在一九二〇年代曾在福特模式擁護者的支持下將量產方法引進部分產業，但一九二九年後的經濟大恐慌卻引發德國對美國生產模式的不滿，轉而強調德國既有的專門化生產與高工程品質，這兩項特色均有利於發展複雜與技術先進的武器產業。這就是二戰時期截然不同的兩種生產文化。一邊是大量生產的美國雪曼戰車與蘇聯T－34戰車，另一邊則是性能遠遠超過盟軍戰車、但產量卻極為不足的德國虎式與豹式戰車。

實際上，量產原本是戰間期用來生產標準消費耐久財的一種生產手段，而這種生產手段一旦用來生產現代武器時，就會出現明顯的限制。第一次世界大戰時，大量生產軍事裝備的重要性開始提升，小型兵器、彈藥與火砲的生產紛紛引進現代工廠生產方式，以提升勞動力的生產效率與節省資源。[7]然而，到了二戰時，量產的範圍擴大到複雜的工程產品，從戰車與各式裝甲車輛，擴展到航空發動機與飛機機體。一架軍機通常需要十萬件以上的獨立零件，因此必須對數百個承包商生產的零件流向進行組織，確保最終的裝配能順利進行，這些都構成對量產的巨大挑戰。步槍或機關槍需要的標準零件不多，生產起來相對容易，只需要重複和平時期的生產方式就能順利製造，但飛機、戰車或潛艦則需要完全不同的生產流程。美國團結飛機公司生產的B－24「解放者」轟炸機，就使用了三萬張生產圖紙進行組裝。福特原本試圖根據自己生產汽車與卡車的經驗來大量生產B－24轟炸機，他把生產流程分解成兩萬個獨立的工作項目，需要裝設的生產治具與夾具達到兩萬一千件，模具也要兩萬九千件。計畫擬定花了很長的時間，等到真正開始生產時，B－24轟炸機已經成為過時的武器。[8]福特深信，和平時期的量產模式也可以運用在武器生產上，福特因此於一九四〇年提案，表示自己可以運用標準工具機製造戰鬥機，而且一天可以生產一千架，但他的提案在經過調查之後遭到否決，因為製造廉價家用汽車的工程標準無法合乎現代航空生產的必要條件。通用汽車在生產高速戰機XP－75時也遭遇同樣的問題。通用汽車一開始想要走捷徑，公司直接購買其他飛機設計的現成零件，而不是採取整架飛機完全自行設計的做法。四年後，這項計畫宣告失敗，並於一九四五年夏天徹底廢棄——充分顯示即使是量產的巨頭也很難以和平時期的生產方式來滿足戰爭需求。但這同時也凸顯出美國即便將人力物力虛擲於徒勞無功的計畫，生產力依然強過所有國家。[9]

為了量產先進武器而產生的諸多問題，凸顯出民間在和平時期的生產與戰時經濟的差異，前者的生產種類與數量是由消費市場與民眾喜好決定，後者的消費者只有一個，而他開出來的條件經常是不確定、瞬息萬變與專橫獨斷的。難以預測的策略轉變，以及為了匹敵或超越敵方科技成果，這些都會定期性地破壞長期生產流程與相應的規模經濟，而軍事上堅持對既有武器進行短期的戰術調整，往往也會中斷整個生產流程。在這種狀況下，標準模式、可互換零件與輸送線生產都將難以建立。持續不斷的調整是戰時進行量產的大敵。在英國飛機生產部負責零件計畫工作的凱恩克羅斯（Alec Cairncross）表示：「人生就是一場與混亂長期搏鬥的戰爭。」[10] 德國容克斯Ju 88中型轟炸機在開始生產後的前三年，設計修改的次數高達一萬八千次，導致生產流程完全無法穩定下來。設計更動不僅影響飛機或戰車的最後裝配，也影響數百家零件供應商，因為它們的生產必須與主要裝配廠配合。個別供應商的量產潛力也有明顯的差異，小公司面對新的要求時，調適的能力較差，而且也比較沒有能力引進較有效率的生產方式。一九四二年，美國計畫生產戰車四萬兩千輛，卻因為缺乏重要零件而短少兩萬輛。德國到了戰爭中期，開始採取措施確保接到軍隊訂單的零件承包商能採取最務實的做法。原本承包商表現最佳與最差的比例是一比五，而在對工廠生產進行合理化調整後，這個比例降到一比一點五。[11]

儘管更複雜與更昂貴的軍事工程可能引發各式各樣的問題，各主要交戰國（義大利與中國姑且不論），最終還是發展出了各種大量生產計畫，其中當然也包括傳統的「量產」。表6.1列出了戰時各國的軍事產量。總體統計數字掩蓋了不同政治與行政體制對於生產數量的影響，也無法呈現持續變動的戰略如何影響各國生產的優先順序。舉例而言，日本與英國著重在飛機與艦艇的生產，而這一

表 6.1 主要交戰國的軍事產出，1933-1944 年

A: 飛機	1939	1940	1941	1942	1943	1944
英國	7,940	15,049	20,094	23,672	26,263	26,461
美國	5,836	12,804	26,277	47,826	85,998	96,318
蘇聯	10,382	10,565	15,735	25,436	34,900	40,300
德國	8,295	10,247	11,776	15,409	24,807	39,807
日本	4,467	4,768	5,088	8,861	16,693	28,180
義大利	1,750	3,257	3,503	2,821	2,024	-
B: 海軍艦艇	**1939**	**1940**	**1941**	**1942**	**1943**	**1944**
英國	57	148	236	239	224	188
美國	-	-	544	1,854	2,654	2,247
蘇聯	-	33	62	19	13	23
德國（只涵蓋潛艦）	15	40	196	244	270	189
日本	21	30	49	68	122	248
義大利	40	12	41	86	148	-
C: 戰車	**1939**	**1940**	**1941**	**1942**	**1943**	**1944**
英國	969	1,379	4,837	8,622	7,217	4,000
美國	-	331	4,052	24,997	29,497	17,565
蘇聯	2,950	2,794	6,590	24,719	24,006	28,983
德國 (a)	794	1,651	3,298	4,317	5,993	8,941
(b)	-	394	944	1,758	5,941	10,749
日本	559	1,023	1,216	1,271	891	371
義大利	（1940-43 年）1,862 輛戰車、645 門自走砲					
D: 火砲	**1939**	**1940**	**1941**	**1942**	**1943**	**1944**
英國	1,400	1,900	5,300	6,600	12,200	12,400
美國	-	約 1,800	29,615	72,658	67,544	33,558
蘇聯	17,348	15,300	40,547	128,092	130,295	122,385
德國	約 2,000	5,000	7,000	12,000	27,000	41,000

海軍艦艇不包括登陸艦艇與小型輔助艦艇；德國數字（a）指戰車，（b）指自走砲與反戰車砲；蘇聯戰車數字包括自走砲；英國、美國與德國火砲只包括中口徑與大口徑，蘇聯火砲則包括所有口徑。

選擇符合英日兩國身為島國的戰略性質。蘇聯與德國生產的海軍艦艇數量較少，但陸軍與空軍的產量特別多。只有美國因為坐享半個世界的資源，因而得以生產最大規模的陸海空三軍武器。統計數字也無法顯示不同產出的品質優劣。雖然軍事當局普遍想將配備升級到最新水準以對抗敵軍，但這點通常很難做到，可能是因為現有產線已經投入先前的武器版本，也可能是因為目前經濟的工程能力無法企及。在多數情況下，武器品質良窳的影響還沒有大到足以彌補數量上的差異。隨著戰時經濟逐漸成熟，軍方、商界與政府已經懂得彼此合作，把重點放在已經獲得實戰驗證且能有效率量產的武器上，而不是把資源浪費在大量無用的武器款式。

減少武器型號數量與更有效管理修改次數，都是武器量產的重要乘數。一旦生產更加標準化，產出後就可以統一交由最優秀與規模最大的公司進行，以此來提高產量。然而這個過程不一定平順，軍種與軍種之間總是會搶奪生產資源，影響彼此的合作關係。在日本，海軍與陸軍各行其是，雙方都不願在武器採購政策上進行協調，結果海軍生產了五十三款飛機基本型號與一百一十二款衍生型號，陸軍則是生產了三十七款飛機基本型號與五十二款衍生型號。到了一九四二年，日本海軍擁有的引擎類型已多達五十二種。儘管戰爭最後兩年的日本在飛機與航空發動機的產量上有所增加，但生產流程卻是處處受限，備品與維修問題層出不窮。[12]在英國，由於科技進展快速，使得標準型號遲遲無法定案，直到戰爭中期才確定以邱吉爾與克倫威爾這兩款戰車做為設計的標準型號，後者又衍生出彗星與挑戰者兩型。轟炸機的生產則以蘭開斯特與哈利法克斯兩種型號為主，戰鬥機與戰鬥轟炸機則集中生產噴火式、霍克公司的暴風雨式（Hawker Tempest）與迪海維蘭公司的蚊式轟炸機（De Havilland Mosquito）。戰車引擎聚焦於「流星」（Meteor）的生產，航空發動機則以勞斯萊斯梅林（Rolls-Royce Merlin）發動機為生產重點項目。美國在戰爭剛開打時就已經選定標準型號進行量產，戰車的生產幾乎完全以雪曼M4及其衍生型號為主，陸軍飛機則專注生產B－17與B－24重型轟炸機，P－38、P－47與P－51戰鬥機，以及道格拉斯DC－3運輸機。美國陸軍與海軍總共只生產了十八款飛機型號。陸軍的卡車生產則只以四個測試型號為基礎，至於常見的威利斯吉普車則成為主要的小型指揮通信車輛。蘇聯在戰爭時期生產的戰車幾乎清一色是T－34及其升級型號，直到戰爭結束前幾個月才出現了IS－1重型戰車。蘇聯空軍生產最多的是Yak－9戰鬥機與伊留申Il－2攻擊機，分別生產了一萬六千七百架與三萬六千架。[13]德國在標準化生產上的成果有限，梅塞施密特Bf－109戰鬥機是一項重要例子，戰爭期間總共生產了三萬一千架。只要能決定主要型號，開啟長期生產線流程，自然而然就會出現規模經濟。

即使有較穩定的型號與標準化，量產還是會有其他問題。型號在生產時必須與軍方協商進行修改，因為軍方最關切的還是戰場表現，而非不間斷的生產過程。英國採取了漸進式變更設計的政策，要求飛機型號的修改必須盡可能在既有的生產線上進行，以免嚴重妨礙生產進度。噴火式戰鬥機前後經歷二十次重大設計升級，但生產從未因此中斷，也未重新變更設計，而這幾次的升級已足以讓一九四四年的噴火式戰鬥機性能遠超過一九四〇年的型號。相較之下，美國的做法則是允許充分量產，使流水線生產能完全反映成本效益。產出後若有需要，可以再將飛機成品送到二十所改進中心的其中一所，中心會額外耗費百分之二十五到五十的工時針對每架飛機進行修改，只是這麼做也會抵消原本量產形成的成本效益。福特公司專為B－24轟炸機在密西根州威洛蘭恩（Willow Run）設置了廣大廠房，光是生產前的修改就讓飛機設計出現大幅變動，機械、治具與夾具也都要定期變更，導致飛機在生產前就已經耗費許多時間與金錢。到了一九四四年，美國飛機產業決定改採英國模式以減少供給延宕，同時也藉此避免前線部隊提出的各項戰術需求及修改中心提出的各項意見在整合時造成的混亂。[14]

量產的另一項隱憂，就是有可能採取削減成本的生產方式，僱用技術水準較低的勞工，導致最終產品品質不甚理想。二戰期間，英國戰車便以裝配不佳著稱，在戰場上經常故障。一九四二年九月，英國設立作戰車輛檢查處，檢查員的數量從一九四〇年的九百人，增加到一九四三年中的一千六百五十人，機械故障事件的通報數量因此得以在一九四四年減少。英軍發現從《租借法案》取得的美國雪曼戰車也有類似問題。一九四二年，運往北非的三十八輛雪曼戰車，出現了一百四十六次故障，原因應該也出在裝配檢查時有疏失或不夠仔細。[15]蘇聯T－34戰車在快速大量生產的同時，品質往往也十分低劣。一九四三年夏天的庫斯克會戰時，蘇聯生產的戰車只有百分之七點七通過工廠的品管測試。[16]美軍工兵曾在陸軍馬里蘭州亞伯丁試驗場測試蘇聯交給他們的T－34戰車，結果發現蘇聯戰車的工程品質低劣，完工手續也非常粗糙。在經過三百四十三公里的行駛測試之後，戰車完全拋錨且無法修復，因為T－34的空氣過濾器品質很差，導致塵土被吸進引擎中，使得引擎報廢。除此之外，該車裝甲焊接處還有裂縫，只要下雨車內就會滲水；履帶品質也不佳，每隔一段時間就會斷裂等。[17]雖然量產是理想，但即使是大型量產廠商也無法在大量生產的同時能兼顧產品品質。

中日戰爭與歐美的量產經驗完全不同。中國的戰時生產一方面受到工業發展狀態不成熟的影響，另一方面也因為華北與華東遭受日本占領，而這兩個地區不僅擁有豐富資源，也是中國僅有的工業區所在地，這些都使得中國的軍事生產雪上加霜。面對日軍入侵，中國把兵工廠的機器設備大量疏散到後方，遷往中國西南部與戰時首都重慶附近的工業區。從一九三〇年代晚期開始，重慶周圍聚集的十三座兵工廠至少供應了中國三分之二的戰時生產。[18]與其他交戰國相比，中國的戰時紀錄相當缺乏，中國的兵工廠也缺乏現代機具與充足的原料供應，往往只能仰賴手工。國民政府軍需署一年只能分配一萬兩千噸的鋼鐵給兵工廠。兵工廠人數最多也不過五萬六千五百名工人，產品主要是輕兵器、彈藥、八十五公釐迫擊砲與手榴彈。國民政府陸軍總計約有三百個師，也就是三百萬人，但一九四四年的武器產量竟只有六萬一千八百五十支步槍、三千零六十六挺重機槍、一萬零七百四十九挺輕機槍與一千兩百十五門迫擊砲。一九四一年，中國研發了三十七公釐火砲，但每年只能生產二十到三十門，而且砲彈品質不佳。[19]中國無法生產飛機、重砲、戰車與裝甲車輛。上述數字使人難以理解國民政府軍隊如何能持續數年抵抗強大的日軍，特別是在日軍切斷了國民政府已經十分有限的外來補給線時。戰前進口的武器仍有庫存，但數量不多且無法補充。中國軍隊時常利用地形優勢對日軍發起消耗戰，然而一旦遭遇會戰，中國軍隊稀少的資源不可避免使他們遭遇慘敗。

日本在一九三八年頒布《國家總動員法》，但日本為了對華作戰而進行的戰時生產依然受到限制。從一九三七年到一九四一年，日本軍工業每年平均生產六百輛輕型與中型戰車，而為陸軍與海軍生產的飛機則由於機器與引擎的型號繁多，每年生產的數量只約略超過四千架。[20]日本把大部分資源投入在海軍造艦上，不過這項戰爭投入對侵華戰爭幾乎沒有任何助益。造艦與飛機產業的組織與機器設備相對現代，但陸軍與海軍的生產領域涇渭分明，加上小型承包商的數量眾多，彼此的生產效率無法統一，使得生產難以集中化，這些都導致日本的武器量產受到限制。太平洋戰爭爆發後，戰時生產也出現了改變。大量投資湧入海軍艦艇、商船與飛機的建造，深陷侵華戰爭泥淖的日本陸軍，機械化或摩托化程度則因此止步不前。太平洋戰爭期間，戰車生產數量從一九四二年高峰的一千兩百七十一輛，下降到一九四四年的三百七十一輛；一九四二年開始生產的戰甲車輛，在整個戰爭期間只生產了一千一百零四輛。從美國或歐洲的標準來看，日本的汽車工業相對落後，四年間只產出五千五百輛大卡車供軍事與經濟使用。[21]當戰場上彈藥用盡時，日本士兵只能使用武士刀或刺刀。由於美國進行海上封鎖，日本嚴重缺乏鋼鐵等金屬，這是日本戰時生產數量偏低的原因之一。此外，日本採取的戰略決定，也使原本已經有限的產業經濟限縮在特定產品上，這也造成武器量產的不足。

到了一九四三年，日本為了保衛帝國國防圈，決定把飛機生產放在最優先順位。全力生產飛機的決定，使整套戰時生產體系面臨嚴峻的壓力。一九四三年十一月，戰爭已接近末期，日本政府終於在此時成立軍需省，負責監督飛機生產。到了一九四四年，飛機生產已占總製造產能的百分之三十四，而軍需省計畫要量產五萬架以上的飛機。[22]為此，軍需省成立了航空工業會，並且將其區分成十四個專門化協會，使其負責每一項重要的飛機子組件與大量轉包生產零件。[23]日本如果要在進口鋁土（用來煉鋁）供給枯竭之前，在一九四三年與一九四四年完成飛機量產計畫，唯一的可能就是將戰時經濟重心完全放在生產飛機。儘管如此，飛機的生產依然受到各種因素限制，例如無法充分管控零件供應商，國內生產的工具機耐久性不足、精確度也不夠，此外負責生產的工程師也缺乏大量生產經驗。日本計畫在一九四二年設立兩座量產工廠，但在高座的工廠無法依原定設計一年生產五千架飛機，最終僅僅生產了六十架戰鬥機；至於在津市的航空發動機工廠狀況更慘，直到戰爭結束都未能造出任何發動機。[24]其餘的飛機產業努力想完成計畫目標，結果生產的急迫性與引進缺乏技術的勞工，導致產品品質直線下降，到頭來飛機本身的問題反而超越空戰損失，成為日本空軍飛行員傷亡的主因。飛機軍工產業的生產力始終低迷不振。一九四四年，日本每人每日的飛機生產磅數是零點七一，美國則是二點七六。[25]即使日本能提高生產效率，原料短缺依然構成量產限制。在整個戰爭期間，日本經濟生產的武器數量僅能達到美國的十分之一。

二戰期間，真正能做到量產的只有蘇聯與美國。從一九四一年到一九四五年，美蘇總共生產了各型飛機四十四萬三千四百五十一架，戰車與自走砲十七萬五千六百三十五輛，火砲六十七萬六千零七十四門，這項紀錄不僅讓其他主要工業國望塵莫及，也讓今日的軍事生產相形見絀。美國生產的飛機數量遠超過其他盟國，而蘇聯則生產了較多的戰車與火砲，兩國在戰爭期間都維持了極高的生產水準。儘管如此，美蘇這兩個大量生產武器的國家卻各自面臨著迥然不同的處境。蘇聯採取威權式計畫經濟，由中央統籌一切，嚴格監督資方與勞方，不許違反國家的任何規畫；美國則採取自由進取的資本主義經濟，國家極少干預市場，擁有大量的個別企業與自由勞動力。在德國入侵之前，蘇聯擁有豐富的原物料，但在德國入侵之後喪失了三分之二的鋼鐵與煤礦，經濟體質大受影響，僅能靠有限的工業資源維持戰爭。例如蘇聯在一九四二年的鋼鐵產量只有八百萬噸，相較於前一年的一千八百萬噸可說是大幅縮水。煤產量也從一億五千萬噸變成七千五百萬噸，鋁產量也只剩下五萬一千噸。相較之下，美國本身的天然資源遠較其他交戰國來得豐富。光是一九四二年，美國就生產了七千六百八十萬噸的鋼鐵、五億八千兩百萬噸的煤與五十二萬一千噸的鋁。最明顯的對比或許是戰前的軍事生產狀況。蘇聯從一九三〇年代初就已經開始進行大規模軍事生產，到了一九四一年理論上已經擁有全世界最龐大的空軍與戰車部隊。巴巴羅薩戰役雖然帶來危機，卻仍不足以影響蘇聯工程師與工人多年來大量生產武器的經驗。美國在一九四一年之前除了造艦外，毫無大量生產武器的經驗，因此美國重整軍備絕大部分都是從零開始。一九四〇年，當克萊斯勒汽車公司的工程師受邀前往巖島兵工廠參觀，瞭解生產戰車的相關事宜時，這些工程師沒有任何人親眼看過戰車。[26]克萊斯勒接下生產戰車的任務，但在生產之前，公司還必須先在密西根州的農地上興建新工廠。結果到了一九四一年底，工廠一天已能生產十五輛戰車，充分展現出美國體制下的企業與工程實力。

蘇聯能夠如此大量生產武器，與共產黨的獨裁統治息息相關。一九四一年六月三十日，蘇聯國防委員會成立，由史達林擔任主席，該組織掌握了經濟上的絕對權力。國防委員會管轄所有與生產及武器相關的事務，並且將生產責任交由各人民委員部執行。與和平時期的嚴格控制相比，國防委員會反而採取鼓勵的方式，希望官員與工程師能夠發揮彈性與隨機應變的精神。凡是遇到零件與原料供給的問題都必須上報國防委員會，委員會將立即採取措施，移除體制內部的障礙，許多問題有時僅靠史達林的一通憤怒電話（或威脅電話）就能解決。[27]戰爭投入被放在絕對優先的位置，全力投資工廠、機器與原物料供給。這套體制才剛設立不久就遭受考驗：就在疏散委員會成立兩天後，德軍入侵蘇聯，該委員會成功將五萬家工場與工廠（包括兩千五百九十三家大工廠）、一千六百萬名工人及其家人遷往位於烏拉山脈、西伯利亞與俄羅斯南部的新地點。[28]這場混亂的遷徙最終只能仰賴蘇聯工程師與工人的艱苦努力才能達成，他們在冰凍的氣溫下憑藉稀少的設施或住房重建了生產線。一九四二年，萎縮的蘇聯經濟生產的軍事裝備竟遠多於一九四一年。往後的戰爭歲月裡，蘇聯工業生產的飛機、戰車、槍砲、迫擊砲與砲彈數量均遠多於軸心國。不僅如此，這些武器仍具有堅實的戰鬥品質。挑選武器的士兵與工程師只選擇其中幾樣設計以便大量生產，尤其是那些可以與德國技術相抗衡、使敵人蒙受最大程度損害的武器。卡秋莎多管火箭就是個好例子。這種多管火箭發射器可以裝設在卡車上以利部署，並且可以對敵軍發射大量的高爆彈藥，造成大範圍殺傷。卡秋莎多管火箭容易生產且便於使用，同時結合了蘇聯武器的兩項特質：簡單與殺傷力。

蘇聯的大規模生產也仰賴蘇聯特有的生產制度。蘇聯工廠規模龐大，許多工廠依照計畫進行整合，除了生產零件與設備，也負責進行裝配完成最終產品。蘇聯使用特殊的工具機建立生產輸送帶，在裝配間裡裝配零件與子組件，有時還使用挖空的木頭充當輸送帶。工程師設計廠房，旨在減少時間或資源的浪費。烏拉山區城市車里雅賓斯克有一座曳引機工廠，這座工廠可以視為是蘇聯生產模式的例證。德國入侵後過了幾個月，蘇聯戰車工業副人民委員札爾茨曼（Isaak Zaltsman）下令曳引機工廠必須改生產戰車。從列寧格勒撤出的工具機大約有五千八百臺，這些工具機裝設在四座巨大的新裝配廠裡，這些裝配廠甚至連屋頂都還沒蓋好。但上級還是下令必須馬上進行連續生產。一九四一年十月，KV－1重型戰車完成出廠，但缺乏引擎的啟動裝置。札爾茨曼下令將引擎運送到鄰近莫斯科的車站，再用火車將戰車運到首都莫斯科，途中會先經過引擎所在的車站，因此能在運送途中就把引擎安裝到戰車上。一九四二年八月，曳引機工廠接到命令，要把生產線改成生產T－34中型戰車。儘管遭遇到工廠建造新型號戰車的設備問題，但最終曳引機工廠還是在一個月內生產出了新戰車，到了一九四二年底，更是已經生產了超過一千輛戰車。[29]曳引機工廠有四萬名工人，其中百分之四十三不到二十五歲，三分之一是女性。絕大多數不適合進入工廠工作的人則必須到一九四〇年新設立的貿易與工業學校接受速成課程，然後從事相對簡單的裝配線工作。工作條件很艱困，怠忽職守則會遭到嚴懲，但是大規模標準化生產的結果，工人平均生產力確實獲得大幅提升。一九四〇年，國防產業每個工人增加的淨值（以固定價格計算）是六千零一十九盧布，到了一九四四年已達到一萬八千一百三十五盧布。[30]儘管如此，蘇聯的體制依然不減其反覆無常的性格，即使札爾茨曼成功將車里雅賓斯克改造成「戰車之城」(Tankograd)，還是逃不過史達林在戰後指控他有反革命的傾向，將他降級成一名監工。

美國企業不像蘇聯那樣有資源方面的限制，也沒有古拉格集中營的威脅。儘管如此，我們還是可以試圖比較兩者之間的差異。蘇聯展現了管理能力與積極精神把車里雅賓斯克曳引機工廠改造成輸送帶式戰車裝配線，而美國克萊斯勒公司則是在短時間內迅速建成巨大的戰車工廠。兩者都在幾個月內達成一天可以生產十輛戰車的成果，而且兩者都在例行裝配線上僱用了大量技術程度較低的工人。在生產前線上，美蘇的類似之處解釋了兩國何以能成功量產，但美國採行的制度卻與蘇聯採行的制度大相逕庭。羅斯福總統希望一九三〇年代的新政經驗可以讓聯邦政府順利主導戰時生產，但美國沒有國家中央計畫的傳統，也不知道如何管制在和平時期完全交由市場力量決定的原料與零件流動。徵召美國企業投入戰爭的結果，使積極進取的企業精神得以臨場發揮，從而創造出量產的條件，而美國的聯邦政府在形式上並未直接參與。一九四二年一月設立的戰時生產局不得不向陸軍與海軍讓步，允許他們不需要徵得生產局同意，便可自行發包採購武器軍火，這項決定等於架空了戰時生產局監督總體武器生產的權力。生產需求計畫制定的最初宗旨，是為了對原物料進行配給以限制陸軍與海軍的獨立性，但由於缺乏必要的科層組織而無法讓這項政策落實。戰時生產局也設立了生產執行委員會，試圖控制與追蹤標準核心零件的配置情況。生產執行委員會針對八十六項重要零件訂定了一般時程順序，確保每一項零件都能準時送到最需要零件的地方，結果卻是好壞參半。因為美國為了管制戰時經濟設立了大量的機構，這些機構疊床架屋，構成的行政體制不僅造成混淆，而且機構之間往往產生對立而非相互合作。[31]

美國的戰時經濟缺乏像蘇聯模式的明確計畫與指令，完全仰賴美國民間企業的投機與野心。美蘇的對比尤其表現在戰時生產局最初採取的行動上，當時戰時生產局的局長是通用汽車總裁克努德森（William Knudsen）。他召集各大企業董事，宣讀一長串必須優先處理的契約，並且徵求自願者。各大公司紛紛爭搶這難得一見的機會。[32]第一批契約有五分之四僅由一百家大企業掌握，但供應商的需求卻讓數千家零件與新設備商受惠，許多小企業因此趕上這波生產與獲利熱潮。通用汽車與一萬九千家供應商合作，在自家公司的工廠進行最後組裝，包括一萬三千四百五十架飛機。整個飛機產業就涵蓋了大約十六萬兩千家承包商。[33]大約有五十萬家新企業於戰時成立，絕大多數是為了滿足大量用於戰爭的原料需求。商界人士也被徵召進入聯邦機構協助管理，美國的商界與政府機關因而形成某種連結——例如通用汽車的克努德森、西爾斯百貨的尼爾森（Donald Nelson，克努德森的繼任者）、奇異公司的威爾森（Charles Wilson）、投資銀行的埃伯斯塔特（Ferdinand Eberstadt）等人。蘇聯體制仰賴國家的嚴密監控，美國體制則仰賴反國家干預的自願精神、充滿活力的競爭與企業家的想像。[34]當福特誇下海口，表示自己一天可以生產一千架戰鬥機時（儘管日後未能兌現），他也提出一條但書，要求聯邦政府不能出手干預，他才能實現承諾。雖然福特對於政府官僚與政府種種繁文縟節的做法抱有偏見，但他的公司最終還是成為主要軍武生產者，製造了大量的武器：二十七萬七千八百九十六輛吉普車、九萬三千七百十八輛卡車、八千六百八十五架轟炸機、五萬七千八百五十一具航空發動機、兩千七百一十八輛戰車、一萬兩千五百輛裝甲車。整個汽車產業幾乎完全轉變成軍火產業。美國汽車產業原本在一九四一年生產了超過三百五十萬輛小客車，但到了美國參戰後的高峰期，年產量居然下降到只剩一百三十九輛。[35]

相較於其他交戰國，美國比較少出現管控戰時生產方面的問題，這是因為美國的經濟並未遭遇封鎖或轟炸，因此在資源與金錢上不虞匱乏（當然，美國偶爾也會出現浪費、腐敗或無能，但這是生產者與政府機構相互競爭下不可避免的現象）。相較於德國必須投入資源來防衛領空與城市，美國幾乎完全不需要。今日絕大多數史家都認為，如果美國在生產過程更為中央集權或更具強制性，很可能就可以進一步降低生產成本；但就算沒有這一優勢，美國在軍武方面的生產力早已高得可怕，因為美國具有龐大的生產規模、廣泛採用的裝配線與流水線生產方式，就連在造船產業也是如此。美國在四年內生產了三十萬三千七百十三架飛機與八十萬兩千一百六十一具航空發動機，充分顯示聯邦政府與產業界臨時結盟帶來了正面效果而非負面缺點。人均工日生產的飛機磅數從一九四一年七月的一點零五增長到三年後的二點七。儘管美國投入大量資源在陸軍武器，但海軍與商船的造船規模也不可小覷。從戰鬥艦到驅逐艦，美國海軍艦艇一共下水一千三百一十六艘，令其他海軍國家黯然失色；此外還有十萬九千七百八十六艘小型艦艇，包括八萬三千五百艘兩棲登陸艇。[36]商船的造船產業建造了五千七百七十七艘大型船隻，包括美國最著名的量產案例：由美國企業家凱薩（Henry Kaiser）所生產的「自由輪」(Liberty Ship)。

凱薩是白手起家的經典範例，他起初在紐約經營一家小照相館，之後成了大型建設公司老闆，負責興建胡佛水壩與海灣大橋。他喜歡接受挑戰，特別是那些看似不可能完成的計畫。凱薩毫無造船經驗，但當他的建設公司於一九四〇年開始興建新造船廠時，他決定自己也試著造船——此前他從未看過船隻下水。凱薩開始在加州里奇蒙永恆金屬造船廠著手量產一萬噸的標準貨船來協助補充被德國潛艦擊沉的商船，這就是「自由輪」。自由輪的設計相當簡單，零件與裝配完全標準化，船隻沿著離海岸只有幾公里的生產線移動。所有零件與子組件都在長二十四公尺的輸送帶與巨大滑輪下裝配完成，僱用的工人只受過有限的訓練，並且接受效率專家的監督，這些工人被分配到生產線上，重複進行相同的工作。首艘貨輪在巴爾的摩下水時，總共花了三百五十五天建造，耗費一百五十萬個工時。到了一九四三年，在凱薩的加州造船廠，一艘船從進入到離開裝配線，平均只需要四十一天，僅需耗費五十萬個工時。到了戰爭結束時，凱薩的造船廠已經建造了一千零四十艘自由輪、五十艘護航航空母艦與大量的小型船隻。美國戰時使用的船隻有將近三分之一是由凱薩建造的，這是個別企業家的熱忱與對產業合理化的重視所造就出來的文化成果。[37]

然而，這類量產出來的武器，整體而言存在有戰鬥品質不盡理想的問題。即使是船身全新焊接的自由輪，也可能在波濤洶湧的大洋中解體。軍方傾向於選擇已經開始生產或可以迅速調整量產的設計，但實際作戰經驗卻暴露出這種採購方式的缺點。大量生產的B－17與B－24轟炸機，在德國防空系統面前成了不堪一擊的目標，除非有較新型的戰鬥機護航，否則難以平安返航。一九四三年底，美國在極短時間內成功量產可以外掛的油箱，使這些護航戰鬥機可以順利伴隨轟炸機飛抵德國上空進行轟炸。至於當時最先進的B－29重型轟炸機，則是直到一九四四年底才投入實戰，且投入戰鬥後設計造成的問題便接踵而至。儘管一九四二年十月貝爾的XP－59A實驗機成功完成首次噴射動力飛行，但研發工作仍然過於緩慢，來不及在戰爭結束前生產出第一架可用的噴射機。[38]至於在陸軍武器的部分，美國陸軍軍械部技術局局長巴奈斯少將（Gladeon Barnes）堅持採用標準型號的中型戰車設計，也就是M4雪曼戰車及其衍生型號，因為只有這種戰車才適合迅速進行量產。然而，這種戰車的性能卻普遍不如最新型的德國與蘇聯戰車。軍械部缺乏戰車設計的實際經驗，也不熟悉裝甲部隊的實際作戰需求。結果就是生產出來的雪曼戰車，即便經過幾次升級，依舊存在有裝甲防護力不足、車身過高、射速不夠等問題，因而在戰場上十分脆弱。一九四三年與一九四四年，M4戰車乘員在戰鬥時必須採取從側面或後面攻擊德軍戰車的戰術，因為從正面攻擊的話M4戰車很可能沒有勝算。裝甲師的一名中士寫道：「我們的戰車用來閱兵與訓練可能不錯，用來戰鬥就可能成了棺材。」用來取代M4雪曼且可與德國豹式與虎式戰車抗衡的重型戰車M-26「潘興」，直到戰爭結束前幾個星期才順利出廠，數量極少：歐洲戰場只分到三百一十輛，戰車部隊也只接裝了其中兩百輛。[39]美軍地面作戰之所以能獲得勝利，主要是因為美軍擁有大量的裝備可以彌補武器品質的不足。

德國的戰時經濟其實具有量產的潛力。相較於工業發展相對不足、資源取得也受到嚴重限制的日本與義大利，德國擁有深厚的工業、工程與科學研發實力，有能力動員進行戰爭，更不用說到了一九四一年，德國已經掌握了歐陸絕大部分資源。蘇聯在一九四三年的總鋼鐵生產量是八百五十萬噸，德意志帝國的鋼鐵總產量則高達三千零六十萬噸。蘇聯在同年開採了九千三百萬噸的煤，德國則是高達三億四千萬噸。至於用來製造飛機等戰爭相關產品的鋁，當年蘇聯只生產了六萬兩千噸，而德國產量則是二十五萬噸。因此，我們無法說第三帝國並未取得足夠的資源或工業投資。但德國卻是一直要到一九四三年及一九四四年，才開始對這些資源進行較有效率的運用（即便當時其主要工業大城正在遭受盟軍嚴重轟炸），其後期的資源使用效率儘管無法媲美同盟國的量產，也已相對接近。美國戰略轟炸調查團的經濟學家曾經對這個現象感到困惑，那就是為什麼德國明明擁有軍事經濟所需的一切資源，戰爭初期卻只生產了數量相對不多的飛機、戰車與車輛？面對這個弔詭的現象，調查團在一九四五年達成結論，認為這是因為希特勒政權因為擔心觸怒國內工人，因此不願在戰爭初期全面動員經濟，直到後來隨著戰局惡化，才不得不在一九四三年進行動員。[40]

歷史的實際情況並非如此。打從戰爭一開始，身為最高統帥的希特勒就希望戰時生產能盡快超過一戰末期的水準。一九三九年十二月，陸軍軍備局對一九一八年的武器生產量、當前的武器生產量，以及希特勒對一九四〇年到一九四二年的武器生產設定的「最終目標」進行了比較。一九一八年生產的火砲數量為一萬七千四百五十三門，希特勒的最終目標是一年生產十五萬五千門；一九一八年生產的機關槍數量是十九萬六千五百七十八支，希特勒希望能達到一年超過兩百萬支；一九一八年的火藥與炸藥每月產量為兩萬六千一百噸，但希特勒希望每月產量達到六萬噸。希特勒的最高統帥部下令，要讓德國經濟「全力」投入戰爭，確保「武器生產盡可能達到最高的數量」。[41] 希特勒以這些統計數據做為衡量標準，以此來抱怨當前軍事生產的無效率。史佩爾在一九四二年二月被任命為軍需部長，他在戰後的訊問中提到，希特勒「知道一戰詳細的供給數據，他因此指責我們在一九四二年生產的武器數量居然比一九一七年到一九一八年生產的武器數量來得少」。[42] 德國的戰時生產在一九三九年到一九四二年開始擴張，一九四二年，德國已經有七成的製造業勞動力為武裝部隊工作（這個水準遠高於英國或美國在戰爭期間投入的勞動力比例），鋼鐵生產有四分之三完全配置在軍事經濟上，儘管如此，德國的武器生產仍遠低於可能的量產水準。[43] 相較之下，英國與蘇聯在戰爭初期投入的原料資源與勞工都比德國少，但生產的武器數量卻比德國多。

針對這樣的差異，學界提出了各種解釋。希特勒對於戰時生產不是沒有自己的想法，但他並未像史達林（或邱吉爾）那樣設立中央國防委員會，針對戰略、工業能力與科技發展進行整合與搭配。在缺乏中央決策中心的情況下，德國的戰時生產體系呈現多頭馬車的狀態，戈林的四年計畫、經濟部、勞動部、一九四〇年春設立的軍需部、空軍部等行政機構各行其是。主要的問題出在軍方對於能生產什麼、由誰生產與生產多少數量有絕對的掌控權。德國各軍種未能彼此協調共同擬定計畫，而是抱持本位主義提出自己急需的要求，完全不管這些要求在工業上是否可行。軍方本能地對量產抱持懷疑態度，傾向於與既有的承包商合作，維持專門化、高品質與定製化的武器傳統。軍方認為，現代武器需要一定程度的科技水準與精密加工，這些都是量產難以企及的。戰爭結束時，史佩爾的一名軍需部高階官員被人挖苦說，德國就是因為無法充分動員汽車產業進行量產，才會輸掉這場戰爭，但這名官員依然故我地認為：「這種做法不適合戰時生產……我們不能只集中量產某個類型的武器。」[44] 德國軍事工程師與督察官堅持，軍工產業必須根據作戰經驗進行彈性回應及調整，由此產生的大量型號與實驗計畫使得標準化與長期生產線流程窒礙難行。一九四二年，希特勒認為產業界確實有理由抱怨「零星生產」的要求，「今天下單要求生產十門榴彈砲，明天又下單要求生產兩門迫擊砲等等。」[45] 民間產業必須遵守軍方命令，民間工程師或設計師在前線若不想受到干預，首先必須先成為軍人。但即使是文官掌政軍需部（負責提供武器），也被陸軍軍備局認定是一群「無經驗的外來者」。[46] 軍方的要求使得德國的戰時經濟漫無章法，也扼殺了量產的可能。史佩爾的副手紹爾就認為，軍方的干涉使德國的生產體系到了一九四一年依然「無法完全合理化」。[47]

希特勒希望打破僵局，於是在一九四一年十二月下達了合理化的訓令，並且堅持軍方必須允許德國產業進行量產，如此才能與蘇聯的武器生產抗衡。但結果依然好壞參半。希特勒下達訓令後不久，軍需部長托德便大幅改革了戰時生產的組織方式。戰甲車輛、輕兵器、彈藥、工具機、造船等主要武器類別都設立了委員會，由工程師與實業家而非軍方人士擔任委員。然而，吸收德國戰時生產所需資源四成以上的飛機生產，卻無須聽從托德軍需部的命令，因為戈林在空軍部的副手米爾希也成立了類似的生產「集團」，由各大生產商共同組成，用來生產飛機、航空發動機與零件。然而，這多達一百七十八個在一九四二年夏天組成的生產集團與委員會，反而對量產制度帶來負面的影響。[48]無論是軍需部還是空軍部，兩者的目標都是要讓最有效率的公司扮演領頭羊的角色。造船委員會主席梅爾克（Otto Merker）就表示：「由最傑出的公司來領導各家公司，這麼做為實現武器生產合理化邁進了一大步。」[49]一九四二年二月，托德在一場空難中喪生，希特勒於是任命托德賞識的建築師成為新任軍需部長，那就是年輕的史佩爾。史佩爾出身平民，之前從來沒有武器生產經驗。史佩爾接續托德的工作，並在該年三月成立中央計畫局，負責管制關鍵原物料的供給，以解決原物料分配工作未考慮輕重緩急而造成大量浪費的問題。在希特勒下達訓令之後，合理化不僅成為經濟上的必要手段，也成為政治上必須服從的規範。效率專家胡普法爾（Theodor Hupfauer）接到指示，要對德國戰時產業的整體生產績效進行評估。在一九四五年的訊問中，胡普法爾提到自己的調查顯示，「德國的產業效率低落，即使是最現代的公司也不例外。」他發現不同公司的生產流程的生產次數，差距可以達到二十倍，而最終裝配次數的差異也可以達到四至五倍。胡普法爾寫道，接下來的戰爭標語成了「盡一切努力擴大基礎，**提高效率**」。[50]

軍需部採取各項措施，試圖更合理地將德國工業產能投入戰爭，卻遭到德國陸軍的反對——德國陸軍依然堅持由軍方主導採購政策。雖然合理化的措施獲得希特勒的直接支持，沒有人敢輕易挑戰這項決策，但史佩爾還是得等到一九四四年夏天才得以掌控各產業的軍事生產。其中一項重要改革，就是價格固定制度。這項制度最早原本是由托德與軍需部提議，並於一九四二年初不顧陸軍反對而推動，試圖以強制的價格固定契約來取代陸軍採行的成本加成契約。價格固定可以讓製造商撙節成本以取得適當獲利，成本加成則會讓廠商為了規避軍方對價格與成本的嚴厲控制而採取較無效率的生產方式。在價格固定下，公司如果可以生產出比規定價格低百分之十的產品，又或者公司如果能接受低於規定價格的售價，並且靠著提高效率節省成本，公司就能獲得一定數額的獎金，且公司因效率提升取得的額外獲利也不用課徵特別的戰爭利潤稅。一九四二年一月，托德與德國實業家開會時提到，「能夠以最合理的方式運作的公司，就可以獲得最高的利潤。」公司愈能提升效率，愈能賺取更高的利潤。[51]武裝部隊只能勉為其難地接受自己無法繼續管控價格的現實，納粹黨激進分子則是反對托德改革明目張膽呈現的「資本主義」色彩。到了一九四二年五月，史佩爾終於接續引進了新的價格固定制度，並且警告廠商，未來如果未能通過提升生產力測試，就會從承包商名單中除名。我們很難評估生產績效的提升有多少源自於獲利誘因的影響，因為有些武器生產商屬於國家所有。但禁止軍方干涉價格，確實給予廠商空間，使其能自行決定如何生產戰時商品。[52]

對德國來說，更困難的問題在於如何重整混亂的軍事訂單，以及如何讓生產集中在長期的標準化產品之上。史達林格勒會戰的慘重損失，使得武器生產合理化成為不得不採行的策略。到了一九四三年，史佩爾藉由獎勵有效率的公司與關閉無效率的廠商，成功集中了零件與工具機生產。原本在一九四二年有九百家公司負責生產工具機，到了一九四三年秋天只剩下三百六十九家；德國生產的稜鏡玻璃類型也從原本的三百種逐漸減少到十四種，製造稜鏡的公司也從二十三家減少到七家。[53]史佩爾設立軍備委員會，負責讓軍方的技術需求與工業產能更妥善搭配。經過協商之後，陸軍同意將步兵輕兵器的型號從十四種減少為五種，反戰車武器從十二種減少為一種，防空砲從十種減少為兩種，車輛從五十五種減少為十四種，戰甲車輛從十八種減少為七種。陸軍總部最後終於下令，「簡化生產方式」以促成「量產」。[54]飛機型號先是從四十二種減少到二十種，然後又減少到九種。一九四四年春天成立的緊急「戰鬥機任務小組」為了協助對抗盟軍的轟炸，最終又將飛機型號減少到只剩五種。[55]挑選出來的武器型號與零件因此可以進行長期生產，並且適合於搭配輸送帶與滑輪的機械化生產。然而，在盟軍密集轟炸導致必須分散生產下，現代工廠方法始終無法在德國各地施行。德國在傳統上傾向於使用通用性的工具機，不喜歡使用流水線生產需要的專門化工具機，這種偏好也導致工廠在聘僱人力時總是選擇技術勞工。直到一九四四年，德國的生產方式終於轉變成量產模式，此時工廠人力多半調整成半技術導向的外籍勞工，這些人更適合在裝配線上從事生產工作。每間公司的績效表現不盡相同，例如容克斯飛機製造廠的生產力年成長率達到百分之六十九，但亨克爾飛機製造廠卻只有百分之零點三。但整體而言，德國勞動生產力的數據顯示，德國在戰爭的最後兩年生產力出現了最大幅度的增長。[56]根據估計，德國國防產業的人均產出如果以一九三九年為基準將指數設定為一百，那麼到了一九四一年降到七十五點九，到了一九四四年又躍升至一百六十。另一項估計則指出，從一九三九年到一九四一年，德國國防產業人均產出呈現溫和成長，從一九四二年到一九四四年則開始大幅成長，一九四四年後的戰時產業已經逐漸掌握量產模式，學習曲線才趨於平緩。但與此同時，德國在化學、鋼鐵與液體燃料等其他相關產業的生產力，一九四四年已明顯低於戰爭剛開始之時，這點可由美國戰略轟炸調查團使用的德國官方數據佐證。但無論個別產業的績效好壞，戰時德國在量產上的表現都明顯比不上蘇聯或美國經驗。[57]

當德國終於能進行量產時，盟軍已經開始大舉轟炸德國本土並且登陸歐洲，德國因此愈來愈難取得所需資源。更糟的是，就像日本於一九四四年大舉擴大生產一樣，此時的軸心國就算能傾全力生產，也已經完全趕不上同盟國的生產速度。一九四三年到一九四五年，德國生產的飛機與車輛數量大幅增加，然而武器耗損的數量也同樣巨大，導致量產幾乎無法對軍力提升產生實際影響。德國軍方雖然重視武器品質，但戰時經濟的混亂與未能成功研發出新武器，導致德軍武器的性能遲遲無法提升。德國空軍在新一代戰機的發展上做了錯誤判斷，使空軍最終只能升級一九三八年就已經出廠的飛機型號，如Me-109、Me-110、He-111、Do-17、Ju-52、Ju-87與Ju-88。重型轟炸機亨克爾He-177與重型戰鬥機梅塞施密特Me-210證明是一場設計災難，德軍在這兩型飛機上投入大量資源，獲得的成果卻少得可憐。[58]德國於一九四三年到一九四四年迅速研發出噴射戰鬥機Me-262，想用來取代已經老舊的活塞發動機戰鬥機。新式的噴射發動機不僅生產工時較短，使用的稀土原料也較少，但新發動機的生產品質不佳，未能通過完整測試。直到戰爭結束為止，德國總共生產了一千四百三十三架噴射戰鬥機，但只有三百五十八架服役，多達數百架遭到報廢。[59]德國飛機的研究與發展完全孤立於前線之外，各式各樣的先進計畫幾乎對戰局毫無助益，最終導致飛機研發的失敗，包括胎死腹中的「國民戰鬥機」火箭動力戰鬥機亨克爾He-162。這款飛機與前述的噴射戰鬥機一樣，在戰爭結束前幾個月匆促在地下工廠製造，最後才在德國投降前三個星期少量地投入戰鬥，於事無補。60

海戰方面，德國在潛艦設計上確實有了新突破，例如可以完全潛航的XXI型與XXIII型潛艦，但這些潛艦卻未能即時生產與投入戰鬥。虎式與虎王這兩種重型戰車雖然火力強大，但產量不足，而且技術過於複雜、生產過於匆促，導致戰車經常出現機械故障。最後不得不提的是希特勒在一九四三年決定量產的「復仇武器」(Vengeance Weapons)，包括V1飛彈與V2火箭。然而這類復仇武器並未帶來戰略利益，反而因為吸收了大量產能而排擠其他真正能帶來戰略利益的武器。雖然德國軍方重視武器的品質甚於數量，但到了一九四四年，先進技術的優勢已無法彌補戰場上德軍與盟軍的資源落差。德國的戰時生產徘徊於蘇聯與美國模式之間，最後落得兩頭皆空：德國一方面採取了蘇聯式的計畫經濟，卻缺乏中央管理體系，另一方面又採行了美國的資本主義，卻無法解放出民間企業家的進取精神，反而屢屢在軍方干預下遭到扼殺。這種矛盾一直拖到很後期才解決，最終難以實現希特勒在一九四一年命令中所陳述的量產願景。

民主兵工廠與《租借法案》

一九四一年十月初，英國與美國代表在莫斯科與蘇聯政府達成歷史性協議，決定提供武器裝備支援蘇聯作戰。在莫斯科進行會談時，即將接任蘇聯駐美大使的李維諾夫（Maxim Litvinov）在達成協議時起身高聲說道：「我們將贏得這場戰爭！」[61]過去幾個星期以來，史達林持續向西方盟國求援未果，這次協議能夠順利達成，他的興奮之情溢於言表。就在德軍兵鋒已經接近蘇聯首都之時，史達林寫信給羅斯福，針對美國的武器供應表達「最深刻的感激」，對於可以等到戰後再償付軍費更表示「誠摯的感謝」。[62]同日，一九四一年十一月七日，美國總統正式下令，蘇聯將成為《租借法案》援助的受惠國。同盟國成員若想增加武器裝備，除了憑藉國內生產，唯一的辦法就是仰賴美國無償提供。這是一場遍及全球、史無前例的後勤補給計畫，與軸心國交戰的國家可以藉此重新分配資源，在莫斯科達成的協定這項計畫的其中一環。查爾斯·馬歇爾（Charles Marshall）是哈佛大學政治系教授，也是一名參與二戰的士兵，他在評價《租借法案》時表示，這是「一個在國際經濟戰略下建立的龐大體系。加入這個體系的國家，涵蓋了地球三分之二的陸地與三分之二的人口」。[63]早在美國參戰之前，華府的戰略選擇已經轉變了同盟國的戰時經濟潛力。一九四〇年十二月，羅斯福承諾美國將成為「民主的兵工廠」。到了一九四五年，這一承諾已完全兌現，美國提供的援助計畫總價值超過五百億美元。

軸心國沒有可與同盟國匹敵的優勢，他們沒有「獨裁的兵工廠」。雖然德國這個戰時經濟體相對於義大利與日本，就像美國這個經濟體相對於其他同盟國一樣，但德國光是維持自身的軍事需求就已經捉襟見肘，更不用說支援其他弱小夥伴的戰時經濟。德國給予其他盟邦的軍事援助只是杯水車薪，根本無法與美國的龐大軍援相比，而且德國的軍援還不是無償給予。一九四三年，德國出口五百九十七架飛機給義大利、芬蘭、羅馬尼亞、匈牙利、保加利亞與斯洛伐克，用來換取德國急需的石油、糧食與礦產，而這些飛機絕大多數還不是作戰用的飛機；反觀美國則是在一九四一年到一九四五年間分配了四萬三千架飛機與四萬八千具航空發動機給其他盟邦。[64]另一方面，即使在後勤上做得到，義大利與日本也不太可能向德國提供軍事援助，且由於地理隔絕與英美控制海上通道，歐洲的軸心國也難以援助日本。一九四三年，七架德國飛機與一具BMW航空發動機成功運抵日本，已屬少見的成就。另一個例子發生在德國於一九四〇年占領法國與荷蘭之後。當時日本確認德國沒有進一步占領法國與荷蘭在東南亞殖民地的企圖，於是同意從自己占領的南洋地區運送原料給德國。日本的封鎖突破船（或稱柳船）最終順利將十一萬兩千噸的物資（主要是橡膠與錫）運往德國。盟軍在一九四三年開始控制海洋後，日本便無法再繼續運送物資給德國。日軍在同年試圖突破盟軍封鎖，送出一萬七千四百八十三噸的補給物資，結果只有六千兩百噸成功運抵德國，這個數量只是同盟國運送物資噸數的零頭。日本於是改用更大型的貨運潛艦將原物料運往德國，但絕大多數都在運送途中遭到擊沉。一九四四年到一九四五年，日本總計送出兩千六百零六噸物資前往歐洲，只有六百一十一噸平安抵達。[65]德國提供義大利的物資主要是煤鐵，但柏林當局認為，義大利應該衡量自己的資源來制定相應的戰略，不應該處處仰賴德國支援。實際上，義大利只取得了一小部分要求的煤鐵。德國公司擔心透過出售或以物易物的方式將軍事裝備交給義大利，會讓義大利公司仿製武器，並且在戰後與德國競爭市場。義大利官員收到德國當局的通知，表示義大利武器工廠需要的機器將排在清單最後，德國只會將設備優先提供給根據德國軍方命令進行生產的歐洲公司。

當義大利空軍於一九四二年要求德國提供先進雷達設備時，主要供應商德律風根堅持必須由德國派人到義大利進行操作以避免商業剽竊。[66]在軸心國三個成員國之間，幾乎不存在直接的技術或科學援助。一九四二年，德國工程師同意運送一臺符茲堡雷達給日本，但負責運送設備的兩艘潛艦，有一艘在途中遭到擊沉。

軸心國必須從各自征服的地區擷取物資來支應國內的武器生產，也只能仰賴擄獲敵軍武器才能額外增添軍事裝備，然而這類收穫往往是偶然且不可預期的，並非長久之計。法國戰敗之後，德國擄獲法國與英國的二十萬輛車輛，這是德國武裝部隊收繳敵方武器收穫最大的一次，此外還徵用了大量法國飛機。在占領法國期間，德國持續利用法國的飛機與汽車產業。法國飛機廠商在一九四二年生產了一千三百架飛機，一九四三年則是兩千六百架，不過這些飛機絕大多數是教練機與輔助機。這些飛機在戰爭期間只占德國生產飛機總數的一小部分，而且德國還必須付費購買。[67]德軍確實會使用俘獲的法國戰甲車輛，但數量同樣不多。德國陸軍的一份報告在一九四三年五月表示，在各個前線上，德國使用的現役法國戰車總共六百七十輛。雖然德國陸軍總部想盡可能重新利用擄獲的蘇聯戰車，但絕大多數都已不堪使用。一九四三年五月的另一份報告估計，德國陸軍或安全部隊在東線戰場俘獲了約三百輛蘇聯T－34戰車，但只有六十三輛可以用來作戰。在經歷作戰的嚴重損失後，到了一九四五年四月俘獲的戰車只剩三百一十輛能繼續作戰。反觀美國到了這個時期，已經提供三萬七千三百二十三輛戰車給盟軍使用。[68]

對美國來說，無償援助與軸心國交戰的國家是一項困難的決定。不僅是因為美國在一九四〇年開始重整軍備時軍方希望優先取得軍事資源，也因為美國當時並未參戰，軍援很可能在國內引發法律與憲政爭議。無償援助的決定，起因於一九四一年初：當時英國顯然已經無法以美元支付所有軍事訂單。羅斯福於一九三九年成功修訂美國的《中立法案》後，有兩年的時間，英國簽訂的軍事裝備契約（主要是飛機與航空發動機）都是採取「現購自運」的模式。到了一九四〇年，英國在美國工廠仍有兩萬三千架飛機的訂單，但此時的英國已經耗盡了美元與黃金儲備，無法支付訂單需要的款項。如果美國堅持不提供飛機，英國將無法繼續作戰。一九四〇年夏天，美國已經出售大量步槍、機槍、火砲與彈藥，以彌補英國遠征軍在法國的龐大損失。一九四〇年九月，羅斯福批准釋出五十艘已經生鏽的一戰驅逐艦，協助護航英國船團，但前提是英國政府必須同意讓美軍使用從紐芬蘭到百慕達的英國軍事基地。這項交易遭到美國國內反對干預歐洲戰事的遊說團體大力阻撓，羅斯福因此向國會提出保證，這些軍事基地是美國用來維護西半球安全的前哨站，而非美國介入歐洲戰事的跳板。雖然羅斯福對於英國的困境深表同情，但他瞭解美國輿論絕大多數不僅反對干預，甚至帶有仇英傾向。就連羅斯福身邊的軍事顧問也不希望美國提供協助保衛大英帝國。他們最重視的是美國未來的安全，因此美國援助英國只能在這樣的前提下進行。在高階軍事將領中，主張干預最力的莫過於史塔克海軍上將（Harold Stark），他認為援助英國可以「確保西半球的現狀，促進我們的國家利益」。[69] 一九四一年一月，當援英法案送進國會審議時，法案取了一個奇怪的名稱，叫做《提升美國國防與其他目的的法案》，而且在美國最高法院大法官弗蘭克福特（Felix Frankfurter）的煽動下，該法案被給予了一個充滿愛國主義（與反英）的案號，H. R. 1776。[70]

一九四〇年十一月，羅斯福史無前例地贏得第三任總統任期之後，便前往加勒比海度假。十二月九日，當羅斯福在塔斯卡盧薩號巡洋艦（*Tuscaloosa*）上時，收到由水上飛機送來的信，這封信是邱吉爾寫的，而信的內容催生了《租借法案》。邱吉爾在信中坦承，英國終於到了無法用現金向美國購買補給與船運的時候，而沒有美國的協助，「我們將無法繼續戰鬥下去。」[71]早在十一月底，英國駐華府大使洛錫安勳爵在抵達紐約拉瓜地亞機場（La Guardia）時，就已經毫不掩飾地說出英國面臨的危機。他向在機場等候的記者表示：「各位好，英國破產了，我們需要你們出錢幫忙。」十二月初，羅斯福的內閣針對是否援助英國以確保美國的安全進行討論，儘管對於英國是否如其政府所宣稱的已經耗盡資產存有疑慮，美國還是決定出手援助。[72]問題在於要如何資助英國訂單卻又不違反《中立法案》與一九三四年的《強森法案》（Johnson Act），後者禁止美國貸款給曾在一戰向美國借款卻拒絕償還的國家，其中也包括英國在內。羅斯福在塔斯卡盧薩號甲板上反覆閱讀邱吉爾的信，最後，羅斯福終於在十二月十一日向同在船上的親信霍普金斯表示，把貨物租借給英國應該是個好主意。「省去那些愚蠢荒謬的舊美元符號」，幾天後，羅斯福便如此在記者會上宣布。[73]幾乎可以確定的是，羅斯福希望藉著支持英國繼續對德作戰，使美國避免戰爭。至少他相信藉由「租借」（打從一開始就是使用這個詞）可以避免英國崩潰，或至少阻止英國與軸心國談和。十二月二十九日的《爐邊談話》，羅斯福提出了「民主兵工廠」一詞，藉此向美國人保證，美國將「免於戰爭的痛苦與災難」。[74]羅斯福下令將自己的決定草擬成法案，於一九四一年一月六日送到國會。

邱吉爾對於結果感到欣慰，他對祕書說，美國「這麼做等同於宣戰」。[75]然而，絕大多數美國人其實並不希望美國參戰。一九四一年三月，在《租借法案》終於在眾議院通過的那個星期，民調顯示百分之八十三的受訪者反對美國參戰。法案使美國輿論陷入嚴重分裂：反對干預的民眾與邱吉爾的看法相同，認為《租借法案》只是名義上沒有參戰，但實際上美國已經參與戰爭。就連多年來持續遊說要求援助民主國家的團體也擔心《租借法案》過於躁進。艾倫懷特（William Allen White）辭去援助盟軍保衛美國委員會主席職務以示抗議，他甚至喊出「美國佬不會來」這句口號。孤立主義運動的一個分支借用這個口號做為小冊子名稱，一口氣賣出了三十萬冊。身穿黑衣的婦女，手持「殺死一七七六法案，不要殺死我們的兒子」的標語，在國會臺階上抗議。[76] 法案也引發民眾對於該法賦予總統大權的疑慮，因此出現了大規模抗爭。孤立主義者將這則法案戲稱為「獨裁者法案」，因為羅斯福將可不經過國會同意，自行決定租借哪些物品、租借多少數量給哪些國家。[77] 如此龐大的行政裁量權是史無前例的，但由於民調顯示有三分之二的美國人同意這項法案，羅斯福因此成功排除了反對壓力。在推動這項法案的過程中，羅斯福做出了兩項重大讓步：首先，美國會根據《租借法案》提供物資，但美國不會對物資的運送進行護航。其次，《租借法案》的有效時間只有兩年。羅斯福也同意，在《租借法案》施行期間，他將在每個季度向國會提出報告，而國會將根據一系列的《國防援助補充法案》（Defense Aid Supplemental Acts），有權針對必要的基金進行表決。[78]

最後還有如何償還的問題，對此羅斯福語帶含糊地表示，等戰爭結束後，受惠國可以用支付「實物」的方式進行償還。當然，英國方面也必須做出重大讓步。羅斯福下令，英國想獲得租借，必須先交出一部分美元資產，同時出售剩餘的美元資產。美國國務卿赫爾也迫使倫敦當局在不情願下做出承諾：英國在戰後必須放棄帝國特惠制，重新建立一套更開放的貿易體系。這項讓步充分顯示英美兩國權力關係的倒轉與美國企圖徹底剷除大英帝國在戰前建立的經貿帝國。英國經過一番掙扎之後才同意美國的要求。針對《租借主協議》（Master Lend-Lease Agreement）進行的協商耗時七個月，主要是因為英國官員與政治人物堅決反對第七條，該條要求英國必須在戰後進行自由貿易。然而，在羅斯福威脅若不接受條件則英國將得不到任何協助之下，兩國終於在一九四二年二月二十三日簽署協定。[79]邱吉爾在公開場合盛讚《租借法案》是「最高貴的行動」，私底下卻擔心英國不只會被剝一層皮，甚至可能「被啃得只剩下骨頭」。英國也懷疑羅斯福是否真會履行承諾。一名英國官員在華府進行遊說卻毫無成果，他抱怨說，美國的承諾「實際上不斷縮水」。[80]同樣的質疑也來自中國，因為中日戰爭的持續成為羅斯福用來向國會延長對中租借的理由。羅斯福一開始就承諾透過蔣介石的妻舅宋子文，在華府成立的中國國防物資供應公司進行對華援助。但由於西方國家是美國首要的援助目標，對華援助物資因此嚴重不足。美國實際給予的援助與承諾差距太大，導致蔣介石於一九四三年提出威脅，如果租借物資無法達到他的要求，他將與日本談和。[81]

事實上，《租借法案》實施的進度十分緩慢。法案通過後，最初由美國國會撥款的七十億美元，到了一九四一年底卻只用了十億美元。一九四一年，絕大多數從美國運往英國的補給物資仍須以現金支付；同年，美國提供英國的兩千四百架飛機只有一百架屬於租借。美軍在這個時期正大規模重整軍備，航空訓練學校欠缺教練機，陸軍演習也急需假戰車，在這種狀況下，軍方顯然不希望政府將軍事裝備運往英國。租借計畫起初是由霍普金斯主持的臨時委員會負責推動，剛取得新行政權力的羅斯福則在後頭鼎力支持，但《租借法案》建立的體制在批准與採購補給物資上卻缺乏周詳計畫。在運送英國需要的物資時，羅斯福顯得愛莫能助，而輿論也對此漠不關心，因為進行護航必須冒著與德國潛艦發生衝突的風險。當美國派出海軍艦艇進入大西洋為英國運送租借物資的船團進行護航時，羅斯福在公開場合依然堅稱美軍進行的是「巡邏」而非護航任務；他還要求政府對外提到租借物資時，必須說物資「將運抵當地」，而非「我們將運送物資」，藉此排除美軍進行護航任務的疑慮。[82]一九四一年，美國提供給英國的商船僅限於徵用停泊在美國港口的軸心國船隻以及準備航往英國的中立國船隻。[83]雖然有人認為羅斯福把《租借法案》當成美國干預歐戰的踏腳石，但沒有人有足夠的證據證明這一點。羅斯福經常公開表示，《租借法案》是透過協助他國作戰來捍衛美國利益的一項戰略，他提出的這項說法不應該遭到忽視，因為羅斯福不僅在公開場合如此主張，就連私底下也如此認為。一九四一年五月，在寫給國會議員的信上，羅斯福引用了一篇討論美國戰略的報紙社論：「我們關心的不是大英帝國，而是我們自身的安全、我們的貿易保障與我們的大陸完整不受侵犯。」羅斯福補充說：「我認為這篇文章寫得很好。」[84]美國輿論依然堅定支持援助英國，但也堅決反對美國參與戰爭。

一九四一年六月二十二日，德國與軸心國軍隊進攻蘇聯，援助與軸心國交戰的國家的原則因此遭受考驗。是否援助蘇聯成了一項更加困難的決定，因為「民主兵工廠」的原意顯然並不包括支援極權主義國家，美國民眾也普遍敵視蘇聯與國內的共產主義。七月，國務院官員隆恩（Samuel Breckinridge Long）在日記裡提到，「絕大多數美國人認為必須壓制共產主義這個法律與秩序的敵人。我們如果與共產黨站在一起，哪怕只是稍微靠近一點，國人都將無法忍受。」[85]就連願意援助英國的干預主義組織也反對援助蘇聯，支持干預的「為自由而戰」運動公開表示，美國對外援助是為了「擴展民主，而不是限制民主」。[86]英國的反應顯然對羅斯福的決定產生很大的影響。邱吉爾於六月二十二日保證將無條件援助蘇聯，一個星期之後，蘇聯駐倫敦官員提出一份蘇聯需要的龐大援助清單。起初英國援助的物資依然要求蘇聯出錢購買，但到了九月四日，英國政府同意採取某種形式的租借，但名稱上不使用「租借」二字，藉此來掩飾英國對蘇援助，而英國給予蘇聯的物資有許多實際上是美國租借給英國的。

德國入侵蘇聯後過了幾天，羅斯福在記者會上宣布，美國也「將盡力援助俄羅斯」，他下令將價值四千萬美元的蘇聯資產解除凍結，並且用這筆資產來支付美國的援助物資。六月二十六日，蘇聯大使烏曼斯基（Konstantin Oumansky）正式提出援助要求，幾天後，莫斯科擬了一份龐大的採購清單，不僅要求飛機、戰車與彈藥，還希望美國提供用來生產輕合金、輪胎與航空燃油的整套工廠設施。[87]這些要求超過了美國在一九四一年的援助能力，當時美國也不確定蘇聯能否在德國攻擊下倖存。倫敦與華府的主流觀點都認為德國幾個月內就能獲勝，而這表示一旦西方援助蘇聯，所有援助物資都將落入德國之手。七月底，霍普金斯訪問莫斯科後返國，信心滿滿地表示蘇聯不會崩潰，羅斯福這才在八月二日同意給予蘇聯「一切可行的經濟援助」。與英國的例子一樣，美國的援助並非無償給予，援助進度也十分緩慢。倫敦當局擔心美國援助蘇聯將排擠對英國的援助，軍需大臣比弗布魯克勳爵因此希望由英國來決定蘇聯能獲取的援助額度。他向美國要求由英國從援英物資中分配一部分給蘇聯，但遭到美國拒絕。[88]十月，英美代表在莫斯科開會，之後兩國簽署了《第一議定書》（前後總共有四個議定書），決定堅定援助蘇聯。從一九四一年十月到一九四二年六月，兩國總共提供了一百五十萬噸的物資與裝備給蘇聯。隨著美國輿論轉而支持援助蘇聯，羅斯福向國會提案並獲得通過，把援助蘇聯也視為《租借法案》的一部分，認定援蘇「對美國國防至關重要」。於是從十一月七日起，蘇聯也可獲得美國的無償援助，自此美國成為所有國家的兵工廠。

《租借法案》通過時，沒有人會想到往後租借的規模與性質會變得如此龐大。戰爭結束時，租借物資已經超過五百億美元，全世界有四十餘國受惠。美國對外援助達到聯邦戰時支出的百分之十六；至於英國租借給蘇聯的物資超過也二億六千九百萬英鎊，約占英國戰時支出的百分之九。[89]租借計畫成為英美兩國的連結點，雙方設立了聯合委員會共同監督戰時生產與原物料供應。英國派駐華府的軍事使節團與美國軍事高層商討援助的優先順序。每年援助蘇聯的物資由英美各自與莫斯科官員進行協商。一九四一年十月二十八日，羅斯福解散霍普金斯的臨時委員會，另外成立了租借管理局，由商人史特蒂紐斯（Edward Stettinius）擔任局長。一九四三年到一九四四年，美國對外援助達到高峰，此時共有十一個機構負責物資的生產、配置與分配，機構與機構之間疊床架屋，也因此時常產生嚴重的爭論。儘管如此，當《租借法案》在一九四三年三月進行展延時，國會並未像兩年前那樣出現激烈爭辯，反而近乎無異議通過。[90]美援的主要受惠者是大英帝國，一共獲得三百億美元的援助，占了美國對外援助總值的百分之五十八，其中絕大多數運往英國本土，只有一小部分分配給其他自治領。美國對蘇援助達到一百零六億美元，占總支出的百分之二十三。自由法國部隊獲得百分之八，中國由於日本占領緬甸而難以獲得直接支援，僅獲得百分之三。拉丁美洲國家獲得百分之一。[91]

租借計畫原本的想法是讓受惠國以實物形式，償還美國慷慨提供的物品與服務，然而邱吉爾卻向羅斯福坦言，「我們無法償還租借債務。」[92]但等到美國參戰之後，互惠式的實物償還開始變得可能。一九四二年二月二十八日，英美正式簽訂《相互支援協定》（Agrement on Mutual Aid）。從一九四二年開始，英國除了負擔駐紮在英國的美國陸軍與空軍所需的各項資源與服務，也向北非戰場提供石油等服務，必要時還提供船運。太平洋戰爭期間，澳洲政府也為駐紮當地的美軍提供各項設施與服務。英國在二戰期間提供的支援額度總計達到五十六億美元，澳洲也有十億美元，總計大英帝國提供的支援達到七十五億美元，約占美國總支出的百分之十五。[93]若根據《援助議定書》的約定，蘇聯也曾做出類似保證，但蘇聯在一九四一年到一九四五年間卻只提供兩百二十萬美元做為相互援助，幾乎可以說完全沒幫上忙。根據羅斯福最初的計畫，所有租借協議規定戰後各國必須盡可能將物資返還給美國。雖然美國是以租借而非贈與的名義提供物資給各國，但在實務上，所有的武器、原物料與糧食早就被戰爭與饑民難以饜足的需求消耗殆盡，根本沒剩下多少物資可供返還。美國戰爭部估計，返還的補給物資總計達到十一億美元，主要是美軍使用的物資。返還租借物資最多的國家是中國，這是因為直到戰爭結束為止，囤積在印度的物資始終難以運送到中國。

過去在談到《租借法案》時，我們經常忽略加拿大對全球援助的貢獻。事實上，當大英帝國為鏖戰中的英國本土提供經濟援助時，加拿大是其中不可或缺的重要元素。加拿大與英國協商的援助計畫並未包括在《租借法案》的正式內容之中。與美國一樣，加拿大的援助也是在英國無力以加幣購買糧食與軍火的狀況下產生的——加拿大不希望英國因為缺乏現金而接受美國的租借計畫，如此加拿大將會失去英國的訂單。加拿大高層不想仿效《租借法案》，因為加拿大再怎麼做都不可能提供美國那樣龐大的援助計畫，但加拿大仍想成為民主兵工廠的一員。由於講法語的魁北克省反對援助英國，因此援英案在加拿大內閣引發激烈辯論，但加拿大政府最後還是提出「十億元贈與」，用來涵蓋從一九四二年一月到一九四三年三月的英國訂單，同時預計於一九四三年三月再重新評估是否繼續援助英國。邱吉爾訪問渥太華時得知贈與的事，他對於加拿大的慷慨感到震驚。邱吉爾還一度以為自己聽錯，要求複述一次數字。加拿大總理麥肯齊・金向加拿大國會表示：「英國為捍衛自由貢獻良多，理應獲得這些報償。」但當加拿大政府向民眾宣布要援助英國對抗軸心國時，蓋洛普民調卻顯示，支持的民眾僅略高於反對者。結果到了一九四三年初，加拿大並未展延援助計畫，而是另外實施了相互支援計畫，該計畫就像《租借法案》一樣，加拿大將提供自身的資源來支援聯合國（從一九四三年開始，同盟國改稱為聯合國）而非只是支援英國，而這項做法也有助於維繫加拿大的自我認同。[94]

《租借法案》與其他相互支援計畫提供的物資種類相當多，但最核心的還是軍事裝備與彈藥。一九四三年，英國取得的租借物資中，軍事物資占了七成，創下新高；蘇聯取得的租借物資絕大多數是工業製品與糧食，雖然軍事物資數量持續增加，但軍事物資占租借物資比例仍從一九四二年的百分之六十三降到一九四五年的百分之四十一。美國提供給同盟國的軍事物資總量可以參見

表6.2。非軍事物資與服務包括了石油、金屬與大量糧食。由於船運的需求十分緊迫，因此在運送糧食時必須避免占用寶貴的貨運空間。為了節省空間，人們發明了一種名叫Spam的重要食品，也就是壓縮的豬肉罐頭，蘇聯士兵戲稱為「第二戰場」。蘇聯總理赫魯雪夫在回憶錄裡提到，「沒有這些罐頭，我們的軍隊將很難吃飽。」到了戰爭結束時，總計已有將近八十萬噸的肉罐頭運到蘇聯。[95] 新鮮食物脫水之後依然占了貨運空間的一半以上，但與牛肉相比可以節省九成空間，與蛋奶相比則節省了八成五的空間。脫水食品配水後享用雖然不怎麼可口，但這些乾燥食品卻成為英國飲食的重

表 6.2 美國根據《租借法案》提供的軍事裝備，1941-1945 年 [96]

裝備類型	大英帝國	蘇聯	中國	其他	總計
戰車	27,751	7,172	100	2,300	37,323
裝甲車	4,361	0	0	973	5,334
裝甲運兵車	27,512	920	0	1,580	30,012
偵察車	8,065	3,340	139	499	12,043
輕型卡車	119,532	77,972	11,982	30,529	240,015
中型卡車	97,112	151,053	2,616	9,167	259,948
重型卡車	64,646	203,634	10,393	13,768	292,441
拖車	20,282	888	5,842	17,745	44,757
防空砲	4,633	5,762	208	888	11,491
機槍	157,598	8,504	34,471	17,176	217,749
衝鋒槍	651,086	137,729	63,251	28,129	880,195
步槍	1,456,134	-	305,841	126,374	1,888,350
無線電設備	117,939	32,169	5,974	7,369	163,451
野戰電話	95,508	343,416	24,757	14,739	478,420
飛機	25,870	11,450	1,378	4,323	43,021
航空發動機	39,974	4,980	551	2,883	48,388

要補充。英國提供駐歐美軍新鮮食物，以及大量的咖啡、糖、可可與果醬，而同一時期的英國消費者僅能取得這些食物的少量配給。對於駐紮在偏遠地區的美軍士兵，政府徵用巴士做為「俱樂部車輛」，載著演藝人員與食物（包括英國麵包店禁售的甜甜圈）開往前線，慰勞這些前線將士。[97]

英美之間除了相互提供物資與服務，也共享技術與科學創新。與《租借法案》一樣，這些創新的分享也是基於戰略需要。一旦美國參戰，為了共同對抗軸心國，兩國之間似乎就沒有不分享資訊的理由。只有在碰到一些特定例子時，例如原子彈的研發，兩國的關係才會陷入緊張。戰爭期間，西方領導人普遍認為德國的科學與工程技術遠比同盟國來得先進，而且更能與軍事體制結合，同時也能產生出乎預期與危險的科學創新。雖然今日我們已經知道西方過度誇大了德國科學軍事體制的能力，但當時西方的憂慮卻有助於促成大西洋兩岸達到史無前例的合作。更值得一提的是，英美的合作與《租借法案》一樣，都是在美國參戰前就已經開始。一九四〇年八月，英國政府派蒂澤德爵士率領英國科技代表團前往華府，向美國軍方與民間科學家提供祕密的科技資訊。代表團提供的祕密中，最重要的是伯明罕大學研發的多腔磁控管，有了多腔磁控管，就能發展出更有效的微波雷達。剛成為國防研究委員會主席的布希（Vannevar Bush），有了為美軍研發新科技的機會。他在麻省理工學院成立的輻射實驗室成為美國研究雷達最頂尖的機構。蒂澤德代表團訪美之後，英美科學家開始在核子武器以外的各項軍事研究領域密切合作，直到戰爭結束為止。[98]

原子或核子研究計畫所代表的尖端科技，無論從民間還是軍事層面來說都極為重要，即使是潛在的盟邦也不能輕易分享。一九四〇年四月，英國為了探索研製原子彈的可能性，決定成立莫德委員會（Maud Committee）進行研究。一九四一年七月，委員會在報告中指出，研製原子彈具有可行性。儘管如此，蒂澤德與他認識的美國科學家都認為，原子彈不可能在短期內研製成功。一九四一年十月，羅斯福向邱吉爾提議，由英美兩國合作進行核子研究，但英方擔心一旦與美方合作，自身的研究成果很可能被美方取得。到了一九四二年夏天，美國的核子研究超前了英國，英國科學家轉而對合作抱持積極態度。這一回輪到美方擔心自身的成果被英方取得用來進行戰後的商業用途。英國與加拿大科學家於是成立蒙特婁實驗室持續進行核子研究，他們使用美國提供的資料，但無法取得美國的技術細節。一九四三年八月，邱吉爾在魁北克召開的同盟國會議中承諾，英國絕不會利用美國的研究來達成自己的目的，美國這才允許一些英國科學家參與美國計畫，即便如此，這些英國科學家依然無法目睹完整的原子彈研發過程。在美國，人們擔心合作可能會讓其他國家也取得核子武器，如此將影響美國在戰後建立新秩序。史達林直到一九四五年七月，也就是原子彈使用前不久，才得知美國已經製造了原子彈。但其實蘇聯也早在物理學家庫爾恰托夫（Igor Kurchatov）主持下，從一九四二年就開始研發原子彈。蘇聯透過在美國布置的間諜網取得資訊，諷刺的是，其中一名間諜富赫斯（Klaus Fuchs）是英國根據《魁北克協定》派往美國的英國科學家，而他成為蘇聯取得原子彈資訊的關鍵來源。[99]

即使科技資訊的租借難以做到完全直接的交換，但這方面的困難度依然遠遠比不上後勤問題及物資援助計畫帶來盟國之間的摩擦。要建立一套全球的物資分配體系必須克服許多困難。《租借法案》施行後的前兩年，通往英國的大西洋航線依舊宛如戰場。商船運輸受到限制，而且在一九四一年十一月美國國會同意再次修改《中立法案》之前，美國船隻都不被許用於運送戰爭物資。但無論是德國潛艦的襲擊，還是珍珠港事件後美國軍方的需求，都無法真正阻攔租借物資的流通。儘管歐洲戰場與太平洋戰場互爭物資的優先性，確實會影響到運抵英國港口的物資數量。英國商船船團在一九四一年的規模是美國商船船團的三倍，但其面臨的主要問題是需要修繕的船隻噸數居高不下：從一九四一年開始，到一九四三年三月德國潛艦的威脅降低為止，英國商船船團每個月平均需要修繕的船隻噸數達到三百一十萬噸。[100]根據《租借法案》，美國會提供船塢為英國商船進行修繕，但修繕的時程始終趕不上需要的貨運空間。直到一九四三年，美國建造的商船額外提供了一千兩百三十萬噸的驚人運量之後，羅斯福才得以承諾提供足夠的美國船隻為英國運送需要的軍事物資與糧食。到了一九四三年夏天，貨運空間已經完全可以裝得下需要運送的貨物且綽綽有餘。[101]

相較於英國，將物資運往蘇聯顯然更為困難。要前往蘇聯的英國與美國商船，只能選擇大西洋以外的航線：北極海航線、「波斯走廊」與阿拉斯加—西伯利亞通道，這三條主要路線構成巨大的後勤挑戰。最危險的航線是穿越北極海前往蘇聯北部港口莫曼斯克與阿爾漢格爾斯克。船隻不僅要面對惡劣的天氣與海象，船上嚴重結冰也可能讓船傾覆，也必須留意偶爾出現的流冰與冰山，還有從挪威派出的德國潛艦、飛機與水面艦艇的威脅。但在如此艱困的條件下，船隻的損失反而低於預期。從蘇格蘭與冰島港口航經北極海的四十二支船團共計八百四十八趟航次，總計僅有六十五艘船因為意外、潛艦與飛機攻擊而沉沒，回程又另外沉沒了四十艘。[102]損失最慘重的一次發生在一九四二年六月，PQ－17船團的三十六艘運輸船為了躲避德國軍艦的攻擊而分散開來，最終導致二十四艘船沉沒。這場災難使北極海的海上運輸延宕了幾個月，蘇聯在整個一九四二年夏天都得不到補給，令蘇聯領導人大為光火。一九四三年起，盟軍加強護航，船團的損失開始減少，此後船團持續往返，直到一九四五年四月最後一支船團從蘇格蘭克萊德河（Clyde）出發為止。大約有四百萬噸補給物資經由北極海航線運往蘇聯，約占援助蘇聯物資的百分之二十二點六。[103]

還有一些援蘇航線比較少受到敵軍威脅或干預。其中最重要的是相對安全的北太平洋航線，不過這條航線在冬季會遭到冰封，無法破冰的船隻就會擱淺在冰上。補給船團從日本北海道北方海域通過，無論是蘇聯船還是美國船，只要懸掛蘇聯旗幟，那麼根據一九四一年四月簽訂的《日蘇互不侵犯條約》，日本就不會出面干預，儘管這些船團運送的物資是用來協助蘇聯對抗日本的盟邦德國。大約有八百萬噸的補給物資，也就是援蘇物資的百分之四十七，是沿著這條航線運到蘇聯。起初是運到蘇聯港口馬加丹，之後新港口設施完成，便改成運到彼得羅巴甫洛夫斯克（Petropavlosk）。物資運到之後先存放在港口，再用鐵路長途運送，越過西伯利亞，運到烏拉山地區的工業城市，或者是運到更遠的前線。從阿拉斯加到西伯利亞的港口與鐵路設施，其建造與營運成本其實遠遠超過運送貨物的價值。[104]

還有將近四分之一的軍事補給，是經由已經開通的第三條路線穿過波斯（今日伊朗）運抵蘇聯。這條路線從一九四二年初開始運行。這也是一條危險的路線，因為伊朗境內道路狀況不佳，而且通往蘇聯南方亞塞拜然的鐵路也只有一條。一九四二年夏秋，德軍入侵高加索地區並且進攻窩瓦河流域的史達林格勒，這條援蘇路線一度受到威脅。英國波斯與伊拉克司令部負責建立這條援蘇路線，包括擴建伊朗與伊拉克的港口設施、鋪設鐵路與修建能讓重型卡車行駛的道路。援蘇路線必須穿過沙漠、鹽鹼地（上面有一層厚厚的黃色軟泥，又稱為kavir）與山區隘口，這些山路必須在山區來回繞行數百圈。該路線還必須通過地表最炎熱的地帶，氣溫往往達到攝氏四十九度，但到了冬天，一旦行經被冰雪封住的隘口，氣溫又會降到零下四十度。冬天時，卡車司機可能會被凍死在車內，夏天時又有可能因為中暑而喪命。[105]負責保衛鐵路不受盜賊侵擾的任務，落在印度軍隊的肩上。但該鐵路沿線有兩百二十座隧道，當士兵在這些毫無照明的隧道中巡邏時，很可能會因為視線不佳而意外身亡，在隧道中緩慢行駛的蒸汽火車頭所噴出的炙熱濃煙也會造成人員窒息而亡。在如此艱困的環境下，蘇聯的軍隊、工程師與工人奇蹟般地獲得了補給。一九四一年，這條鐵路每日運送兩百噸物資，一九四二年，美國波斯灣司令部接管這條鐵路，每日平均運輸量提升到三千三百九十七噸。隨著戰爭接近尾聲，波斯走廊逐漸被另一條更為便捷的路線取代，也就是以海路經由黑海將物資運送到俄羅斯南部港口。[106]

為了取得英美物資，蘇聯運輸當局組織了「特別任務小組」，負責將存放在伊朗南部港口的英美援助物資，經由一九四二年與一九四三年建成的新公路運送到蘇聯境內。整條路線的距離超過兩千公里，運送車隊必須克服車禍、竊盜、沙塵暴與大風雪的重重阻撓才能成功抵達目的地。英軍與美軍在伊朗與伊拉克南部設立六座裝配廠，他們先將解體的車輛送上貨輪，經過長途的航行，繞過好望角，最後抵達伊朗與伊拉克，這些車輛會在當地重新組裝——戰時總共組裝了超過十八萬四千輛車。一九四三年八月，蘇聯成立「第一特別摩托車輛特遣隊」，將物資的運送天數從一個月以上縮短為平均十二到十四天。在這條塵土飛揚的道路上，途中甚至要越過兩千公尺以上的高山，蘇軍每隔一段距離就會設立飲食與修繕車輛的站點，藉此加快運送速度。等到物資運抵蘇聯境內之後，還有第二段漫長而艱困的旅程，才能將物資交到前線部隊手裡。前述三條援蘇路線總共運送了一千六百萬噸的補給物資，其中為了從北大西洋與環太平洋西側的港口運送物資，貨輪總共來回了兩千六百趟航次。[107]

把租借物資運到中國同樣不是件容易的事。雖然中國屬於最早符合租借條件的幾個國家，但中國的優先順序卻排在英國與蘇聯之後。許多應該運往中國的物資都閒置著，一開始先堆放在仰光的碼頭與鐵路沿線，之後由於日本入侵緬甸，這些物資於是轉移到印度東北海岸港口，等待有限的運輸網路慢慢進行運送。珍珠港事件之前，援助物資還能經由太平洋運往中國，珍珠港事件之後，只能轉而繞經大西洋與印度洋。物資運抵當地之後，還必須克服重重地理障礙才能將物資送到中國軍隊手裡。中國當地有著全世界最險惡的地形，缺乏適當的道路，也沒有有效的鐵路設施。一九四一年，為了興建從緬甸北部臘戍通往中國雲南省昆明的鐵路，必須動用大約十萬名中國與緬甸工人，這些工人在可怕的環境下工作，成千上萬人染上瘧疾與傷寒，更有約半數工人必須靠著吸食鴉片才能讓自己支撐下去。[108]當滇緬公路遭日軍截斷時，唯一能夠援助中國的方式就是利用飛機從印度基地起飛，飛越喜馬拉雅山脈，將補給物資運到昆明。這條路線俗稱「駝峰航線」，飛行的風險極大，因為飛越喜馬拉雅山脈時，飛行的高度必須達到六千公尺以上，此時氣溫降至冰點，猛烈的雷雨與強風將嚴重消耗燃油，導致飛機往往必須緊急降落，但在中國境內又僅有兩處鋪滿碎石粒的簡易跑道。在「駝峰航線」的空運期間，盟軍至少損失了七百架飛機與一千兩百名機組人員。一九四三年之前，設施、飛機與人員的缺乏導致補給物資難以運抵中國；一九四三年之後，空運量雖然擴增，但重型設備、車輛或機械依舊無法靠飛機運輸。到了一九四四年，海運的補給物資依然有半數等著運往中國。[109]能夠成功運抵中國的物資，絕大多數都分配給了駐華美軍，主要是陳納德的美國第十四航空軍。中國官員估計，美國人用掉了百分之九十八的補給物資，但即使是這樣超乎正常比例的數字，蔣介石的美籍參謀長史迪威將軍仍處心積慮控制租借物資的流量以符合美軍需求。[110]

各國無不對後勤投入了大量心力，除了因為經濟援助是盟軍戰略的重要環節，也因為各國領袖直接參與協商，並且密切注意執行成效。然而，儘管後勤的努力有了明顯成果，盟國之間對於供應步調與援助性質依然爭論不休。英國取得大量美國戰車，但也因此產生許多怨言。英方根據實戰經驗後指出，美國的M3戰車與之後的M4雪曼戰車有很多地方需要改善。一九四四年，戰車供應出現三千四百輛以上的巨大缺口，該年底，由於美軍裝甲部隊出乎意料地發生嚴重損失，原本對外租借的戰車因此全部取消。[111]盟軍爭論更嚴重的是飛機供應問題。一九四〇年夏天，轟炸德國成為優先的戰略目標，英國皇家空軍希望美國飛機產業在一九四三年時能每月提供五百架重型轟炸機，然而美國當時的飛機必須優先提供給美國空軍。當首批B–17與B–24轟炸機抵達英國時，英國皇家空軍對於這兩型飛機的戰鬥力大感失望，打算只讓它們擔任輔助任務。然而，對於正在擴充的美國轟炸機部隊來說，這兩型轟炸機可說是他們的得意之作，英方的批評因此引發強烈不滿。美國陸軍航空軍總司令阿諾德（Henry Arnold）拒絕承諾在一九四二年給予英國四百到五百架以上的轟炸機，最後甚至連一架都不願意給。根據英國空軍大臣辛克萊（Archibald Sinclair）的說法，美國在一九四〇年與一九四一年提供的戰鬥機與輕型轟炸機都已經過時，「幾乎毫無價值。」[112]雖然美國最終提供了英國及其殖民帝國將近兩萬六千架飛機，但其中只有一百六十二架B－17，三千六百九十七架是輕型轟炸機，八千八百二十六架是教練機與運輸機。[113]

援助蘇聯的物資也引來蘇聯一連串抱怨。英國政府在一九四一年六月首次做出的承諾一直未能兌現，往後幾個月，雖然許多裝備陸續運抵蘇聯，卻被蘇聯當局認定不符合標準。颶風戰鬥機被批評為裝甲太薄、武器太弱；英國戰車，特別是瑪蒂達戰車，被認為不適合在俄國作戰，不僅裝甲不足，在零度氣溫下也無法動彈。當時英國戰車的妥善率平均只有五成。但當美國送來雪曼戰車時，蘇聯工程師又認為這種戰車的裝甲防護不足，車身太高容易遭受攻擊。蘇聯裝甲部隊刻薄地戲稱雪曼戰車是「七兄弟的墳墓」，因為這種戰車在敵人的反戰車武器面前顯得不堪一擊。[114]顯而易見的是，除非必要，否則英美絕不會送出最好的武器裝備。一九四二年到一九四三年，英國已經汰除裝甲部隊中的瑪蒂達戰車，但英國與加拿大仍持續生產該型戰車送交蘇聯部隊；而當蘇聯要求援助B－17與B－24重型轟炸機時，卻遭到美國拒絕。[115]

蘇聯堅持不讓西方人員協助訓練蘇聯軍隊與負責武器修繕工作，也不聽從西方使用援助的建議，導致租借的裝備無法發揮效果。到了一九四三年，蘇聯已經累積了大量西方物資，但在蘇聯不願合作下，西方既無從得知實際狀況，也無法對援助做出限制。蘇聯的守口如瓶難以平息盟國對其戰事失利的指責，蘇聯也不願透露蘇聯在戰車與飛機方面進行的研發（儘管有過事先承諾），僅在一九四二年送了一輛T－34戰車到美國。美國駐莫斯科軍事代表團團長迪恩（John Deane）向馬歇爾將軍報告時抱怨說：「我們盡全力滿足他們的需求，但他們只願做最低限度的努力來維持雙方的關係。」[116]一九四四年與一九四五年，蘇聯要求的租借物資達到巔峰，其中包括協助蘇聯進行戰後重建，華府開始產生疑慮，美國內部也出現政治壓力要求限制對蘇援助。一九四五年八月日本投降，美國總統杜魯門未徵詢各主要受惠國便宣布立即停止運送租借物資。[117]

援助涉及的地理範圍與各國競相爭取援助物資，不可避免造成租借上的緊張，但最終龐大的物資（這些物資主要來自美國的生產剩餘）還是順利由盟國共同分享。《租借法案》的主持者史特蒂紐斯便曾提到，如此龐大的援助物資，是否就是盟軍取得「勝利的關鍵」？這個問題的答案遠比表面看來更為複雜。戰後蘇聯官方的口徑一致，對於《租借法案》支援蘇聯作戰的角色一概予以淡化或忽略，刻意扭曲真實的歷史。戰爭結束不久，蘇聯就公布了「非正式」的指導方針（雖然非正式，但在史達林統治下，任何一個腦袋清楚的人都不敢不當一回事），認定《租借法案》「對於俄羅斯的勝利並未起到分毫的作用」。[118]直到一九八〇年代為止，蘇聯官方的說法依然堅稱，租借物資很晚才送到，而且品質粗劣，只占蘇聯自己生產武器的百分之四。然而這一官方說詞與戰爭期間的實際歷史正好相反：戰時蘇聯高層曾私下坦承，西方的各項援助十分重要。赫魯雪夫的回憶錄中有一段受訪影片，他在影片中透露史達林十分仰賴西方的援助，但這段影片直到一九九〇年代才對外公開：「有好幾次，史達林在只有少數幾個人在場時提到租借物資。他說……『如果我們必須獨力對抗德國，我們不會有任何勝算。』」攻占柏林的朱可夫元帥在一九六九年出版的回憶錄中延續官方對西方援助的說法，但在六年前一場被竊聽的對話中，人們聽到他私下表示如果沒有外援，蘇聯「不可能撐得下去」。[119]

同盟國的補給物資只占蘇聯武器生產的百分之四，這個數字雖然沒錯，卻掩蓋了《租借法案》實際帶來的成果。在戰爭初期，《租借法案》提供的戰車與飛機占了蘇聯軍事裝備更高的比例，因為蘇聯軍隊在德蘇戰爭開始的前幾個月蒙受了重大損失。隨著戰爭持續進展，蘇聯恢復生產，西方租借的軍事裝備占比才逐漸下降。直到史達林格勒會戰為止，西方租借的戰車占了蘇製戰車的百分之十九。六個月後的庫斯克會戰是二戰規模最大的一場戰車戰，蘇製戰車有三千四百九十五輛，租借戰車則有三百九十六輛，約占百分之十一。[120]然而，盟軍援助物資中真正具決定性的不是戰車、飛機與武器，而是改良蘇聯的通訊系統、改善已經緊繃的鐵路網以及運送大量的原物料、燃料與炸藥，少了這些東西，蘇聯的戰爭投入與軍事戰役將不足以擊敗龐大的德軍。在戰爭初期，蘇聯的空戰與戰車戰之所以缺乏效率，關鍵原因就是缺乏電子設備，通訊不良使指揮官在遼闊戰場上難以指揮調度。根據《租借法案》，西方盟國總共提供蘇聯三萬五千臺陸軍無線電設備、三十八萬九千支野戰電話與長度超過一百五十萬公里的電話線。[121]到了一九四三年初，蘇聯空軍終於能夠集中控制所有的空中作戰單位，安裝在戰車上的簡易無線電也形成戰力加成。無線電還協助紅軍有效地進行欺敵與散布假情報，導致德軍無法得知紅軍的真實兵力、行蹤或意圖。

蘇聯紅軍在卡車與吉普車方面同樣仰賴西方供應。《租借法案》提供給紅軍的卡車與吉普車超過四十萬輛，蘇聯國內僅生產了二十萬五千輛。到了一九四五年一月，紅軍有三分之一的車輛來自西方援助。[122]美國的援助更是讓蘇聯獲得各式各樣的車輛：偵察車、裝甲運兵車、半履帶車、福特兩棲吉普車與四萬八千九百五十六輛吉普車，這些車輛裝備了無線電，讓紅軍指揮官能夠有效率地指揮部隊。[123]蘇聯仰賴鐵路運送士兵與裝備，而美國提供的一千九百輛蒸汽火車頭（蘇聯自己只生產了九十二輛蒸汽火車頭）無疑提供了最大助力，此外美國在戰時也提供蘇聯百分之五十六的鐵軌。到了一九四二年底，蘇聯的鐵路系統每天能有十五列火車運送補給物資給防守史達林格勒的前線部隊，反觀德國平均只有十二列。[124]最終，盟軍提供蘇聯將近百分之五十八的航空燃油、百分之五十三的炸藥與半數的鋁、銅與合成橡膠輪胎。[125]盟軍援助的規模對戰局具有決定性。蘇聯的工業因此可以僅專注於量產武器，至於戰時經濟必須提供的其他物品則由盟軍的援助來填補。

《租借法案》對於英國的戰爭投入影響毋庸置疑，然而英國民眾的戰爭記憶卻很少給予《租借法案》應有的歷史地位。與蘇聯對待《租借法案》的態度一樣，英國不願承認《租借法案》的重要性，主要是因為這麼做有損國家顏面。儘管如此，英國確實仰賴《租借法案》。如果沒有美國從一九四一年開始的慷慨援助，英國根本不可能繼續戰鬥下去。當時的英國已經無力以美元購買資源，特別是石油，如果沒有美國工業生產的支持，英國的戰時經濟所能取得的糧食與原物料根本不足以支持全球戰爭，也不可能擊敗德國。英國在全球各地的戰事愈來愈仰賴美國的武器與美國的船隻運補。租借物資在一九四一年時占了英國軍事裝備的百分之十一，到了一九四三年這一比例提高到將近百分之二十七，一九四四年是英國作戰的高峰期，租借物資的占比來到百分之二十九左右。到了一九四二年十月底的第二次艾拉敏會戰時，美國已經向北非戰場提供了一千七百輛中型與輕型戰車、一千架飛機與兩萬五千輛卡車與吉普車。[126]美國總共向英國本土與英國其他的海外戰場運送了兩萬七千七百五十一輛戰車、兩萬七千五百一十二輛裝甲運兵車與兩萬五千八百七十架飛機。與蘇聯一樣，美國的援助物資使英國產業得以專注於製造其他武器，清出所有產能以進行生產。一九四四年，由於美國援助戰車的關係，英國的戰車生產量開始減少，反而是蒸汽火車頭的生產量開始增加，英國鐵路網的壓力因此得以舒緩。[127]同盟國之間達成協議，要對資源進行合理配置，避免在同一個地方投入過多的資源形成浪費。從英國與蘇聯的生產紀錄都可以看出美國援助帶來的影響。對英蘇兩國來說，光是毋需孤軍奮戰這點就足以產生一種心理緩衝，而這正是軸心國所缺乏的。對美國來說，將國內產出的百分之七租借給盟國，對本國經濟影響不大，卻能為主要盟國帶來極大助益。如羅斯福在《租借法案》通過之初所言，這麼做確實可以更有效地捍衛美國的利益。

切斷資源：封鎖與轟炸

如果相互援助是提高戰時供給的一項經濟戰略，那麼經濟戰就是減少敵軍武器數量與原料資源的一種手段。經濟戰的原始意義如字面所言，是純屬經濟層面的戰爭，例如凍結敵方資產、搶購、切斷與控制敵方貿易，但到了二戰，經濟戰卻成為貨真價實的由潛艦與轟炸機發動的經濟戰爭，雙方的人員與裝備都出現嚴重的損失，形成一種長期的經濟消耗戰。二戰期間雖然仍有傳統形式的經濟戰，但重要性已遠不如以軍事手段發起的經濟戰，這些手段包括阻撓物資運送或破壞國內的經濟生產。無論是軸心國還是同盟國，都奉行無限制潛艦戰與轟炸城市的經濟戰略。

在敵軍資源運抵戰場前將其摧毀，這類經濟戰能否成功主要取決於交戰國的經濟脆弱程度。隨著戰爭規模擴大，軸心國與同盟國在這方面的差異也日漸明顯。美國幾乎完全不受經濟戰的影響：地理位置使美國不用擔心遭受轟炸，而西半球龐大的資源也讓美國的戰時生產幾乎毫無限制，特別是天然橡膠，在緊急狀況下大部分都可以用合成橡膠加以取代。一九四二年一至二月，德國在美國東岸部署潛艦，擊沉了許多未護航的船隻，但持續的時間很短，幾乎未對美國的戰爭投入產生任何影響。美國貨船在橫越大西洋時很容易遭受攻擊，但最終絕大多數物資與軍事裝備還是能安抵目的地。蘇聯在一九四一年喪失了西半部地區，此後蘇聯境內的工業區就成為德國遠程轟炸的目標，但德國空軍缺乏足夠飛機執行轟炸任務，蘇聯的生產因此得以持續進行。蘇聯國內有著豐富的天然資源，加上租借物資源源不斷地流入（德國試圖切斷北極海航線，但未能成功），德國對蘇聯採取的經濟戰戰略因此難以產生效果。最脆弱的盟邦是英國，一九四〇年到一九四三年，德國發動海空聯合攻勢破壞英國的生產與貿易，軸心國全力採取這項經濟戰戰略以打擊主要敵人的戰爭投入與作戰意志。然而，英國的脆弱是相對的。英國雖然極度仰賴海外的糧食、原物料與石油供應，日後也必須透過海運取得租借的軍事裝備，但英國為了戰爭也投入了大量資源來維持航道暢通。英國仍擁有世上規模最大的商船船團，雖然商船的數量並非無窮無盡，但這也表示軸心國必須擊沉非常多的商船才能讓英國的貿易崩潰。美國協助組織的全球商船網路使同盟國得以從世界各地運送需要的物資，同時又能阻止軸心國取得這些物資。為了反制同盟國，軸心國需要實施相應的全球海上封鎖，但儘管將封鎖視為優先戰略，軸心國卻缺乏封鎖的手段。

軸心國有共同的弱點。英國與美國的海空軍力量使德義日難以突破海上封鎖。義大利與日本的戰時經濟較弱，兩國都缺少豐富的天然原物料基礎，因此非常仰賴海外的物資供應。地中海是封閉的海洋，要進行封鎖相對容易（在一九四三年之前，英國認為軸心國也有可能對地中海的英國據點進行封鎖）；日本除了仰賴從已經占領的東南亞地區長途運送物資，也需要臺灣、滿洲與朝鮮的糧食與原料。一般認為德國很容易受到傳統封鎖的影響，例如資產凍結與財政危機，一九三九年英法就是採取這種戰略，但事後看來同盟國顯然高估了封鎖對德國的影響。一九一四年到一九一八年德國遭受戰時封鎖的慘狀讓希特勒記憶猶新，他因此在一九三〇年代致力於讓德國能夠自給自足或建立起「封閉經濟」。到了一九三九年，德國已有百分之八十的糧食自給率，也有能力合成石油、紡織品、橡膠與各項戰爭相關產品。為了解決缺乏黃金與外匯來購買軍事經濟必需品的問題，尤其是在一九三九年，德國開始廣泛掠奪歐洲資產與向歐洲的中立國施壓。[128]

一旦德國與西方爆發戰爭，同盟國的海上封鎖確實切斷了德國的跨洋運輸，但德國為了排除封鎖威脅，也從一九三八年開始對外擴張領土。占領挪威可以確保瑞典的鐵礦供應，占領巴爾幹半島則能取得更多原物料以及與土耳其進行貿易。一九三九年八月，德蘇簽訂互不侵犯條約，此後直到一九四一年六月為止，德國持續從蘇聯獲得大量原物料與糧食：德國在一九四〇年獲得六十一萬七千噸的石油產品，相較之下一九三九年只有五千一百噸；德國在一九四〇年進口八十二萬噸穀物，在此之前每年只有兩百噸；此外德國還獲得了銅、錫、鉑、鉻與鎳，這些金屬在一九三九年的進口量都還是零。[129]即使沒有蘇聯的資源，德國在一九三八年到一九四一年建立的廣大經濟空間也能有效化解傳統海上封鎖對德國戰爭投入的威脅。軸心國共同缺乏的資源是石油，這是一項關鍵弱點，因為德國必須仰賴石油才能發動機械化戰爭，日本也必須仰賴石油才能出動帝國海軍。石油的強烈需求促使日本進攻東南亞，同時也讓希特勒於一九四二年嘗試奪取蘇聯的高加索地區。[130]同盟國控制或擁有全世界九成以上的石油產出，軸心國只控制了百分之三，此外煉油產能也只有百分之四。德國大規模生產合成燃料，一九四三年達到七百萬噸，占了德國用油量的四分之三，但還是無法滿足德國的需求。[131]石油因此成為西方盟國切斷資源與確保最終勝利的戰略核心要素。

軸心國專注於帝國擴張計畫，因此在對大型戰爭制定戰略計畫時從未將經濟戰這種間接手段列入考慮。在德義日三國中，只有德國對此做出修正以填補戰略漏洞，並且對英國實施海空封鎖。然而在一九三九年時，經濟戰的想法依然只是略具雛形。德國海軍只有二十五艘遠洋潛艦，每次最多只能出動六到八艘，德國空軍的主要任務則是取得空優支援地面作戰，從未計畫執行攻擊敵方海上運輸或後方工業的戰略任務。德國海軍在一九三九年宣布進行「Z計畫」（Z-plan），準備建立一支龐大的遠洋艦隊，這項計畫要花費數年時間才能完成。儘管如此，希特勒依舊在一九三九年十一月命令武裝部隊開始對英國進行經濟戰：「擊敗英國是獲得最後勝利的先決條件。要擊敗英國，最有效的做法就是打擊要害，破壞英國的經濟。」[132]德國空軍與海軍奉命聯手攻擊英國的貿易路線，摧毀港口設施、倉儲、油槽與糧倉，擊沉貨船與轟炸軍工產業，特別是飛機製造業。由於德國在一戰曾被協約國封鎖糧食進口，希特勒因此特別重視封鎖英國的糧食供應。入侵英國的計畫胎死腹中後不久，希特勒捲土重來，要求飛機與潛艦必須實施聯合作戰，「對這場戰爭進行具決定性的封鎖行動」，讓「英國的抵抗在可預見的未來瀕臨崩潰」。[133]

希特勒想發動經濟戰，但他的軍隊並未做好準備。在這種狀況下要發起經濟戰，從當時的戰略上來看可能不太合理，但希特勒的想法卻反映了他的戰爭觀。對他而言，戰爭不僅是為了取得軍事上的勝利，也具有經濟功能。他對戰爭的看法部分源自於一九一四年到一九一八年的德國潛艦戰，德國潛艦幾乎癱瘓了協約國的戰爭投入，當時有六千六百五十一艘船隻被潛艦與水雷擊沉，總噸數達到一千兩百五十萬噸。[134]這一次，德國海軍將領在希特勒樂觀心態的激勵下，也希望發動一場所謂的「史上最大規模經濟戰」。德國潛艦司令鄧尼茲海軍准將（日後升為海軍元帥）相信擊沉噸數是擊敗英國的關鍵，他因此要求數量不多的潛艦部隊把擊沉貨輪當成主要目標。[135]即使擁有大量新建商船的美國加入戰局，希特勒也依然將經濟戰視為切斷資源的關鍵要素。一九四二年六月，海軍總司令賴德爾海軍元帥在報告中提到，「元首深知潛艦戰最終將決定戰爭的結果。」[136]

在德國海空封鎖下，英國相對較難取得資源，但在戰爭初期，絕大多數資源還是能順利運抵英國。在英吉利海峽與北海，德國飛機攻擊貨船，在大西洋，德軍出動潛艦、偽裝巡洋艦與改裝的長途客機FW－200「兀鷹式」，在德國海軍情報部門破譯英國商船船團的信號通訊之下，自一九三九年九月到一九四〇年十二月間共擊沉了一千兩百零七艘船隻。到了一九四一年，光是兀鷹式轟炸機每個月就擊沉了十五萬噸的船隻，之後英國開始調派戰鬥機獵殺與擊落這些速度緩慢的掠食者。一九四〇年，德國飛機擊沉的船隻有五十八萬噸，一九四一年增加到一百萬噸以上，總計五百艘船。在同一時期，潛艦則擊沉了八百六十九艘船，如果不是德國魚雷遭遇嚴重的技術問題，導致要到一九四二年秋天才修復投入作戰，擊沉的船隻數量還會更多。除此之外，海上事故（碰撞、船難、火災等等）也造成六百五十三艘盟軍船隻沉沒。英國進口貨物的噸數急遽下降，從一九四〇年的四千一百八十萬噸，下跌到一九四一年的三千零五十萬噸。[137]

除了海上封鎖，還有來自空中的封鎖。從一九四〇年夏天開始，德國針對英國南部港口與碼頭設施進行空襲，九月中旬，希特勒決定延後海獅作戰，此後德軍空襲的範圍擴大到整個不列顛群島的主要港口城市。曾經歷德軍轟炸的人會覺得這是一場為了打擊英國民心士氣的恐怖轟炸行動，然而事實上，德國空軍的任務主要是為了協助海上封鎖，針對英國幾處主要的海外貿易港口進行摧毀破壞（重點放在倫敦、利物浦與曼徹斯特），並且轟炸倉庫、筒倉、儲油槽、貨運與船隻修繕設施；德軍也轟炸分布在密德蘭的軍事經濟目標，尤其英國的航空發動機生產集中於此。從一九四〇年九月到一九四一年五月這九個月時間的「倫敦大轟炸」，其實就是一種經濟戰，是德軍為了破壞英國經濟而實施的空襲行動。如果封鎖奏效，可以預期英國的戰爭能力將會減低，民眾的戰鬥意志也會遭到削弱。在德軍一百七十一次的大空襲中，有一百四十一次針對港口城市，包括倫敦，尤其一九三九年時倫敦擁有最大的海外貿易量。德軍投下了三千一百一十六噸燃燒彈，其中有百分之八十六的目標是港口；德軍還投下兩萬四千五百三十五噸高爆炸彈，其中針對港口的部分占了百分之八十五。[138]自一九四一年一月起，德國空軍奉命對港口地區投擲更多的燃燒彈，大量易燃的商品倉儲付之一炬。英國決定將大西洋貿易轉移到西部港口，包括布里斯托、克萊德班克（Clydebank）、斯旺西（Swansea）、卡地夫與利物浦。德國為了反制，新的訓令要求將這些港口列為優先轟炸目標。[139]等到德國空軍被派往東線戰場，對英國的轟炸暫且停歇之時，英國所有的主要港口城市皆已遭受重創，赫爾、普利茅斯、倫敦與南安普敦更是反覆遭到轟炸。

空中轟炸的效果顯然不如海上封鎖，德國最高統帥部也無法得知詳細的轟炸損害情報。不久，希特勒就對結果感到幻滅。一九四〇年十二月，希特勒認為轟炸對於英國戰時軍工產業的影響微乎其微；兩個月後，希特勒同意賴德爾的看法，認為英國的士氣「並未」因為轟炸而動搖。他在二月六日發布訓令，要求優先使用潛艦與飛機擊沉敵方貨船，認為這才是經濟戰中較具決定性的做法。[140]然而德國並未因此停止轟炸英國，部分是因為德國民眾已經忍受英國皇家空軍空襲將近一年的時間，如果停止轟炸英國將很難對民眾交代，另一部分則是為了讓史達林相信，英國才是希特勒的主要目標，但實際上德國正祕密準備入侵蘇聯。希特勒的直覺是正確的。一九四一年底，德國空軍總部的估計顯示，德軍轟炸對於英國快速擴大的戰時生產只造成百分之五的損失；而遭受空襲的城市，大約只要三到八天就能恢復正常生產速率。只有在一九四〇年十一月遭受大轟炸的考文垂需要較久的恢復時間，大約經過六個星期才回復到空襲前的生產速率。德國試圖破壞英國石油與糧食儲備的行動也成效不彰。英國的石油儲備只損失百分之零點五，麵粉產能損失百分之五，含油種子生產損失百分之一點六，冷藏設備損失百分之一點五。沒有任何地方停水超過二十四小時，戰時的鐵路運輸停頓也從未超過一天。[141]德國空軍為了進行轟炸也付出很大的代價：一九四一年一月到六月，德軍有五百七十二架轟炸機完全損失，有許多還是意外事故造成的，此外還有四百九十六架受損。到了一九四一年五月，德國轟炸機部隊可以出動的飛機只剩下七百六十九架，數量遠少於一年前的法國戰役。[142]對英國而言，一九四〇年到一九四一年最嚴重的損失，是轟炸造成四萬四千六百五十二名男女老幼死亡，他們是德國封鎖失敗的受害者。

希特勒不再認為轟炸英國有助於進行封鎖，因此要求德國空軍停止轟炸，他轉而希望由潛艦肩負封鎖的重任，並且下令德國空軍要協同潛艦進行海上封鎖。德國水面艦隊並非海上封鎖的主力，在整個戰爭期間，德國海軍只出動了四十七艘艦艇進行封鎖。一九四一年五月德國最現代的戰鬥艦俾斯麥號被擊沉之後，德國的主要海軍艦艇皆全面停止遠洋作戰，將重點放在保護從斯堪地那維亞進行運補的德國船團上，以及威脅盟軍經由北極海運送物資到蘇聯的船團。到了一九四一年夏天，海空聯合封鎖的態勢出現變化。德國空軍總司令戈林不願另外撥出空軍資源來支持海上封鎖，特別是此時的德國空軍必須將心力投入於巴巴羅薩作戰。駐紮在法國西部的德國第四十轟炸機聯隊，原本要負責協助海軍進行封鎖，但部隊始終無法獲得適當補給。從一九四一年七月到一九四二年十月，德國空軍平均每月只擊沉四艘船。[143]因此，真正能有效執行海上封鎖的武器只剩下潛艦。德國潛艦的數量在一九四一年大幅成長，第一季有一百零二艘，到了年底增加到兩百三十三艘，但德國修繕受損潛艦的速度緩慢，加上訓練艇的需求極大且作戰範圍過於遼闊，從大西洋北部延伸到地中海戰場，因此估計德軍在大西洋負責攻擊英國貨船的潛艦最多不會超過十七艘。義大利也派出潛艦前往大西洋協助封鎖，但義大利潛艦無法適應開放海域的風浪，最終只能重新部署到比較平靜與溫暖的地區。到了一九四二年，德國潛艦終於接近鄧尼茲認為封鎖所需的數量：七月，三百五十二艘，年底，三百八十二艘，一九四三年全年都在四百艘以上。一九四三年一月到三月，德國潛艦隊達到巔峰，可以同時出動一百一十艘進行海上作戰。[144]

到了這個階段，盟軍採取的反制措施也開始對潛艦戰產生明顯的制衡效果。英國海軍部在利物浦設立西方航線司令部，在反潛作戰中指揮護航艦隊保護前來英國的商船船團。西方航線司令部利用潛艦監聽室篩選各種來源得到的潛艦活動情報，包括一九四一年五月到一九四二年二月截聽德國海軍謎式密碼電文獲取的極機密訊息（該年二月之後，由於德軍更改密碼，因此有六個月的時間未能解讀德軍電文）。這些情報使英國的商船船團得以規避埋伏的德國潛艦。一九四一年春，英國發布《西方航線護航指示》（*Western Approaches Convoy Instructions*），要求護航艦隊司令要以規避而非獵殺敵方潛艦做為主要目標。當歐戰爆發時，幾乎所有船團都必須要有軍艦護航，只有速度達到十五節以上的船隻才能獨自航行。一九四一年，護航艦隊的力量大幅提升，空中掩護雖然仍不完備，但已足以迫使德國潛艦長時間不敢浮出水面。護航艦隊與飛機裝備了一點七米波雷達來偵測潛艦，也裝備了先進的潛艦探測器（ＡＳＤＩＣ），這是在一戰最後一年發明的聲音偵測裝置。然而，在經常出現風暴、海象惡劣的大西洋，這兩種儀器都無法完全發揮功能。一九四〇年，雷達研發出現突破，多腔磁控管的引進使雷達可以利用較短的波長。一九四一年中，盟軍艦艇開始裝設二七一型厘米波雷達，之後飛機也開始裝設，這種雷達可以更精確地解讀潛艦影像，即使遭遇濃霧、低雲層或在夜間也能做出清楚判斷。改良的反潛設備雖然無法造成德國潛艦的大量損失（一九四一年只擊沉十九艘，一九四二年是三十五艘），卻能有效迫使德國潛艦離開原本的獵殺場，後撤到中大西洋「缺口」*或往南撤退到直布羅陀與獅子山航線。德軍再也無法重現一九四〇年以飛機與潛艦擊敗盟軍海岸護航艦隊的戰果。一九四一年與一九四二年，盟軍在蘇格蘭與倫敦之間部署了六百零八艘護航艦艇，兩萬一千五百七十艘補給船只有六十一艘被擊沉。[145]一九四一年被擊沉的船隻噸數，從三月的高峰三十六萬四千噸，一路下降到十二月的五萬零六百八十二噸。

德國海上封鎖的高峰出現在一九四二年春到一九四三年春之間，此時德軍擊沉的噸數突然再次快速增加。德軍擊沉噸數的增加，有部分是出於偶然，而且掩蓋了德軍可用兵力正在減弱與面對盟軍護航完全無計可施的現實困境。長期而言，德國的潛艦戰與空戰已難有突破。一九四一年十二月，美國宣戰，德國認為可以利用這個難得一見的機會攻擊幾乎完全不設防的大西洋西岸航線。十二月九日，由於美國已非中立國，希特勒於是宣布解除所有禁令，發動無限制潛艦戰。鄧尼茲對於美國參戰毫無準備，起初他只有六艘潛艦可用，即使到了隔年一月底也只有十艘潛艦可用。遠程IXC型潛艦被派往墨西哥灣，攻擊從千里達運送石油與鋁土的貨船；小型的VII型潛艦則開往美國東岸。德軍潛艦在美國東岸獲得了豐碩的成果，因為華府沒有想到德國潛艦會對美國本土構成直接的威脅。濱海城市在夜間依然燈火通明，讓沿海航行的船隻一覽無遺，而美國的貨船在毫無艦艇護航下出海，船隻沒有無線電限制，也不做燈火管制。美國海軍軍令部長金恩認為沒有必要派出護航艦隊，因此在美國近海幾乎沒有任何艦艇或飛機投入反潛任務。結果一九四二年上半年盟軍的補給船團就遭到德軍肆意攻擊，遭擊沉的船隻數量逐月創下新高——二月有七十一艘，到了六月已高達一百二十四艘，創下戰爭期間的最高紀錄。這些船隻幾乎都是在美國海域遭到擊沉，百分之五十七是油輪，這些船隻行駛的是大西洋西北部航線，主要提供美國產業需要的原料與計畫運往英國的租借物資。[146]德軍每月擊沉噸數逐漸接近七十萬到八十萬噸的水準，已經達到鄧尼茲認為能決定性地破壞盟軍補給的必要數量。德國潛艦戰此時面臨全新的緊急事態，隨著美國參戰，這場海上衝突的性質也跟著從切斷英國資源的經濟戰，轉變成阻止美國越過大洋運送兵力與裝備前往歐洲進行軍事行動的戰爭。

一九四二年還出現了其他對德國有利的因素。西北大西洋由匆促擴張的皇家加拿大海軍負責防衛。然而護航艦艇的缺乏、護航艦隊軍官的訓練不足、潛艦探測器的過時以及護航範圍擴及過於龐大的大西洋中部，使得加拿大海軍不堪負荷。一九四二年夏秋，德國潛艦前往西北大西洋，在聖羅倫斯灣發動攻擊，他們並未遭遇激烈反抗：德國五艘潛艦擊沉了十九艘船，迫使加拿大封閉聖羅倫斯灣不讓商船進出。[147]金恩海軍上將終於決定進行海空護航行動，美國與加勒比海域的攻擊事件這才慢慢減少。鄧尼茲讓潛艦「狼群」後撤到中大西洋「缺口」，這裡位於盟軍的巡邏範圍之外。德國海軍在重新設定謎式密碼之後又發起新一波潛艦戰，從二月到十二月，英國始終無法破譯取得極機密情報。儘管補給船團仍有可能規避德國潛艦，但難度明顯提高。雖然盟軍加強了護航艦隊的力量，也裝備了厘米波雷達，但德國潛艦部署在英國皇家空軍的飛行範圍之外，令盟軍束手無策。皇家海軍不斷催促皇家空軍海岸司令部派出遠程的美製B－24「解放者」轟炸機來擴大巡邏範圍，然

＊　譯注：此處位於英國皇家空軍的防衛圈外。

而最終填補「缺口」的最大阻礙卻來自邱吉爾。一九四二年補給船團遭受攻擊期間，邱吉爾仍堅持轟炸德國是空軍的首要之務，他認為採取攻勢的經濟戰要比保護補給船團來得重要。在轟炸機司令哈里斯空軍中將的大力支持下，邱吉爾主張轟炸潛艦生產地要比從海上攻擊潛艦更為有效，然而沒有任何可信的證據證明他的觀點。直到邱吉爾得知一九四三年英國的進口物資即將下降到無法支撐的低水準時，他才回心轉意，同意給予更多空軍資源在反潛戰上，但前提是不能排擠空軍對歐陸的轟炸。一九四三年春末，補給船團的損失達到每月六十萬噸以上，邱吉爾終於同意讓遠程飛機投入反潛任務；與此同時，羅斯福也意識到補給船團面臨極大的風險，他要求陸軍航空軍派十五架「解放者」轟炸機支援加拿大空軍填補大西洋的西部缺口。到了五月，美軍派出的四十一架極遠程飛機終於讓整個大西洋完全覆蓋在空軍的航程之內。[148]

德國潛艦戰在一九四二年與一九四三年初的成功，從許多方面來看宛如一場海市蜃樓。德國潛艦之所以能擊沉大量貨船，主要是美國海軍應對時漫不經心，加上英國空軍與美國陸軍航空軍都無法提供充足的空中支援來獵殺大西洋中部的德軍潛艦狼群。儘管商船船團蒙受重大損失，但統計數字顯示，仍有大量補給物資毫髮無傷地運抵目的地。一九四二年五月到一九四三年五月，橫越大西洋的一百七十四個補給船團，有一百零五個並未被德軍發現；剩餘六十九個被德國潛艦發現的船團，有二十三個逃過攻擊，三十個遭受輕微損失，只有十個受損嚴重。大多數時候，德國潛艦擊沉的目標主要是掉隊或沒有受到護航的船隻——一九四二年上半年在美國海域被擊沉的三百零八艘船，有兩百七十七艘屬於此類。從新斯科細亞省基地出發的補給船團，代號是HX與SC，這些船團在一九四二年的損失少於一九四一年：一九四二年是六十九艘，一九四一年是一百一十六艘。[149]隨著潛艦戰持續進行，每艘潛艦擊沉的噸數也急遽下降：一九四〇年十月，每日擊沉噸數是九百二十噸，一九四二年十一月，當德國潛艦在大西洋缺口擊沉的噸數創下新高，但每日擊沉噸數卻只剩下兩百二十噸。[150]一九四二年，盟軍開始展現科技與戰術上的優勢：厘米波雷達、對使用無線電的潛艦進行精確定位的新式高頻測向設備、首批護航航空母艦下水、殺傷力更強的炸藥、飛機過於靠近目標而無法有效使用雷達時可以利用萊光探照燈照射前方海面，此外一九四二年十月在地中海東部俘獲的德國U－559潛艦上發現的新「特里頓」（Triton）密碼本，讓盟軍在十二月再次破譯德軍的謎式密碼電文。出身潛艦部隊的賀爾頓海軍上將（Max Horton）出任西部海域司令後，改變了護航艦隊指揮官的訓練方式，要求海軍艦艇的支援部隊要採取強硬做法，搜尋與摧毀德軍的狼群部隊。雖然一九四三年三月有兩支護航艦隊SC－121與HX－229在激烈戰鬥中遭遇重創，損失了二十一艘艦艇，但德國潛艦在所有水域的損失也驟然攀升到這場戰爭的巔峰：二月被擊沉十九艘，三月被擊沉十五艘。

在前述所有條件配合下，德軍的封鎖突然失去了威脅性。美國派出的商船船團持續增加，英國的進口物資噸數從一九四二年的兩千兩百八十萬噸增加到一九四三年的兩千六百四十萬噸。太平洋戰役與盟軍登陸北非使英國獲得的補給物資減少，構成英國的「進口危機」，邱吉爾對此深感憂慮，然而後來證明這場危機只是暫時的。德國海軍情報部門原本估計同盟國在一九四二年可以建造五百萬噸的新商船船團，但實際上同盟國建造了七百萬噸，到了一九四三年更是達到一千四百五十萬噸。儘管船運在一九四二年與一九四三年初仍持續損失，但同盟國的建造速度使德國擊沉船隻的消耗戰難以產生決定性的效果。一九四二年十二月，英國累積的糧食與原料存貨總數達到一千八百四十萬噸，一九四三年二月減少為一千七百三十萬噸，但到了六月又回升到一千八百三十萬噸。[151]一九四三年，美國造船業生產的船隻扣除遭擊沉的船隻，仍有一千一百萬噸剩餘。一九四四年，德國海軍幾乎已無力阻止美國源源不斷地把軍隊與裝備送到大西洋的對岸，準備反攻法國。

海戰方面的情勢已經完全逆轉。一九四三年五月十一日，移動緩慢的補給船團SC－130從新斯科細亞省開往英國，由一支特別加強的海軍艦隊護航。船團在大西洋中部遭遇狼群，此時這個地區的空域已有新型的解放者轟炸機巡邏。結果是六艘潛艦被擊沉，補給船團毫髮無傷。同月，在大西洋有三十三艘潛艦被擊沉，以所有戰場來計算則是四十一艘。這已經相當於德國海軍可作戰潛艦的三分之一。鄧尼茲認為潛艦部隊無法承受這樣的損失，於是在五月二十四日下令所有潛艦撤回基地，直到添補新裝備後再試圖改變戰局。五月三十一日，鄧尼茲將潛艦戰失利的消息上報希特勒，希特勒一如往常地不允許撤退：「潛艦戰不許停止，這點毫無商議的餘地。大西洋是我在西方的第一條防線……。」[152]儘管如此，德軍的封鎖已然失敗，直到戰爭結束都無法恢復。一九四三年下半年，潛艦遭擊沉的數量已經超過商船，一九四四年，盟軍在所有戰場只損失了十七萬噸的補給船隻，是一九四二年總損失的百分之三。反潛力量的擴張與升級使德國潛艦難以達成作戰目的，甚至淪為自殺行動：一九四三年有大約兩百三十七艘潛艦被擊沉，一九四四年則有兩百四十一艘。德國計畫研發XXI型與XXIII型這兩種新型潛艦，這兩種潛艦是真正意義上的「潛艦」，能夠持續在水下活動躲避偵測，而且可以在水下發射魚雷，其作戰距離遠至開普敦。然而新型潛艦的研發速度太慢，主要受制於盟軍轟炸與資源被分散到其他更急迫的需求上。當第一批新世代潛艦於一九四五年四月三十日成軍、準備前往英國泰晤士河河口時，這場由德國發動的戰爭已經走到了尾聲。[153]

※ ※ ※

與軸心國不同，英美戰前規畫的經濟戰核心與地理條件有著莫大關係。既然任何國家都無法經由陸路入侵英國與美國，英美兩國因此可以自由地透過海上與空中對外投射力量。美國的對日戰爭計畫可以溯源到一戰之前。當時美國曾經計畫，若日本試圖排除美國在西太平洋的勢力，那麼美國將對日本採取經濟圍困。這就是「橘色戰爭計畫」(橘色代表日本)，在首次提出後的二十五年間持續迭代，但不變的是無限制經濟戰一直是計畫的主軸。美國以南北戰爭北軍成功經濟封鎖南軍做為計畫的參考範本。切斷所有海外資源、破壞補給、商業與金融孤立，這些都是用來「枯竭與消耗」橘色敵人的手段。[154]美國的經濟力量，即使面臨對日開戰的極端情況，也能確保日本經濟遭到毀滅。到了一九三〇年代，美國也開始將空中力量列入考量，將轟炸與封鎖視為經濟戰的兩個互補手段。一九三六年版的橘色戰爭計畫在遠程飛機尚未研發的狀況下，已經預想未來美國將從太平洋島嶼基地對日本的工業與交通運輸目標進行遠程轟炸，這個想法直到二戰末期美國終於生產出能夠飛越太平洋中部的轟炸機後才得以實現。[155]當德國成為潛在的敵人時，飛機也成為計畫在歐洲戰場實施經濟戰的核心工具。在歐洲，轟炸是立即可行的手段，美軍的計畫制定者在一九四一年夏天同意，轟炸的目的是「破壞工業與經濟結構」。[156]

英國以一戰做為經濟戰的範本，英國認為一戰時同盟國之所以崩潰，正是因為協約國以海軍進行封鎖的緣故。由於同盟國的資源與糧食遭到封鎖切斷，才引發一九一八年的工業與社會危機。一戰快結束時，英國才把轟炸德國工業視為一種經濟戰，認為這麼做有助於經濟封鎖。英國原本計畫在一九一九年出動數百架多引擎轟炸機發動大規模轟炸，卻因為一九一八年十一月停戰而作罷。但透過空中力量對敵方經濟進行圍困的想法，卻成為往後二十年空軍作戰構想的重心。一九二八年，英國皇家空軍參謀總長滕恰德（Hugh Trenchard）元帥擬定空軍的核心戰爭目標，認為空軍應攻擊敵人的工業城市與瓦解敵方民眾的戰鬥意志：「攻擊重點是敵人最難防禦與最脆弱的地方。」[157]這項宣示成為英國皇家空軍的核心任務，一九四〇年五月英國發動轟炸攻勢也是這種精神的延續，而此時空軍轟炸早已成為英國整體封鎖戰略的一環。在戰間期，英國一直維持從海上對敵國商業進行正式封鎖的策略，到了一九三七年，封鎖計畫變得更為特定，因為此時英國已經把德國視為假想敵。一九三七年七月，英國成立對德施加經濟壓力委員會，委員會針對德國經濟弱點進行探討，並促使英國把對德國進行經濟戰列為大戰略的重心。一九三八年九月慕尼黑危機期間，英國臨時規畫出了經濟戰部。從部會的名稱即可看出經濟戰的概念（「經濟戰」一詞首見於一九三六年）已經擴大，從單純的海上封鎖擴展到一切可以限制德國取得物資、資金與服務的手段，甚至包括發起攻勢行動。經濟戰部的職責甚至擴大到為轟炸機司令部界定與評估經濟目標。[158]一九三九年九月，經濟戰部正式掛牌成立，成為英國戰爭機器的一部分。

儘管如此，西方經濟戰理論上仍受到法律限制：潛艦與飛機不能攻擊商船船團與敵國的工業。一九三六年的《倫敦潛艦條約》（London Submarine Protocol）規定合法的潛艦攻擊目標僅限於運兵船、海軍護航的商船與從事交戰行為的武裝商船，而且各大國均同意簽字訂約，包括德國與日本。無限制潛艦戰因此被視為非法。潛艦可以勒令商船停船，可以登船搜索走私物品，但必須保障商船船員的安全。對潛艦的限制也適用在飛機上。根據一九四〇年初英國空軍部發布的指示，飛機只能攻擊軍艦；如果飛機要對商船進行威脅，僅限於讓商船離開原本的航線。[159]在條約規定下，無論是潛艦還是飛機在實際上都無法輕易執行「截停與搜查」的程序，因此潛艦與飛機在海上進行經濟戰的效果實際上非常有限。轟炸德國也會遇到類似的問題。一九三九年，英國政府與帝國參謀本部發布的指示提到，如果故意以平民為轟炸目標，或無法確認轟炸的是軍事目標（這表示不能在雲層上方或在夜間投彈），或因為疏失造成平民死亡，那麼作戰行動將構成非法。[160]

一九四〇年，英國政府解除對潛艦與飛機的限制。一九四〇年五月中，英國認為德軍已經公然違反國際法，在這種情況下，英國已無必要對德國遵守相關法律，因此決定開始轟炸德國的工業城市。到了十月，英國解除所有限制，一九四一年中更是明確定義工業城市的平民也是正當的轟炸目標。[161]同樣的理由也適用於潛艦戰。當時英國認為，由於德國「顯然」已經實施無限制潛艦戰（實際上並非如此，當時德國尚未實施無限制潛艦戰），因此英國就沒有法律上的理由不對德國船運進行無限制戰爭。德國入侵挪威後，英國為艦艇與飛機劃定了有限的「無預警擊沉區」。往後一年，這個區域逐漸擴大，基本上所有軸心國貨船都會遭到無限制攻擊。對美國而言，日本攻擊珍珠港同樣讓法律問題迎刃而解。就在珍珠港遭到攻擊的六個小時後，基地司令接到電報：「對日本發動無限制空戰與潛艦戰。」[162]

無限制經濟戰首見於地中海戰場。一九四〇年六月十三日，一艘義大利潛艦在義大利海軍於地中海劃定的「危險區」裡，無預警擊沉一艘挪威油輪。義大利布置水雷時，也沒有對外宣告，明顯違反了國際法。七月中，英國戰時內閣在辯論後決定對義大利貨船採取「無預警擊沉」政策。起初英國將無預警擊沉區劃定在利比亞外海，之後又將範圍擴大到離義大利領土海岸五十公里的地區。潛艦、水面艦艇與飛機可以自由擊沉義大利商船與運送軍事裝備或兵員到北非前線的義大利船隻。[163]不過，英國的無預警擊沉政策需要一段時間才能執行。一九四〇年，英國只有十艘潛艦在地中海執行任務，這些潛艦全屬於O級與P級潛艦：船身太大，在水淺海域下潛的速度太慢，在地中海很容易被偵測出來。英國在地中海部署的飛機數量也太少，幾乎全用來防衛埃及。一九四一年，新型的T級潛艦與較小型的S型及U型潛艦開始大量派往地中海，這些新型號潛艦更適合在地中海作戰。一九四〇年十月，英國海軍俘獲義大利潛艦密碼本，又於隔年六月破解義大利的C38m密碼，掌握義大利補給船團與航線的詳細資料。[164]此後英國開始擴大空中活動、進行更廣泛的布雷與出動水面艦艇來擊沉補給船團。英國的行動導致義大利與德國船團（德國出借商船船團給義大利，條件是船團必須懸掛德國旗幟）出現難以彌補的損失，義大利商船船團也逐漸遭到消滅。

一九四三年一月到五月，在戲劇性的最後幾個月，義大利補給船團努力想通過盟軍布置的水雷區，為被圍困在突尼西亞的軸心國部隊運送物資。然而船團卻遭到從鄰近基地起飛的英美空軍、英美水面艦艇與潛艦攻擊，幾乎沒有船團能完成任務。義大利船員把這條航線稱為「死亡之路」，義大利海軍艦艇損失慘重，頂多只能派出十艘驅逐艦進行全天候護航，到了三月更只剩下五艘。三月至四月時，百分之四十一點五的補給物資沉入海底。而在義大利於五月投降前不久，損失的補給物資量已高達百分之七十七。在這條死亡之路上，大約有兩百四十三艘補給船被擊沉，兩百四十二艘受損。[165]盟軍持續三年的封鎖戰，使義大利商船船團從原本的三百一十萬噸（包括義大利、德國與俘獲來的商船），減少到只剩三十萬噸；總計有一千八百二十六艘船隻與油輪被擊沉，其中被潛艦擊沉的占百分之四十二，飛機占百分之四十一，水面艦艇與水雷占百分之十七。[166]儘管如此，封鎖戰仍未完全切斷軸心國對北非的戰爭投入。雖然盟軍全力攻擊補給船團，但估計仍有百分之十五的補給物資運抵非洲。要命的是，北非的小港口無法容納大量物資，許多壅塞在港口的船隻與補給品就在駐防中東的英國皇家空軍無情攻擊下遭到摧毀，還有部分物資在運往前線的長途路程中耗損。[167]軸心國最大的問題還不在於補給船團的損失程度，而在於缺乏船隻運送物資。大量船隻停放在義大利船塢等待修理，但在物資缺乏下始終無法修復。運往北非的物資在一九四一年二月至六月間達到高峰，到了一九四二年七月至十二月，每月平均運量只剩下過去的百分之六十二，但此時北非需要補給的軍隊數量卻比先前更多。[168]

可以確定的是，義大利商船船團遭受重創也導致義大利戰時生產衰退與石油缺乏。盟軍的封鎖不僅針對義大利運往非洲的補給物資，也針對義大利的港口貿易，而義大利必須仰賴貿易才能獲得關鍵的原料、燃料與義大利民眾所需的糧食。相較於對北非戰場的補給，義大利船運的毀滅對義大利國內的影響程度始終未受到應有的重視，而且也較難從統計數據上加以印證。義大利軍方估計每年需要進口八百三十萬噸石油，但一九四〇年到一九四三年的平均進口量卻只有一百一十萬噸；銅與錫的需求量是十五萬九千噸，但平均進口量只有三萬噸；鋁的需求量是三萬三千噸，但每年的進口量只剩下五千噸。[169]一九四二年，義大利進口的棉花與咖啡豆只有一九四〇年的百分之一，羊毛只有百分之四，小麥是百分之十一，鋼鐵是百分之十三，其餘物品占比也大致相同。[170]進口物資的大幅衰退有多大程度與盟軍的經濟戰有關，如今依然缺乏直接證據，但一九四三年夏天，義大利的戰時貨物能力減少九成一事，顯然對義大利物資進口造成嚴重影響。

同盟國對德國發起的經濟戰規模更大。與地中海補給戰不同的是，對德經濟戰以空中力量為主，而且最初是由英國皇家空軍轟炸機司令部執行任務。從一九四二年起，駐紮在英國的美國第八航空軍參與對德經濟戰，一九四三年底，駐紮在義大利南部的美國第十五航空軍也加入行列。對德國進行海上封鎖的成效有限，因為德國可以取得歐洲占領區與中立國的資源。戰爭期間，英國潛艦在歐洲北部海域只擊沉了八十一艘船，海岸司令部的飛機雖然擊沉了三百六十六艘船，但絕大多數都是輕型的沿岸船隻。盟軍的水雷也擊沉了六百三十八艘船，只是大多數還是小船。[171]前往德國的遠洋商船被英國海軍以「查緝走私」名義進行攔截，許多戰爭物資被當成貴重物品扣押，但這類商船在一九三九年秋天以後已大幅減少。此後突破封鎖的船隻少之又少，有些是德國船，有些是日本船，但這些船有很高的比例遭到擊沉或扣押，在戰略上幾乎不構成影響。即使在戰前，人們已經想到切斷德國戰爭資源的最好方式，就是使用遠程飛機進行源頭打擊。在歐戰爆發前幾個月，英國空軍部擬定了「西部空域計畫」，一共有十六份，然而這些願望清單完全超出了轟炸機司令部的能力範圍。西部空域計畫最關鍵的是五號計畫與八號計畫。五號計畫是「攻擊德國製造業源頭計畫」，包括攻擊所有的戰時工業、魯爾區、德國石油產地等，八號計畫則是「夜間攻擊德國戰爭儲備」。這兩項計畫結合起來形成了一九四〇年五月中的作戰行動，當時邱吉爾新成立的戰時內閣已經同意進行夜間作戰，而此舉不可避免將造成平民傷亡。[172]這些戰爭初期的空襲行動開啟了一場為期五年轟炸德國後方與德國在歐洲占領區生產地的戰爭，而人們當時完全沒想到這場戰爭持續的時間竟如此之久、規模又是如此之大。英美空軍預期從空中發起的經濟戰能帶來立竿見影的效果，然而，就跟海上消耗戰一樣，削弱敵方經濟證明是一段令人挫折且代價高昂的緩慢過程。

事實上，在戰爭的前兩年，轟炸機司令部幾乎未取得任何成果。雖然邱吉爾大力支持轟炸行動，認為這是唯一能讓德國民眾感受到戰爭的手段，但主張德國產業與交通運輸會因為轟炸而遭受重創的想法，顯然與實際作戰的成果有所落差，這一點可以從德國轟炸對英國工業產出的影響非常有限看出。轟炸機司令部擁有的飛機太少，沒有重型轟炸機，缺乏現代的投彈瞄準器或導航系統，攜帶小口徑的高爆炸彈，幾乎沒有燃燒彈，還要面對德國部署的防空砲火。這些防空砲火數量驚人，被設置來保護德意志帝國西部的關鍵目標空域。轟炸機司令部一名飛行員回憶說，一九四〇年轟炸德國軍事經濟目標的行動「毫無意義」，許多機組人員根本找不到自己要轟炸的城市。有很高比例的炸彈投到開闊的鄉村地區，還有許多炸彈是啞彈。[173]一九四一年八月，邱吉爾的科學顧問林德邁（Frederick Lindemann）要求年輕統計學者巴特（David Bensusan-Butt），分析轟炸機司令部拍攝的六百五十張照片以分析轟炸精確度，這才讓大家瞭解轟炸行動其實並沒有產生效果。巴特發現，五架飛機只有一架進入離目標八公里以內的範圍，十架飛機只有一架飛抵魯爾與萊茵蘭工業區的上空。在沒有月光或起霧的夜間，飛抵目標區上空的飛機甚至十五架只有一架。兩個月後，轟炸機司令部剛成立的作戰研究部門發現，秋天空襲的效果更糟：只有百分之十五的飛機能成功進入距離目標八公里內的範圍進行投彈。[174]

早在巴特提出報告之前，轟炸機司令部就已經認為當前的狀況很難做到精準轟炸，並因此修改了經濟戰的戰略。英國空軍部對德國轟炸英國的影響進行分析，最後認為燃燒彈比高爆彈更具破壞力，主張應優先考慮投擲燃燒彈。其次，轟炸工人與工人所在城市，要比轟炸特定工廠更能破壞敵方的戰時生產。一九四一年四月，檢討轟炸政策後提出的結論是，「審慎計畫對德國城鎮的工人階級集中區進行持續的密集轟炸」。空軍情報部門主任表示，工人「不容易流動，閃電般的大轟炸可以對其造成最大的傷害」。[175]幾乎就在同一時間，經濟戰部也做出結論，認為以「工人的居住區與購物中心」而非個別工廠做為轟炸目標，經濟戰戰略會更成功，經濟戰部因此催促空軍部以摧毀整座城市做為作戰目標。[176]在英國人眼中，工人成了抽象的經濟目標。在這種定義下，一九四一年七月，轟炸機司令部接到的第一項訓令是，要將四分之三的作戰力量投入於轟炸工人階級與工業區，行有餘力再攻擊交通運輸目標。一九四二年二月十四日，轟炸機司令部接到的第二項訓令是，徹底放棄攻擊交通運輸目標（之前的攻擊一直未獲成效），改成把打擊敵方平民，特別是產業工人的士氣當成主要目標。轟炸機司令部對德國的工業城市進行分區，將脆弱的住宅區標示出來。「第一區：市中心，建築物密集。第二區：密集住宅區，建築物密集」到「第四區：工業區」。轟炸機司令部決定轟炸第一區與第二區，避免浪費炸彈在較分散的工業區上。[177]經濟戰部擬了一份清單，上面列了五十八座城市（所謂的「轟炸機指南」），每一座城市根據擁有的關鍵工廠數量被打上不同的經濟分數。柏林的分數最高，有五百四十五分；符茲堡只有十一分，結果日後卻毀於轟炸造成的風暴性大火。這份清單不是用於精準轟炸，而是為了確保當城市區域遭到破壞時，重要廠商會因為勞動力的死亡、受傷與流離失所而受到影響。這份清單後來擴大到一百二十座城市。一九四二年二月，哈里斯被任命為轟炸機司令部司令，他隨身攜帶這份清單，只要確認有哪座城市已被夷為平地，他就將清單上的城市劃掉。一九四五年四月，就在德國投降前幾天，英國終於停止轟炸德國城市，此時清單上的城市已被哈里斯劃掉七十二座。[178]

美國陸軍航空軍對於可能出現的經濟戰，看法與英國有很大的差異。一九四〇年，美國陸軍航空軍情報部門獲得英國空軍情報部門提供的資料，開始計畫從德國經濟體系中選擇最能破壞德國戰爭投入的目標進行打擊。一九四一年八月，在戰爭部指示下，陸軍航空軍擬定一份空襲計畫做為羅斯福「勝利計畫」的一部分，分析人員選擇電力、交通運輸、燃油與士氣（受英國影響）做為戰略空中攻勢的主要目標。與英國的計畫不同，美國的計畫AWPD－1把德國空軍與支持德國空軍的產業及基礎設施視為重要的「中間目標」，認為摧毀這些目標是有效摧毀其他目標的先決條件。[179]一九四二年九月，當第八航空軍飛越大西洋前往英國駐紮時，最初的計畫做了修改，成了AWPD－42。新計畫把士氣從目標清單中移除，另外增添潛艦、合成橡膠與鋁的生產做為重要目標。陸軍航空軍對這些計畫做了精確估算，一九四一年有一百五十四個目標，一九四二年增加到一百七十七個。[180]陸軍航空軍也估算了需要的轟炸機數量與攻擊強度，假定美軍轟炸機使用有效的投彈瞄準器，可以在白天飛到德國境內，精確地轟炸被列為主要目標的工廠。美軍認為，一旦計畫目標遭到摧毀，「將對德國造成決定性的打擊，使其無法繼續投入戰爭。」[181]美國陸軍航空軍與英國皇家空軍的差異，最終在一九四三年一月盟軍卡薩布蘭加會議通過的聯合轟炸機攻勢中得到確認。六個月後，針對聯合轟炸機攻勢頒布的「零距離指令」清楚區分兩種不同的經濟戰形式，一種是在白天攻擊特定的工業目標體系，另一種是進行夜間轟炸，摧毀德國工人持續作戰的能力與意志。這兩種戰略各自獨立但並非毫不相容，但美國陸軍航空軍高層對於英軍的攻勢仍存有疑慮，認為英軍的做法無論在政治或經濟層面都不可能產生決定性的影響。美國駐歐洲戰略航空軍司令史巴茲將軍就對此表示：「在極權社會裡，只要當權者能牢牢掌握局面，老百姓的士氣高低根本不會產生任何影響。」[182]

參戰第一年，美國第八航空軍經歷了一場艱苦的教訓。想癱瘓清單上洋洋灑灑列出的一百七十七處目標，在當時的條件下根本不可能做到。廣受吹捧的諾頓（Norden）投彈瞄準器在飛行高度超過四千五百公尺時變得難以使用；德國工業城市往往被雲層或工業霧霾掩蓋，因此美軍有將近四分之三的炸彈是在雷達協助下「盲目」投彈，與英國的無差別轟炸沒什麼不同。此外，轟炸機在沒有戰鬥機護航下在白天進行轟炸，損失率也讓人無法忍受。一九四三年八月與十月只針對一處關鍵精確目標士文福（Schweinfurt）的滾珠軸承工廠進行轟炸，卻造成轟炸機的巨大損失：八月損失了百分之三十一的轟炸機，這些轟炸機有的被擊落，有的遭到重創，有的被迫飛往北非基地。十月，兩百二十九架轟炸機損失了六十五架。[183]由於損失率實在太高，此後直到一九四四年二月，美國第八航空軍只選擇在德國北部海岸或歐洲占領區轟炸比較簡單的目標。

一九四四年二月，美軍重啟對德國工業區的日間轟炸行動，但此時的轟炸已與過去有所不同。一九四三年底，史巴茲擔任美國駐歐洲戰略航空軍司令，一九四四年一月，杜立德空軍少將負責指揮第八航空軍，兩人認為要進行經濟戰，首先必須在軍事上擊敗保衛德國工業區的德國空軍。然而，要擊敗德國空軍仍須從經濟層面入手，必須將飛機產業視為首要的工業目標。一九四四年二月十九日到二十六日，駐紮在英國的美國第八航空軍與駐紮在義大利的美國第十五航空軍對德國十八座飛機裝配廠發動攻擊，史稱「重要的一週」（Big Week）。轟炸造成廣泛的破壞，但並不嚴重。真正造成破壞的是美軍戰術上的改變。與海上商船船團一樣，轟炸機也需要戰鬥機護航。從一九四三年底開始，P－38閃電式、P－47雷霆式與高性能的P－51野馬式（裝上英國授權美國生產的梅林發動機）等美軍戰鬥機開始掛上副油箱，使其可以深入德國領空。這些戰鬥機除了保護脆弱的轟炸機群，也能「自主」執行任務，它們獲准遠離轟炸機群，主動搜索敵機、空軍基地與機場設施。儘管德國在一九四四年大幅增加戰鬥機產量，但美國護航戰鬥機採取積極的戰術，使德國戰鬥機不堪消耗。二月，德國空軍損失了三分之一的戰鬥機，到了四月損失增加到了百分之四十三。[184]有經驗的飛行員大量損耗，為了及時補充飛行員，只好降低訓練標準。一九四四年一整年，德國在盟軍轟炸下依然能維持高水準的飛機產量，但飛行員損失太多，導致德國空軍最終還是喪失了本國領空的空優。

德國空軍的落敗使美國轟炸機得以重回經濟戰主軸，而此時盟軍的轟炸機數量也大幅擴充。美軍最初的計畫是列出大量目標進行轟炸，但之後放棄了這項計畫，轉而集中轟炸德國的石油供給。一九四四年三月，敵方目標委員會提出報告，指出石油是敵方最脆弱的目標，也最容易對德國整體戰力產生重大影響。雖然轟炸機部隊理應分出部分兵力協助盟軍的六月反攻法國計畫，但史巴茲還是下令必須進行石油戰役。四月，盟軍對羅馬尼亞的普洛什蒂特油田，也就是德國原油的主要來源狂轟濫炸。五月與六月初，盟軍猛烈轟炸德國主要的合成燃料工廠與煉油設施。即使絕大多數炸彈都落到目標區外，但擊中石油產地的炸彈數量已足以造成嚴重破壞。[185]德國的航空燃油產量從三月的十八萬噸，降到六月的五萬四千噸，到了十月更只剩下兩萬一千噸。合成石油產量原本在四月是三十四萬八千噸，到了九月減少到兩萬六千噸。資本密集工廠無法輕易分散或隱匿，因此成為盟軍攻擊的主要目標，而之後盟軍又將目標擴大到用來生產軍火的基礎化學工廠。一九四四年，氮的產量減少了四分之三，甲醇減少五分之四，蘇打減少六成，硫酸減少百分之五十五。除了石油，合成橡膠也是一項關鍵的軍事資源，其產量也從一九四四年三月的一萬兩千噸減少到十一月的兩千噸。[186]持續轟炸使德國的關鍵資源庫存銳減，最終達到僅能持續作戰到一九四五年春天的程度。

除了轟炸德國主要的石油與化學工廠，艾森豪也在一九四四年九月下達訓令，要求英美空軍集中轟炸交通運輸設施。哈里斯反對讓轟炸機司令部從事轟炸城市以外的任務，但他同意可以對擁有石油與鐵路目標的城市進行無差別轟炸。對指定目標進行轟炸，包括持續壓制德國空軍，這些行動最終絕大多數都由史巴茲下令完成。從經濟角度來看，一九四四年九月之後針對德國鐵路與運河系統進行攻擊，確實發揮了關鍵影響。盟軍幸運地炸斷科隆—穆爾海姆橋（Cologne-Mulheim bridge），堵塞了萊茵河水路。一九四四年的最後幾個月，連結魯爾與萊茵蘭工業區與德國中部的中德運河（Mittelland Canal）實際上也陷入癱瘓。到了十一月，德國鐵路的二十五萬節貨車車廂已有多達半數無法使用。煤與鋼鐵無法送出魯爾區，只能堆放在鐵路末端等待運送；一九四四年九月到一九四五年一月間，鐵路貨運量減少將近一半。[187]德國因此分裂成幾個彼此無法連結的經濟區，軍事生產因為資源枯竭而萎縮。戰後訊問負責德國戰時生產的官員與商人時，他們表示運輸系統的崩潰是造成德國經濟危機的主因。相較之下，軍事高層則認為石油的損失才是導致軍事失敗的元凶，一如戈林所說：「沒有燃料就無法進行戰爭。」[188]

在戰後，美國戰略轟炸調查團與規模較小的英國轟炸調查小組對經濟戰進行調查，得出的結果與訊問德國高層得到的回覆大致相同。調查團關注的是經濟戰的結局，而非政治或軍事結果。調查團並未刻意掩蓋以下事實：儘管歷經五年的轟炸，投下了一百三十萬噸的炸彈，德國的戰時生產直到一九四四年秋天為止依然大幅擴張，戰鬥機產量增加為十三倍，戰車產量增加為五倍，重機槍產量增加為四倍。[189]換言之，德國武器生產成長最快速的那幾年，剛好也是盟軍轟炸最猛烈也最持續的時候。毋庸置疑的是，如果盟軍不進行轟炸，德國顯然可以生產更多武器，但這也顯示出轟炸只是影響戰時經濟表現的其中一項要素。美國《總體報告》(*Overall Report*)的作者估計，盟軍的轟炸在一九四二年損害德國經濟百分之二點五的潛在產出，一九四三年是百分之九，一九四四年時美軍已能有效轟炸德國的工業目標，因此損害的程度達到百分之十七，不過這些統計數據也納入了與戰爭無關的貨物產出。與戰後訊問一樣，《總體報告》在結論中表示，轟炸石油生產設施與交通運輸網路是德國戰爭投入遭受重創的主因。然而調查團的石油報告也顯示，只有百分之三點四的炸彈實際命中石油設施與管線，百分之八十四的炸彈完全落在目標區外。[190]美軍調查團因此在報告上推測，英國的無差別轟炸「對於生產的影響不大」，而當英國轟炸調查小組於一年後公布報告時，也證明美方的說法大致正確。在研究二十一座工業城市後發現，一九四二年的無差別轟炸只讓產出減少百分之零點五，一九四四年也只減少百分之一。研究更發現，與十四座未被轟炸的城市相比，被轟炸的城市產出提升的速度反而更快。[191]英國報告認為，美國集中轟炸交通運輸設施的戰略是正確選擇。無差別轟炸確實摧毀了德國四成的建築物密集區，導致超過三十五萬名男女老幼死亡，但即使是如此史無前例的破壞程度，直到一九四四年秋天為止，盟軍仍無法阻止德國的戰時生產持續增長。

在把攻擊目標放在交通運輸與石油生產設施之前，盟軍的轟炸攻勢在經濟戰上一直未能取得重大成果，原因可以從幾個方面來解釋。受徵召參與調查德國經濟工作的經濟學家卡爾多（Nicholas Kaldor）就表示，在戰時，現代工業經濟體具有一定程度的「緩衝」功能，可以吸收轟炸帶來的衝擊。在德國，這種緩衝功能部分來自於從歐洲占領區榨取資源與勞動力，部分來自於對戰時生產體系進行合理配置，還有一部分來自於因應轟炸而將生產設施分散的作為。[192]另一位加入調查工作的美國經濟學家高伯瑞（J. K. Galbraith）則指出德國經濟「持續擴張且具有彈性」，而非如盟軍情報單位所言「靜態而易碎」。[193]一九四一年英國皇家空軍與經濟戰部曾經認為，轟炸將使德國工人士氣低落從而提高曠工率，但就連這項論點最終也未能實現。幾乎所有遭受嚴重轟炸的城市都能在三個月內恢復到空襲前產出的八成以上，六個月內即能完全恢復甚至增產。漢堡在一九四三年經歷風暴性大火之後，到了九月已有超過九成的工人返回工作崗位。[194]一九四四年，在盟軍轟炸最猛烈的時候，儘管在遭受重點轟炸的產業如潛艦與飛機生產的曠工率確實偏高，但空襲造成的曠工占產業工時的損失也不過僅百分之四點五。[195]此時德國勞動力已有三分之一是外籍的強制勞工，他們被迫在城市的斷垣殘壁與空襲中工作。德國戰時經濟的成本主要來自於空襲受害者的福利給付與復原重建，以及為了從事民防、救難與重建工作而必須分派出去的勞動力。在盟軍開始對交通運輸系統進行空襲之前，針對工人與城市的轟炸對於德國戰時生產的提升產生多大阻礙，我們難以從統計數據上進行估算，而在一九四五年時也沒有任何單位嘗試做過這方面的調查。若從常理推斷，就算德國能把空襲後所投入的重建資源釋放出來，應該也不可能再大幅提升戰時產出。

對德國來說，損失更大的其實是軍事成本。一九四四年秋天，德國將八成的戰鬥機調往本土抵禦盟軍轟炸，轟炸機的產量也下降到只占戰鬥機數量的十分之一。戰鬥機集中部署本土的結果，導致德軍前線完全暴露在盟軍戰鬥機與轟炸機的攻擊之下。一九四四年，德國本土有五萬六千四百門防空砲，每個月可生產四千門；為了製造防空武器，必須占用二分之一的電子產業與三分之一的光學產業產能。[196]盟軍展開轟炸行動時，並未預期德國會移轉其他產業產能來生產防空武器，盟軍的轟炸因此在無意間減少了戰爭關鍵時期德軍前線所能取得的武器數量。

※ ※ ※

相較之下，針對日本的經濟戰主要發生在海上。一九四四年底至一九四五年初，美國攻占馬里亞納群島，取得能讓重型轟炸機飛抵日本本土的基地。也就是說，直到太平洋戰爭的最後六個月，美國才得以採用以轟炸削弱日本戰時生產的戰略。海上封鎖是一種間接的經濟戰形式，包括切斷日本戰時產業需要的物質資源、日本陸海軍需要的石油以及日本平民需要的糧食。橘色戰爭計畫最初的構想就是進行海上封鎖，但海上封鎖背後的假定是美國的勢力範圍涵蓋西太平洋。日本攻占菲律賓與美國在關島與威克島的基地之後，意謂著美國除非重新控制陸上基地與港口，否則只能仰賴潛艦與海軍航空隊來進行海上封鎖。

日本高層深知日本極度仰賴進口，尤其需要南太平洋與東南亞這些征服地區的物資，因此日本必須有足夠的商船船團來因應未來可能的損失。一九四一年與一九四二年，日本根據可用的船舶供給來擬定《物資動員計畫》，此後直到一九四五年，可用的船舶供給成為決定日本戰時經濟的關鍵。一九四二年三月，日本頒布《戰時海運管理令》並依此成立船舶運營會，由該會負責管理日本所有船舶的徵用、移動與運作。[197]商船也成為戰時生產的優先項目。一九四一年十二月，日本可用的商船噸數是五百二十萬噸。透過擴建既有船塢、新建六座新的大型船塢以及將船舶的設計與建造標準化，日本得以在戰時額外建造三百五十萬噸的商船。[198]日本戰時經濟的主要問題在於，日本陸海軍需要徵用大量商船才能在從太平洋最北邊的阿留申群島到印度洋的緬甸這片遼闊的海域作戰。日軍要求商船必須優先運送軍隊與裝備，而軍方徵用商船的結果，就是導致戰爭期間可以用來運送糧食、原料與石油到日本本土的民間船隻竟不到兩百萬噸。一九四二年冬天，光是瓜達康納爾島這場重要戰役就動用了四十一萬噸的商船；一九四三年六月在緬甸的有限作戰，軍方也從民間產業動用了十六萬五千噸的貨物空間。[199]

美國花了將近兩年的時間，才得以有效打擊日本脆弱的海外供給。一九四二年，美國投入海戰的潛艦少之又少，而且也未針對潛艦的使用制定清楚的戰略。美國的標準魚雷與德國魚雷遭遇的問題一樣，有將近兩年的時間，磁力與近炸引信始終無法正常運作。美國在戰爭期間總計發射了一萬四千七百四十八枚魚雷，擊沉了一千三百一十四艘商船與海軍艦艇，但在一九四二年，日本只有一百八十艘船被擊沉，總計七十二萬五千噸。[200]一九四三年，洛克伍德海軍中將（Charles Lockwood）下令擴建珍珠港與澳洲弗里曼圖（Freemantle）與布里斯班（Brisbane）的港口基地，美國潛艦因此有能力騷擾日本帝國周邊的主要補給路線、獵殺日本的商船與油輪，行有餘力還能攻擊日本的海軍艦艇。同年，日本船隻被擊沉的總噸數來到一百八十萬噸，到了年底，日本被擊沉的船隻已經超過日本能夠補充的數量。日本進口物資噸數從一千九百五十萬噸減少到一千六百四十萬噸，處境雖然危險，但還不到關鍵的轉折點。破譯密碼取得的重要情報（又稱太平洋版的「極機密」）、雷達偵測技術的發展以及MK. XIV與MK. XVIII魚雷的研發成功（改良炸藥與更耐用的引信能更可靠地擊沉船隻），這些都讓潛艦作戰產生更大的效果。美國潛艦部隊的規模不大，但標準的美國一千五百噸潛艦航程卻高達一萬英里，攜帶的補給物資也能在海上航行六十天，這是橫越太平洋長期航程的兩項必要條件。這樣一支對日本海運造成重大損害的水下部隊，直到一九四四年初為止也不過只有七十五艘潛艦。戰爭期間，美國海軍一共只有兩百八十八艘潛艦服役，這個數字只是德國生產潛艦投入大西洋之戰的零頭。[201]

儘管日本可用的商船船團急遽減少（非軍事作戰用的貨船到了一九四三年底只剩一百五十萬噸），日本海軍卻不像西方同盟國那樣在大西洋投入大量護航艦隊來保護脆弱的海外貿易。直到一九四四年秋天，日本才研發出短波雷達，此前則因為欠缺這項技術而無法進行反潛戰。日本也遲遲未能發展出有效的深水炸彈戰術，或是無線電測向的戰術。美國潛艦最嚴重的損失，往往出現在襲擊軍事物資的補給船團的時候，因為日本會對這類船團進行最嚴密的護航。美國在一九四三年有十五艘潛艦被擊沉，一九四四年是十九艘。儘管如此，美軍並未停止對商船船團進行長期消耗戰，這是美軍在戰略上的首要目標。日本直到一九四三年才決定對主要補給路線進行固定護航，但護航依然以海軍與陸軍的軍用補給物資為優先目標。日本設立的海上護衛隊，由第九〇一海軍航空隊負責支援，然而日本護航的艦艇與飛機過於分散，難以達到反潛效果。日本進行反潛作戰的飛機絕大多數都在一九四四年被美國航空母艦艦載機擊落，日本四艘小型護航航空母艦也有三艘被擊沉。[202]一九四四年，美國派出飛機支援潛艦獵殺日本商船船團，日本無計可施，主要補給路線一條接一條遭到切斷。從長江運送鐵礦的船團被密布的水雷攔阻，日本進口的鐵礦因此減少了四分之三。一九四四年十二月，從南方進口的石油從每月七十萬噸減少到二十萬噸，到了一九四五年二月石油補給線更是完全中斷。[203]日本無論採取何種補救措施均無濟於事。即使不直接經由海路，而是先透過鐵路把物資運送到中國與朝鮮港口，這些物資最後還是要以海運方式運回日本本土，因此仍有遭受飛機與潛艦攻擊的危險。日本為了增加運輸噸數，也徵用了中國帆船與舢舨，還因為鋼鐵缺乏而建造了木造船隻。一九四四年，美國潛艦部隊已經沒有大型目標可以攻擊，於是轉而將目標放在日本用來運送軍用物資的大量小船上。[204]

一九四四年十一月，除了美國海軍從空中與海上攻擊日本補給船團，陸軍航空軍的戰略轟炸機也於此時開始轟炸日本本土。陸軍航空軍希望直接摧毀日本本土工業來擴大封鎖效果，但初期波音B-29「超級堡壘」的空襲效果不彰，主要因為天氣條件出乎意料，日本上空有著強勁的噴射氣流，目標城市上方也總是籠罩著雲層與工業霧霾，因此幾乎不可能從空中精確投彈。此外，從歐洲使用的H2X雷達發展出來的標準雷達設備AN/APQ-13也無法提供清晰的目標地區影像。[205]與歐洲一樣，美軍的首要目標是摧毀飛機與航空發動機裝配廠，但到了一九四五年一月，沒有任何一個標定出來的目標被有效摧毀。實際的作戰狀況迫使美軍對首要目標進行調整，這點也跟一九四一年的英軍一樣。早在一九四三年，美國空軍作戰分析委員會已經建議對日本的六大工業城市進行無差別轟炸，他們援引英國皇家空軍與英國經濟戰部的論點，認為工業工人及其所在地區是可以正當轟炸的經濟目標。一九四四年十月，這項建議再度提出並且成為美軍轟炸的重點。一九四五年春，美軍開始用燃燒彈轟炸日本城市，其開端便是三月十日夜間東京的風暴性大火。[206]

只要天氣狀況許可，美軍就會對日本的飛機工廠進行精準轟炸，但由於經常遭遇不良天候，因此美軍絕大多數採取的還是無差別轟炸，一直持續到戰爭結束為止。與歐洲戰場不同，轟炸石油與交通運輸對日本的影響沒有那麼關鍵。從日本的經濟情報可以看出，日本的戰時生產分散在無數小工坊裡，而這些工坊全都隱藏在大城市的住宅區。美軍針對日本城市建築物的易燃特性，採取了區域式的燃燒彈攻擊，目的顯然是為了殺死或殺傷最多工人，摧毀其住房或生活設施，焚毀小工坊，希望大規模破壞能夠影響「眾多戰時工廠」的生產績效。[207]由於精準轟炸毫無效果，因此駐紮在馬里亞納群島的第二十一轟炸機司令部司令李梅將軍決定解除禁令，允許美軍在夜間低空投擲燃燒彈。李梅日後為他的部隊造成的風暴性大火辯護，表示只有如此才能破解日本的工廠分散策略。李梅在回憶錄裡寫道：「你只要在轟炸過後到這些目標看看，就會發現許多小房子的廢墟，每個住家的斷垣殘壁都會露出一臺臺的鑽床。可見所有民眾都參與行動，生產飛機或軍火……。」[208]李梅的說法最終無法獲得證實，作戰分析委員會與一九四五年夏天在太平洋戰場成立的美國戰略轟炸調查團日後都認為，日本的家庭工坊已經不是普遍的現象，因此不應該成為無差別轟炸的理由。[209]儘管如此，這種說法仍像是一種美化經濟戰的論調，使人忽略經濟戰其實就是一種針對平民與城市的致命武器。

與德國相比，要評估戰略轟炸對日本經濟的影響顯然較為困難，因為日本的戰時生產與戰爭投入在一九四五年時就已經在海上封鎖下瀕臨崩潰，而美軍的海上封鎖早在日本投降前一年就已經達到巔峰。日本軍火生產的高峰是一九四四年九月，此後美軍開始進行轟炸，日本軍火產量便一路下滑，最後僅能靠著庫存物資與要求民眾節衣縮食來支撐戰局。儘管日本持續擴大工廠產能與增加工具機庫存，然而一旦海外進口物資枯竭，軍事生產便迅速衰退。軍火生產的指數（一九四一年是一百）在一九四四年九月是三百三十二，到了一九四五年七月已驟降到一百五十六。[210] 進口大宗商品在一九四四年跌到一千零十萬噸，只有一九四一年的一半，到了一九四五年更只剩下兩百七十萬噸。一九四五年第二季，日本可用商船只剩八十九萬噸，而且絕大多數都被封堵在日本海周邊港口，因為此時美國潛艦已經來到日本本土海域。美軍第二十一轟炸機司令部負責支援海上封鎖，在日本海岸周圍布下一萬兩千枚水雷，這些水

表 6.3 日本海運與商品貿易，1941-1945 年（單位：千公噸）[211]

	1941	1942	1943	1944	1945
商船（容積總噸）	5,241	5,252	4,170	1,978	1,547
民用	1,513	2,260	1,545	896	594
建成的商船	210	260	769	1,699	503
損失的商船（容積總噸）	-	953	1,803	3,834	1,607
大宗進口商品	20,004	19,402	16,411	10,129	2,743
焦煤	6,459	6,388	5,181	2,635	548
鐵礦	6,309	4,700	4,298	2,153	341
鋁土礦	150	305	909	376	15
天然橡膠	67	31	42	31	18
稻米	2,232	2,269	1,135	783	151

商船噸數是每年十月到十二月噸數的平均，而 1945 年則是八月的數字。1945 年的商品只包括一月到八月的數字。

雷在一九四五年三月到八月間一共擊沉了兩百九十三艘船。總計日本失去了八百九十萬噸的商船，占了一九四二年到一九四五年日本可用商船的九成以上。[212] 表6.3列出日本損失的商船噸數與對戰略進口的影響。

隨著經濟戰經年累月的消耗，到了一九四五年春，日本的工業生產與糧食供給已捉襟見肘。日本經濟要仰賴剩餘的工業產出支撐到年底，幾乎成了一種奢求。

※ ※ ※

經濟戰需要很長時間才能產生作用，而且效果還不一定顯著。一九四七年，英國官方的科學家蒂澤德爵士在評論英國的轟炸行動時直言：「你無法摧毀一個國家的經濟。」[213] 事實上，現代大型工業經濟體面對攻擊時表現的彈性，遠超過戰前人們的預期。整體來說，戰前人們對於經濟戰總是有過於樂觀的評估，以為經濟戰能迅速產生決定性的效果，特別是當人們發現主要交戰國幾乎未對經濟戰做出任何準備時，更會加深這種期待。德國的海空封鎖曾經預期只要不到一年就能瓦解英國的抵抗；而英美的空軍將領則希望轟炸可以在幾個月內破壞敵人的戰爭投入。實際上，若想讓經濟戰取得最好的效果，就必須選擇最能影響戰局的特定目標，破壞這些目標才能對整體經濟產生最大的破壞。日本的商船船團，以及德國的石油與交通運輸設施均屬此類，但即便成功破壞這些設施，經濟戰造成的衝擊也要經過好一段時間才會有感——當德國與日本在軍事前線面臨失敗時，幾乎沒有人直接聯想到這跟經濟資源的喪失有關。值得注意的是，蘇聯並未嘗試進行經濟戰，部分原因在於地理的限制使蘇聯沒有機會進行，但最主要還是因為蘇聯的軍事準則強調要在戰場上擊敗敵人的武裝部隊。蘇聯仰賴量產與盟軍的援助來創造出致勝的經濟條件。即使是經濟戰，其過程與結果業往往由軍事衝突所決定。德國封鎖英國失敗，是因為德國潛艦被同盟國的海空軍擊敗；美國轟炸德國最終能獲得成功，是因為美國陸軍航空軍先擊敗且持續壓制了德國空軍；日本與義大利商船船團的毀滅，是軍艦、護航艦艇與潛艦數年來累積的無數小型戰鬥所造成的。經濟戰的前線，實際上也是軍事上的前線。

經濟戰讓雙方都付出了慘重代價。為了切斷敵方資源，己方也必須部署大量資源。儘管多數時候的轟炸對於敵方的經濟影響其實都相對有限甚或微不足道，但無論是德軍在一九四〇年到一九四一年轟炸英國，還是盟軍在一九四〇年到一九四五年轟炸德國，攻方都必須撥出相當比例的軍事產出進行轟炸，而轟炸也會迫使守方配置資源進行防空。英國轟炸機司令部有四萬七千兩百六十八人陣亡，美國陸軍航空軍轟炸德國也損失三萬零九十九人；英美的轟炸機部隊總共損失兩萬六千六百零六架飛機。[214]而為了瓦解敵國經濟與工人士氣進行的轟炸，一共奪走了六十五萬名德日平民的性命。德國潛艦部隊在戰爭中遭到殲滅，每五名自願加入潛艦部隊的士兵就有超過四人喪命（被擊沉的潛艦達到驚人的七百八十一艘），而最終德國潛艦的封鎖行動也未能成功。商船船員雖然是平民，卻被當成軍事人員，他們的傷亡也十分慘重。兩萬九千一百八十名船員在英國的補給航線上被殺；日本商船船員死亡、失蹤與重傷總數也達到十一萬六千人。[215]儘管美國的潛艦戰獲得豐碩的戰果，但美國潛艦部隊的傷亡率也是各兵種中最高的：三千五百零一名官兵死亡，占了自願入伍者的百分之二十二。[216]這些都還沒算入殘骸散落在地面的數千架飛機，以及沉入海底的數百萬噸商船。切斷敵軍資源的戰略確實符合總體戰的構想，但最終看來，大規模量產與分享軍事資源才是更能確保勝利的經濟戰手段。

一名德國士兵站在波蘭軍官與波蘭知識分子已經腐爛的屍骸之中，這些人是在一九四〇年四五月期間在卡廷森林附近遭蘇聯內務人民委員部祕密警察屠殺。一九四三年四月，德國占領軍發現了這處亂葬崗並且挖掘出屍體。直到一九九〇年為止，蘇聯政權一直堅稱這是德軍的暴行。圖源：*World History Archive/Alamy*

CHAPTER
第七章

7

正義與非正義的戰爭

「道德與倫理問題在總體戰中毫無效力，除非其存亡能夠左右最終的勝利，否則根本沒有人在乎。在總體戰中，隨機應變取得勝利才是人類唯一的行為判準，而非道德。」

——惠特利（Dennis Wheatley），《總體戰》，一九四一年[1]

第二次世界大戰中的交戰國都認為，自己正在進行一場正當的戰爭。由於秉持著不同的道德觀，各國對戰爭都有自己的一套說法，也因此從未因參與戰爭而良心不安。將戰爭合理化，很快就演變成為正義而戰的信念。戰後文獻異口同聲地表示，侵略國主張自己為正義而戰純粹是一種虛假說詞。但如果不去承認交戰雙方其實都深信自己才是正確的那一方，我們就無法解釋侵略國的民眾為什麼要苦戰到最後。軸心國與同盟國都努力讓民眾相信，自己是基於良善理由而戰，而敵人則代表了邪惡，這類論述使國與國之間的衝突轉變成不同版本「文明」的殊死鬥爭，除非徹底分出勝負，否則鬥爭不會有結束的一天。至於那些基於倫理原則公然反對戰爭的人，永遠都是一小群遭到孤立的少數。

本章開頭引用了知名英國作家惠特利的戰時道德觀點，惠特利在一九四〇年受徵召加入英國軍事聯合計畫參謀小組，負責探討總體戰的性質及其道德意涵。在二戰衝突最激烈的時刻，所有交戰國幾乎都挪用了惠特利的觀點。惠特利寫道：「我們不僅必須清楚認識，還必須清楚表明，對每個交戰國來說，總體戰只有兩條路可走：不是完全勝利，就是完全毀滅。」在這種嚴酷條件下，惠特利認為，凡是能縮短戰爭與獲勝的行動，「無論『合法』與否」，在道德上都具有正當性。[2]二戰的絕對化傾向，在歷史上堪稱獨一無二。交戰雙方都宣示要拼戰到底，都認定這是民族存亡的關鍵。不計一切追求勝利所產生的道德凝聚力，使人們無止境地投入戰爭。雖然在絕大多數情況下，國家遭到徹底毀滅的威脅只是一種誇飾，但毀滅的可能性依然產生了道德必要性，迫使民眾絕對服從指示投入戰爭，也讓軸心國與同盟國的極端民族狂熱得到合理化的依據。追求生存的戰爭理所當然成為了每個國家的正義之戰，完全扭曲了傳統上法律與倫理對正義之戰的描述：一場戰爭能否稱之為正義，取決於是否符合自然正義，而非適者生存的達爾文主義。

戰爭正當化

當軸心國侵略者在一九三〇年代開始打造帝國，在亞洲、非洲與歐洲攫取領土時，他們還沒有想到要用如此絕對化的觀點來定義總體戰。軸心國侵略者的野心是區域性的，而他們用來合理化征服的理由是，當今世界權力結構未能公平地讓軸心國分得應有的資源，特別是未能讓軸心國取得適當的領土。軸心國眼中的正義，源自於一項先驗性的假設，也就是全世界的民族都可以被分成兩類，一類適合建立帝國，因為這些民族具有種族與文化上的優越性，另一類只適合被殖民，近代歐洲擴張的歷史可以充分證明這點。軸心國認為，一九三〇年代的全球秩序並不正當，因為它限制了前述主張；從一九三一年的滿洲到一九三九年的波蘭，一連串的帝國征服戰爭都是要試圖打破這種不義，使優秀的民族能夠建立帝國，更公平地取得世界的自然資源。[3]一九四〇年九月，軸心國簽訂《三國同盟條約》，讓軸心國成員能各自在歐洲、地中海與東亞建立新帝國秩序。軸心國宣稱，唯有當世界上每個民族（亦即每個「先進」民族）「取得其應得的空間」時，才有可能獲致永久和平。這也符合軸心國長期以來的看法，即認為新秩序必須建立在更堅實且更公正的國際基礎之上。[4]一名日本官員就曾經抱怨，憑什麼英國統治印度在道德上毫無問題，日本統治中國在道德上就不可接受？

軸心國深知自己的侵略擴張政策不可能得到廣大國際社群的支持，因此其建立區域性帝國的過程中經常出現猶豫不決與走一步算一步的狀況。一九三九年九月歐戰爆發，此時西方盟軍已經形成一種觀點，認為軸心國的區域性侵略是其征服世界計畫的一環。這一軸心國試圖征服全球的陰謀形象，深植同盟國的認知之中，成為戰後審判主要戰犯的基礎：戰後審判中，密謀發動侵略戰爭就成了這些戰犯的主要罪名。同盟國宣稱軸心國（特別是希特勒的德國）試圖「支配世界」，儘管這種說法從未有過清楚的定義，但同盟國卻以此為修辭工具，將侵略國帶來的威脅極大化。但無論同盟國如何定義，軸心國實際上並不存在一整套征服世界的陰謀計畫。事實上，軸心國對於世界局勢的看法與此完全相反。當軸心國建立區域性帝國的野心，終於在一九三七年的亞太與一九三九年的歐洲遭受挑戰時，軸心國便把這場戰爭的理由調整成「出於自衛」性質的總體戰，是為了對抗那些已經享有豐碩帝國成果、土地與資源的國家，對抗這些國家所展露的無情敵意與赤裸裸的自私自利。德國把自己侵略波蘭所引發的英法對德宣戰，理解成是英法再次「圍堵」德國的嘗試，是為了壓制德國實現合法主張，亦即建立一個能與英法平起平坐的帝國。一名德國年輕人回憶說，一九三九年九月的德國人普遍認為，「我們遭到攻擊，我們必須保衛自己」，懷有陰謀的是西方國家，不是德國。[5]捍衛德國核心成為德國人民首要的道德義務，德國不義的侵略戰爭因此搖身一變成為維護民族存續的正義之戰。

這種道德翻轉出現在每一個軸心國國家。軸心國認為，真正心懷不軌的是同盟國，同盟國不僅限制軸心國正當的領土主張，甚至要將軸心國帝國核心的民族徹底消滅。墨索里尼一再強調，義大利被「金權國家」囚禁在地中海，這些國家彼此共謀不讓義大利有權取得文明國家應有的「生存空間」(*lo spazio vitale*)，使義大利無法建立新文明。於是為了建立帝國，就只能將戰爭正當化。[6]西方國家在第一次世界大戰時曾把日本視為盟友，與日本合作將「不平等條約」加諸在中國身上，但到了一九三〇年代，西方國家卻對日本存有強烈偏見，反對日本的亞洲野心，這使得日本對西方產生強烈的憎恨情緒。中日戰爭爆發後西方對中國的支持，使日本深信這是西方阻止日本占領滿洲後又一次陰謀否定日本建立帝國的正當主張。日本的軍事、政治與知識菁英普遍認為，所謂的「白禍」已威脅到日本「國體」的存續，使日本無法實現將所有亞洲民族置於日本帝國保護之下的神聖使命。政治人物永井柳太郎寫道，日本的道德義務就是「推翻白人對全世界的專制統治」。[7]雖然日本有著堅強的軍事與經濟理由來做出攻擊美國與大英帝國的決定，但這項決定背後其實還有一項更根本的動機，那就是日本首相東條英機所說的，要維護日本傳承已久的天皇國家，反抗西方建立「小日本」與終結日本延續兩千六百年光榮帝國傳統的企圖。[8]珍珠港事件當天，日本政府公布《情報與宣傳政策綱要》，認定這場戰爭是西方「征服世界的自私欲望」所引發。[9]與德國一樣，日本民眾對總體戰的倫理責任也同樣奠基在對現實的翻轉上：日本對中國與太平洋地區的侵略就此被翻轉成反抗白人國家圍堵的自衛戰爭。一九四一年十二月，日本詩人高村光太郎對於日本與西方的衝突成因進行歸納：

我們重視正義與生命，
他們只看重利益，
我們捍衛正義，
他們為了利益而攻擊，
他們趾高氣揚目中無人，
我們要讓大東亞成為一家。

一年後，《日本時報》提醒讀者，這場自衛戰爭「完全基於正義」。[10]

在德國，流行著一種最巧妙且最惡毒的陰謀論。希特勒與納粹高層相信，陰謀對德國人民發動戰爭的元凶就是「全世界的猶太人」。從一九三九年九月歐戰爆發開始，希特勒就將對抗西方盟國的戰爭與對抗猶太人的戰爭結合在一起。西方盟國只是國際猶太人邪惡網路的工具，猶太人不僅陰謀破壞德國建立帝國的正當權利，還妄想消滅德意志民族。這種反猶幻想早在二戰前就已經深植人心。長久以來，一九一八年德國戰敗一直被激進的民族主義分子詮釋成是後方猶太失敗主義者與猶太煽動者刀刺在背導致。一九二〇年代初，希特勒領導的納粹黨還只是小黨，但希特勒在演說中進一步擴大對猶太人的指控，他甚至預言這是「生死存亡的鬥爭」，是「猶太人與德國人之間」的真正戰爭。[11]

希特勒與其他反猶太主義者一貫地以世界層級的歷史鬥爭這樣的角度來看待德國人與猶太人衝突。納粹對外宣傳，企圖「支配世界」的是猶太人而非德國人，想掀起世界大戰的是猶太人而非德國人。一九三六年，在二戰開始的前幾年，親衛隊領導人、日後主導猶太人大屠殺的希姆萊寫道，德國的大敵是猶太人，因為猶太人「渴望支配世界，他們以毀滅為樂，想滅絕一切……」。一九三八年十一月，希姆萊警告親衛隊高階軍官，一旦戰爭爆發，猶太人將試圖毀滅德國，滅絕德國人，「只要會說德語，母親是德國人，就會成為猶太人滅絕的目標」。[12]猶太人想對德國開戰且陰謀掀起戰爭，以及猶太人計畫滅絕德意志民族或「雅利安民族」，這兩種說法充分顯示納粹黨人已經將戰爭與猶太人的罪惡相連結。一九三九年一月三十日，希特勒在帝國議會發表總理週年演說時提出一段惡名昭彰的預言，他表示若猶太人再度讓歐洲捲入戰爭（如傳言中他們在一九一四年做的那樣），那麼結果將會是歐洲猶太人的種族滅絕。歷史學家對於這句話的解讀相對謹慎，然而在往後的歲月裡，希特勒不斷老調重彈。他不只一次強調，戰爭的爆發與擴大，背後都有著「全世界猶太人」的惡意與刻意操弄。[13]

從二戰爆發以來，德國與他國之間的戰爭就與對抗「世界猶太人陰謀」的戰爭緊緊交織。

一九三九年九月四日，在對德國民眾的廣播演說中，希特勒指責「猶太民主國際敵人」是導致英法對德宣戰的元凶，認為是猶太人迫使西方國家參與這場它們原本不想參與的戰爭。[14]反猶太的期刊《世界新聞》（*Weltdienst*）甚至宣稱在當時德國銷售超過十五萬冊的偽書《錫安長老會紀要》（*Protocols of the Learned Elders of Zion*）中，第七紀要曾經提到世界大戰的爆發，而書中內容已應驗在西方對德宣戰之上：「猶太人的戰爭計畫，還有什麼比這本書寫得更清楚？」[15]當世界猶太人大會主席魏茨曼（Chaim Weizmann）於九月底公開呼籲支持英國時，《猶太人問題》（*Die Judenfrage*）期刊告訴讀者，他們在英國正面臨著「世界的頭號大敵，也就是跨國猶太人與渴望權力、充滿仇恨的世界猶太民族」。[16]德國人因此是在打一場二合一的自衛戰爭：對抗同盟國的戰爭與對抗隱藏猶太敵人的戰爭。英國會在法國戰敗後拒絕接受和談，也是因為邱吉爾受到猶太人的影響（總之一切都與猶太人有關）。德國攻擊蘇聯背後明明有紮實的經濟與領土動機，卻被說成是針對倫敦與莫斯科猶太陰謀而採取的先發制人，這種說法使德國政治宣傳部門得以結合資本主義金權政治與布爾什維克主義這兩種格格不入的意識形態，把它們看作是同一種敵人。[17]

一九四一年八月公布的《大西洋憲章》開啟英美合作，同年十二月美國參戰，世界大戰的局勢終於成形，德國高層也公開表明這些發展正是猶太人陰謀滅絕德國人的終極證據（如果他們還需要證據的話）。納粹將《德國必須滅亡》（*Germany Must Perish*）這本在一九四一年七月傳入德國的著作視為美國高層與猶太人沆瀣一氣的鐵證，無視其作者考夫曼（Theodore Kaufman）是一位名不見經傳的人物，只是剛好在美國自費出版這本僅一百頁的英文著作。七月二十三日，納粹黨報刊登斗大的頭條：「猶太罪犯虐待狂的產物：羅斯福要讓德國人絕育！」八月十四日《大西洋憲章》公布後，納粹黨報的頭條寫著「羅斯福的目標是讓猶太人支配世界」。與此同時，希特勒下令德國猶太人必須佩戴黃色的大衛之星，這樣德國人才能看清楚隱藏在他們當中的敵人。[18]十二月十一日，希特勒在帝國議會演說並且向美國宣戰，反猶太的忠實追隨者理所當然認為這又是猶太人陰謀鼓動羅斯福參戰。珍珠港事件發生的第二天，德國報紙紛紛表示，亞洲的戰爭「是軍火販子與世界罪犯羅斯福掀起，羅斯福隨聲附和猶太人，數年來一直不停地與邱吉爾合力鼓吹戰爭。」[19]希特勒非但不認為美國參戰是日本侵略的結果，反而在帝國議會的演說中表示，這一切都是「罪大惡極的猶太人」造成。[20]美國的參戰促使德國政治宣傳部門定調，希特勒的新聞首長不只一次向新聞媒體下令，認定「布爾什維克主義與資本主義同樣屬於猶太世界的騙局，只是管理方式不同而已……。」[21]

納粹當局持續用猶太世界陰謀論來解釋德國為何陷入一場自衛戰爭，絕對不是只為了鼓勵德國人把戰爭視為具正當性的生死存亡鬥爭，因為要達到這種效果其實不需要提到猶太人。在今日看來，這種反猶主張十分荒謬（對當時許多德國人來說恐怕也是如此），但不可否認的是，希特勒與圍繞在他身邊的人卻願意相信這種說法。當時有許多人真的相信，既然猶太人必須為一戰德國戰敗負責，那麼他們也應該要為二戰爆發負責。猶太人的陰謀成了一種強大的歷史隱喻，使希特勒及其黨羽能將發起侵略戰爭的罪行推諉給猶太人。對於納粹黨的領袖與黨員來說，無論是英法宣戰、英國拒絕和談、必須與蘇聯開戰或美國參戰，這些出乎意料的事件轉折都可以用「猶太人的陰謀」來自圓其說。一九四四年秋天，納粹地方黨部發言人在流通的宣傳文件上表示：「瞭解猶太人，就可以瞭解這場戰爭的意義。」[22]一九四五年春天，當希特勒最後一次對鮑曼口授紀錄時，就曾表示都是因為猶太人才導致許多事情未能照他的期望發展：早在一九三三年，「猶太人就已經默默……決定要對我們宣戰」；與英國和談之所以失敗，「是因為猶太人不允許，他們的僕人邱吉爾與羅斯福聯手阻止了和談」；羅斯福並不打算回應日本的攻擊，卻在「猶太人極力要求下，決定參戰消滅國家社會主義」。希特勒最後還提到，歷史上從未有過一場衝突像如今這場戰爭一樣「充斥著猶太人，而且完全由猶太人獨力促成」。[23]即使戰後納粹黨人淪為階下囚，同盟國的訊問者以為他們應該已經放棄這套反猶說詞，但他們仍舊深信不疑。前德國勞動陣線領袖萊伊就認為，自己遭受不公平的猶太指控，他希望盟軍瞭解為什麼他們特別針對猶太人：「我們納粹黨人把這場已經結束的鬥爭視為是一場只針對猶太人的戰爭。我們對抗的不是法國人、英國人、美國人或俄國人，因為我們相信這些人只是猶太人的**工具**……。」[24]

聲稱一切都是猶太人的陰謀，可以讓德國發起的戰爭看起來具有正當性。「雅利安民族」與猶太人的鬥爭是一場至死方休的鬥爭，每個德國人都負有全力投入的道德義務。這種說法也可以用來正當化一九四一年開始的種族滅絕行動。透過將猶太人描繪成與德國交戰的敵人，所有的猶太社群便在不知不覺中被軍事化成非正規的戰鬥人員，合理化納粹對他們的滅絕。藉由投射猶太人要消滅德國人這種「世界猶太人陰謀論」，各種公開宣稱要消滅、滅絕、毀滅或連根拔除猶太人的說詞似乎就成了完全合理的回應，甚至是一種保衛種族存續的道德義舉。真實的戰爭與幻想中跟猶太人進行的戰爭，在希特勒與其黨羽的腦子裡創造出與種族滅絕的恐怖連結，使殺死猶太人的道德價值等同於殺死敵軍士兵。德國從流放與隔離猶太人轉變成集體屠殺猶太人，其中的近因仍有待討論，但希特勒等人認定戰爭是猶太人陰謀的產物，與日後希姆萊所說滅絕猶太人有著「鐵一般的理由」之間，似乎有著不證自明的關連。[25]無論納粹是基於什麼想法對猶太人進行大屠殺，猶太人陰謀這個解釋架構確實構成納粹政權解釋戰爭的核心前提。一九四三年五月，當絕大多數猶太人已經淪為大屠殺的受害者時，戈培爾在日記裡寫道：「在元首所有預示未來的描述中，最真實的莫過於這句預言：如果猶太人成功掀起二戰，那麼結果將不是雅利安民族的滅絕，而是猶太人。」[26]

這種對世界猶太人陰謀的幻想，也影響了德國的盟友日本與義大利對「猶太人問題」的回應方式。日本沒有與猶太人社群長期接觸的經驗，因此日本高層對於猶太人問題大致上採取中立態度。海軍上校犬塚惟重與陸軍上校安江仙弘（《錫安長老會紀要》的日文譯者）這兩名熱心的反猶太主義者，在一九三〇年代奉命研究猶太人問題。儘管犬塚惟重曾經表示猶太人是「世界的癌細胞」，但他與安江仙弘並沒有發展出一套猶太人陰謀論，而且兩人對猶太人的觀點也未產生廣泛的影響。犬塚惟重與安江仙弘都希望利用兩萬名來自歐洲的猶太難民（主要居住在上海）與猶太金融界建立聯繫，同時改善與美國的關係。與德義簽訂《三國同盟條約》之後，日本不得不放棄利用猶太人的想法，同時官方對猶太難民的態度也變得有所保留，只是不至於像德國那麼嚴苛。日本在上海建立猶太人居住區收留猶太難民，雖然居住條件不盡理想，但遠比歐洲的猶太人居住區與集中營好得多，反猶太主義也從未成為日本戰時宣傳的主題。[27]

義大利的狀況與日本不同。一九三八年，義大利在未受到任何德國壓力下自行制定了《反猶太人種族法》，為猶太人隔離區的嚴酷統治建立法源。即使如此，義大利實際上得要等到一九四三年九月墨索里尼的義大利社會共和國成立之後，法西斯黨的戰爭理由才明確表示反對猶太世界敵人，而其中的推手便是激進的反猶太前教士普雷齊奧西（Giovanni Preziosi，他在一九二一年把《錫安長老會紀要》翻譯成義大利文）。一九四三年，在墨索里尼新共和國擬定的《維洛納宣言》（Verona Manifesto）中，猶太人被特別指明為「敵對民族」。[28]宣傳海報也用反猶太形象將同盟國領袖描繪成世界猶太人的傀儡。法西斯報紙宣稱猶太人是「戰爭最大的支持者」，指控猶太人擔任間諜與從事恐怖主義，「追求瘋狂的支配世界計畫」。但義大利的宣傳缺乏系統，也未能像希特勒那樣將猶太人與陰謀論連結。義大利人更強調猶太人的「叛國」，以及因此導致墨索里尼在一九四三年夏天遭到推翻。對義大利人來說，猶太人與其說是某種國際威脅，不如說是國內威脅。[29]

同盟國不需要像德國一樣，把侵略戰爭佯裝成反抗外在威脅的自衛戰爭（無論這威脅是否來自種族）。同盟國理所當然地視自己是為正義而戰，只不過對英國與法國政府來說，要宣稱自己是基於自衛而戰本來就相對困難，畢竟是英法先對德國宣戰，而非德國對英法宣戰。在一九三九年九月之前，英法兩國並未直接受到德國侵略威脅。英法對於自衛的定義較為廣泛，宣稱兩國是為了防範第三帝國的領土野心與赤裸裸的暴力，因此要在德國擴張直接威脅到西方利益之前出面阻止。防衛波蘭並非英法的首要關切，因此直到波蘭被擊敗為止，英法都未認真考慮援助波蘭；儘管如此，英法為了波蘭對德國宣戰，已足以讓英法軍隊在前線與德國武裝部隊對抗，一旦希特勒轉守為攻，英法就可以用自衛的名義與德國交戰。至於英法以外的同盟國，無論是主要還是次要盟國，無疑都是遭受侵略的受害者，因此確實是在進行一場自衛戰爭。一九四一年十一月，史達林在紀念俄國革命的週年演說中表示：「戰爭有兩種：征服戰爭，也就是不義的戰爭，以及解放戰爭，也就是正義的戰爭。」[30]保衛祖國不受法西斯侵略是蘇聯戰時宣傳主軸。蘇聯在戰爭期間不斷使用「偉大的衛國戰爭」一詞，這個詞是蘇聯官媒《真理報》（*Pravda*）在一九四一年六月二十三日，也就是戰爭爆發隔天創造出來。[31]美國輿論直到一九四一年十二月為止一直明顯區分成孤立主義與干涉主義兩大陣營，但珍珠港事件卻為美國民眾帶來極大的震撼，於是原本水火不容的政治勢力紛紛為了保衛美國不受羅斯福口中「強大狡詐企圖奴役人類的流氓」威脅而團結起來。[32]相較於英法，蘇聯與美國的例子確實比較合乎自衛而戰的義戰論傳統。

同盟國可以很輕易地為戰爭找到充分的道德理由。一九三九年九月三日，英國首相張伯倫在廣播中對德宣戰，他在演說的最後清楚表明：「我們要對抗野蠻、惡意、不義、壓迫與迫害等邪惡的事物，而我相信邪不勝正。」[33]史達林在一九四一年的紀念演說中向聽眾表示，德國人的「道德已經淪喪」到「宛如野獸」。一九四二年，羅斯福把美國對抗軸心國的戰爭定義為是一場「將世界的積惡沉痾清除乾淨」的戰鬥。[34]同年，蔣介石在抗戰五週年演說中表示，中國的抗戰是「善與惡、是與非的戰爭，是公理與強權的戰爭」，這使得中國的「道德地位大為提高」。[35]在往後的衝突中，對抗道德淪喪的敵人始終是個用來支持戰爭的重要消極理由。敵人的邪惡充分表現在一九三〇年代軸心國不斷進行的武力擴張與高壓的威權主義：儘管西方國家對此鮮少採取實際行動，但依舊予以強烈譴責。當二戰爆發時，西方理所當然地認為這是一場善與惡的鬥爭，大量的道德譴責也在全力動員下提供某種前後一貫的敘事，把所有能消滅邪惡敵人的手段正當化。一九四〇年五月中旬，當英國戰時內閣針對是否轟炸德國境內可能造成平民傷亡的目標時，邱吉爾表示，由於德國惡貫滿盈，因此這場轟炸行動「完全具有正當性」。[36]對英國民眾來說，對德國敵人的憎恨使這場戰爭沾染上聖經般善惡鬥爭的色彩。和平主義作者米恩（A. A. Milne）在一九四〇年放棄反戰立場，因為他認為對抗希特勒就像「對抗魔鬼與敵基督一樣」。神學家尼布爾（Reinhold Niebuhr）是另一名放棄和平主義的人物，他認為歷史從未在正人君子面前呈現出「如此清晰的『邪惡』」。[37]在美國，我們可以從導演卡普拉（Frank Capra）電影系列的第一部《我們為何而戰》（*Why We Fight*）中看到某種半官方的敘事版本。電影開始的預告提到，這部紀錄片是影史上最驚人的流氓電影：「比你看過的恐怖片都要來得邪惡……歹毒……可怕。」[38]

相較於消極理由的隨手可得，同盟國參戰的積極理由就比較複雜一些。惠特利在《總體戰》提到，儘管人們相信英國的戰爭是正義的，但「可悲的是，人們普遍缺乏堅定的心態」來支持英國更積極地進行戰爭與達成和平目標。[39]在美國，由羅斯福總統親自任命掌管部分政府資訊的麥克里希（Archibald MacLeish），在一九四二年四月撰寫了一份備忘錄，試圖分析人們在什麼情況下能夠肯定戰爭：「一、這場戰爭被描述成一場十字軍戰爭嗎？二、如果是，十字軍是為什麼而戰？人們想得到什麼？秩序與安全嗎？世界和平嗎？或是更好的生活？三、你如何實現這一目標？」[40]到頭來，我們可以把支持這場衝突的積極理由概括成以下這句話：同盟國要拯救人類文明，使其免於遭受軸心國的野蠻與破壞。對於一九三九年的英國與法國來說，認為「英法是在捍衛文明價值」這項自以為是的主張，充分反映出兩國知識界與政治界菁英的憂慮，他們擔心一九三〇年代的經濟崩潰、政治威權與軍國主義造成的危機，也許真的會危及西方所認知的文明。[41]希特勒與納粹主義成為西方焦慮的眾矢之的，因此一九三九年對德宣戰不只是為了恢復權力平衡，更是為了決定世界未來命運而進行的全面鬥爭。這些都是非常宏大的說詞。一九三九年下半年，英國國會議員尼科爾森在《英國為什麼參戰》（*Why Britain is at War*）中寫道：「我們的責任既高尚又恐怖。」因為英國不只是為自己的生存而戰，還是「為了拯救人類」而戰至最後一刻。[42]同樣的說詞也在法國大量出現。一九三九年十二月，法國總理達拉第在法國參議院說道，我們一方面要全力為法國奮戰，「另一方面也要為其他民族奮戰，特別是為了文明賴以維繫的高道德標準奮戰。」這場戰爭打從一開始就被視為一場正義之戰，如法國哲學家馬里丹（Jacques Maritain）在一九三九年所言，「我們是為了現實基礎而戰，一旦這個現實消失，我們的生活將無法被稱為人類生活。」[43]

儘管如此，英法兩國對這場文明保衛戰的表述時常顯得模糊不清。有些人批評，對於那些希望戰後生活更美好也更安定的人來說，政府的主張實在太過不切實際且過於模糊。政府很少清楚定義「文明」為何，因為西方各國往往假設大眾大概知道文明是什麼意思，不會在這方面吹毛求疵。絕大多數的官方說詞都強調要維護民主的生活方式與傳統自由的存續，但這當中也存在不同觀點，好比有些人把這場戰爭視為某種形式的十字軍，目標是挽救「基督教文明」，而另一批立場相反且較為世俗的人則認為自己是想保護現代文明。雖然邱吉爾在一九四〇年六月法國陷落後的著名演說中提到「基督教文明」一詞，但當他宣布「不列顛之役」即將來臨時，他也很少使用宗教詞彙來描述英國的戰爭目標。英法的基督教作家也批評挽救基督教文明的主張太過虛偽，因為基督教價值在西方民眾心中的地位早已明顯消退。[44]一九四五年二月，英國的限制轟炸委員會發行了《給所有基督徒的呼籲》（Appeal Addressed to All Christians），表達「哀痛、廣泛與難以言喻的基督徒良知，反對為了追求勝利而採取無限制的暴力」。[45]

令人尷尬的是，英法這兩個同盟國（連同大英帝國的幾個白人自治領）在捍衛民主價值這一戰爭理由上出現明顯的雙重標準，因為它們實際上還控制了龐大殖民帝國，而且無論是在戰時還是戰後，兩國都無意在殖民地落實民主。在一九三九年宣戰的英法兩國，不只想捍衛民主的母國，其實也想保留廣大的殖民帝國。尼科爾森寫道，如果失去帝國，英國不僅將失去「權威、財富與屬地，還將失去獨立地位」。[46]邱吉爾在二戰期間始終堅信，大英帝國在戰後仍將長存。這樣的信念使得戰時英國始終處於既捍衛民主文明同時又維持帝國主義的某種緊張關係。英國一方面致力於捍衛西方民主與自身民眾的自由，另一方面卻拒絕給予殖民地臣民自由，而且還鎮壓任何爭取殖民地民主的抗爭。戰時宣傳強調帝國的團結一致，顯示殖民地與母國擁有共同的道德目標，然而這種說法卻掩蓋了不為人知的歷史現實。工黨的一份小冊子在一九四〇年批判道：「一旦同盟國勝利，就意謂著世上最龐大的帝國獲得了鞏固，這個帝國教導納粹使用集中營，這個帝國的監牢還曾關押了甘地與尼赫魯很長一段時間……。」[47]印度是戰時典型的例子。一九四二年秋天，甘地發起「退出印度」運動，抗議英國政府不願承諾在戰後讓印度自治，結果有數千名印度民族主義者被捕入獄，數百人在抗爭時遭軍警射殺死亡。非裔美國神學家瑟曼（Howard Thurman）認為，甘地讓英國「為自由而戰」

的主張「成了道德笑話」。[48]

美國人起初並沒有那麼肯定這是不是一場自衛戰爭。但在羅斯福總統的觀點影響下，國際主義式的明確戰爭觀逐漸成形。根據羅斯福的看法，戰爭勝利將使世界各地的民眾能夠享有明確定義的自由。早在美國被迫參戰之前，羅斯福就已經對創造一個更美好的世界懷抱道德熱忱。一九四一年，羅斯福定義了他所認為的四大核心自由——免於匱乏的自由、免於恐懼的自由、宗教信仰自由與言論自由。四大自由成為美國戰時公共敘事在解釋美國為什麼參戰時的基本依據。美國藝術家洛克威爾（Norman Rockwell）畫了四幅畫來表現四大自由，而這四幅畫在戰時被大量印製。一九四三年，印製這四幅畫的小冊子總共發行了兩百五十萬冊，用來激勵民眾購買戰爭債券。[49]四大自由的其中兩項被寫入《大西洋憲章》這份羅斯福在美國參戰前發表的第二份具有道德意涵的宣言。《大西洋憲章》是羅斯福與邱吉爾於一九四一年八月九日到十二日在紐芬蘭普勒森夏灣召開第一次高峰會的成果。這份宣言的出現其實純屬意外，因為羅斯福與邱吉爾前來開會時，並沒有想到要擬定《大西洋憲章》，不過羅斯福確實希望能有這樣的文件。無論是邱吉爾還是羅斯福，都不是抱著無私的心態。對羅斯福來說，擬定宣言可以提高國內干預主義者的地位；對邱吉爾與英國政府來說，無論宣言的立場多麼含糊，至少能夠顯示美國公開支持同盟國的立場，此外也暗示美國未來很有可能參戰。[50]

《大西洋憲章》列出了八項宣言，這些宣言都以崇高的國際主義語言來闡述，大部分反映出羅斯福建立美好世界的期望。《大西洋憲章》的「共同原則」包括戰後裁軍、公海航行自由、戰勝國與戰敗國在經濟上都能獲得公平對待。最重要的是第三條宣言：「所有民族有權利選擇自己願意在其統治下生活的政府形式。」《大西洋憲章》並未說明在「納粹暴政」失敗後，這些宣言要如何獲得實現。[51]英國對於《大西洋憲章》反應冷淡，邱吉爾尤其不願意將《大西洋憲章》的原則適用在大英帝國。邱吉爾返國後對下議院表示，《大西洋憲章》「不適用於殖民帝國的有色種族」，只適用於歐洲的國家與民族。[52]史達林表示蘇聯會支持《大西洋憲章》的原則，但這純粹是因為當時同盟國給予蘇聯不少援助，蘇聯才做出善意回應。中國的蔣介石則認為《大西洋憲章》過於局限在歐洲，他主張應該要對「納粹暴政」做出擴大解釋，使其能將日本包括在內。一九四二年一月，蔣介石正式要求羅斯福將《大西洋憲章》適用於殖民統治下的亞洲民族，卻得到令人失望的答覆。一九四三年十一月，蔣介石在開羅會議上再度向羅斯福與邱吉爾提出將《大西洋憲章》適用於全世界的要求，但還是未能成功。[53]

儘管如此，羅斯福在美國參戰之後還是把《大西洋憲章》列為核心參考原則。這顯示美國期望建立一個更合乎道德的戰後秩序，不僅合乎美國利益，也能為全球帶來影響。在一九四二年二月的《爐邊談話》中，羅斯福對美國聽眾表示，從他的觀點來看，《大西洋憲章》不僅適用於大西洋國家，也適用於全世界。他還主張把「四大自由」列為同盟國的原則，儘管其中只有免於恐懼的自由與免於匱乏的自由被寫入《大西洋憲章》中。[54]也就是在這個時候，羅斯福終於在邱吉爾的勉強同意下，把同盟國改名為「聯合國」，並且邀請盟邦簽署宣言。《聯合國宣言》於一九四二年一月一日公布，再次重申《大西洋憲章》的原則。即便有這項宣言，也不表示各國已經同意要在戰後建立一個國際組織，因為羅斯福對此仍感到疑慮，畢竟過去曾有威爾遜籌建國際聯盟而美國卻拒絕加入的前車之鑑。但到了一九四三年一月，羅斯福已經被國務院說服，認為建立一個提倡和平與人權的新國際組織最能符合美國的全球利益。[55]羅斯福的目標是確保同盟國能正式占據道德制高點，儘管要將同盟國內的民主國家、帝國主義國家與威權獨裁國家整合在一個共同宗旨之下確實存在著矛盾與曖昧。一九四三年一月，同盟國在卡薩布蘭加會議上提出的無條件投降要求，強化了《大西洋憲章》與《聯合國宣言》的倫理承諾，明白指出不允許跟道德淪喪的國家進行和談。早在一九四二年一月，羅斯福已經在年度國情咨文明確表達自己的信念：「善惡之間絕對不可能成功妥協，過去不可能，未來也不可能。」這項宣示使同盟國在進行戰爭時可以更無道德顧慮。[56]

隨著戰況急轉直下，軸心國也開始從國際角度說明自身的戰爭理由。一九四三年後，德國的政治宣傳開始強調這場自衛戰爭是一場保護歐洲文明不受野蠻布爾什維克侵擾的戰爭。日本的政治宣傳則把日本描繪成亞洲的救世主，致力於抵禦白人壓迫者的回歸。面對即將戰敗的現實，德日的主張難以讓人信服。到了一九四五年，德日兩國仍努力拼戰到最後一刻，以避免它們眼中的民族滅絕真的發生。同盟國向公眾宣示的戰爭理由，最主要的優勢就在於採取了普世權利的說法，反觀軸心國的主張總是局限於保護特定民族或強調特定民族才有征服領土的權利。這項對比成為一九四五年在紐倫堡與一九四六年在東京設立的國際軍事法庭審判戰爭罪的重要理由（義大利並未設立軍事法庭，因為到了一九四五年，義大利已經轉而與同盟國並肩作戰）。邱吉爾與幾位內閣大臣早已認定德國領導人是罪犯，主張只要確認犯人身分就可以就地正法。[57]然而美國與蘇聯政府希望有正式審判，這樣軸心國邪惡的戰時主張與同盟國的正義才能彰顯在世人面前。

在紐倫堡審判與東京審判中，起訴戰犯的主要罪名是發動侵略戰爭。由於發動戰爭在當時並不算正式違反國際法，盟軍檢察官因此援引一九二八年的《非戰公約》（Kellogg-Briand Pact），該公約最終有六十二國簽署，二戰的主要參戰國全部包括在內。《非戰公約》要求簽署國放棄以戰爭做為政策工具，並且把戰爭視為「違反國際法」。[58]雖然《非戰公約》更像是一份道德宣言而非國際法工具，卻足以做為起訴德國與日本領導人的依據。美國檢察長傑克森（Robert Jackson）代表著未明確界定的「文明」，以故意對世人犯下惡性重大且情節嚴重的罪名起訴被告，由此揭開了紐倫堡審判的序幕。儘管勝利者的正義引發許多程序與司法問題，但紐倫堡審判與東京審判的宗旨主要還是定義什麼是不義的戰爭與什麼是正義的戰爭。一九四六年十二月，紐倫堡審判揭櫫的原則獲得聯合國組織（前身是非正式的戰時聯合國）國際法委員會認可，並進一步制定了七項「紐倫堡原則」。時至二十一世紀，這些原則依然具有法律效力。[59]

並非如此「良善的戰爭」

軸心國瞭解，在絕大多數世人眼中，自己位居道德低地。儘管如此，軸心國也對同盟國自居於道德高地提出質疑。一九四五年四月，在德國戰敗前不久，希特勒曾輕蔑地批評美國自以為優越的主張極其「幼稚」，認為這不過是「一種道德大雜燴，看似高尚，其實融合了一堆荒謬原則與採用了所謂『基督科學教會』*的觀點」。[60]日本評論者在對比西方的民主說詞與殖民地壓迫及種族主義的現實之後得意地表示，英國對印度的帝國主義壓迫，與美國國內的各種私刑與種族暴動，充分顯示了英美的偽善。日本一份報紙表達出對美國「野蠻主義」的普遍看法：「如果世人知道美國人對美洲原住民、黑人與華人所做的殘暴行徑，那麼當他們看到美國人戴起文明的面具時只會大吃一驚……。」[61]同盟國的批評者也對於身處戰爭的非常時期，必須對同盟國道德說詞上的曖昧不明加以迴護不以為然。美國民權運動領袖杜波伊斯（W. E. B. Du Bois）在戰後表示：「沒有歐洲基督教文明長期在世界各地迫害有色人種，就不會有納粹的暴行：集中營、大量虐殺、玷汙女性或虐童。」[62]同盟國堅持在戰後進行審判，將軸心國危害人類與破壞和平的罪行公諸於世，更是引發質疑：西方國家為什麼能跟野蠻壓迫的蘇聯獨裁政權合作？畢竟蘇聯曾在一九一九年後與德國合作，對東歐的屯墾居民進行屠殺迫害。兩個資本主義強權與一個共產主義國家的同盟顯然相當突兀，而這也讓軸心國產生幻想，使軸心國直到戰爭結束為止一直期望同盟國會出現分裂。

西方盟國與蘇聯的結盟固然令人意外，但真正讓人印象深刻的還是這三個大國在戰爭期間願意拋棄彼此在政治與道德上的歧見，團結一致對抗敵人。在德蘇戰爭爆發前，西方國家認為史達林的蘇聯與希特勒的德國不過是一丘之貉，無論在國內或國外，西方都把共產主義視為民主生活方式與民主價值的巨大威脅。一九三九年八月，德蘇簽訂互不侵犯條約，九月蘇聯入侵波蘭東部，十一月

＊編注：這是美國基督教的一個新教派，主張包括依靠宗教信仰而不用藥物即可治癒疾病。

底蘇聯侵略芬蘭，這些都加強了德蘇兩國領袖同為獨裁者的形象。雖然英美一些進步派人士認同蘇聯的共產主義實驗，但絕大多數人都無法接受一個實施集體恐怖、對外侵略且與法西斯敵人合作的政權。蘇聯入侵芬蘭後，蘇聯駐倫敦大使麥斯基發現英國民眾與政界充斥著「狂熱的反蘇風潮」，他在日記裡寫道：「到底誰是頭號敵人？是德國還是蘇聯？」[63]麥斯基記錄下英國國會針對芬蘭在一九四〇年三月被迫停戰進行激辯，國會議員「生氣……熱烈、激動且憤憤不平」。[64]芬蘭遭到入侵之事，不僅對羅斯福來說是個轉捩點，對許多親蘇的自由派知識分子也是。羅斯福總統在一九三九年底表示，史達林的蘇聯「跟世界其他獨裁政權一樣絕對獨裁」，他要求實施道德禁運，讓美國停止出口蘇聯需要的武器與裝備。羅斯福譴責蘇聯「對芬蘭的可怕蹂躪」。[65]美國再次短暫出現「紅色恐慌」，但一般民眾對共產主義的敵視主要集中在蘇聯體制與史達林個人身上。天主教華盛頓總主教表示，史達林「是人類史上最凶殘的殺人魔」。[66]國際社會提出道德譴責，於一九三九年十二月十四日將蘇聯逐出國際聯盟。一九四〇年春天，倫敦與巴黎當局曾經認真考慮與蘇聯及其新結交的德國盟友爆發戰爭的可能。羅斯福擔心德蘇若在歐洲獲勝，將會危害整個文明。[67]

如果西方世界認為蘇聯是道德淪喪，那麼蘇聯領導人對於境外資本主義世界的批評也同樣不留情面。蘇聯領導人身處於與西方自由價值涇渭分明的道德宇宙裡，其外表覆蓋了一層扭曲歷史現實的語言。早在一九三九年歐戰爆發前，史達林早已在好幾年前就認定，出於歷史必然，資本主義國家未來必將試圖摧毀蘇聯的共產主義實驗。蘇聯領導人不理性地憂慮戰爭可能到來，深信資本主義才是和平的主要威脅，資產階級領袖則是造成不道德階級壓迫的推手。[68]從這個角度來看，一九三九年八月史達林與希特勒訂定互不侵犯條約，蘇聯可以解釋自己的做法是為了破壞資產階級利用德國來侵略蘇聯的計畫，正如蘇聯向共產主義信徒所解釋的，蘇芬戰爭的成果是為了破壞英法反對德蘇同盟而挑起全球戰爭的計畫，因此是「蘇聯和平政策的勝利」。[69]蘇聯認為西線的戰爭是英法統治階級發動的帝國主義戰爭，莫斯科當局甚至告知英國共產黨，挑起戰爭的不是法西斯德國，而是「反蘇的英國及其龐大的殖民帝國，整個大英帝國就是資本主義的堡壘」。對比之下，一九三九年九月「波蘭東部工人群眾的解放」則顯示蘇聯是「所有愛好和平力量的強大堡壘」。在《德蘇互不侵犯條約》生效期間，蘇聯一貫主張英國帝國主義是主要敵人，並且認為德國是和平的推手，只是在帝國主義國家逼迫下不得不採取防禦性攻擊。一九四〇年下半年，史達林甚至考慮讓蘇聯加入軸心國在九月簽訂的《三國同盟條約》。[70]各地的共產黨都遵循蘇聯共產黨的路線。一九四一年一月，英國《工人日報》（*Daily Worker*）被英國政府勒令停業，而該報在前一天還發文祝賀各地群眾以列寧主義階級鬥爭的方式「試圖擺脫帝國主義戰爭」。[71]

西方與蘇聯彼此的道德譴責，隨著一九四一年六月二十二日軸心國入侵蘇聯而煙消雲散。在攻擊發生的數天後，麥斯基提到英國民眾對於這項變化感到困惑：「直到最近，『俄羅斯』都還被認為是德國的祕密盟友，幾乎可以說是英國的敵人。突然間，在二十四小時之內，俄羅斯成了英國的朋友。」[72]六月二十二日晚間，邱吉爾發表了著名的廣播演說，宣示將支持俄羅斯人民的鬥爭，不過他也警告，他不會更改長期以來他反對共產主義的一貫立場。對邱吉爾與西方絕大多數人來說，希特勒是世界最大的威脅。邱吉爾表示：「凡是反對納粹主義的人或國家，都將得到我們的支持。」

羅斯福贊同邱吉爾的觀點，他認為德國是更立即且更為強大的威脅，蘇聯的侵略固然引發道德上的關切，但這份關切可以暫時放在一邊。在固定的廣播節目《爐邊談話》中，羅斯福向美國聽眾表示，美國與蘇聯之間沒有不可化解的歧異：「事實上，我們跟他〔史達林〕還有俄羅斯人民將會相處融洽。」[73]

在莫斯科，戰爭的爆發使蘇聯立即停止了反帝國資本主義活動。德國入侵當天，史達林告訴共產國際領袖季米特洛夫（Georgi Dimitrov），新路線是「擊敗法西斯主義」，國外的一切社會主義革命活動必須馬上停止。蘇聯高層希望將這場戰爭轉變成「抵禦法西斯野蠻主義的戰爭」，使蘇聯的鬥爭能獲得西方反法西斯主義浪潮的認同，從而得到西方的援助。[74]最終，西方與蘇聯都想利用「別西卜」（Beelzebub）*來驅趕德國這個撒但。接下來的合作對雙方來說都不容易，但出於軍事必要，雙方於是握手言和，同時也期望共產主義與資本主義或許能找出共通點一起建立和平的戰後秩序。[75]然而，歐洲第二戰場遲遲未能開闢與《租借法案》的緩慢步調，都讓蘇聯與西方出現齟齬。西方駐蘇聯代表在許多小地方受到刁難，而且愈來愈多證據顯示，蘇聯高層計畫在東歐引進共產國際式的「民主」，更不用說無論西方還是蘇聯都懷疑對方可能會跟希特勒和談，前述種種情況使得西方的善意受到考驗。儘管如此，西方領導人仍舊對蘇聯在一九三九年到一九四一年的侵略行徑，以及蘇聯對內對外的政治迫害，選擇性地睜一隻眼閉一隻眼，特別是在公開場合。因為此時英美蘇三國擁有一個共同的道德核心目標，那就是打敗德國。

英美民眾對蘇聯的支持，促使西方領導人將蘇聯視為夥伴與盟友。民眾的熱情有時出自官方的鼓吹，這點在西方與蘇聯皆然。英國碰到的棘手難題在於，如何為蘇聯的戰爭投入做宣傳，又要避免為蘇聯的意識形態背書。邱吉爾在六月二十二日的演說提供了解決之道：他言必稱「俄羅斯」，絕口不提蘇聯。負責政治宣傳的英國政治作戰處奉命「在任何時候都只能提到『俄羅斯政府』，不能提及『蘇聯政府』」，書面文字與口語說明都要強調俄羅斯的歷史、藝術與特色，避免談及俄羅斯政治。[76]美國戰爭情報局主要由自由派人士組成，對於蘇聯的共產主義實驗普遍抱持著正面觀感，戰爭情報局在美國民眾面前塑造對蘇聯的理想情感，此外又推出《北極星》（*The North Star*）、《反攻》（*Counter-Attack*）與《俄羅斯之歌》（*Song of Russia*）這些描述俄羅斯英雄主義的劇情片及大眾媒體來強化這種印象。一九四三年三月，《生活》雜誌告訴讀者，蘇聯人民「看起來像美國人，打扮像美國人，想事情的方式也像美國人」，並且將史達林評選為「年度風雲人物」。[77]蘇聯也在西方進行宣傳，一方面營造對俄羅斯有利的情感，另一方面也把史達林塑造成致力於追求和平與民主的人物。由於西方民眾認識的蘇聯都是經過政治宣傳篩選過的現實，因此無論蘇聯提出什麼觀點民眾都毫不批判照單全收。當擔任英蘇團結委員會主席的切爾姆斯福德（Chelmsford）主教於一九四四年十一月在倫敦召開會議時，他表示同盟國是「三個偉大的民主國家」。會議中另一名教士則提到「蘇聯政府的宗教成就」與蘇聯政權對「倫理生活」做出的重大貢獻。[78]

＊編注：中文又常譯成「鬼王」，在西方基督教教義中，別西卜可以是惡魔撒但的另一個化身。不過在新約聖經中，提到了耶穌基督曾以別西卜來驅趕撒但、以鬼趕鬼的故事。

民眾的支持許多是自發的。對比英美只獲得有限的軍事成功，民眾對蘇聯的抵抗則是大加讚揚，就連史達林格勒的收復也被當成是西方的勝利一樣。一九四二年二月，麥斯基在日記裡寫道，人們「狂熱地推崇」紅軍，同年六月又寫下民眾「熱情地擁護蘇聯」；史達林格勒會戰之後，所有人都熱烈慶祝，「全心全意」讚揚蘇聯。[79] 一九四一年後，英國各地紛紛成立「友誼與援助」委員會；到了一九四四年，英國已經成立超過四百個類似團體，由英蘇團結委員會統一管理。據估計，這些組織代表的人數大約有三百四十五萬人，他們協助蘇聯投入戰爭，並且致力於與蘇聯親善。[80] 在美國，蘇美友好委員會也扮演類似角色，鼓吹民眾的熱情，在全美各地募捐、巡迴展出與成立募款委員會。此時若是有人在英美反蘇，就會被視為是一種惡意行為，甚至會被認為是叛國。美國眾議院曾在眾議員戴斯（Martin Dies）的推動下，於一九三八年成立了非美活動調查委員會，主要任務是剷除共產黨的顛覆行動。該調查委員會在二戰期間仍持續運作，只是把目標轉移到同情法西斯主義的言論上，並且對這些言論提出帶有敵意的批評與指控。一九四一年後，反蘇在美國已不再是主流，此後直至戰結束都在政治上處於邊緣地位。[81]

儘管英美官方與非官方都對蘇聯及蘇聯抵抗法西斯主義的行動推崇備至，但談到共產主義時卻仍抱持著不信任或敵視的態度，尤其無法容忍國內出現共產主義運動。蘇聯意外成為英國的盟友之後，英國軍情五處依然密切監視英國共產黨的一舉一動。一九四三年，英國共產黨全國組織者史平浩（Douglas Springhall）被控竊取機密情報而被判刑七年。內政大臣莫里森（Herbert Morrison）提醒邱吉爾，「目前民眾普遍支持」蘇聯對抗德國，因此更應該提高警覺，畢竟共產黨「沒有義務效忠『資本主義國家』」。[82]其實就算莫里森不提，邱吉爾也懂得提防。一九四三年四月，麥斯基在日記裡記錄晚餐後的一段談話，邱吉爾先是讚揚俄羅斯的奮勇作戰，接下來卻表達他對蘇聯體制的厭惡：「我討厭共產主義……如果有人想在我國建立共產主義，我會像對付納粹一樣無情對付他。」[83]就連對蘇聯較為同情的工黨也出版了一本戰時小冊子《共產黨與二戰：虛偽與背叛歐洲工人全紀錄》(*The Communist Party and the War: A Record of Hypocrisy and Treachery to the Workers of Europe*)。[84]在美國，共產主義運動成員很快增加到十萬人左右。而美國民眾雖然支持蘇聯，卻也擔心共產主義可能在國內造成威脅。美國共產黨希望民眾能認同他們是愛國者，於是在一九四四年宣布解散，重組為共產主義政治協會。不過與英國一樣，美國國內對共產主義的支持愈來愈衰退。

到了戰爭最後一年，不管是西方還是蘇聯，原本戰前抱持的共產主義與資本主義在道德上毫不相容的觀點又死灰復燃。對蘇聯高層而言，西方與蘇聯的同盟就像美國駐莫斯科軍事代表團團長迪恩所言，是一場「策略婚姻」。[85]莫斯科當局從不認為法西斯國家與民主國家在道德上有何差異，因為兩者最終都將因資本主義而墮落。隨著德國戰敗已近在咫尺，蘇聯外交部長莫洛托夫表示，「接下來對抗資本主義就簡單多了。」雖然史達林希望戰後可以達成某種形式的和平共存，但到了一九四五年上半年，他也開始認為擊敗法西斯國家之後，未來的衝突將會是「對抗資本主義國家」，這使得蘇聯又重回對峙的老路。[86]一九四六年秋天，史達林派出尼古拉·諾維科夫（Nikolai Novikov）擔任駐華府大使，負責評估美國的意圖。諾維科夫向莫斯科回報時表示，美國「正在準備未來對蘇聯的戰爭，在美國帝國主義者眼中，蘇聯是美國稱霸世界的主要障礙」。[87]

蘇聯不願在紅軍解放的東歐國家建立真正的民主制度，使原本相信蘇聯有誠意推動民主和平的美國自由派與進步派人士深感不滿。左翼雜誌《國家》（*The Nation*）的主編費歇爾（Louis Fischer）為了抗議同事把英美視為「魔鬼」，把史達林看成「天使長」，因此於一九四五年五月憤而辭職。費歇爾為解釋自己的決定，還特別列了一份清單，上面洋洋灑灑寫下蘇聯違反《大西洋憲章》的各項原則。[88]雖然羅斯福曾提醒批評者，沒有任何國家簽署或批准《大西洋憲章》，但人們卻經常引用《大西洋憲章》的精神來抗議西方無條件與蘇聯合作。一九四四年，美國前總統胡佛（Herbert Hoover）埋怨《大西洋憲章》早已「被送進醫院截肢，國與國之間的自由早已蕩然無存」。曾經力促美蘇合作的哈里曼（Averell Harriman），也就是羅斯福的最後一任駐莫斯科大使，也在一九四五年時向總統提出警告，蘇聯計畫「建立極權主義，終結我們所知與尊敬的自由與民主」。幾個月後，他請求羅斯福的繼任者杜魯門能盡快採取行動，阻止蘇聯對歐洲的「野蠻入侵」。[89]在戰爭最後幾個月與戰後的最初幾個月，西方與蘇聯的蜜月期很快破滅，因為雙方都知道要維持這樁「策略婚姻」有多麼困難。

蘇聯違反和平與人權的事實眾所皆知，然而在建立聯合國組織以及對德國主要戰犯進行戰後審判期間，西方對此只能睜一隻眼閉一隻眼，因為蘇聯在這兩項事務上扮演著與其他戰時盟國同等重要的角色。蘇聯政府絕口不提戰前對波蘭與芬蘭的無端侵略，也不談對立陶宛、拉脫維亞、愛沙尼亞與羅馬尼亞北部省分的強制併吞。美國檢察官團隊明知德蘇祕密簽訂瓜分波蘭的條約（一九三九年，一名德國外交人員把條約內容轉交給美國駐莫斯科大使），卻在審判期間於資料上潦草寫下「侵略」二字之後，就將其歸檔而不在法庭上使用。[90]蘇聯人員要求「陰謀發動侵略戰爭」的罪名只能適用於德國，而不能適用於其他國家，西方檢察官勉為其難地同意。一九四五年十一月，莫斯科派了特殊安全小組前往紐倫堡，確保審判時不會提及蘇聯犯下的國際罪行。由於蘇聯當局對這類話題極其敏感，導致蘇聯檢察官在開審陳述時對德國侵略波蘭隻字不提，怕接下來出現難以收拾的反應。前蘇聯檢察總長維辛斯基（Andrei Vyshinsky）要求蘇聯律師在審判期間要大聲喝止被告，不讓他們提起一九三九年到一九四〇年蘇聯與德國共謀攫取領土的往事。蘇芬戰爭僅僅被提到一次，就立刻引來蘇聯在場人士的噪音干擾。[91]

儘管蘇聯不情願，同盟國最後還是取得共識，決定以「危害人類罪」起訴德國被告，藉此告發納粹政權加諸於德國與非德國人民身上的恐怖行徑，包括流放、強制勞動與大屠殺，使其負起應有的責任。然而在審判時，西方不僅對史達林政權犯下違反人道的惡行視而不見，實際上也對於這些惡行所知甚少，因為無論在蘇聯還是蘇聯占領的東歐，無論在戰前還是戰爭結束之後，一道無法穿透的鐵幕已被拉上，凡是敵視蘇聯體制或無法與蘇聯體制相容的人，他們實際遭受的對待，外界均無從得知。除了有系統的種族滅絕，蘇聯政權幾乎犯下紐倫堡審判提到的所有危害人類罪行：大量流放進行強制勞動與大規模送進集中營，且集中營的運作紀錄充斥著虐待與死亡，其慘狀足以與德意志第三帝國最糟糕的集中營相提並論。蘇聯毫不容忍所有的宗教形式，毫無言論自由、集會結社自由，也毫不尊重法治。[92]就在紐倫堡軍事法庭對於戰敗的敵人設立集中營提出嚴厲譴責時，蘇聯的安全體制卻在德國的蘇聯占領區裡，在易北河畔的穆爾貝爾格（Mühlberg）的前德國集中營設立對外隔離的設施，同時未經審判就把十二萬兩千名德國囚犯送到這裡關押，其中有四萬三千人死亡或被殺。[93]曾經待過德國與蘇聯集中營的巴卡尼切夫（Anatoli Bakanichev）在私人回憶錄中寫道，德國與蘇聯集中營的「差異可說是微乎其微」。[94]

在蘇聯的暴行中，只有一個例子是西方完全可以確認的，那就是一九四〇年四月蘇聯內務人民委員部（NKVD）在卡廷（Katyn）森林屠殺波蘭軍官之事。這是因為早在一九四三年，德國政治宣傳部門就已經在這裡發現了亂葬崗。然而當時人們卻不知道，參與紐倫堡審判的蘇聯檢察長魯堅科（Roman Rudenko），就是當初被史達林派往哈爾科夫監督屠殺波蘭軍官的人之一，因為當地的內務人民委員部官員無法狠下心來犯下這種罪行。蘇聯當局堅稱這場屠殺是德國所為，但英國政府幾乎可以確定是自己的盟友犯下這項罪行，但英方也認為必須在政治上審慎，不宜再追問下去（事實上，直到一九九〇年蘇聯解體後，犯罪的鐵證才浮上檯面）。西方之所以對蘇聯危害人類罪或其他戰爭罪行的證據保持緘默，主要是不想讓德國被告利用這一點在戰時盟友之間挑撥離間。即使到了一九四八年，西方與蘇聯的分裂已經成形、冷戰無可避免，蘇聯高層依然恬不知恥地自稱是世上唯一具有人道精神的政治體制。一九四八年，各國在巴黎起草聯合國《人權宣言》時，前蘇聯檢察總長維辛斯基大言不慚地表示，對蘇聯而言，有沒有這份宣言並不重要，因為共產主義體制是人民解放的主要推手，在共產主義體制下，「人們早已擁有人權」。[95]

蘇聯在領土侵略與集體鎮壓上的無情殘酷是西方盟國無法比擬的，而其顛倒是非的能力、甚至認為自己在道德上完全站得住腳的說詞，也遠遠超越西方盟國的底線。但就算西方盟國比蘇聯更具道德正當性，軸心國依舊能找到材料來嘲諷西方盟國完全不符合自己營造的民主形象。種族問題就是其中之一，此事暴露出西方道德立場的巨大斷層，特別是美國，因為相較於英國，美國更強調要捍衛民主自由。美國主要的種族問題是長時間的種族歧視、種族隔離與針對少數非裔美國人的暴力。未能落實民權，加上美國南方白人社群支持種族隔離，這些都是羅斯福政府在戰前十年規避的問題，尤其總統需要國會裡南方民主黨員的支持，而偏偏這些人堅決不向少數黑人讓步。二戰爆發與隨之而來的全民團結與捍衛自由的號召，在黑人領袖眼中成了一個表達對不平等現狀的挫折感，以及期盼捍衛「民主」的戰爭能讓他們獲得自由的機會。樂觀的杜波伊斯一度宣布，二戰是一場爭取「種族平等的戰爭」。[96]

一九四二年一月，密蘇里州賽克斯頓市（Sikeston）發生戰時第一起私刑事件，三百名圍觀群眾看著一名黑人嫌犯被淋上五加侖的汽油，然後被活活燒死。同月，《匹茲堡信使報》（*Pittsburgh Courier*）刊登了年輕黑人湯普森（James Thompson）的一封信。湯姆森在一間食堂工作，他呼籲非裔美國人為「代表雙重勝利的雙V」而戰。他解釋說，第一個V指打敗美國的外敵，「第二個V指打敗我們在國內的敵人。」[97]對於許多反對非裔美國人淪為二等公民的人來說（這些人包括了白人與黑人），這場捍衛民主對抗獨裁政權的戰爭如果未能正視民主理想尚未落實到非白人少數族群的問題，那麼這場戰爭將只是一個空殼子。一九四二年九月，詩人沃克（Rhoza Walker）寫道：「我相信民主，如此之深／因此我希望美國每一個人／都能擁有一些民主／黑人……他們應該擁有一些民主。」[98]當羅斯福政府宣示恪守「四大自由」與實現《大西洋憲章》的承諾時，黑人社運組織者很快就發現，只要將德國種族主義與美國國內黑人的遭遇並陳，就會產生相當刺眼的對比。聖路易斯市發行的一本戰時民權小冊子，題目叫做《讓我們阻止國內即將出現的希特勒，讓我們如宣傳所說實踐民主》，書中傳達的情感獲得民權運動的廣泛回響。[99]當非裔美國人報紙進行民調，調查非裔美國人是否認同羅斯福及其政府揭櫫的高尚情感時，高達百分之八十二的非裔美國人表示不認同。[100]二戰使美國官方的戰時宣傳與數百萬非裔美國人的現實生活產生強烈的道德落差，也讓黑人爭取民權的運動大為興盛。二戰期間，黑人辦的報紙銷售量增加了四成。由懷特（Walter White）領導的全國有色人種協進會的會員人數在戰時增加了十倍。倫道夫（A. Philip Randolph）在一九四一年發起「向華府進軍運動」，即便該運動在立場上較為激進，但依然在全國各地開枝散葉。[101]要求平等的呼聲早在戰爭爆發前就已經出現，但戰爭提供了一個適當的環境，使黑人能更公開地挑戰白人的種族偏見。

黑人民權運動的成長帶來了複雜的影響。隨著黑人抗議的風潮湧現，有些白人卻更堅定其不妥協的立場。南方的國會議員認為，黑人要求的民權與經濟平等將為美國帶來災難，「找不到比這更嚴重的威脅，」一名議員說道。[102]在南方各州，黑人選民無法投票，農村的黑人勞動力也被綑綁在白人的農場上。在某些地區，黑人無論到哪裡都必須佩戴名牌，上面寫著雇主姓名與他們的工作時間，如果不佩戴就有可能被逮捕。這種「不工作就坐牢」的文化，正是為了壓制黑人的氣燄，使他們乖乖聽話。[103]對許多北方非裔美國人來說，戰時被徵召進入軍隊，或在規模不斷擴大的國防產業工作，使他們第一次感受到如此嚴重的隔離與歧視。當雇主屈服於市場的勞動需求時，黑人工人無論能力高低，普遍還是只能從事非技術性的工作。軍中廣泛施行種族隔離政策，黑人新兵被給予的生活條件較差，往往被派到食堂工作或擔任工人。在南方部分地區，黑人如果穿著軍服離營，甚至有遭到私刑的危險。一名士兵投書《匹茲堡信使報》抱怨說：「如果真有奴隸制度，那麼現在就是。」[104]黑人士兵的差別待遇這名士兵所在的營區，黑人新兵必須睡在地板上，而且只能用水桶上廁所。又因為管理部門的偏見而雪上加霜。另一名深感幻滅的新兵寫道，美國陸軍「跟希特勒的陸軍差不多，幹的都是納粹的事」。[105]一九四四年，戰爭情報局印製了一份機密手冊給白人軍官，名稱為〈黑人的某些特質〉，其部分內容如下：「喜歡社交、性格外向（原文如此）……脾氣暴躁……精神不集中、記性不好與健忘……不理性、仰賴本能與感情用事……敏銳的節奏感……含糊其詞……容易說謊、經常說謊、天生愛說謊。」[106]一名黑人士兵針對紐約市哈林區發生的種族暴力事件從歐洲戰場寫信回國，表示黑人士兵們時常自問：「我們究竟為何而戰？」[107]

戰爭暴露的矛盾，最終引發了種族暴力的浪潮。在戰爭初期，白人工人針對愈來愈多黑人獲得僱用發起所謂的「仇恨罷工」。白人種族隔離分子進行暴力對抗，以保護白人鄰里或學校。當戰時勞動力移動使上百萬黑人移往北部與西部城市時，種族之間的緊張便開始升溫，終於在一九四三年達到暴力的巔峰。一九四三年，估計全美四十七座城市發生了兩百四十二起種族對立事件。[108]暴亂與街頭鬥毆在阿拉巴馬州的莫比爾造船廠、賓夕凡尼亞州的切斯特港、密西西比州的森特維爾、洛杉磯與紐澤西州的紐華克發生。最致命的暴力衝突出現在一九四三年夏天，第一起發生於底特律，然後是紐約哈林區。底特律的暴力事件在六月二十日爆發，起因是白人工人對於黑人新勞工源源不斷地流入深感不滿，長久累積之下終於造成衝突。在秩序恢復之前，該起暴亂已導致三十七人死亡（其中二十五名是黑人）與七百人受傷。八月一日，紐約哈林區發生暴動，造成六人死亡，一千四百五十間商店被焚毀或搶劫一空。羅斯福總統接受建議不針對種族議題發表公開言論，一方面是顧慮南方白人的輿論，另一方面是擔心一旦承認美國國內確實存在種族歧視，恐怕會加劇種族緊張。政府採取的補救做法是，在潛在的危機點進行情報蒐集以預測可能的暴力事件，各地必須設法緩解社會衝突，避免暴動影響戰爭投入。[109]

羅斯福低調回應不斷加劇的種族緊張，反映了他對民權與種族平等這類更大議題的基本態度。國會裡南方民主黨員的支持對於他的政治地位至關重要，羅斯福因此不願冒著喪失南方民主黨員支持的危險提出迎合黑人輿論的主張。戰前，羅斯福曾在民權領袖遊說下（或者如白宮發言人厄里〔Stephen Early〕所言，在「有色民眾不斷咆哮之後」），於一九四一年做出讓步，發布了第八八〇二號行政命令，創設公平就業措施委員會，試圖在國防產業消除種族歧視問題。戰時，黑人在國防產業的就業比例確實從一九四二年初的百分之三增加到一九四四年的峰值百分之八，但黑人家戶平均所得依然只有白人家戶的四成到六成。一九四二年，新成立的公平就業措施委員會合併到戰爭人力委員會之中，限制了該委員會對抗種族不平等的權限。在南方，政府提供補助與訓練計畫來提升白人農場的生產力，但另一方面卻對戰時改革造成黑人工人遭受更嚴格的掌控之事視若無睹。[110]總統對外高喊自由，對內卻不試圖解決種族隔離與種族歧視，面對這樣的矛盾，羅斯福依然選擇沉默。

羅斯福這種矛盾的種族主義觀點，也同樣出現在他對大英帝國的看法上。羅斯福私底下認為殖民帝國已經道德破產，日後必須交由國際託管或允許殖民地獨立，但對外卻謹慎表達自身的立場，以免危及戰時的同盟關係。當大英帝國於一九四二年逮捕甘地與參與「退出印度」運動的印度人時，羅斯福並未公開譴責這項決定或伴隨而來的暴力行為。全國有色人種協進會祕書懷特取消原定為戰爭情報局發表的演說以示抗議，還發了一封電報給羅斯福，把民權運動與全世界為了從西方帝國主義解放而進行的鬥爭連結起來：「這樣下去，即使聯合國最終獲得勝利，太平洋地區十億的棕色人種與黃色人種仍將堅信印度領導人與印度民族遭受的無情對待是白人對有色人種典型會做的事。」[111]

隨著戰爭持續，美國國內爭取民權的運動與全球各地尋求殖民地解放的運動也連結得愈加緊密。懷特於一九四四年造訪北非與歐洲戰場之後，寫下了回憶錄《起風》(*A Rising Wind*)，書中提到：「美國黑人的鬥爭乃是印度、中國、緬甸、非洲、菲律賓、馬來亞、西印度群島與南美洲反抗帝國主義與剝削的一環。」[112]一九四五年五月，當各國代表於舊金山開會同意成立聯合國組織時，黑人遊說團體試圖讓美國代表團納入一段人權陳述，不僅要支持非裔美國人的權利，還要給予「殖民地與從屬民族」權利，但遊說團體無法在種族歧視上面取得正面回應。約翰・杜勒斯（John Foster Dulles）是美國代表之一，他擔心人權會凸顯「南方的黑人問題」。[113]一九四八年，當聯合國於巴黎召開會議起草《人權宣言》時，人權委員會主席暨羅斯福的遺孀愛蓮娜（Eleanor）拒絕接受杜波伊斯的請願書〈向世人呼籲〉(An Appeal to the World)，因為杜波伊斯把美國黑人遭受的壓迫與人權議程直接連結可能引發政治爭議。主要國家代表團試圖確保普世權利宣言不會衍生出對於明顯侵害這些權利的國家有進行干涉的權利。[114]儘管二戰是為了捍衛民主而戰，但到了一九四五年，美國與帝國主義國家依然沒有放棄西方觀點的種族歧視。

如果同盟國國內的種族主義與他們對外的戰爭宣傳自相矛盾，那麼他們在面對敵國的種族主義（特別是反猶太主義）時更是只能做出更加模糊的回應。今日民眾對於二戰的記憶往往與猶太人大屠殺緊密結合，這是因為我們一直認為盟軍之所以向德國及其歐洲軸心國盟邦開戰，主要是為了阻止種族滅絕與解放殘存的猶太人。然而這絕大部分都是幻想。這場戰爭其實不是為了拯救歐洲猶太人，而三個主要同盟國政府也擔心民眾會知道這一點。解放猶太人只是附帶結果，同盟國真正的戰爭目標是將軸心國趕出他們征服的國家，並且恢復所有被征服與受害國家的主權。同盟國對於猶太人的態度十分多變，有時漠不關心，有時小心審慎，有時模稜兩可，有時道德上受到質疑。

對於所謂的「猶太人問題」，同盟國的態度主要受到兩方面因素牽動。首先是各國早在戰前就已經對德國反猶太主義的挑戰做出回應，其次是猶太復國主義的興起與猶太建國的主張對各國的影響。蘇聯的猶太人政策特別敵視猶太復國主義，因為猶太復國主義的主張挑戰了猶太人對蘇聯體制的忠誠。史達林深信蘇聯猶太人無法同化成新蘇聯的一部分，在他看來，猶太人總想「自成一格」的傾向令他深惡痛絕。猶太復國主義者遭到蘇聯當局迫害並且轉入地下。一九三〇年代初，蘇聯猶太人移居國外的數量開始減少，一九三四年之後更是被禁止移居國外。蘇聯猶太工人不許休假過安息日，數百座猶太會堂也遭到關閉。[115]一九三九年與一九四〇年，蘇聯占領波蘭東部與波羅的海國家，有兩百萬名猶太人被納入蘇聯統治，他們的傳統生活方式因此遭受破壞與摧殘。在這個地區，估計有二十五萬名猶太人被流放到蘇聯內陸，數千名拉比與猶太領袖被逮捕送進集中營，猶太會堂不是遭關閉就是被挪為他用，商業全收歸國有，猶太人不許公開進行宗教與文化儀式。也就是說，早在一九四一年德國人抵達之前，蘇聯就已經將這個地區的猶太人小城鎮的傳統生活破壞殆盡。[116]

在英美，猶太人問題引發憂慮，人們擔心迫害造成的大量猶太移民將帶來嚴重影響，而英國則特別關切猶太移民會對英國在中東的國際聯盟託管地造成負擔，使已經不穩定的局面雪上加霜。雖然英美兩國並未公然或明顯反對猶太人，但兩國政府都擔心無限制地接納猶太人將帶來社會或政治上的負面後果，因此對於猶太移民始終有所保留。儘管如此，一九三〇年代已有大量猶太移民逃離德國，或是離開從一九三八年到一九三九年被德國兼併的地區。總計從一九三三年到一九三九年，猶太移民已將近三十六萬人，其中有五萬七千人在美國找到避難所，五萬三千人前往英國的巴勒斯坦託管地，五萬人抵達不列顛群島。此外也包括大量歐洲猶太移民，他們原本居住的國家在一九三〇年代也開始出現嚴重的反猶太人風潮。一九三三年到一九三九年，猶太人移居巴勒斯坦的總數是二十一萬五千兩百三十二人，當地猶太人數量因此增加了一倍。[117]猶太人大量流入的結果，深刻影響了英國政府對猶太難民問題的立場。一九三六年，新一波猶太移民從歐洲抵達巴勒斯坦，引發阿拉伯人的大規模叛亂。一九三六年到一九三九年，阿拉伯叛亂導致當地數量不多的英國陸軍左支右絀，也威脅英國在中東的戰略地位。英國因此在一九三九年做出裁定，政府在五月公布的白皮書上表示，未來五年要將猶太移民人數限制在七萬五千人以下，額滿之後除非阿拉伯社群同意，否則不許接受猶太移民，然而這一點根本無法做到。為了懲罰大規模非法移民，英國下令最初六個月不許猶太人入境。一九三九年，合法進入巴勒斯坦的猶太移民只有一萬六千人，但實際上偷偷入境的猶太人多達一萬一千人。英國政府公布的文件更是在猶太人的傷口上灑鹽：文件明確否定猶太人在巴勒斯坦建國的可能，猶太復國主義者的希望因此落空。[118] 一九三九年春天出爐的方針決定了英國的戰時政策，災難性地關閉了猶太難民最重要的逃亡路線。

一九三八年十一月「水晶之夜」（Kristallnacht）屠殺事件發生後，德國的反猶太主義的歧視與迫害來到新的高峰，但也就在此時，英國卻削減了猶太人移民英國的名額。一些沒有父母陪伴的兒童獲准依照所謂的「難民兒童運動」來到英國，到了一九三九年七月已有七千七百名猶太兒童抵達英國，但成年的猶太難民卻難以合乎英國的移民許可標準，因此無法拿到入境需要的簽證。英國當局願意接受的是有猶太人組織支持且具有一技之長或能填補英國國內勞動缺口的猶太移民，但英國內政部更希望猶太人能夠承諾在他們順利入境英國之後能繼續移往他國居住。隨著戰爭愈來愈迫近，猶太人移民英國的機會也愈來愈少。整個西方世界都對猶太人的移民人數定下配額與限制。在美國，移民限制並非直接針對猶太人，而是針對特定國家的公民給予移民配額，但這意謂著漫長的簽證等待期，有時可以長達兩年，而且一旦特定國家的移民配額額滿就不再發給簽證。對於歐洲猶太人面臨的危機，美國政府絲毫沒有讓步的意思。水晶之夜後，當羅斯福總統被要求放寬猶太人移民美國的門檻時，他只是評論道：「時機尚未成熟。」羅斯福一向重視民調，而偏偏民調顯示高達百分之七十五的美國人認為猶太人「不受歡迎」，而百分之七十二的美國人反對讓更多的猶太人進入美國。[119] 一九三九年一月，一項所謂的《兒童法案》（Children's Bill）提交國會審議，希望在兩年間允許兩萬名難民兒童來美國，但這項法案並未引起公眾回響或總統支持，最終在委員會階段便告流產。民調再次顯示，民眾強烈反對接受猶太移民。

英國不想面對未來可能出現的絕望難民潮，反而提出將猶太人送往英國的南美殖民地英屬蓋亞那的方案（一名外交部官員坦言，這是「為了讓英國政府在面對歐洲猶太人時，良心上能過得去」），但最後出於擔心當地人的反對而作罷。在美國，有人提議在阿拉斯加州設立猶太人居住區，但這項提案遭到羅斯福否決，因為他擔心這會形成一個國中之國。[120]英美兩國都不希望後方出現一個數量龐大的猶太人族群，儘管有充足的道德理由支持也不願這麼做。羅斯福的駐莫斯科大使史泰恩哈特（Laurence Steinhardt）在一九四〇年注意到難民的壓力，他總結美國政府面臨的選擇：「我認為，雖然人道主義與美國的福祉幾乎沒有發生衝突的可能，然而一旦要做選擇，後者顯然更為重要。」[121]

戰爭的迫近使維護本國利益的想法更加堅定。一九三九年九月戰爭爆發後，英國不再允許德國或德國歐洲占領區的猶太人進入英國。英國外交部官員表示：「猶太人在德國的狀況如何，對我們與法國來說已無關緊要。」[122]在美國，國會的反對使得已經緊縮的移民配額完全沒有修改的可能。德國當局原本想盡可能驅逐猶太人，但到了一九四一年十月，希姆萊終於決定禁止猶太人離開德國，此時他已想滅絕所有猶太人。在需要逃離德國的猶太人當中，只有極少數能幸運逃往西方。巴勒斯坦依然允許一定配額的猶太人入境，然而逃往巴勒斯坦的猶太人始終未能達到額度，因為沒有人願意協助猶太人逃離歐洲。前後約三十九個月的時間，猶太人其實有機會離開德國及其新建立的帝國，但英國當局為了減少非法的猶太移民入境，竟然擱置猶太人的申請程序以示懲罰，導致足足有十五個月的時間，猶太人完全無法申請入境。一九四〇年，猶太人移居美國的人數達到三萬六千九百四十五人，但有超過數千人因為額度已滿而在歐洲苦苦等候。一九四〇年，好不容易抵達英國的猶太人卻遭到英國政府的羞辱，由於「第五縱隊」在英國國內引發恐慌，因此這些猶太難民絕大多數都被當成敵國人民而被監禁起來。雖然絕大多數難民事後都獲得釋放，但他們一開始在英國、加拿大與澳洲的臨時監禁營裡卻遭受到了苛待與侮辱。123

歐洲猶太人在遭遇滅頂危機下，即使面對西方設下的重重限制，依然不顧一切鋌而走險，就算違法也要逃往西方。而英國當局面對猶太難民表現的麻木不仁，徹底掩蓋了英國是在為正派價值而戰的口號。當三艘滿載飢餓與恐懼的中歐猶太人的船隻，從羅馬尼亞出發並抵達巴勒斯坦外海時，這些難民起初被拒絕上岸，之後被帶到岸上拘禁在環境惡劣的營區裡，而當局仍想盡辦法要讓他們離開巴勒斯坦。最後，當局決定把部分難民送到島嶼殖民地模里西斯，但遭到不當對待的難民感到既絕望又沮喪而拒絕接受這樣的安排。在被驅逐出境的那一天，猶太難民全身赤裸躺在床上以示抗議。殖民地警察用棍子毆打男人，然後將一絲不掛的猶太男女全帶上船，猶太難民的財物不是被丟進海裡，就是被沒收然後出售，出售所得就當成巴勒斯坦的政府基金。在運往模里西斯途中，超過四十名猶太難民死於傷寒或身體衰弱；抵達之後，難民被監禁在鐵絲網後方，由武裝衛兵把守。對這些猶太人來說，他們面臨的只是另一個殘酷的政權。猶太人繼續遭到監禁，男人與自己的妻兒被隔離開來，直到戰爭結束前幾個月才得以團聚。英國殖民地代理副大臣夏克伯格爵士（Sir John

Shuckburgh）居然認為，這場抗爭顯示「猶太人毫無幽默感與不知輕重」。[124]一九四一年春天之後，猶太難民非法入境巴勒斯坦的現象終於絕跡。

一九四一年夏天，德國開始大規模種族滅絕行動，起初是在東線戰場，之後遍及整個軸心國統治下的歐洲。消息傳開之後，同盟國逐漸無法維持以往漠視猶太人命運的政策。一開始，倫敦與華府得到各種不同的情報來源，要彙整這些資訊不是件容易的事，但到了一九四二年夏初，德國有系統地屠殺歐洲猶太人已有明確證據。一九四二年五月，波蘭地下運動組織送了一份報告給波蘭流亡政府，此即所謂的《邦德報告》(Bund Report)，報告詳細提到波蘭猶太人遭種族滅絕的狀況。六月，英國廣播公司BBC獲准對歐洲廣播這份報告的結論，指出已經有七十萬名猶太人被殺，但英國外交部仍認為這則消息相當可疑，擔心這會使猶太人移居巴勒斯坦獲得正當性。[125]一九四二年八月初，世界猶太人大會駐日內瓦代表里格納（Gerhart Riegner）透過英國外交部轉交一封長電報給英國國會議員西爾弗曼（Sydney Silverman），裡面提到從德國消息來源得到的滅絕營與毒氣室細節。外交部在八月八日收到電報，儘管對於這項未被證實的情報感到懷疑，外交部還是於十七日將電報轉交給西爾弗曼，但提醒他不要太認真看待這項消息。[126]里格納也將電報寄給了美國國務院，希望他們轉交給世界猶太人大會主席懷斯拉比（Rabbi Stephen Wise），但國務院官員認為這封電報「內容充滿想像」，決定不予轉交。不過，美國的審查機關遺漏了西爾弗曼直接寄給懷斯的第二封電報，該封電報裡頭附上了里格納的報告。而當懷斯試圖得到國務院公開資訊的許可時，國務院卻考慮了三個月才勉強答應。[127]英美官員對於這項未經證實的情報抱持著審慎態度，他們也擔心猶太人遊說團體會利用這個負面消息要求政府採取行動。

到了一九四二年十二月，已經有足夠公開可取得的資訊增加民眾對英美政府的壓力。英國蓋洛普民調顯示，百分之八十二的受訪者願意接受更多的猶太難民。[128]為了平息民眾對同盟國毫無作為的不滿，英國外交大臣艾登提議在下議院以同盟國名義發表宣言，除了強調德國屠殺猶太人，也承諾戰後要懲罰該為此事負責的人。在華府，國務院認為艾登的宣言只會讓猶太人發起更多的抗爭，反而會對「戰爭投入造成反效果」。美國官員最後默許艾登的宣言，條件是必須把「歐洲的報告已經確認種族滅絕存在」修改成「歐洲有許多報告提到種族滅絕」，但內容仍有待確認。在發表宣言的前一個星期，羅斯福與猶太人領袖開會，這是戰時他與猶太人開的唯一一次會議，會中討論了對種族滅絕的回應。開會時，有五分之四的時間都是羅斯福在說話，而羅斯福也只花了兩分鐘時間談論這場會議的真正主題，最終也並未做出任何承諾。[129]在莫斯科，一九四一年夏天以來，內務人民委員部安全人員已經蒐集與寫下大量有關種族滅絕的直接證據（不過並未交給西方），但蘇聯對於艾登的宣言也抱持著與美國類似的矛盾想法。他們不瞭解為什麼同盟國的宣言只提到猶太人受害者，卻忽略了蘇聯人民也是受害者。蘇聯最終還是簽署了宣言，而這也成為戰時唯一一份針對猶太人大屠殺提出的宣言。[130]十二月十七日，艾登在下議院宣讀宣言，國會議員自發地起立默哀兩分鐘。同盟國將猶太人大屠殺公諸於世，對世界各地的猶太人組織來說，這表示同盟國很可能放寬猶太人移民限制與積極回應歐洲猶太人的困境；然而，對於深陷軸心國羅網的猶太人來說則是憂喜參半。在華沙的猶太人區，猶太人里文（Abraham Lewin）在日記裡寫道：「我們應該對於自己的命運受到『關注』感到高興，但這真能挽救我們的命運嗎？」[131]

一九四二年十二月的宣言是同盟國政府針對猶太人大屠殺做出的最重要回應，但同盟國對於一息尚存的歐洲猶太人卻幾乎未做出任何重大的政策轉變。在蘇聯，猶太人反法西斯委員會（一九四二年在史達林的同意下設立，但受到安全人員的監視與指導）之所以被容許成立，因為這個組織可以吸引美國資金，但委員會成立的用意並不是為了採取積極策略來解救或支援德國占領區裡的蘇聯猶太人——到了一九四二年底，這些猶太人絕大多數都已遭到滅絕。在英國，內政大臣莫里森拒絕更多猶太難民入境的請求，反而要求外交部考慮找個遙遠的地方把猶太人送去，例如馬達加斯加——值得一提的是，德國在一九四〇年時也曾一度考慮將猶太人遷到此處。面對與日俱增的批評，英國戰時內閣成立了猶太難民收容委員會，但後來為了避免獨厚某個受害族群的印象，於是把「猶太」二字去掉。一九四三年一月，難民收容委員會發現自己的任務絕大多數是消極的，例如「讓人們放棄大規模移民到英國與英國殖民地的想法」。莫里森只提出一項方案，如果猶太難民能證明自己有助於英國的戰爭投入，那麼英國才有可能再接納一千到兩千名猶太難民。[132]

在美國，十二月宣言公布之後，美國政府也沒有立即採取任何實際做法。猶太人遊說團體提出的建議遭到羅斯福與國務院的推托或忽視。一九四三年一月，華府收到英國政府的提議，希望召開高峰會來討論難民問題，美國方面屢次藉故拖延，最終在一九四三年四月在英國的加勒比地區島嶼殖民地百慕達召開會議。英美同意將難民問題的定義擴大，而非只局限於猶太人，兩國也不討論不切實際的解救難民方案。英國代表團團長表示，會議的結果「乏善可陳」。會議同意重新恢復一九三八年成立的跨政府難民委員會，但委員會往後幾年在幫助猶太人上面幾乎毫無建樹。英國、巴勒斯坦或美國依然維持現有的移民配額，並未做出讓步收容更多的猶太難民，即使一九四四年羅斯福遭受各方壓力，最後也只同意開放紐約州安大略堡做為戰時庇護所，而且只收容一千名猶太難民。百慕達會議提出在盟軍占領的北非建立難民營，收容從西班牙逃出的猶太難民，然而這個想法花了一年的時間才實現。而且顧慮到穆斯林的看法與法國方面的阻撓，最終難民營收容的人數並未達到原先計畫的數千人，而是只有六百三十人。[133] 用艾登的話來說，這場會議的主要結論就是「除非贏得最後勝利」，否則什麼都不能做。巧合的是，當百慕達會議召開時，華沙猶太人區的猶太戰士也發動了一場失敗的起義。當英美代表在百慕達飯店辯論如何解決難民問題時，猶太反抗軍為了反抗壓迫者而發動了一場注定失敗的戰鬥，他們既未獲得波蘭救國軍的幫助，也未獲得盟軍支援。遭受圍攻的猶太人區傳出的最後一個訊息只是簡單一句話：「自由與正義的世界既未出聲，也未出手幫助。」[134]

這是個嚴厲的批評，但並非不合理。猶太人遭到迫害與滅絕，西方同盟國做出的回應完全與大屠殺的恐怖不成比例。希望逃離歐洲的猶太難民與試圖發起救援行動的猶太人組織不斷遭遇挫折或斷然拒絕，只有偶爾會獲得一點微薄的援助。戰後世代在充分瞭解事情的來龍去脈之後，也同樣嚴厲批評同盟國的道德失敗。同盟國道德失敗的原因很多。首先，一九三〇年代為了處理猶太難民問題引發激烈的負面反應，其中英國統治的巴勒斯坦尤其嚴重，因此對繼續援助猶太人形成不利的影響。其次是可信度。當大屠殺的驚悚消息傳出時，西方民眾最初的反應是難以置信，就連猶太人社群也半信半疑。世界猶太人大會倫敦分部在給紐約總部的信上寫道：「請相信這件難以相信的事。」[135]在西方，由於一戰的經驗，人們會以審慎的態度看待這些殘暴的描述，因此從歐洲報導這些細節的記者，就必須如庫伯維茨基（Leon Kubowitzki）在一九四八年世界猶太人大會說的，打破「懷疑論的堅硬外殼」。新聞界也不願重複報導相同的故事，因為猶太人受害的新聞價值遠不及戰爭報導。美國最重要的報紙《紐約時報》，在戰爭時期刊載了兩萬四千則頭版頭條，但只有四十四則報導猶太人事件。《紐約時報》發行人是猶太裔美國人蘇茲伯格（Arthur Sulzberger），他不想讓自己的報紙過度報導猶太人的悲劇，一方面是擔心引起讀者反感，另一方面則是害怕掀起反猶太主義風潮。結果，民眾對猶太人大屠殺的認識往往拼湊而片段，很容易產生懷疑而非同情。庫伯維茨基在演說中提到，「猶太人面臨的死亡掙扎，不僅聽起來不可思議，而且難以理解。」[136]

同盟國的道德失敗或許也可以歸咎於反猶太主義，但實際上兩者之間的關係遠比一般所想的來得複雜。在同盟國三個主要國家裡，反猶太主義都以最醜惡的種族主義形式表現在公眾面前，儘管它從來不是主流，也沒有上升到官方層次。在美國，民眾的反猶太主義在一九三〇年代曾經出現增長。羅斯福於一九三〇年代進行經濟改革時，極右派人士曾經提出這樣的口號：「新政即猶政。」美國的民粹反猶太主義有幾個代表人物，首先是佩利（William Pelley）與他的一萬五千名法西斯主義「銀衫軍」；其次是溫羅德牧師（Revd Gerald Winrod），他的反猶太報紙《捍衛者》（*Defender*）有十萬名美國讀者；第三是庫格林神父（Father Charles Coughlin），他透過廣播傳道，而且對於《錫安長老會紀要》深信不疑。庫格林在廣播中的反猶太主義言論擁有數百萬名聽眾，直到一九四二年大主教出面干預，庫格林才停止。在戰爭期間，對猶太會堂的褻瀆與對猶太人的攻擊依然持續。[137]英國反猶太主義存在於極右派分子中，但極右派分子到了一九三〇年代晚期逐漸被邊緣化，一九四〇年，英國法西斯同盟的活動分子遭到監禁。儘管如此，依然可以看到西方許多政治人物與官員在面對「猶太人問題」時與一般民眾一樣，對猶太人存有偏見或抱持著不寬容的態度。對「猶太人」的刻板印象導致了一種消極的反猶太主義，而這種消極心態使得西方從上到下都不願對猶太人遭遇的危機做出更積極的回應。英國外相艾登雖然一手推動一九四二年十二月宣言，但就在一年前，他也曾對自己的私人祕書說道：「如果我們必須做出選擇……我寧可選擇阿拉伯人而非猶太人。」外交部與殖民地部負責處理巴勒斯坦或難民問題的官員，時常不經意地流露出種族主義的心態。一九四四年，一名官員寫道：「我認為，本部浪費了不成比例的時間在這些哭哭啼啼的猶太人身上。」[138]在整個戰時內閣中，邱吉爾的立場較為特殊，他毫不隱諱地支持猶太復國主義與關切深陷軸心國羅網的猶太人。但在戰爭時期，邱吉爾始終無力改變其他閣員的冷漠態度或對猶太人的敵視。相較之下，羅斯福完全不想解決猶太難民的問題，除非輿論風向改變，否則他毫無意願回應猶太人的危機。最終來說，羅斯福是把政治算計放在人道主義的考量之上。

我們還可以用另一個角度解釋反猶太主義如何影響西方的回應。即使是猶太人組織與猶太人遊說團體內部也感到憂慮，他們擔心猶太人在戰前與戰時的各項活動會引發社會對猶太人的反彈，導致世界各地的猶太人陷入更糟的境況。英美的猶太人領袖並不熱衷協助大量的中歐與東歐猶太人移民英美，因為這些猶太人很可能對當地既有的猶太人社群造成衝擊，也難以與當地猶太人同化。猶太人領袖憂慮，如果猶太人不斷攪動社會氣氛，很可能予人猶太人是不忠誠少數族群的印象，而這也是史達林對蘇聯猶太人的一貫看法。一九四三年八月，當懷斯拉比在美國猶太人大會演說時，他表示：「我們是美國人，起初是如此，未來也永遠是如此。」[139]非猶太人政治人物也有類似的憂慮，他們擔心在德國有意操弄下，大量猶太難民突然要求移民英美很可能激起反猶太主義。在英國，戰爭期間依然保留讓猶太人入境的可能，儘管絕大多數猶太人在希特勒統治下的歐洲早已死亡殆盡。在英美，把猶太人視為歐戰的主要受害者可能會造成政治問題，因為這等於獨厚猶太人而忽略歐洲占領區裡還有其他受害族群（因此才出現刪除英國在一九四三年一月設立的猶太難民收容委員會裡的『猶太』字樣的決定）。最終，猶太人與非猶太人領袖都認為，對猶太人危機做出過於積極的回應，很可能正中德國人下懷，德國人就能藉此大作文章，讓人以為這場對抗德國的戰爭實際上真是一場「猶太戰爭」。

最重要的一項理由是，對猶太人大屠殺的回應其實受限於政治考量與軍事必要性。對西方民眾來說，影響更重大的戰爭勝負才是關注的焦點，猶太難民的議題顯然不是當務之急。即使民眾對於猶太人的危機感到同情，那也是出於對軸心國占領區裡所有受害者的關切。在對歐洲進行政治宣傳時，英國官員努力不讓人產生一種印象：不能稱為「民族」的猶太人享有的地位竟然比其他民族來得優越。在倫敦的歐洲各國流亡政府也同感關切，他們認為如果只注意猶太人而忽略歐洲占領區民眾的苦況，將會招致歐洲占領區民眾的怨恨。有人向自由法國領導人戴高樂將軍進言，希望他「不要成為帶回猶太人的那個人」。法國右派人士指責猶太人要為一九四〇年的戰敗負責，同樣地，波蘭民族主義分子也指責猶太人在一九三九年九月背叛波蘭倒向俄羅斯。各國流亡政府極力避免在戰時與戰後創造出自己的「猶太人問題」，而英國的政治宣傳也尊重這些政治關切。[140]甚至當德國給予中立國機會，讓他們把持有中立國護照或文件的猶太人遣返回國時，這些國家竟因為顧慮國內民族主義人士的意見，而拖延讓猶太人返國。五千名持有西班牙文件的猶太人，只有六百六十七名於一九四三年與一九四四年抵達西班牙，條件是他們日後必須移居國外。多達數千名猶太人在與中立國官員爭論入境條件與文件是否有效時遇害。[141]

戰爭勝利理應成為猶太人獲得解放的契機，但即便到了戰後，各國對於猶太人災難的回應卻依然模稜兩可。一九四五年，國際軍事法庭受到於一九四一年逃往美國的猶太裔波蘭律師萊姆金（Rafael Lemkin）的啟發，在審判時引進了「種族滅絕」（genocide）一詞，用來傳訊德國的主要戰犯。萊姆金對這個詞的定義主要不是針對自己的猶太人同胞遭逢的命運，而是用來描述被征服民族在民族認同上遭遇的政治、文化與社會閹割。猶太人大屠殺直到最後一刻才被載入起訴書中，除了因為將猶太人認定為「民族」有其困難，也因為蘇聯認為不應該將猶太人單獨視為一個群體，而應該將其歸類於各國的受害者之中。[142]在審判過程中，「種族滅絕」一詞一直被謹慎使用，在最終審判時，這個詞甚至完全沒出現。萊姆金試圖讓聯合國將種族滅絕定義為跨國犯罪，但並未獲得大國的支持，只得到印度、巴拿馬與古巴的聲援。《種族滅絕公約》（Genocide Convention）的最終版本與《世界人權宣言》（Universal Declaration of Human Rights）同時在一九四八年十二月獲得採納，但過程中卻遭到英國、法國、蘇聯與美國的反對，這些國家擔心公約可能適用於殖民地人民或國內被壓迫的少數族群。在此之前史達林已經授權進行反猶太主義整肅，導致數千名蘇聯猶太人被殺或遭到監禁，其中包括曾在戰時主持猶太人反法西斯委員會的成員。在美國國內，批准公約遭遇困難，主要與擔心引發進一步的民權抗爭有關。事實上，在一九五一年，民權運動分子羅伯遜（Paul Robeson）與派特森（William Patterson）確實針對美國黑人遭受的待遇向聯合國提交請願書《我們指控種族滅絕》（We Charge Genocide）。萊姆金本人也後悔於不該拿猶太人的例子與黑人例子相比：「不平等與死亡畢竟不是同一回事。」最終，美國一直要到一九八六年才同意批准《種族滅絕公約》。[143]

二戰期間，同盟國針對盟邦之間的合作、國內的種族主義或者是對歐洲猶太人的援助採取了道德上站不太住腳的權宜立場，雖然這不足以使同盟國與軸心國做出的惡行相提並論，但確實對同盟國提出的普世主張構成挑戰，使人們質疑同盟國是否有資格集體代表進步與人道價值。當二戰還在進行時，同盟國就已經開始建構「良善的戰爭」（Good War）的歷史敘事，這也成為許多人對二戰記憶的核心印象。[144]然而，現實不總是那麼黑白分明。戰爭時期的道德與政治決策充滿權宜妥協，同盟國出於戰略與政治必要或意識形態信仰而做出的道德選擇，最終玷汙了自己的戰爭敘事。

人民戰爭：打造「集體道德」

各國為了合理化戰爭目標與鼓吹民眾做出犧牲，接連提出了各種道德理由，用來說服大眾相信這是一場值得支持的戰爭。畢竟如果真能自由選擇，絕大多數人無論是基於實際還是道德理由，應該都不願意加入戰爭。一九四三年，英國國會和平目標團體的領導人寫道：「我們首先必須瞭解，在任何文明國家，一般民眾對於戰爭幾乎不負任何責任。他們是被統治者拖下水的，統治者用廉價的說法安撫他們，讓他們承受所有的恐怖與羞辱……。」[145]即使這段說法用來批評軸心國更加一針見血，但顯然無論是同盟國還是軸心國陣營，每個交戰國無不努力確保自己的民眾能夠認同這場不是由民眾自身引發的衝突，並且讓民眾抱持著道德信念，即使面臨危機或失敗，依然能奮不顧身地投入戰爭。一戰的歷史經驗已經證明，無法做到這一點的國家將會付出什麼代價。

想讓民眾堅定地支持戰爭，最重要的工作就是建構「集體道德」，有了集體道德，才能讓全國民眾表面上團結起來堅持作戰到底。集體道德反映了現代戰爭就是總體戰的觀念，總體戰不僅由政府與武裝部隊發動，而是整個社會都要參與。在責任與犧牲的倫理驅策下，集體道德形成了一種有機性的戰時社群，這種狀況並非獨裁體制獨有，而是舉世皆然的現象。一九四二年初，蔣介石對中國人民的演說充分捕捉到集體道德的核心特徵：

你們一定都發現到，現代戰爭不只是幾場軍事作戰而已，而是全國上下必須投入所有的力量與資源。不僅士兵要參與，所有民眾也一樣必須投入。民眾必須把國家安危視為自身的安危，必須同意忍受一切必要的艱困，必須放棄個人的自由與舒適，接受紀律的約束與公共利益的要求……在這樣的社會裡，生活必須符合戰時的急迫需要，也就是說，國家的利益是至高無上的，勝利是所有民眾努力的最終目標。[146]

從定義戰爭投入的語彙，就可以看出集體道德的意涵。在英國，二戰從一開始就被稱為「人民戰爭」，藉此區別於過去由一小群菁英發起的戰爭。「平民」團結一致反抗暴政，成了戰時敘事的核心特徵。[147]在德國，深具種族色彩的「民族共同體」（Volksgemeinschaft）觀念在一九三〇年代成為納粹意識形態與政治宣傳的主要特徵，並且在戰時立刻轉變成「戰鬥共同體」（Kampfgemeinschaft）的概念，用來捍衛整個民族。隨著戰局漸趨不利，又成為「命運共同體」（Schicksalsgemeinschaft），以忍受最後鬥爭的艱苦。[148]史達林則認為，蘇聯應該要成為一座「軍營」，發起偉大的衛國戰爭，驅逐法西斯入侵者。在戰爭開始的最初幾個星期，人民戰爭的觀念已經在一首膾炙人口的歌曲中出現，這首歌就叫做《人民戰爭》（Voina Narodnaia）。史達林在一九四二年九月宣布，蘇聯也在打一場「人民戰爭」，每位四肢健全的民眾，無論男女，都應該自發地參戰。[149]在美國，由於個人主義倫理盛行，要建立戰時的道德共同體不是那麼容易，但羅斯福在珍珠港事件後的首次戰時廣播卻明確提出了這一點：「我們全都捲入了戰爭，每位男人、女人與孩子，沒有人能置身事外……。」[150]

中國與義大利的經驗則是例外，這兩個國家在一九三〇年代就已經進入戰爭狀態，兩國相對弱小的經濟也為此付出高昂代價。到了一九四〇年，墨索里尼終於決定冒險與其他大國開戰，但義大利的政軍高層乃至於絕大多數民眾，對於擴大戰爭都感到興趣缺缺。大戰促使其他國家產生新的道德連帶感，但在義大利，一九四〇年後的衝突卻讓政權與民眾之間的隔閡愈來愈大。起初的戰事失利助長了民眾的悲觀情緒。義大利的警政機關報告顯示，民眾對勝利缺乏信心，擔心美軍入侵，而且渴望早日結束戰爭。一九四〇年十一月，熱那亞一份具代表性的報告清楚顯示「民眾對於這場戰爭與戰爭的目標毫無熱情」。[151]這種狀況使得墨索里尼對於實施總動員感到遲疑，從而導致義大利人投入戰爭的比例遠低於英國、德國或蘇聯。在中國，蔣介石雖然知道全民投入戰爭的重要性，但民眾投入戰爭的比例始終非常有限。一九四二年下半年，蔣介石在重慶召開的國民參政會上痛斥國人未能響應總體戰的號召：「現在整個社會風氣就跟和平時代一樣馬虎懶散……民眾普遍缺乏愛國熱情，以私害公的習氣依然普遍……。」[152]當時的中國有一半的領土被日軍占領，而占領區又有許多投機的中國人與日軍合作。此外，蔣介石的國民政府與中國共產黨之間存在著潛在衝突，中國共產黨在自己占領的根據地發起的「全民抗日」運動，效果反而比國民政府來得成功。至於在農村地區，數百萬中國農民忙於應付大量湧入的難民，忙於尋找糧食或抵禦流竄的盜賊，沒有人有空願意為民族共同體而戰。但就算是在未被占領的地區，也出現貪汙盛行、商人囤積居奇、富人出錢讓自己的兒子免服兵役等怪現狀。[153]蔣介石感嘆國人的不團結，他用「一盤散沙」這句成語來描述這種狀況，認為每個人都自私自利。[154]這類問題或許足以解釋中國為什麼缺乏足夠的集體投入。

能夠成功建立戰時集體道德的國家，往往傾向於廣納所有民眾，但那些定義上不屬於國民的人則除外。好比一九四二年被隔離與安置在美國營區的十二萬名日本居民，或者是德國的猶太人與外籍工人，抑或是蘇聯廣泛界定的「人民公敵」，這些人不被算在集體道德之內。每個國民，包括孩子與青少年，都必須承擔責任，無論這些責任多麼微小或消極，每個人都要為戰爭投入貢獻心力，做出必要犧牲。在德國、蘇聯與日本，全民參與反映了對共同體廣泛且嚴格的控制，所有民眾都必須為了共同體而積極參與全民事務。以德國、蘇聯與日本來說，建立擁有道德共識的戰時集體，只是其原有共同體投入形式的擴大與延伸。在德國，參加青年協會、納粹黨、福利團體、民防單位與勞工單位的人口，估計在一九三九年已達到六千八百萬，而德國總人口也不過八千萬。[155]一旦戰爭開打，這些組織就能在後方進行戰爭投入。一九四〇年，日本內務省建立了「町內會」網路，正式組織民眾進行戰爭投入。到了一九四〇年底，全日本已經有十八萬個町內會。在城市裡，每個町內會由幾百戶人家構成，在鄉村，每個村落就是一個町內會。與此同時，在町內會之下又設立超過一百萬個規模更小的鄰里組織，每個鄰里單位通常包括八到九戶人家，如此一來便能更緊密結合地方社群，使其投入戰爭，還能更輕易地將不願履行道德義務的個人孤立起來。[156]反觀英美兩國，對戰爭的投入與其說仰賴既有的集體意識，不如說更訴諸於個人良心。相對於日本社會的有機性，美國的戰時敘事有著較為狹義的公民概念與強調公民自動自發的精神：個人必須透過這樣的概念與精神瞭解自己對他人負有的義務。「你今天為自由做了什麼？」一張美國海報問道。[157]除了宣傳鼓吹戰爭投入，還有強大的社會壓力迫使民眾順從。不願接受犧牲或參與地方社群活動，會受到批評與舉報。在英國，儘管因為階級或地區而有明顯差異，民眾仍普遍認為戰時的短期集體性使每個有能力投入的個人皆有道德義務為勝利盡一分力。

這些戰時集體是人為建構的產物，有著特別強大的道德與情感力量。當你身處於一個戰鬥中的共同體，要冷眼旁觀或置身事外是很困難的，特別是在威權體制國家，這麼做甚至會有危險。在絕大多數的交戰國，無論個人擁有多少的私人保留空間，民眾普遍認為每個人都有參戰的道德義務。逃避責任者、失敗主義者與和平主義者都會被視為是道德淪喪；在蘇聯，這些人很可能遭到處決。政治宣傳不可或缺，但建立戰時共同體也需要發展更廣泛的參與文化，媒體、青年組織、教會、婦女團體，在西方國家還包括商業廣告，這些全都扮演了重要角色。從兒童對戰時共同體的參與，可以明顯看出戰時集體的論述是如何被建構與灌輸。珍珠港事件發生後不久，美國出版了一本供學校使用的初級讀本《勝利教育》（*Education for Victory*），裡面提到老師應該鼓勵孩子瞭解當前的道德論述：「讓孩子瞭解民主的理想，使他們認識美國是為何而戰……使他們知道美國為民主原則而戰，這是源自於人類爭取自由淵遠流長的歷史。」美國發行了五十萬冊的《兒童道德規章》（*The Children's Morality Code*），勸誡孩子要忠於家庭、學校、國家與民族，最重要的是，要「忠於人類」。當財政部長摩根索提出「節約、服役、保護」的口號，號召三千萬美國年輕人為自由而戰時，有大約兩萬八千所學校響應。學生蒐集戰爭債券郵票、挨家挨戶蒐集廢金屬、廢紙與動物油，並且參與地方的社群計畫。[158]

在日本，孩子在成長過程就被灌輸要對共同體負有道德義務。數十年來，學生受到文部省頒布的倫理課本薰陶，要求他們做到服從、忠誠與勇氣。一九四一年改版的教科書充滿了民族主義的象徵與情感，例如：「日本是個優美的國家／一個純粹的國家。／日本是世界上／唯一的神國。」而且大肆宣揚民眾願意為天皇犧牲。課本上的模範故事鼓勵孩子從事廢物回收以支持戰爭，寫信給海外的士兵，並且要對偉大的天皇家族心存感恩。與課本搭配的教師手冊提到，新的「民族道德」囊括了社會與個人道德領域。到了一九四五年，孩子也必須在課堂上高唱戰爭歌曲，還要參與軍事訓練，準備進行日本本土的最後防衛。一名女學生在日記裡記錄一天的「精神訓練」課程，包括徒手搏擊、以球代替手榴彈進行投擲練習、劍道練習，最後是練習用竹槍刺向敵人：「很有趣，我覺得很累，但我知道即使只有一個人也能殺死很多敵人。」[159]

然而，戰時集體的建立有著明顯限制。廣大的民眾有著不同的觀點、年齡、利益與期待，不可能每個人都支持戰爭投入。為了確保戰時道德共同體為正義而戰的龐大敘事能夠持續，每個戰時政權都會有系統地監控輿論，透過檢查制度與選擇性的政治宣傳來辨識哪些地區存在著異議分子、懷疑者或對政府幻滅的人士，並且採取措施對其進行安撫或壓制。最常用來描述戰時民眾心境的詞彙就是「士氣」。「士氣」一詞在一戰時被廣泛使用，戰間期的人們則普遍用這個概念來描述後方民眾潛在的韌性。舉例來說，一九四〇年，耶魯學者波普（Arthur Pope）成立非官方的全國士氣委員會，負責考察戰時如何維持美國人的士氣；此後的研究也協助美國政府形成決策以維持戰爭投入。[160]士氣難以精確定義，要衡量更是困難。在英國，針對民眾對戰爭投入的滿意度進行民意調查，結果顯示戰爭期間滿意度的起伏十分劇烈，從一九四二年初的低點百分之三十五，到最後一年的高點百分之七十五到八十。但無論滿意度如何變動，民眾支持作戰到底的決心卻始終維持不變。[161]蘇聯在開戰第一年遭遇危機，全國上下充斥著失敗主義，特別是估計有二十萬名士兵叛逃到德國。內務人民委員部採取了嚴厲的監控措施，使失敗情緒不至於在群眾中蔓延。[162]從所有交戰國來看，除了義大利之外，民眾對於戰事的不安感並不至於造成毀滅性的士氣瓦解。儘管如此，無論對士氣的定義有多麼寬鬆，監控士氣始終是維持集體道德的核心手段。國家在二戰時期對民眾的監控，其規模與企圖心遠超過一戰時期的經驗。

評估民眾情緒的任務，在威權體制國家明顯要容易得多，因為威權體制國家在戰前已經建立組織，負責提供政府詳細的輿論與民眾行為報告。由於缺乏自由的新聞媒體與自由的政治體制，獨裁體制只能仰賴廣大的舉報網路回報國內外民眾對政府施政的反應。德國的制度堪稱是縝密組織的典範。一九三〇年代，保安局的分支單位負責回報國內訊息。一九三九年，該單位重組成帝國保安總部轄下的第三局，由親衛隊長官奧倫朵夫（Otto Ohlendorf）領導，而且從十月九日起，該局開始編纂第一份正式的《國內政治局勢報告》。十一月，報告名稱改成《帝國內部報告》，這份報告一直以相同名稱進行編纂，直到一九四四年夏天為止——此時由於情報呈現的悲觀內容導致各方投以失敗主義的指控，最終導致報告停止編纂。奧倫朵夫的部門被分成十八個子部門（日後分成二十四個），負責蒐集所有與輿論和士氣有關的情報。估計有三萬到五萬名舉報人負責蒐集資訊，他們提出的報告得先經過地方機關的篩選，然後再送到柏林。在柏林，全面性的報告製作完成後會呈交給黨領導人與政治宣傳部。受僱的舉報人絕大多數是具有專業背景的醫生、律師、公務員或警官。根據某個地區機構的說法，這些人的任務是與家人、朋友、同事針對特定主題進行談話，並且在工作場所、巴士、店鋪、理髮院、市場或當地酒吧聆聽他人的對話。[163]除了這些舉報人之外，祕密警察蓋世太保也有自己的舉報人網路，他們的任務是追查失敗主義者或異議人士可能造成的傷害，並且從源頭加以扼殺管制。

類似的制度也存在於義大利與蘇聯。從一九四〇年夏天開始，義大利祕密政治警察就利用舉報人與密探網路固定每星期上報一次輿論。舉報人的數量很快就大肆擴充，因為絕大多數民眾都明顯表現出對戰爭的悲觀與不滿。[164]除了祕密警察的情報，地方政府也會提出報告，所有資訊都會送到位於羅馬的內政部，最終上呈給墨索里尼。在蘇聯，地方社區不僅持續受到地方共產黨官員與黨員的監視，還受到無孔不入的內務人民委員部舉報人網路嚴密監控。人民只要顯露出一點失敗主義跡象或對當局的些微批評，就會有人向警察機關提出告發。告發逐漸形成一種制度，也就是每個蘇聯民眾都成為潛在的舉報人。[165]即使蘇聯民眾因為戰時的各種要求而士氣低落，但眾所周知，抱怨帶來的風險仍足以讓蘇聯民眾維持最基本的消極士氣。但無論是哪個獨裁政體，都必須在強制與讓步之間求取平衡。民眾很少關切戰爭的實行或戰爭的道德行為等重大議題，而國家當局的及時回應或針對性打壓也能消除民眾的關切。

英美的情況完全不同。戰爭爆發時，兩國政府並沒有現成的情報蒐集網路來瞭解輿論。雖然民意調查在一九三〇年代晚期出現，但仍不足以做為理解民眾士氣的可靠工具。在白宮，羅斯福有自己一套民意調查方式：除了詳細分析白宮每天收到的數千封信件，白宮職員每天也要仔細閱讀超過四百份美國報紙。一九三九年九月，政府報告局成立，雖然機關名稱有「政府報告」四個字，這個機構實際上是用來追蹤民意變化。一九四〇年，羅斯福私下與選擇性民調的先驅坎特里爾（Hadley Cantrill）達成協議，由坎特里爾定期向他提供民意調查報告。到了一九四二年，羅斯福每兩個星期就能收到一份民調結果。[166]戰爭期間，美國政府設立幾個機關，一方面監控民調，另一方面提供適當資訊來教育民眾。一九四二年六月，戰爭情報局成立，由哥倫比亞廣播公司CBS記者埃爾莫・戴維斯（Elmer Davis）擔任局長。戰爭情報局下設國內情報處，負責定期報告國內的民心狀況。各地的舉報人通常是從商人、教士、編輯與勞工領袖當中物色僱用（戰爭情報局認為這些人是「較有警覺性且表達能力較佳的一群」），由他們定期回報各地輿論，並且在可能的狀況下也負起塑造輿論的工作。[167]一九四一年五月設立、並由紐約市長拉瓜迪亞（Fiorello La Guardia）主掌的民防局也對舉報人進行組織，使其擔負起所謂的「士氣看守者」角色，負責向戰爭情報局回報各地狀況。除了民意調查之外，戰爭情報局也推動各項計畫協助塑造輿論，例如其轄下的廣播處（聽眾達到一億人）、動畫處（每星期觀看的觀眾估計達到八千到九千萬人）與平面設計處（負責在所有公共空間張貼海報與圖畫）。美國的提振士氣計畫並非粗糙的政治宣傳，也不只是思想灌輸，而是提供清楚的資訊來教育民眾。美國也鼓勵民間商業行號透過廣告的方式來宣傳提升士氣的訊息。[168]

英國在戰爭爆發後的幾個月才慢慢建立起監控體系。一九三九年十二月，英國廣播公司製作人瑪麗（Mary Adams）被指派擔任情報部的國土情報局長官，她的職責是提供「持續而可靠的資訊」做為政府宣傳的根據，並且要「對國內士氣進行評估」。一九四〇年五月，國土情報局每日都會提出報告，從九月開始，改為每週向主要部會與戰時內閣提出報告。[169]由於英國政府幾乎從未對輿論進行過有系統的情報蒐集工作，瑪麗因此在一九四〇年四月僱用了民間進行的「大眾觀察計畫」來提供詳細的士氣調查與蒐集各種失敗主義的證據。大眾觀察計畫是由科學家哈里遜（Tom Harrisson）與詩人麥吉（Charles Madge）在一九三七年創立，主旨是對社會行為與態度進行調查，並且使用抽樣訪談的方式來取得研究素材。這一研究方法也立即被用來評估士氣。每一份報告大約要進行六十段訪談，主要詢問受訪者對當前新聞與事件的看法。這些報告的樣本數量很少，而且局限於幾個地區，因此可信度大打折扣。儘管如此，大眾觀察計畫「新聞配額」依然於每個星期一與星期四交出報告，而且持續到一九四五年五月為止，成為情報部士氣報告的關鍵資料。[170]

除了這些報告，情報部本身也僱用了舉報人，這些舉報人同樣來自醫師、律師、公務員、教士、店鋪老闆與酒館老闆，此外還有「戰時社會調查」提供的資料。戰時社會調查是倫敦政經學院的學者於一九四〇年六月建立的研究計畫，其提供的詳細報告不僅包括士氣，也涵蓋更廣大的社會議題。戰時社會調查的工作人員主要由社會心理學家組成，他們對於民意的評估更為專業。到了一九四四年十月，戰時社會調查已經進行了一百零一次調查，實際上門訪談的次數達到二十九萬次。[171]但戰時社會調查也在此時停止定期向內閣提出士氣報告，因為從一九四二年底之後，整體的戰局已對盟軍轉趨有利。一九四一年七月，邱吉爾任命好友布拉肯擔任情報大臣，情報部根據輿論情報調整了戰時宣傳。與美國一樣，英國放棄以往使用訓誡的語氣要求民眾參與戰爭的做法，改成使用淺顯直接的解釋與教育內容。英國也與所有主要國家一樣，監控士氣引發的爭議不至於影響維持整場戰爭的道德社群大敘事。民眾的批評與關切絕大多數是為了讓戰爭投入更有效或對社會的影響能夠更平等，而非為了削弱集體努力下的整體道德架構。

針對民眾戰爭態度進行的密切監視引發了一個疑問，那就是國家能多有效地讓廣大民眾接受將戰爭合理化的大敘事。即使絕大多數人都接受戰時社群進行的正義之戰，但對於常見於戰時宣傳中的某些特定道德目標卻不一定照單全收。當民眾捲入一場持續數年的戰爭時，人們對於戰爭的過程與目標的理解很可能是模糊與片面與一知半解的，而且會隨著戰爭的持續而擺盪。今日的我們在回顧歷史時，可以用全知視角觀看這場戰爭，但當時的民眾卻只能透過自己的主觀角度來理解各種戰時事件與面對不可預知的未來。民眾的所知是有限的，而且也無法隨心所欲地表達意見，相關限制往往隨交戰國的不同而有很大差異。各國軍方與政府都會針對新聞發布進行審查。在獨裁國家，新聞完全受到中央機構管制，由中央決定民眾能知道什麼。在民主國家，雖然出版業與媒體並非由中央控制，但他們也無法完全自由決定出版或播出的內容。以澳洲為例，政府對於民眾的批評極為敏感，特別是不願意看到有人批評盟邦美國，因此在一九四二年到一九四五年間，澳洲政府對新聞界進行的審查竟多達兩千兩百七十二次。[172]各國新聞界都必須仰賴官方給予的訊息，然而官方絕不可能透露完整的真相，因此也很難完全信任。一九四一年二月，米蘭市發布的報告充分顯示米蘭市民對新聞報導的內容「深感失望」，他們認為報告的內容充滿「大話、毫無根據或過時的預測……以及幼稚可笑的論點」。[173]在中國，日本入侵大部分領土之後，既有的日報發行陷入停頓，地方性的單張傳單開始大量出現。但這些傳單也只是刊登內容空洞的政府公報，而在缺乏戰時通訊記者的狀況下，傳單上的新聞也只是拼湊從各方聽來的傳聞與想像。即便是在少數能夠閱讀的人口當中，新聞媒體的可信度也很低。不識字的絕大多數中國民眾都是仰賴識字的人大聲朗讀報紙內容來獲得訊息，有些根本只仰賴口耳相傳，而接收到的也時常是毫無根據的流言蜚語。[174]

對各地的民眾來說，傳言（或「假新聞」）在補充戰時官方新聞上扮演著重要角色。各種傳言提供了歷史學家所謂的「祕密宇宙」，使前線或後方的普通老百姓有能力質疑現實中的戰爭，以及戰爭目標的呈現方式。[175]在獨裁國家，傳言可以用來挑戰在公共場合必須保持沉默的禁令，並且藉此維持某種程度的自主性。德國負責管制國內新聞的親衛隊保安處在一九三九年十月到一九四四年七月總計截獲了兩千七百四十則傳言。這些傳言有的只涉及非常瑣細的小事，有的則嚴重到假造希特勒已死與納粹政府已遭推翻的消息，而這些傳言往往以迅雷不及掩耳的速度傳播到全國各地。一九四一年三月十三日頒布的法令對傳言與玩笑做出區別，後者被認定具有一定的積極價值，但前者則被認定為「惡意危害國家」而應處以嚴厲刑罰。[176]義大利由於缺乏可靠的新聞而導致傳言橫行，各地的法西斯主義者獲得上級授意，只要抓到造謠者就可以予以毆打或逼他們喝蓖麻油。[177]蘇聯的做法則是追捕那些失敗主義者與「帶有煽動性的傳言散布者」。從一九四一年六月到十二月這短短六個月內，蘇聯總共就逮捕了四萬七千九百八十七名傳言傳播者與失敗主義者。[178]

在英國，傳言由情報部負責調查，警察則負責起訴「惡意的造謠者」。然而，一九四〇年夏天突然實施的嚴刑峻法引發民眾的強烈抗爭，當局只好在八月停止起訴。之後當局轉而以提供較詳實的資訊來對抗傳言。[179]在美國，特別是在與實際戰爭關係不大的孤立社群裡，傳言的散布尤其嚴重。戰爭情報局成立傳言控制小組，由霍洛維茲（Eugene Horowitz）主掌的公共調查處管轄，負責調查傳言來源與提供必要資訊來粉碎傳言。此外也由志工在地方民眾發現與回報傳言出現的地方建立「傳言診所」，可能的話，他們還會運用地方新聞與廣播來更正這些不實傳言。[180]日本的街頭巷尾充斥著傳言，部分是因為日本的新聞報導公然假造日本勝利的消息，而這些消息一般人根本不會相信。從一九三七年秋天到一九四三年春天，日本有一千六百零三則傳言違反了軍事法規而受到調查，有六百四十六人遭到起訴。一九四二年之後，當局為了不讓傳言影響民心，因此根據「和平與秩序法」對數百人進行調查。[181]有些不實的傳言跟戰爭期間出現的各種迷信一樣，具有驅散恐懼的效果。美國的傳言診所就發現，聽到傳言的人對於傳言的相信程度在五分之一到五分之四之間波動。當局對於這個現象相當重視，因此花了一番工夫監控傳言的來源與傳布的過程，但幾乎沒有證據顯示這些傳言足以動搖主流敘事。

民眾會援用官方宣傳的說法做為支持戰爭的道德理由，但從民眾援用的方式可以看出他們不一定真正瞭解官方支持戰爭的偉大理由。民眾與士兵會在日記與書信裡複述官方支持戰爭的說法，並且使用官方措辭來表達自己的態度與情感。然而，戰時的政治宣傳在提到戰爭的道德理由時，往往使用讓一般民眾感到抽象與空泛的語言。美國的民調發現，真正瞭解羅斯福大敘事內容的受訪者比例少得可憐：大約有百分之三十五的民眾聽過四大自由，但只有百分之五的民眾知道四大自由包括免於恐懼的自由與免於匱乏的自由。到了一九四二年夏天，只有五分之一的受訪者聽過《大西洋憲章》。[182]一九四三年，《生活》雜誌提到：「軍中年輕人搞不清楚戰爭的意義。」以美軍士兵到義大利作戰的理由為題舉辦的徵文比賽，冠軍得主只寫了兩句話：「我為什麼來打仗，因為我被徵召入伍。」[183]

更值得注意的例子是德國，當納粹黨與納粹政府認為猶太人應該為大戰負責並且主張德國人有道德義務保護國家不受猶太人威脅時，德國民眾對於這種主張究竟相信到什麼程度？無疑地，一定有相當高比例的德國民眾知道猶太人社群遭到流放，他們透過傳言或來自東線戰場口耳相傳的消息，或是德國領導人公開威脅消滅猶太人的言論，幾乎可以得知猶太人正受到系統性的殺害。一份估計顯示，三分之一的德國人知道或懷疑政府正在進行種族滅絕，不過實際比例可能更高。但知道是一回事，德國人是否都認同這件事則是另一件值得懷疑的事。[184]面對無所不在的反猶太主義宣傳，德國人不可能沒察覺到這些宣傳很可能轉變成種族滅絕。到了戰爭中期，德國人持續被官方灌輸猶太人威脅的觀念。一九四一年十一月，戈培爾下令印製黑色小傳單，傳單上除了有猶太人的大衛之星，還寫著一行字：「德國人，這就是你的死敵」，還將傳單夾在每週發放一次的配給卡上。同年冬天印製的海報則解釋，猶太人「想藉由這場戰爭來消滅德國」。[185]數百萬份海報與小冊子重複同樣的訊息；《猶太人問題手冊》（*Handbuch der Judenfrage*）售出了三十三萬冊。一九四一年秋天，戈培爾的宣傳部門印行了《世界金權政治的戰爭目標》（*The War Aims of World Plutocracy*），這本小冊子是根據考夫曼的《德國必須滅亡》改寫而成，一共印行了五百萬冊。[186]

儘管如此，對於德國民眾對於這些宣傳的相信程度，以及他們內心如何運用這些宣傳來合理化這場戰爭，我們至今仍無法得到確切的證據與答案。我們從日記與信件可以找到許多文字紀錄，顯示一部分黨員與軍方人士確實相信這場戰爭是一場對抗世界之敵猶太人的鬥爭。一九四四年，尚未加入納粹黨的高階文官馬肯森（Georg Mackensen）留下的一份打字稿顯示，德國政權與猶太人對立之下產生的文化，深深影響了德國人對戰爭的看法：「這場戰爭並非普通戰爭，不是為了王朝或爭奪土地而發動。不！它是兩個彼此對立的意識形態、兩個互不相融種族之間的鬥爭……我們是雅利安人，他們是猶太人。這是一場決定我們西方文明存續的戰爭……。」[187]但另一方面，也有很多證據顯示德國民眾對於政府的猶太人政策抱持懷疑、不確定甚至憎惡的態度，德國民眾也對於政府主張這場戰爭是一場對抗世界之敵猶太人的正義之戰而非對抗真正敵人的傳統自衛戰爭感到不滿。然而，這種對納粹黨大敘事的保留態度並不影響德國民眾的反猶太人情緒。他們依然希望從流放猶太人當中獲利，也對猶太人的命運無動於衷（儘管舉目所及都能看到猶太人的慘劇），但這種保留態度確實顯示德國民眾並不認同這場戰爭是一場「純粹猶太人」的戰爭。德國民眾抱持的這兩種立場，到了戰爭末期逐漸結合起來，政府不斷宣傳如果戰爭失敗，那麼猶太人將會進行可怕的報復行動，而隨著盟軍轟炸日趨猛烈與紅軍的步步進逼，德國民眾也逐漸相信這種事將會發生，只是德國民眾的恐懼並非來自於他們相信世界猶太人的陰謀論，而是他們很清楚或部分知曉過去數年來希特勒的納粹德國對歐洲猶太人進行的迫害。[188]

對於世界各地被戰火波及的民眾來說，道德關切遠不如主流敘事來得普遍而全面。無論是士兵還是平民，都會自行建構一套主觀的私人敘事來解釋發生在他們周遭的戰爭以及自己在當中的地位。認同國家提供的理由，可以讓家人認定親人的死是有價值的，甚至是高尚的，而不至於認為親人死得莫名其妙或毫無意義。民眾最重要的期盼就是結束戰爭，這也是為什麼各國民眾普遍願意集體地投入戰爭——儘管蘇聯絕大多數民眾都憎恨史達林與共產黨的統治，或者在日本，有相當數量的民眾對戰爭抱持保留態度且不信任國家的主張。[189]除了順從、自願或其他方式，民眾還必須適應戰時僅剩的私人領域。道德義務不僅延伸到家人與朋友，也延伸到同事與不在前線的戰鬥人員。對於軍人來說，道德義務擴大到鄰接的部隊，包括步兵連、轟炸機機組人員或潛艦人員。在美國，許多私人的戰時敘事重點都放在保護家人與平日的家庭生活，將抽象的義務轉變成個人的責任感。藝術家洛克威爾繪製的四大自由畫作就運用了傳統家庭意象，包括感恩節晚餐、小孩子在床上安睡、村鎮大會，試圖以可理解的方式將私人領域與更廣泛的倫理意義連結起來。[190]西方民眾的期盼可以接受檢視也可以自由表達，研究發現絕大多數民眾希望返回常軌，恢復以往沒有戰爭的生活。在英國，戰爭中期進行的納菲爾德學院社會重建調查顯示，民眾對於大規模戰後計畫興趣缺缺，只希望能回到以往的私人生活，不希望政府過多的干預，並且期望經濟能更安穩一點。在美國，民意調查顯示民眾希望實現更直接與更經驗性的目標，例如就業、住房與個人安全，對於擔任世界的良心則缺乏興趣。[191]

我們沒有理由懷疑德國人、蘇聯人或日本人也將私人的義務領域及私人的期盼，與公共的戰爭區別開來。蘇聯民眾希望自己的犧牲能在戰後換來更好的生活，能免於共產黨的控制與擺脫經濟貧困。蘇聯當局在戰爭爆發時就已經意識到，以馬列主義理想為訴求無法打動一般民眾。因此，當局的政治宣傳適切反映了蘇聯當前的現實，也就是蘇聯士兵與工人是以私人角度而非國家角度來看待這場戰爭——目標是保衛自己的家庭、家園與家鄉。官方報紙允許刊載表達對家人情感的私人信件，而這些在一九三〇年代遭到忽視的事物，此時卻能切實反映民眾的情感。對民眾來說，為私人動機而戰，遠比為曖昧不明的共產黨國家而戰來得明確。[192]在德國，私人的焦慮與希望無法公開表達，但卻真實存在。一九四五年，在地中海戰場，德國戰俘之間的對話遭到竊聽。一名年輕的德國中尉表達出戰鬥職責與戰爭對於日常生活的破壞，以及這兩者之間形成的拉扯：

當我想到戰爭對我還有我這個世代的破壞，我不得不感到震驚！……我人生中最精華的歲月全虛擲了——寶貴的六年，我應該可以拿到化學博士學位、結婚、養家，為自己還有國家做出貢獻。現在的我孑然一身，反而不如六年之前。[193]

如果他還在前線，他肯定無法公開表達這樣的情感。畢竟在獨裁國家，在公共的責任倫理與為戰爭投入而犧牲，以及私人對戰爭的看法（無論是批判、懷疑、不信任或冷漠），兩者之間幾乎不存在嚴重的不一致。只有在墨索里尼統治下的義大利，才在面臨即將到來的盟軍入侵與戰敗時，出現了私人不滿與集體投入產生直接衝突的情況。拒絕參戰，不願履行讓社會繼續作戰的道德義務，有機會能做出這類決定的畢竟是少數。

反戰運動與和平主義的兩難

一九四二年，美國紐約社區教會創始人暨甘地非暴力抗爭的追隨者史密斯牧師（Jay Holmes Smith），提出「總體和平主義」一詞來反對總體戰。[194]這項主張極具挑戰性，因為即使在允許民眾可以訴諸良心而拒絕服役的州，依然只有極少數人採取絕對和平主義的反戰倫理立場。參與總體戰成為一種道德的無上命令，反暴力的良心主張也無法與之相抗，就算教會與教士在戰前極力譴責美國參戰只會引發新一輪衝突，卻於事無補。儘管如此，和平主義並未因戰爭的來臨而停歇，也未因全民投入戰爭的宣傳而銷聲匿跡。反對戰爭暴力的道德異議，早在戰前就已經蓬勃發展，一九四五年戰爭結束後依然持續不輟。

一九三九年後，採取反戰道德立場的人少之又少，這在歷史上是個相當弔詭的現象，因為在一九二〇與三〇年代，整個西方世界其實瀰漫著強烈的反戰情緒。一九二〇年代，反戰除了是回應剛結束的一戰，也是對新一波國際理想主義的支持，這種國際理想主義體現在國際聯盟的成立上。反戰運動的組成十分多元，包括完全反對任何軍國主義的激進和平主義者、主張戰爭與基督訓示毫不相容的基督教和平主義者、把和平視為理想願望的社會主義者與共產主義者，以及形式上不是和平主義者但仍努力追求和平的保守反戰遊說團體。這些和平主義者在外觀上有著明顯差異，但唯一的共同點就是不計一切代價避免戰爭。除了反戰，這些和平主義者之間其實存在著緊張關係。好比基督教和平主義者強調從倫理上反對暴力，激進的和平主義者則是在政治上反對掀起戰爭的體制，還有一些和平主義者雖然反戰，卻不排除發動正義之戰的可能。

最大的反戰遊說團體反而來自一九一八年的戰勝國，不過在戰敗的德國，一九二〇年代也出現立場各異的和平主義團體。這些團體共同組織成鬆散的「德國和平卡特爾」，最成功的團體「不再有戰爭運動」的德國支部，領導者是德國週報《另一個德國》（*Das andere Deutschland*）創辦人庫斯特（Fritz Küster）。與其他和平組織一樣，這個團體最後被希特勒政權解散，領導人也被逮捕入獄。[195]在法國、英國與美國，和平主義與反戰情緒在一九二〇與三〇年代達到世紀巔峰。法國和平主義擁有廣大的支持者，包括一戰的退伍軍人，也就是和平主義退伍軍人，他們反對重蹈覆轍重啟戰端。到了一九三〇年代初，至少有五十個團體提出了和平主義計畫，從政治上反對「帝國主義戰爭」到基於道德理由反對所有形式的暴力與宣揚所謂的「完整和平主義」。當中最成功的運動是梅里克（Victor Méric）於一九三〇年創立的和平戰士國際聯盟，會員約有兩萬名。該聯盟開宗明義便表示，政治、哲學與宗教訴求都偏離了主要目標：「真正重要的事只有一件，那就是和平。」[196]一九三六年，法國總理暨社會黨領袖布魯姆（Léon Blum）在巴黎發動百萬人和平遊行。同年九月，法國和平主義者協助舉辦國際反侵略大會，整合西方民主國家的反戰運動，包括英國國際聯盟聯合會，其名義會員大約有一百萬人，是歐洲最大的反戰團體。

英國的和平運動也是在一九二〇年代便已高度發展，當時即以建立了國家和平委員會。這是一個傘狀組織，涵蓋了許多分支團體，包括「不再有戰爭運動」，但排除了較激進的「反戰國際」，後者由英國和平主義者布朗（H. Runham Brown）在倫敦北部的家中成立。反戰國際恪守「戰爭是反人類罪」的原則，反對以任何形式參與戰爭，無論直接或間接。[197]英國民眾對於推動和平顯得相當踴躍，而且不分黨派。一九三四年，國際聯盟聯合會連同其他和平運動共同發起一場全國性活動，要求選民連署支持聯盟的國際主義。這場運動很快就被稱為「和平投票」，組織者成功贏得將近一千兩百萬人投票支持國際聯盟提倡和平的工作。做為英國和平主義的情感象徵，這場運動被視為一場勝利。一九三四年，聯合會會長塞西爾勳爵寫道，世界面臨選擇，「是合作與和平，還是無政府混亂與戰爭」？[198]同年，誓言和平聯盟成立，該團體成為人數最多的絕對和平主義遊說團體。聖公會牧師謝波德（Dick Sheppard）要求男性（之後也包括女性，不過幾乎沒人參與）簽下誓約，未來絕不參與或支持戰爭。一九三六年，當這一誓言運動正式發展成誓言和平聯盟時，其成員達到十二萬人。到了一九三九年，聯盟在英國各地的分支組織已達到一千一百五十個。一九三七年十月，謝波德在工作時去世，民眾排隊兩天瞻仰遺容。前往聖保羅大教堂的葬禮行列，兩旁擠滿大批民眾。雖然絕對和平主義在反戰人士中只占少數，但卻表達了絕大多數英國民眾的和平渴望。[199]

在美國，一戰的經驗使得和平運動開始制度化。美國民眾普遍相信，美國是受到歐洲人的欺騙而加入戰爭，歐洲人從新世界取得金錢與人力，卻未回報新世界。雖然美國參議院於一九二〇年否決參與國際聯盟，但追求和平依然是美國的核心價值。卡內基國際和平基金會與世界和平基金會都成立於一九一〇年，這兩個基金會在一九一九年後成為美國追求無戰爭世界的主要機構。此外還有「全國戰爭起因與消除戰爭委員會」，成員約有六百萬名女性。一九二一年，芝加哥律師李文森（Solomon Levinson）又創立美國戰爭非法化委員會。婦女和平團體則試圖讓國會通過憲法修正案，要求「無論基於任何目的所發動戰爭均屬違法」，只不過未能成功。[200]一九二八年，美國國務卿凱洛格（Frank Kellogg）與法國外交部長白里安（Aristide Briand）說服五十九個國家簽署《非戰公約》，這場和平運動取得了比國際聯盟更大的成就。美國雜誌《基督教世紀》（*Christian Century*）在參議院批准公約之後表示：「今日，國際戰爭已被逐出文明世界之外。」[201]

一九三〇年代，由於國際危機日漸加深與政治上傾向於孤立與中立，民眾的反戰情緒也持續高漲。主要的和平主義組織如反戰聯盟、和解團契、婦女國際和平與自由聯盟等，在這十年間成員皆大幅增加。婦女國際和平與自由聯盟成立於一九一五年，到了一九三〇年代成員已有五萬人，組織遍布二十五個國家。[202]聯盟創立者是美國社會學家珍・亞當斯（Jane Addams），她於一九三一年榮獲諾貝爾和平獎。為了彰顯當前世代不願支持戰爭，七十五萬名大學生走上街頭要求和平，並且向反對他們的教授表示抗議。普林斯頓大學的學生組織了一個非正式的遊說團體，製作出一面諷刺旗幟，上面寫著「未來戰爭的退伍軍人」，這一做法很快就被全美三百所大學仿效。針對兩萬一千名大學生進行的民調發現，百分之三十九的大學生是「毫不妥協的和平主義者」。[203]羅斯福總統不是和平主義者，但他也公開表示自己希望能避免戰爭。一九三九年四月，羅斯福在紐約萬國博覽會的開幕演說中提到，美國的未來與一顆星星息息相關，「一顆國際善意之星，更重要的是，一顆和平之星。」隨著世界陷入戰爭，博覽會的組織者也將博覽會的主題從「明日世界」改為「和平與自由博覽會」。[204]

儘管反戰運動在大西洋兩岸獲得數百萬人的響應，卻無法抵擋席捲全球的危機。一九三九年九月，英國國會在只有一票反對下通過對德宣戰案。投下反對票的是主張和平主義的社會主義者麥戈文（John McGovern），他在下議院解釋自己的立場時表示，他從宣戰中看不到任何理想，只看到「冷酷的、毫無靈魂的、令人惱火的人與人之間為了奪取利益而進行的唯物主義鬥爭」。[205]在美國，即便是反戰情緒甚囂塵上的一九四一年，也在珍珠港遭受攻擊後出現了只有一票反對宣戰的情況，投下反對票的是推動和平主義多年的蒙大拿州共和黨眾議員蘭金（Jeannette Rankin）。事實上，早在一九三九年九月歐戰爆發之前，反戰運動已經呈現明顯崩潰的態勢。獨裁國家的政治文化崇尚鬥爭，要求民眾為了種族或革命的未來而戰，因此這些國家在一九三〇年代毫無和平主義或反戰情緒發展的空間。在希特勒統治下的德國，和平主義領袖不是被迫流亡海外，就是被送進監獄或集中營，因為他們的信念在政治上無法見容於正在軍國主義化的社群。一九三九年，當希特勒被問到如何處置那些基於道德理由而拒絕服兵役者時，他的答覆是：在國家遭遇緊急危難時，個人信仰必須屈服於「更高的倫理目的」。[206]史達林的蘇聯也對和平主義視若無睹，反軍國主義在蘇聯被當成資產階級的偏差思想。努力苦撐的主要和平主義組織托爾斯泰素食協會，最終仍於一九二九年遭到解散。其他以和平主義為中心原則的宗教教派，要不是被迫放棄自身的立場，就是像德國和平主義者一樣被關進蘇聯集中營。[207]

民主國家的和平主義並未遭受直接迫害，但日漸加劇的戰爭危機卻讓反戰運動出現難以彌合的裂痕。對許多非宗教性的和平主義者來說，西班牙內戰成了分水嶺：他們發現自己很難做到既要在道德上反戰，又要痛恨法西斯主義。主要的和平主義領袖不得不放棄反戰宗旨，投入對抗暴政的正義之戰。長年推動和平運動的布羅克韋（Fenner Brockway）在回憶錄裡提到，「面臨法西斯主義的威脅，主張和平已無意義。」[208]一九三九年，隨著德國威脅再起，法國的和平主義瞬間化為泡影。昔日投入和平運動的布魯姆如今表示：「今日，要訴諸和平，就必須訴諸武力。」[209]在美國，知名神學家與和平主義者尼布爾也放棄了和平主義，創立了民主行動聯盟，主張「充分的軍事參與」以去除法西斯主義威脅。一九四〇年成立的聯合和平主義委員會旨在反對美國的徵兵制度，但在一九四一年卻因為遭受各方指控而頓失奧援。當時的美國民眾已開始認為，和平主義要不是共產主義滲透的幌子，就是用來掩護美國極右派分子奪權。[210]

國聯的失敗與各國競相重整軍備，使立場較溫和的反戰團體陷入進退兩難的局面，於是反戰團體只能矛盾地表示：為了恢復和平，戰爭是不可避免的。這種弔詭的狀況也在「和平投票」中出現，在被問到戰爭能否做為阻止侵略的最終手段時，有六百八十萬人投票表示肯定。參加反戰運動的人其實絕大多數並非和平主義者，當面臨戰爭現實時，這些人都同意必須暫緩反戰運動，並且將目光放在建立更好的戰後世界上。絕對的和平主義者人數愈來愈少，而一般民眾也開始懷疑，無論這些人是有心還是無意，他們的做法都是在助長敵人的氣焰。歐戰爆發後，英國民眾對於倫敦的誓言和平聯盟發起的活動感到不安，於是要求該組織必須解散。雖然英國政府不願直接下達禁令，但絕對和平主義者仍受到祕勤單位的監控。六名誓言和平聯盟的工作人員因為散布「只要人們拒絕戰鬥，戰爭就會停止」的海報而遭到起訴。[211]一九四二年十二月，誓言和平聯盟祕書長莫里斯（Stuart Morris）因為違反《國防條例》第18B條而遭到逮捕，並且依照《官方機密法》被起訴。[212]面對戰間期和平運動的全面潰敗與民眾對戰時異議分子的敵視，絕對和平主義團體的成員愈來愈難以立足。就連其他和平主義者也對絕對和平主義團體毫不妥協的態度感到憤怒。英國和平主義者薇拉（Vera Brittain）就抱怨道：「這些無可救藥的少數人士」，其所做所為對於追求和平的道德承諾只能說是弊大於利。[213]

剩餘的和平主義者只能冀望能從基督教會獲得一點支持，畢竟在一九三〇年代許多教會人士也曾基於道德理由反對戰爭。倫敦聖保羅大教堂主任牧師英格（William Inge）就曾表示：「身為基督徒，我們注定是個和平主義者。」[214]基督教和平主義者從耶穌的教誨中得到啟示，特別是「不要抵抗惡人」。一九三六年，美國循道宗正式宣布，戰爭是「對基督理想的否定」。[215]一九三九年十月，為了因應戰爭爆發，美國基督教會聯邦委員會通過一項決議，認為戰爭「是違背基督內心的邪惡事物」。[216]一九四〇年夏天，英格蘭聖公會和平主義牧師遊說大主教支持和平運動，他們認為反戰正可表現「耶穌基督的真理與明晰」。[217]然而，聖公會高層向來都不是和平主義者。早在一九三五年，當聖公會遭到質疑並被要求對基督徒參與戰爭是否有違基督教教義做出解釋時，坎特伯里大主教科斯莫朗（Cosmo Lang）便曾表示，若排除使用武力的可能，結果將淪為無政府狀態：「我不相信基督教會逼迫我做出反戰的結論。」一年後，科斯莫朗與約克大主教坦普爾（William Temple）向支持和平主義的牧師解釋，如今時移世異，「參與戰爭與基督教的責任不相衝突。」[218]就連批評現代戰爭最力的奇切斯特主教喬治·貝爾（George Bell）也在一九四〇年表示，當前的戰爭宛如「上帝的審判」，是當前「人與人以及國與國之間暴力、殘酷、自私、仇恨橫行」造成的不可避免結果，因此每個有良知的基督徒都該拿起武器挺身對抗。貝爾引用英格蘭聖公會第三十七條信綱，主張基督徒「在統治者命令下」拿起武器參與戰爭是合法的，更何況這是一場對抗「野蠻暴君」的戰爭。[219]只有伯明罕的巴恩斯（Ernest Barnes）這一名聖公會主教在戰時堅持和平主義立場，他抱怨說：「如今為了戰爭，連基督教都可以出賣。」[220]

與英格蘭聖公會一樣，各國基督教會也紛紛對國家的戰爭投入提供道德與實際的支持，這種現象在一戰時也曾出現過。有時候，即使教會成為國家差別待遇或迫害的對象，教會也依然支持參戰。除了信守較傳統的道德承諾為受苦的信眾提供心靈安慰，並且為國家的戰爭投入進行愛國祈禱，教會其實也有著制度上的自利動機。無條件支持戰爭可以整合宗教與國家，維護教會的利益，這充分說明了教會為什麼願意支持戰爭。在德國，儘管希特勒政權在本質上反對教士階層，但教會仍普遍支持戰爭投入。一九三九年九月，當信義宗主教「為我們的元首與帝國，為我們的軍隊，以及為祖國盡責出力的人禱告」時，他們並不認為德國入侵波蘭有何不義之處。認信教會（The Confessing Church）是一九三四年由一群批判德國宗教政策的新教教士成立的分離教會，但他們卻全力支持德國的對外戰爭，而且他們還認為根據《羅馬書》第十三章聖保羅的訓示，信眾應絕對服從既有的權威。雖然教會對於這場戰爭在神學上是否真的是一場「正義之戰」抱持懷疑，但就連最激進的教士也同意信眾必須「服從上帝的命令」與服從國家。[221]認信教會的信眾願意加入軍隊且譴責反戰的良心犯，這種服從政權的態度使認信教會在戰時較少受到國家的打壓。天主教教士在一九三〇年代遭受希特勒政權反基督教活動的打擊遠甚於新教徒，原因就在於他們在支持戰爭的態度上較為審慎——他們雖然也禱告，但不是為了勝利而禱告，而是為了祈求「正義和平」到來。但即使如此，天主教主教依然根據「正義之戰」的傳統來看待這場戰爭，而且將自己定位成愛國者，願意支持那些履行軍人職責的人。加倫主教（Bishop Galen）因為譴責納粹對身障者「安樂死」的計畫而聞名，但他卻也讚揚在東線戰場捐軀的士兵是對抗「撒但意識形態體系」的十字軍。[222]十字軍形象因此被廣泛用來定義這場對抗無神論蘇聯的戰爭。在芬蘭，陸軍首位隨軍主教比約克倫德

（Johannes Björklund）在一九四一年要求芬蘭信義宗教士參與「這場全歐對抗布爾什維克主義的鬥爭」，讓軍隊與教會共同投入這場「聖戰」。芬蘭隨軍牧師營造出一種由「十字軍戰士」發起的上帝之戰的形象，「士兵的旗幟上標誌著十字架」。[223]

在並非基督教國家的蘇聯與日本，兩國的教會也透過支持戰爭向國家輸誠，藉此避免國家的壓迫與監控。一九四一年戰爭爆發時，俄羅斯正教會已處於極度危險的狀態：在此之前，約有七萬名教士與世俗人員在大清洗時期死亡，八千座教堂與宗教房舍遭到關閉。但就在開戰的第一天，列寧格勒都主教謝爾蓋（Metropolitan Sergei of Leningrad）便激勵民眾要保衛祖國，「將法西斯主義的敵對力量化為齏粉。」[224]東正教確實存在著愛國主義，秉持教會在俄羅斯陷入戰爭時支持國家的悠久傳統。戰爭一開打，教會便開始向信眾募集捐款，為傷兵提供救濟與醫療設施，為士兵與難民提供衣物，出錢購買武器，包括空軍中隊使用的炸彈「為祖國而戰」。在戰爭期間，估計教會捐贈了約三億盧布。長久以來未能擁有實質宗教自由的東正教基督徒，此時自發地請求重新開放教堂，促使史達林鬆綁反宗教運動與任命新任的東正教牧首。教會雖然在道德上支持戰爭，卻不等同於支持共產主義政權。在一九四五年二月的教會會議上，教會高層呼籲全世界基督徒牢記基督所言，「凡動刀的，必死在刀下」，把這場戰爭視為基督教十字軍對抗法西斯主義的勝利，而非蘇聯共產主義的勝利。[225]即使在戰爭期間，共產黨仍未停止宗教迫害。分離的東正教約瑟夫派（Orthodox Josephite）仍然毫不妥協地反對獨裁政權，因此遭到安全警察的追捕，信徒被送進了古拉格集中營。不令人意外的是，史達林的宗教緩和政策果然在戰爭結束後兩年告終，但教會的背書卻協助了蘇聯的戰爭投入，讓東正教信眾從另一個角度將這場戰爭解讀為正義之戰。[226]

日本的狀況較為複雜。在昭和天皇統治期間，日本本土的神道教被轉變成「國家神道」，全體日本民眾都要在神社進行膜拜，向被奉為神明的天皇效忠。這種服從天皇國家的文化深植於日本社會之中。對於基督教各個教派來說，日本的國家神道對基督教信仰構成的挑戰，其實遠不如歐洲獨裁政體對國家的尊崇來得大，因為基督徒對上帝的忠誠與對天皇的忠誠並非彼此對立，而是可以同時存在。在漫長的大東亞戰爭期間，絕大多數基督教會都同意這場戰爭是一場讓亞洲擺脫歐洲控制的正義之戰或聖戰，亞洲可以藉此甩掉歐洲的包袱，建立所謂的「純粹的基督教」。戰爭與日本基督宗教形式的關連性，可以從實現教會統一協會於一九四二年十月提出的主張看出：

> 吾等信仰基督之人，堅信我們的重責大任在於致力建立純粹的基督教，我們必須摧毀敵人的思想意圖與情報，我們必須去除英國與美國的顏色與氣味，我們必須消滅一切仰賴英美的宗教、神學、思想與組織。[227]

唯有等待耶穌再臨的聖潔教會與耶和華見證人拒絕接受天皇是神的觀念，也不願支持戰爭投入，他們因為違反一九二八年的《宗教組織法》與挑戰國家的神聖性而被捕入獄。

天主教會的處境有著根本上的不同，因為教宗具有超越國界的權威，而非只是特定國家的代表。教宗與天主教會在所有交戰陣營中都有著大量的追隨者。二戰期間，梵蒂岡既不願譴責侵略行為，也不願提出有違基督教價值的建議，例如鼓吹天主教徒參與戰爭。一九三九年，就在歐戰爆發前，剛當選的新任教宗庇護十二世（Pius XII）從一開始就採取一戰時期教宗本篤十五世（Benedict XV）的做法，既不表態，也不偏向任何一方。庇護十二世表示，無論天主教徒在何處戰鬥，他最關心的是「靈魂的救贖」，而唯有悔罪與禱告才能通往救贖之路。但庇護十二世心裡也很清楚，如果他過度挑釁獨裁者，將為天主教會的存續帶來危險。梵蒂岡實際上位於法西斯主義政權的首都，而從一九四三年九月之後，這座首都又落入德軍之手。庇護十二世確實譴責不義與虐待，但他並未針對猶太人遭受迫害表明立場，只因他想避免天主教會陷入選邊站的窘境。庇護十二世在一九三九年耶誕夜做出重大干預，他向樞機團提出了五項條件做為符合榮譽與正義的和平基礎。第一項條件顯然考慮到天主教波蘭最近的遭遇：「民族無分大小強弱，必須確保各民族的生存與獨立權利。」第五項條件要求政治人物謹記基督的登山寶訓與「對正義的道德渴望」，要接受普世之愛的指引，要依據「神聖不可侵犯的上帝律法標準」來承擔責任。[228]這些條件隱含著對軸心國侵略的譴責，只是這項和平計畫很快就宣告失敗，而庇護十二世後續便不願意再表態反對這場戰爭。

庇護十二世私下認為希特勒已經被魔鬼附身，他曾數度暗中進行遠距的驅魔儀式，想讓希特勒脫離魔鬼的掌握。直到一九四五年戰爭結束後，他才公開向樞機團表示自己認為希特勒是不折不扣的撒但崇拜者。[229]儘管如此，梵蒂岡的戰時立場卻因為軸心國入侵蘇聯而變得模稜兩可，因為天主教高層與教士絕大多數都希望軸心國能消滅無神論的布爾什維克。天主教的反共立場使梵蒂岡難以譴責德國與軸心國入侵者的所做所為，也導致日後梵蒂岡當局得知德國的種族滅絕計畫時，竟也未能提出批判。的里雅斯特主教與庇護十二世見面討論猶太人問題之後抱怨說：「整個世界都已經陷入火海，而梵蒂岡卻還在沉思永恆真理與熱衷禱告。」[230]在這件事情上，庇護十二世也深信，審慎才是更具有勇氣的表現。他對義大利軍醫院隨軍神父斯卡維齊（Father Scavizzi）說道，看到猶太人的遭遇，「他為猶太人感到難過與痛苦」，但也擔心自己若是介入，可能會弊大於利，甚至會引發「更嚴重的迫害」。[231]在戰場上，天主教徒各自依照自己的良心行事，但在是否應該參戰的問題上，梵蒂岡仍審慎保持中立，至於各國天主教會則是盡可能避免表現出不夠愛國的樣子。

對於把和平主義奉為神學上絕不可違反的原則的教會來說，例如新教徒與不從國教者，是否參戰成了更艱困的道德難題。貴格會、循道宗、基督復臨安息日會、門諾會、公理會與浸信會都反對戰爭，但面對這場被世人定義為基督文明與黑暗力量的衝突，和平主義教會發現自己必須做出妥協。一九四一年，蘇聯的門諾會為了避免遭到迫害，不得不參與戰鬥。在德國，人數不多的貴格會於一九三五年發表了「和平證言」，重申公誼會將致力於和平主義，但這項聲明對於信眾並無拘束力，在所有服兵役的貴格會成員中，只有一人是非戰鬥人員。[232]在英國，幾個主要的非國教教會對於這場正義性無可非議的戰爭出現了南轅北轍的立場。浸信會花了四年時間決定信眾是否可以參與戰爭，循道宗則交由信眾自行決定，貴格會獲准維持拒絕暴力的決定，因為與此同時貴格會鼓勵自己的信眾積極參與在前線與後方的民防與醫療服務——弔詭的是，當時這類工作被稱為「前線和平主義役」。[233]在珍珠港事件前幾年，美國新教教會對戰爭可能性所提出的回應也同樣模稜兩可。並非所有所謂的「和平教會」都是嚴格的和平主義者，不過這些教會確實都奉行「不要抵抗惡人」的原則，拒絕使用暴力。一九四〇年，循道宗在大會上決議通過，教會「將不會正式背書、支持或參與戰爭」，但在一九四一年後，循道宗的信眾卻能自由決定是否基於上帝與教會正處於戰爭而參戰，即使他們並未正式處於戰爭狀態。在一九四四年循道宗大會上，代表們終於推翻不祝福戰爭的決定而同意信眾可以「為勝利禱告」。[234]長老教會大會直到一九四三年才接受戰爭是「必要且正當的」，然而在此之前已經有許多信眾投身軍旅。一九四二年，公理會基督徒大會以四百九十九票贊成對四十五票反對通過支持戰爭，因為「軸心國的侵略極其殘酷與無情，他們的意識形態將會毀滅我們珍視的自由……」。[235]門諾會與基督復臨安息日會堅守不抵抗原則，但兩派的信眾仍以別的方式投入戰爭。英美的宗教和平主義並未採取當面拒絕參與戰爭的做法，而是透過間接的方式來支持戰爭的道德目標。

無論在同盟國還是軸心國陣營，只有一個教會自始至終堅決反對參戰，那就是聖經研究協會，另一個更為人熟知的名稱是「耶和華見證人」（自一九三一年在紐約建立總部時採用了這個名稱）。耶和華見證人不僅無條件反對戰爭與服兵役，也不理會國家的要求。這場運動其實也不全然是絕對和平主義，因為耶和華見證人等待的其實是一場末日戰爭，也就是撒但與上帝的最後一戰。他們只願意加入「上帝的軍隊」，而不願接受徵召加入無神的國家，因此他們始終毫不妥協地反對戰爭。[236]在每個地方，耶和華見證人都因為基於良心拒服兵役而受到懲罰，特別是他們堅持戰爭是黑暗力量的展現，即使在英美這兩個在和平時期願意容忍他們的國家，也無法允許他們在戰時拒絕國家的徵召。在德國，耶和華見證人於一九三三年遭到禁止，他們因此必須祕密集會與組織。在兩萬三千名耶和華見證人當中，有一萬名遭到監禁或送往集中營，其中包括婦女，孩童則交由國家監護。唯有願意撤回主張的人才能獲得釋放，但幾乎沒有人這麼做。一九三九年之前，拒絕服兵役者必須坐牢一年，但在一九三九年八月二十六日公布的新兵役法令中，拒絕服兵役可以判處死刑。被送到帝國軍事法庭審判的人當中，耶和華見證人占了很高的比例，因「顛覆國家軍事力量」而被起訴的耶和華見證人有四百零八名，其中有兩百五十八名遭到處決。由巴斯蒂安海軍上將（Max Bastian）領導的帝國軍事法庭，理論上可以在耶和華見證人願意撤回主張的前提下減輕刑罰，但德國與普魯士軍法傳統卻總是鼓勵法官處以嚴刑峻法。[237]在日本，耶和華見證人拒絕將天皇奉為神明，還認為這是魔鬼的產物，他們也因為拒絕服兵役而遭受懲罰（但也只有五人）。[238]在英美，在所有和平主義與反戰團體中，耶和華見證人特別被挑出來接受嚴懲。以美國為例，因拒絕服兵役而被監禁的人當中有三分之二是耶和華見證人。不僅如此，耶和華見證人也被指責為缺乏愛國心而遭受群眾暴力，好比在亞利桑那州的弗拉格斯塔夫（Flagstaff），就出現群眾圍住一名耶和華見證人並對他咆哮的場面：「納粹的間諜！吊死他！砍掉他的頭！」[239]在英國，耶和華見證人主張一萬四千名信眾全部都是教會的傳道者，每個人都有勸人皈依的任務。然而，耶和華見證人的主張受到忽視，組織也遭到否定且不被承認是宗教教派。最後，耶和華見證人的集會遭英國當局依照《國防條例》第39E條予以禁止。[240]耶和華見證人區別非上帝與上帝的戰爭，充分顯示他們並非反對戰爭本身（儘管最終的反基督之戰在現實中似乎不太可能發生），因此他們無權主張自己是基於良心而反對當前的戰爭。[241]

到頭來，只有那些基於個人良心而反對服兵役的男性（與少數女性），會主張基於道德理由反對參與戰爭。要提出這樣的主張需要很大的勇氣，因為他們不僅要面對民眾強烈的不滿，還要承受戰時國家的壓迫。我們無法得知有多少人在接受訓練或奉命殺人時感到道德上的歉疚，但這些人的數量肯定不少。許多人擔心背負懦夫的汙名與害怕受到懲罰，因而不得不拋開內心的忐忑不安。在戰時保衛自己的國家與社群，這項義務也被視為是一種良知的表現；拒絕擔負保衛家國重任的人，會因此被視為違反更崇高的道德義務。當時主要也只有英美兩國才有可能讓人以良心為由拒服兵役，而且條件十分嚴苛。在獨裁國家，良心拒服兵役的正當性在戰爭爆發時遭到徹底抹除。在蘇聯，一九一九年的自由派法令允許良心拒服兵役，但國家對於和平主義者愈來愈敵視，到了一九三〇年已幾近於完全取消良心拒服兵役的權利。拒服兵役者會被逮捕入獄或送往古拉格，刑期最高可以達到五年。一九三七年到一九三九年的大清洗期間，無人申請良心拒服兵役，這項權利到了一九三九年被徹底刪除。[242]在德意志第三帝國，一九三五年通過的徵兵法並未規定良心拒服兵役的權利，因此不願服兵役的人會被當成逃兵而遭到監禁。納粹政權凌駕於軍事司法之上，堅持要將拒服兵役者送進集中營，絕大多數是耶和華見證人。一九三九年九月，薩克森豪森集中營首次處決了拒服兵役者，而整個二戰時期估計有三百多人被因此處死。在一個以處決壓制道德拒服兵役的政權裡，拒服兵役需要堅定的信仰與特殊的勇氣。[243]

在英國、美國與大英帝國自治領，當局做出了允許民眾基於良心拒服兵役的決定，這種做法不僅反映政府對於在一戰期間拒服兵役者受到的待遇表達關切，同時也顯示在自由民主國家進行徵兵時，必須面對少數和平主義者毫不退縮地反對挑戰。相較於軸心國的嚴密監控，民主國家的民眾享有良心自由，這使得民主國家無法否認民眾有良心拒服兵役的自由。貝佛里奇（William Beveridge）曾在戰時針對戰後福利國家擬定計畫，他表示，國家允許民眾拒服兵役乃是「英式自由的極端例證」。[244]然而，貝佛里奇的觀點與拒服兵役者實際受到的待遇並不一致。英國與美國一樣，基於非宗教因素而拒服兵役的人，其道德立場很少為一般人所接受。地方法庭必須針對拒服兵役者的信念是否真誠進行審理，一名庭長要求法官同仁謹記，「有些人相信戰爭是恐怖的、徒勞的或毫無必要的，這種想法確實使他們深信戰爭是錯誤的」，但有些法官仍對世俗的和平主義感到懷疑。一名法官說道，堅持在政治上拒服兵役的人，很有可能是法西斯主義者。[245]申請拒服兵役的人，絕大多數必須在法官面前證明自己確實擁有真誠的宗教信仰，因為唯有宗教才是可用來拒服兵役的道德理由。

英國有六萬名良心拒服兵役者，其中只有極少數能無條件免於從事任何形式的戰時活動。法庭會對拒服兵役者進行交互詰問，以確認他們的道德觀點是否無懈可擊。有拒服兵役者不斷地主張「只有愛，而非暴力，才是宇宙的終極力量」，但這樣的觀點並不被法官採納。是否長期加入某個和平主義教會與得到牧師的支持，乃是取得免疫或改服農業役及民防役等其他役別的關鍵因素，前者只有百分之四點七的人申請成功，後者約有百分之三十八。此外還有百分之二十七的人被分派到軍中擔任非戰鬥人員，而剩餘的百分之三十則因為無法提出適當的理由說服法庭，因而不被承認是良心拒服兵役者。在堅持拒服兵役的人當中，有五千五百名被送進監獄，包括五百名女性，有一千名由軍事法庭審判後被送進軍事監獄。由於民間勞動力也必須接受徵召，因此有六百一十名男性與三百三十三名女性因為拒絕在戰爭產業工作而遭到定罪。[246]有些人獲准拒服兵役，條件是他們必須從事社區工作，和平主義者設立了幾個小型的農村社區供拒服兵役者在此工作，中央良心拒服兵役委員會人員日後稱這類社區為「戰爭汪洋中的反戰島嶼」。[247]戰前成立的基督教和平主義林業與土地管理單位提供拒服兵役者一個環境，讓他們能擺脫在別處遭受的敵視。誓言和平聯盟經營一處面積三百英畝的農場，拒服兵役者在這裡接受社區土地訓練協會的培訓，使他們能適應農村工作。[248]被派去從事民防的拒服兵役者還要克服其他的障礙，因為民防本身就帶有準軍事的性質。大約有兩千八百名拒服兵役者拒絕接受民防體檢，因為這類體檢複製了軍隊的體檢程序，而他們在此之前已經拒絕接受軍隊的體檢；有些拒服兵役者自願加入消防役，卻發現自己可能需要使用槍枝來保衛消防單位。[249]成立於一九三九年的中央良心拒服兵役委員會向內政大臣莫里森（他曾在一戰時因良心拒服兵役）施壓，要求保證和平主義者不會被要求做出任何破壞他們拒服兵役的事。到了一九四三年底，莫里森終於同意不許要求拒服兵役者做出「有損他們良心」的事，並且承認他們的道德立場應該獲得尊重。

在美國，良心拒服兵役帶有更濃厚的政治色彩。一九四〇年的《義務徵兵法案》在和平主義者與教會的壓力下做了修訂，允許民眾有權基於宗教理由拒服兵役，至於宗教以外的理由則屬違法。[250]幾個主要的和平主義教會設立了全國宗教拒服兵役者委員會，政府也將該委員會視為已登記的拒服兵役者的代表。雖然拒服兵役在法律上獲得允許，但在民間卻引發反彈，而且也得不到政治領袖的支持。羅斯福不想「讓拒服兵役者如此輕鬆地逃避義務」，而是希望將這些人送進軍中操練一下。羅斯福的繼任者杜魯門則表示，他實際接觸過的拒服兵役者「都是一群懦夫與開小差的傢伙」。[251]負責徵兵計畫的赫希將軍（Lewis Hershey）則認為，為了這些人好，拒服兵役者「最好別讓別人知道他們拒服兵役」。[252]徵兵局同樣不知道該如何處理那些自稱基於道德而拒服兵役的人。一名官員表示：「良心深藏於人的內心與靈魂之中，是一種看不見且無法描述的東西。」由於一般認為只有宗教拒服兵役才具有道德根據，因此非基於宗教拒服兵役的人幾乎無法取得合法免役的地位。基於政治理由要求拒服兵役的例子，普遍出現在抗議種族歧視的黑人身上。曾有負責審理的法官引用希特勒《我的奮鬥》裡的段落來說明這名獨裁者對黑人的態度。這名法官說道：「你們怎麼能悠哉地坐在那裡說，『我懶得動一根指頭來反抗這個把我的種族當成半人類的傢伙？』」然而這名法官卻得到令人難堪的回答：「很多美國人也同意希特勒的看法。」[253]政治抗議者如果持續拒絕服役，最終將會被判刑入獄，不過被監禁的拒絕服役者當中，只有百分之六是世俗的拒絕服役者。[254]

美國總共動員了一千兩百萬人，其中只有四萬三千人拒服兵役。英國沒有無條件拒服兵役這個類別。被歸類為I－A－O類的拒服兵役者，負責在軍中擔任非戰鬥人員；被歸類為I－V－E類的拒服兵役者，負責從事「具有國家重要性」的工作。無論是哪一種，陸軍認為這兩類的拒服兵役者都屬於被徵召入伍的士兵，不管他們樂不樂意。[255]絕對拒服兵役的人當中，有六千名被判處較長的刑期。剩下的兩萬五千名獲准在軍中擔任非戰鬥人員，此外也創設了「社會役」這個新制度，社會役可以吸收一萬兩千名拒服兵役者從事對社會有益的工作，但這些工作不會與戰爭投入直接相關。社會役計畫由和平教會透過全國宗教拒服兵役者委員會進行經營，不過整體的控制權仍掌握在軍事當局手中。最終社會役計畫設立了一百五十一座營區，拒服兵役者每月要支付三十五美元做為生活費。[256]這些營地刻意對外隔絕，生活條件十分貧困，在土地或森林裡從事非技術性的工作，幾乎不具有任何國家重要性。一九四二年，拒服兵役者認為自己遭受強制勞動或被當成奴工（男性均未支薪），因而發起抗爭，他們同時也反對軍方對整套制度的控制。[257]這些抗議者最終跟絕對和平主義者與耶和華見證人一起被關進監獄。在獄中，拒服兵役者持續進行絕食與非暴力抗爭，其中有部分是為了挑戰獄中的種族隔離政策。一九四二年，芝加哥的黑人和平主義者法瑪爾（James Farmer）受到抗議激勵而成立種族平等會議，運用甘地非暴力抗爭的方式反對種族歧視。[258]因此，基於道德理由拒絕在戰時服役，開始與美國參戰的道德主張這類更廣泛的議題結合在一起。一九四五年，杜魯門總統拒絕特赦仍在獄中的六千名拒服兵役者，引發特赦委員會發起一連串抗爭。一九四五年十月，抗議民眾在白宮外舉牌抗議，上面寫著「聯邦監獄——美國集中營」。杜魯門仍拒絕全面性的赦免，但在他任內許多人最終獲釋出獄。羅登科（Igal Roodenko）是其中一名拒服兵役者，曾經進行漫長的絕食抗議，他日後提到，「要輸出自由與民主，前提是我們必須在國內實現自由與民主。」[259]良心拒服兵役者雖然人數不多，但他們仍盡其所能地捍衛自己的原則。即使在總體戰的時代，他們還是敢於違抗社群加諸在他們身上的道德命令，並且繼續堅持個人的道德選擇。

二戰期間，和平主義者見證了他們眼中戰爭的徒勞與道德淪喪，而他們也為此付出龐大的代價。無論是否出於自願，無論是抱持沉默或願意合作，態度熱情或冷漠，交戰國的絕大多數民眾都支持國家的道德主張。發源於戰前的反戰運動雖然力有未逮，但和平主義依然迫使國家採取管制、監視或激勵士氣的策略，來確保自己的戰爭投入看起來合法正當（儘管從許多方面來看並非如此）。

編輯說明：以下注釋內容，為方便讀者閱讀，將會採用橫排文字的方式排版，有意參照的讀者建議從本書最後一頁開始回頭讀起。

cowardice and freedom of conscience', 694.

247 Denis Hayes, *Challenge of Conscience: The Story of Conscientious Objectors of 1939-1949* (London, 1949), 210.

248 Andrew Rigby, 'Pacifist communities in Britain during the Second World War', *Peace & Change*, 15 (1990), 108-13.

249 Rachel Barker, *Conscience, Government and War: Conscientious Objection in Britain, 1939-45* (London, 1982), 58; Overy, 'Pacifism and the Blitz', 222-3.

250 Sittser, *A Cautious Patriotism*, 1312.

251 Scott Bennett, '"Free American political prisoners": pacifist activism and civil liberties, 1945-48', *Journal of Peace Research*, 40 (2003), 424; Stewart Winter, '"Not a soldier, not a slacker"', 527-8.

252 Stewart Winter, '"Not a soldier, not a slacker"', 522.

253 Ibid., 522-6.

254 Bennett, 'American pacifism', 267.

255 Nicholas Krehbiel, *General Lewis B. Hershey and Conscientious Objection during World War II* (Columbia, Miss., 2011), 5-6, 97.

256 Ibid., 260, 265-6; Stewart Winter, '"Not a soldier, not a slacker"', 521.

257 Krehbiel, *General Lewis B. Hershey*, 112-16.

258 Habenstreit, *Men Against War*, 151-2; Bennett, 'American pacifism', 264, 272-3, 275-7; Bennett, '"Free American political prisoners"', 414-15.

259 Bennett, '"Free American political prisoners"', 413-14, 423-30.

and Episcopal History, 59 (1990), 202-6.

228 Bell, *Christianity and World Order*, 98-100.

229 Frank Coppa, 'Pope Pius XII: from the diplomacy of impartiality to the silence of the Holocaust', *Journal of Church and State*, 55 (2013), 298-9; Gerard Noel, *Pius XII: The Hound of Hitler* (London, 2008), 3-4.

230 Bank and Grevers, *Churches and Religion*, 483-94.

231 Coppa, 'Pope Pius XII', 300.

232 Brock, *Against the Draft*, 350-52; Anna Halle, 'The German Quakers and the Third Reich', *German History*, 11 (1993), 222-6.

233 Kelly, 'Citizenship, cowardice and freedom of conscience', 701-2; Richard Overy, 'Pacifism and the Blitz, 1940-1941', *Past & Present*, no. 219 (2013), 217-18.

234 W. Edward Orser, 'World War II and the pacifist controversy in the major Protestant Churches', *American Studies*, 14 (1973), 7-10; Sittser, *A Cautious Patriotism*, 35-6.

235 Orser, 'World War II and the pacifist controversy', 12-18.

236 Gabriele Yonan, 'Spiritual resistance of Christian conviction in Nazi Germany: the case of the Jehovah's Witnesses', *Journal of Church and State*, 41 (1999), 308-9, 315-16; Stewart Winter, '"Not a soldier, not a slacker"', 532.

237 Thomas Kehoe, 'The Reich Military Court and its values: Wehrmacht treatment of Jehovah's Witness conscientious objection', *Holocaust & Genocide Studies*, 33 (2019), 351-8; Yonan, 'Spiritual resistance', 309; Jackman, '"Ich kann nicht zwei Herren dienen"', 189, 193.

238 Oe, 'Church and state in Japan', 210.

239 Sittser, *A Cautious Patriotism*, 186-7.

240 Denis Hayes, 'Liberty in the War', pamphlet published by *Peace News*, Sept. 1943, 5-6.

241 Bennett, 'American pacifism', 267; Stewart Winter, '"Not a soldier, not a slacker"', 532; Kelly, 'Citizenship, cowardice and freedom of conscience', 710.

242 Brock, *Against the Draft*, 329-30.

243 Jackman, '"Ich kann nicht zwei Herren dienen"', 189-93, 197-8.

244 Kelly, 'Citizenship, cowardice and freedom of conscience', 699.

245 National Library of Wales, Stanley Jevons Papers, I IV/103, Notes by the Chairman of the South-East Tribunal (n.d. but Sept.-Oct. 1941); Kelly, 'Citizenship, cowardice and freedom of conscience', 709.

246 Brock and Young, *Pacifism in the Twentieth Century*, 158-9; 引文出自Kelly, 'Citizenship,

Lukowitz, 'British pacifists and appeasement', 115-28.

212 TNA, MEPO 3/3113，國會辯論摘錄，一九四〇年三月六日與一九四一年十一月二十六日；MEPO 3/2111，莫里斯（Stuart Morris）的審判檔案。

213 Martin Caedel, *Pacifism in Britain, 1914-1945: The Defining of a Faith* (Oxford, 1980), 299; Vera Brittain, *One Voice: Pacifist Writings from the Second World War* (London, 2005), 39, 'Functions of a Minority'.

214 Peter Brock and Nigel Young, *Pacifism in the Twentieth Century* (Syracuse, NY, 1999), 165.

215 Sittser, *A Cautious Patriotism*, 19.

216 Ray Abrams, 'The Churches and the clergy in World War II', *Annals of the American Academy of Political and Social Science*, 256 (1948), 111-13.

217 John Middleton Murry, *The Necessity of Pacifism* (London, 1937), 106; London School of Economics Archive, Women's International League for Peace and Freedom Papers, 21AW/2/C/46, 'Report of a deputation of Pacifist Clergy to the Archbishops of Canterbury and York', 11 June 1940.

218 Overy, *The Morbid Age*, 242-3.

219 George Bell, *Christianity and World Order* (London, 1940), 78-81.

220 Stephen Parker, 'Reinvigorating Christian Britain: the spiritual issues of the war, national identity, and the hope of religious education', in Tom Lawson and Stephen Parker (eds.), *God and War: The Church of England and Armed Conflict in the Twentieth Century* (Farnham, 2012), 63.

221 Donald Wall, 'The Confessing Church and the Second World War', *Journal of Church and State*, 23 (1981), 19-25.

222 Thomas Brodie, 'Between "national community" and "milieu": German Catholics at war 1939-1945', *Contemporary European History*, 26 (2017), 428-32.

223 Jouni Tilli, '"Deus Vult!": the idea of crusading in Finnish clerical war rhetoric', *War in History*, 24 (2017), 369-75.

224 Roger Reese, 'The Russian Orthodox Church and "patriotic" support for the Stalinist regime during the Great Patriotic War', *War & Society*, 33 (2014), 134-5.

225 Jan Bank with Lieve Grevers, *Churches and Religion in the Second World War* (London, 2016), 506.

226 Reese, 'The Russian Orthodox Church', 144-5.

227 關於這個段落，見John Mitsuru Oe, 'Church and state in Japan in World War II', *Anglican*

196 Norman Ingram, *The Politics of Dissent: Pacifism in France 1919-1939* (Oxford, 1991), 134-9. 關於國際反侵略大會 (in French the *Rassemblement universel pour la Paix*) 見Overy, The Morbid Age, 257-9.

197 H. Runham Brown, *The War Resisters' International: Principle, Policy and Practice* (London, 1936 [?]), 1-5.

198 Storm Jameson (ed.), *Challenge to Death* (London, 1935), p. xii. 關於「和平投票」，見Martin Caedel, 'The first referendum: the Peace Ballot 1934-35', *English Historical Review*, 95 (1980), 818-29.

199 Overy, *The Morbid Age*, 243-50; D. C. Lukowitz, 'British pacifists and appeasement: the Peace Pledge Union', *Journal of Contemporary History*, 9 (1974), 116-17.

200 Habenstreit, *Men Against War*, 126-33.

201 Gerald Sittser, *A Cautious Patriotism: The American Churches and the Second World War* (Chapel Hill, NC, 1997), 18-19.

202 Ibid., 133-4; Scott Bennett, 'American pacifism, the "greatest generation", and World War II', in Piehler and Pash (eds.), *The United States and the Second World War*, 260-61.

203 Haberstreit, *Men Against War*, 138-9.

204 *The Public Papers and Addresses of Franklin D. Roosevelt: 1939 Volume: War and Neutrality* (New York, 1941), 300, 'President Opens the New York World's Fair, April 30 1939'; Marco Duranti, 'Utopia, nostalgia, and world war at the 1939-40 New York World's Fair', *Journal of Contemporary History*, 41 (2006), 663.

205 *Parliamentary Debates*, vol. 351, col. 298, 3 Sept. 1939.

206 Graham Jackman, '"Ich kann nicht zwei Herren dienen": conscientious objectors and Nazi "Militärjustiz"', German Life and Letters, 64 (2011), 205.

207 Peter Brock, *Against the Draft: Essays on Conscientious Objection from the Radical Reformation to the Second World War* (Toronto, 2006), 329-31, 340.

208 Tobias Kelly, 'Citizenship, cowardice and freedom of conscience: British pacifists in the Second World War', *Comparative Studies in Society and History*, 57 (2015), 701.

209 Mona Siegel, *The Moral Disarmament of France: Education, Pacifism and Patriotism 1914-1940* (Cambridge, 2004), 192-201.

210 Carrie Foster, *The Women and the Warriors: The U. S. Section of the Women's International League for Peace and Freedom 1915-1946* (Syracuse, NY, 1995), 263-4, 284-5.

211 Neil Stammers, *Civil Liberties in Britain during the 2nd World War* (London, 1989), 93-4;

174 Chang-tai Hung, *War and Popular Culture: Resistance in Modern China, 1937-1945* (Berkeley, Calif., 1994), 181-5.

175 Peter Fritzsche, *An Iron Wind: Europe under Hitler* (New York, 2016), 10-13.

176 Boberach (ed.), *Meldungen aus dem Reich: Band I*, 25.

177 Petrella, *Staging the Fascist War*, 136-8.

178 Budnitskii, 'The Great Patriotic War', 791.

179 McLaine, *Ministry of Morale*, 80-84.

180 Sparrow, *Warfare State*, 86-8.

181 John Dower, *Japan in War and Peace: Essays on History, Race and Culture* (New York, 1993), 129.

182 Sparrow, *Warfare State*, 45.

183 Rose, *Myth and the Greatest Generation*, 64.

184 Johnson and Reuband, *What We Knew*, 194, 224.

185 Frank Bajohr and Dieter Pohl, *Der Holocaust als offene Geheimnis: Die Deutschen, die NS-Führung und die Allierten* (Munich, 2006), 35-6, 56-7; Herf, *The Jewish Enemy*, 114-22.

186 Bytwerk, 'The argument for genocide', 43-4; Bytwerk, 'Believing in "inner truth" ', 215.

187 Schmiechen Ackermann. 'Social control and the making of the *Volksgemeinschaft*', 249.

188 Peter Longerich, *'Davon haben wir nichts gewusst!': Die Deutschen und die Judenverfolgung, 1933-1945* (Munich, 2006), 317-21, 326-7; Bytwerk, The argument for genocide', 53-4.

189 見Edele, *Stalin's Defectors*, 169-74; Yamashita, *Daily Life in Wartime Japan*, 165-71.

190 Westbrook, *Why We Fought*, 8-9, 40-50.

191 José Harris, 'Great Britain: the people's war', in Warren Kimball, David Reynolds and Alexander Chubarian (eds.), *Allies at War: The Soviet, American and British Experience 1939-1945* (New York, 1994), 244-51; Brewer, *Why America Fights*, 115-17.

192 Lisa Kirschenbaum, '"Our city, our hearths, our families": local loyalties and private life in Soviet World War II propaganda', *Slavic Review*, 59 (2000), 825-30.

193 LC, Eaker Papers, Box I:30, MAAF Intelligence Section, 'What is the German saying?' [n.d. but March 1945], entry (g).

194 Timothy Stewart Winter, '"Not a soldier, not a slacker:" Conscientious objection and male citizenship in the United States during the Second World War', *Gender & History*, 19 (2007), 533; Barbara Habenstreit, *Men Against War* (New York, 1973), 142-3.

195 Rennie Smith, *Peace verboten* (London, 1943), 45-8.

156 Samuel Yamashita, *Daily Life in Wartime Japan* (Lawrence, Kans, 2015), 13-14.

157 Sparrow, *Warfare State*, 72-3; Westbrook, *Why We Fought*, 8-9.

158 William Tuttle, *'Daddy's Gone to War': The Second World War in the Lives of American Children* (New York, 1993), 115-16, 118, 121-3.

159 Yamashita, *Daily Life in Wartime Japan*, 66-70, 87.

160 Sparrow, *Warfare State*, 65.

161 Ian McLaine, *Ministry of Morale: Home Front Morale and the Ministry of Information in World War II* (London, 1979), endpapers.

162 Budnitskii, 'The Great Patriotic War', 771-81; Mark Edele, *Stalin's Defectors: How Red Army Soldiers became Hitler's Collaborators, 1941-1945* (Oxford, 2017), 21, 29-31. 叛逃人數沒有精確的數字，二十萬人代表可能的上限。

163 Hans Boberach (ed.), *Meldungen aus dem Reich: Die geheimen Lagebericte des Sicherheitsdienstes der SS 1938-1945: Band I* (Herrsching, 1984), 11-16, 20; David Welch, 'Nazi propaganda and the Volksgemeinschaft: constructing a people's community', *Journal of Contemporary History*, 39 (2004), 215.

164 Mimmo Franzinelli, *I tentacoli dell'Ovra: agenti, collaboratori e vittime della polizia politica fascista* (Turin, 1999), 386-8; Canosa, *I servizi segreti*, 380-85.

165 Amir Weiner, 'Getting to know you: the Soviet surveillance system 1939-1957', *Kritika*, 13 (2012), 5-8.

166 Sparrow, *Warfare State*, 43.

167 Ibid., 69; Brewer, *Why America Fights*, 93-6, 103.

168 Neil Wynn, 'The "good war": the Second World War and postwar American society', *Journal of Contemporary History*, 31 (1996), 467-70; Sparrow, *Warfare State*, 67-8, 87-8; Westbrook, *Why We Fought*, 49-50, 69-70.

169 Paul Addison and Jeremy Crang (eds.), *Listening to Britain: Home Intelligence Reports on Britain's Finest Hour, May to September 1940* (London, 2011), xi-xii.

170 James Hinton, *The Mass Observers: A History, 1937-1949* (Oxford, 2013), 166-7

171 McLaine, *Ministry of Morale*, 256-7, 260; Addison and Crang (eds.), *Listening to Britain*, xiii-xiv; Hinton, *Mass Observers*, 179-80.

172 John Hilvert, *Blue Pencil Warriors: Censorship and Propaganda in World War II* (St Lucia, Qld, 1984), 220-22.

173 Petrella, *Staging the Fascist War*, 136.

142 Overy, *Interrogations*, 48-9, 178-9.

143 Bendersky, 'Dissension in the face of the Holocaust', 108-9; Mayers, 'Humanity in 1948', 448-55.

144 Kenneth Rose, *Myth and the Greatest Generation: A Social History of Americans in World War II* (New York, 2008), 1-7.

145 Parliamentary Peace Aims Group, 'Towards a Total Peace: A Restatement of Fundamental Principles', 1943, 4.

146 Chinese Ministry of Information, *The Voice of China*, 12, broadcast to the nation, 18 Feb. 1942.

147 Sonya Rose, *Which People's War? National Identity and Citizenship in Wartime Britain 1939-1945* (Oxford, 2003), 286-9.

148 Frank Bajohr and Michael Wildt (eds.), *Volksgemeinschaft: Neue Forschungen zur Gesellschaft des Nationalsozialismus* (Frankfurt/Main, 2009), 7-9; Detlef Schmiechen Ackermann, 'Social control and the making of the *Volksgemeinschaft*', in Steber and Gotto (eds.), *Visions of Community*, 240-53.

149 Michael David Fox, 'The people's war: ordinary people and regime strategies in a world of extremes', *Slavic Review*, 75 (2016), 552; Anika Walke, *Pioneers and Partisans: An Oral History of Nazi Genocide in Belorussia* (New York, 2015), 140.

150 Buhite and Levy (eds.), *FDR's Fireside Chats*, 199, broadcast of 9 Dec. 1941.

151 Luigi Petrella, *Staging the Fascist War: The Ministry of Popular Culture and Italian Propaganda on the Home Front, 1938-1943* (Bern, 2016), 142-3; Romano Canosa, *I servizi segreti del Duce: I persecutori e le vittime* (Milan, 2000), 387-93.

152 Chinese Ministry of Information, *The Voice of China*, 40, speech by Chiang Kai-shek, 22 Oct. 1942.

153 關於蔣介石的號召面臨的問題，見Rana Mitter, *China's War with Japan 1937-1945* (London, 2013), 177-82;關於通敵見David Barrett and Larry Shyu (eds.), *Chinese Collaboration with Japan*, 1932-1945 (Stanford, Calif., 2001), 3-12;關於共產黨的動員，見Lifeng Li, 'Rural mobilization in the Chinese Communist Revolution: from the anti-Japanese War to the Chinese Civil War', *Journal of Modern Chinese History*, 9 (2015), 97-104.

154 Chinese Ministry of Information, *The Voice of China*, 46, speech by Chiang Kai-shek, 31 Oct. 1942.

155 Bajohr and Wildt (eds.), *Volksgemeinschaft*, 7.

2021), 26-41.

124 Wasserstein, *Britain and the Jews*, 54-76.

125 Michael Fleming, 'Intelligence from Poland on Chelmno: British responses', Holocaust Studies, 21 (2015), 172-4, 176-7; Jan Láníček, 'Governments-in-exile and the Jews during and after the Second World War', *Holocaust Studies*, 18 (2012), 73-5.

126 Fleming, 'Intelligence from Poland', 174-5.

127 David Wyman, *The Abandonment of the Jews: America and the Holocaust 1941-1945* (New York, 1984), 43-5; Zohar Segev, *The World Jewish Congress during the Holocaust: Between Activism and Restraint* (Berlin, 2017), 23-6.

128 London, *Whitehall and the Jews*, 207-8.

129 Wyman, *Abandonment of the Jews*, 73-5.

130 Leonid Smilovitskii, 'Antisemitism in the Soviet partisan movement 1941-1945: the case of Belorussia', *Holocaust and Genocide Studies*, 20 (2006), 708-9; Jeffrey Herf, 'The Nazi extermination camps and the ally to the East: could the Red Army and Air Force have stopped or slowed the Final Solution?', *Kritika*, 4 (2003), 915-16; Alexander Gogun, 'Indifference, suspicion, and exploitation: Soviet units behind the front lines of the Wehrmacht and Holocaust in Ukraine, 1941-44', *Journal of Slavic Military Studies*, 28 (2015), 381-2.

131 Láníček, 'Governments-in-exile', 76.

132 London, *Whitehall and the Jews*, 205-6, 218; Wasserstein, *Britain and the Jews*, 183, 188.

133 Wasserstein, *Britain and the Jews*, 190-203; Shlomo Aronson, *Hitler, the Allies and the Jews* (New York, 2004), 85-100; Takaki, *Double Victory*, 205-6.

134 Wasserstein, *Britain and the Jews*, 304.

135 Segev, *The World Jewish Congress*, 26-30.

136 Laurel Leff, *Buried by the Times: The Holocaust and America's Most Important Newspaper* (New York, 2005), 330-41.

137 Bendersky, 'Dissension in the face of the Holocaust', 89-96; Takaki, *Double Victory*, 189-91.

138 Wasserstein, *Britain and the Jews*, 34, 351.

139 Segev, *The World Jewish Congress*, 41.

140 Láníček, 'Governments-in-exile', 81-5; Wasserstein, *Britain and the Jews*, 295-302.

141 Rainer Schulze, 'The *Heimschaffungsaktion* of 1942-3: Turkey, Spain and Portugal and their responses to the German offer of repatriation of their Jewish citizens', *Holocaust Studies*, 18 (2012), 54-8.

103 Daniel Kryder, *Divided Arsenal: Race and the American State during World War II* (Oxford, 2000), 208-10, 248-9.

104 Takaki, *Double Victory*, 28-9.

105 Chris Dixon, *African Americans and the Pacific War 1941-1945: Race, Nationality, and the Fight for Freedom* (Cambridge, 2018), 68.

106 Welky, *Marching Across the Color Line*, 112.

107 Takaki, *Double Victory*, 53.

108 Kryder, *Divided Arsenal*, 3.

109 Ibid, 229-32; Welky, *Marching Across the Color Line*, 121-2; Robert Dallek, *Franklin D. Roosevelt: A Political Life* (London, 2017), 520.

110 Kryder, *Divided Arsenal*, 208-10; Takaki, *Double Victory*, 43-4.

111 Kenneth Janken, 'From colonial liberation to Cold War liberalism: Walter White, the NAACP, and foreign affairs, 1941-1955', *Ethnic and Racial Studies*, 21 (1998), 1076-8.

112 Ibid., 1079; Von Eschen, *Race against Empire*, 2-5

113 Elizabeth Borgwardt, 'Race, rights and nongovernmental organisations at the UN San Francisco Conference: a contested history of human rights without discrimination', in Kruse and Tuck (eds.), *Fog of War*, 188-90, 192-6; Von Eschen, *Race against Empire*, 81-2.

114 Janken, 'From colonial liberation', 1082; Mayers, 'Humanity in 1948', 457-9.

115 J. B. Schechtman, 'The USSR, Zionism and Israel', in Lionel Kochan (ed.), *The Jews in Soviet Russia since 1917* (Oxford, 1978), 118; Nora Levin, *Paradox of Survival: The Jews in the Soviet Union since 1917*, 2 vols. (London, 1990), i, 275-6.

116 Ben -Cion Pinchuk, *Shtetl Jews under Soviet Rule: Eastern Poland on the Eve of the Holocaust* (London, 1990), 39, 55, 129-31.

117 Bernard Wasserstein, *Britain and the Jews of Europe 1939-1945* (Oxford, 1979), 7, 11.

118 Ibid., 18-20; Louise London, *Whitehall and the Jews 1933-1948: British Immigration Policy, Jewish Refugees and the Holocaust* (Cambridge, 2000), 140.

119 Takaki, Double Victory, 195; Joseph Bendersky, 'Dissension in the face of the Holocaust: the 1941 American debate over anti Semitism', *Holocaust and Genocide Studies*, 24 (2010), 89.

120 Wasserstein, *Britain and the Jews*, 46-7; Takaki, *Double Victory*, 195-6.

121 Mayers, 'The Great Patriotic War', 305.

122 Wasserstein, *Britain and the Jews*, 52.

123 Leah Garrett, *X-Troop: The Secret Jewish Commandos who Helped Defeat the Nazis* (London,

Domination 1928-1953 (New York, 2014), 249-59.

87 John Iatrides, 'Revolution or self-defense? Communist goals, strategy and tactics in the Greek civil war', *Journal of Cold War Studies*, 7 (2005), 24.

88 Warren, *Noble Abstractions*, 172-4.

89 Sirgiovanni, *Undercurrent of Suspicion*, 58, 85-6; Mayers, 'The Great Patriotic War', 318-24.

90 NARA, RG 238, Box 32，譯自'Secret Additional Protocol to the German-Soviet Pact of 23.8.39'; Mayers, 'The Great Patriotic War', 303.

91 Arkady Vaksberg, *The Prosecutor and the Prey: Vyshinsky and the 1930s Show Trials* (London, 1990), 259; S. Mironenko, 'La collection des documents sur le procès de Nuremberg dans les archives d'état de la federation russe', in Anna Wiewiorka (ed.), *Les procès de Nuremberg et de Tokyo* (Paris, 1996), 65-6.

92 關於蘇聯危害人類的罪行，最近出現了兩個傑出的說明，見Golfo Alexopoulos, *Illness and Inhumanity in Stalin's Gulag* (New Haven, Conn., 2017) and Jörg Baberowski, *Scorched Earth: Stalin's Reign of Terror* (New Haven, Conn., 2016), esp. chs. 5-6.

93 Achim Kilian, *Einzuweisen zur völligen Isolierung. NKWD-Speziallager Mühlberg/Elbe 1945-1948* (Leipzig, 1993), 7.

94 Andrew Stone, '"The differences were only in the details": the moral equivalency of Stalinism and Nazism in Anatoli Bakanichev's *Twelve Years Behind Barbed Wire', Kritika*, 13 (2012), 123, 134.

95 Mayers, 'Humanity in 1948', 462-3.

96 Ronald Takaki, *Double Victory: A Multicultural History of America in World War II* (New York, 2000), 6.

97 David Welky, *Marching Across the Color Line: A. Philip Randolph and Civil Rights in the World War II Era* (New York, 2014), 86-9.

98 Thomas Sugrue, 'Hillburn, Hattiesburg and Hitler: wartime activists think globally and act locally', in Kevin Kruse and Stephen Tuck (eds.), *Fog of War: The Second World War and the Civil Rights Movement* (New York, 2012), 91.

99 Welky, *Marching Across the Color Line*, 89.

100 Sugrue, 'Hillburn, Hattiesburg and Hitler', 91-2.

101 Ibid., 93-4; Welky, *Marching Across the Color Line*, xx-xxi, 112.

102 Julian Zelizer, 'Confronting the roadblock: Congress, Civil Rights, and World War II', in Kruse and Tuck (eds.), *Fog of War*, 38-40.

Journal of Strategic Studies, 31 (2008), 534-43.

69 Fridrikh Firsov, Harvey Klehr and John Haynes, *Secret Cables of the Comintern 1933-1943* (New Haven, Conn., 2014), 140-41, 175. 70. Ibid., 153-7, 164.

70 Ibid., 153-7, 164.

71 *Daily Worker*, 21 Jan. 1941, 4.

72 Gorodetsky (ed.), *The Maisky Diaries*, 368, entry for 27 June 1941.

73 Sirgiovanni, *Undercurrent of Suspicion*, 3-5; Buhite and Levy (eds.), *FDR's Fireside Chats*, 277-8, broadcast of 24 Dec. 1943.

74 Firsov, Klehr and Haynes, *Secret Cables of the Comintern*, 184-5.

75 關於合作的希望，見Martin Folly, *Churchill, Whitehall, and the Soviet Union, 1940-1945* (Basingstoke, 2000), 78-9, 165-6.

76 TNA, FO 800/868, Desmond Morton to Lord Swinton, 11 Nov. 1941; Morton to Robert Bruce Lockhart, 15 Nov. 1941.

77 Sirgiovanni, *Undercurrent of Suspicion*, 3-5; Frank Warren, *Noble Abstractions: American Liberal Intellectuals and World War II* (Columbus, Ohio, 1999), 181-4.

78 'Britain, Russia and Peace', Official Report of the National Congress of Friendship and Co-operation with the USSR, 4-5 Nov. 1944, 14-15.

79 Gorodetsky (ed.), *Maisky Diaries*, 411, 436, 475, entries for 15 Feb., 24 June 1942, 5 Feb. 1943.

80 'Britain, Russia and Peace', 3-4.

81 Sirgiovanni, *Undercurrent of Suspicion*, 49-56.

82 Daniel Lomas, 'Labour ministers, intelligence and domestic anti-communism 1945-1951', *Journal of Intelligence History*, 12 (2013), 119; Christopher Andrew, *The Defence of the Realm: The Authorized History of MI5* (London, 2009), 273-81.

83 Gorodetsky (ed.), *Maisky Diaries*, 509-10.

84 Andrew Thorpe, *Parties at War: Political Organisation in Second World War Britain* (Oxford, 2009), 39-40.

85 John Deane, *The Strange Alliance: The Story of American Efforts at Wartime Co-Operation with Russia* (London, 1947), 319.

86 Jonathan Haslam, *Russia's Cold War: From the October Revolution to the Fall of the Wall* (New Haven, Conn., 2011), 23-32; Geoffrey Roberts, 'Stalin's wartime vision of the peace, 1939-1945', in Timothy Snyder and Ray Brandon (eds.), *Stalin and Europe: Imitation and*

50 David Roll, *The Hopkins Touch: Harry Hopkins and the Forging of the Alliance to Defeat Hitler* (New York, 2013), 142-5.

51 H. V. Morton, *Atlantic Meeting* (London, 1943), 126-7, 149-51.

52 Von Eschen, *Race against Empire*, 26.

53 Gerhard Weinberg, *Visions of Victory: The Hopes of Eight World War II Leaders* (Cambridge, 2005), 86-9; Jay Taylor, *The Generalissimo: Chiang Kai-Shek and the Struggle for Modern China* (Cambridge, Mass., 2011), 186.

54 Buhite and Levy (eds.), *FDR's Fireside Chats*, 217, broadcast of 23 Feb. 1942.

55 Stephen Wertheim, 'Instrumental internationalism: the American origins of the United Nations, 1940-3', *Journal of Contemporary History*, 54 (2019), 266-80.

56 Michaela Moore, *Know Your Enemy: The American Debate on Nazism, 1933-1945* (New York, 2010), 119.

57 Richard Overy, *Interrogations: The Nazi Elite in Allied Hands* (London, 2001), 6-8.

58 International Law Association, *Briand-Kellogg Pact of Paris: Articles of Interpretation as Adopted by the Budapest Conference 1934* (London, 1934), 1-2, 7-10.

59 Howard Ball, *Prosecuting War Crimes and Genocide: The Twentieth-century Experience* (Lawrence, Kans, 1999), pp. 85-7.

60 Genoud (ed.), *The Testament of Adolf Hitler*, 108, entry for 2 Apr. 1945.

61 Ben-Ami Shillony, *Politics and Culture in Wartime Japan* (Oxford, 1981), 146.

62 David Mayers, 'Humanity in 1948: the Genocide Convention and the Universal Declaration of Human Rights', *Diplomacy & Statecraft*, 26 (2015), 464.

63 Gabriel Gorodetsky (ed.), *The Maisky Diaries: Red Ambassador to the Court of St. James's, 1932-1943* (New Haven, Conn., 2015), 244-5, entry for 12 Dec. 1939.

64 Ibid., 258-9, entry for 13 Mar. 1940.

65 Elliott Roosevelt (ed.), *The Roosevelt Letters: Volume Three, 1928-1945* (London, 1952), 290, Roosevelt to Lincoln MacVeagh, 1 Dec. 1939.

66 George Sirgiovanni, *An Undercurrent of Suspicion: AntiCommunism in America during World War II* (New Brunswick, NJ, 1990), 33-4, 36; David Mayers, 'The Great Patriotic War, FDR's embassy Moscow and US-Soviet relations', *International History Review*, 33 (2011), 306-7.

67 Roosevelt (ed.), *Roosevelt Letters*, 292-3, letter from Roosevelt to William Allen White, 14 Dec. 1939.

68 James Harris, 'Encircled by enemies: Stalin's perception of the capitalist world 1918-1941',

(2014), 794.

32 R. Buhite and D. Levy (eds.), *FDR's Fireside Chats* (Norman, Okla, 1992), 198, talk of 9 Dec. 1941.

33 Keith Feiling, *The Life of Neville Chamberlain* (London, 1946), 416.

34 Stalin, *War of National Liberation*, 30; Susan Brewer, *Why America Fights: Patriotism and War Propaganda from the Philippines to Iraq* (New York, 2009), 87.

35 Chinese Ministry of Information, *The Voice of China: Speeches of Generalissimo and Madame Chiang Kai-shek* (London, 1944), 32-3，一九四二年七月十七日向中國人民的致詞。

36 Martin Gilbert, *Finest Hour: Winston S. Churchill, 1939-1941* (London, 1983), 329-30.

37 Keith Robbins, 'Britain, 1940 and "Christian Civilisation"', in Derek Beales and Geoffrey Best (eds.), *History, Society and the Churches: Essays in Honour of Owen Chadwick* (Cambridge, 1985), 285, 294.

38 Dower, *War without Mercy*, 17.

39 Wheatley, *Total War*, 33, 54.

40 Brewer, *Why America Fights*, 88.

41 關於那個時代的焦慮，見Richard Overy, *The Morbid Age: Britain and the Crisis of Civilization* (London, 2009); Roxanne Panchasi, *Future Tense: The Culture of Anticipation in France between the Wars* (Ithaca, NY, 2009).

42 Harold Nicolson, *Why Britain is at War* (London, 1939), 135-6, 140.

43 Jacques Maritain, *De la justice politque: Notes sur la présente guerre* (Paris, 1940), 23; Hugh Dalton, *Hitler's War: Before and After* (London, 1940), 102.

44 Robbins, 'Britain, 1940 and "Christian Civilisation"', 279, 288-91; Maritain, *De la justice politique*, ch. 3, 'Le renouvellement moral'.

45 Friends House, London, Foley Papers, MS 448 2/2, 'An Appeal Addressed to All Christians', 8 Feb. 1945

46 Nicolson, *Why Britain is at War*, 132-3.

47 University Labour Federation, 'How we can end the War', Pamphlet No. 5, 1940, 4-5.

48 Penny Von Eschen, *Race against Empire: Black Americans and Anticolonialism 1937-1957* (Ithaca, NY, 1997), 31 (引自the American newspaper Courier).

49 James Sparrow, *Warfare State: World War II Americans and the Age of Big Government* (New York, 2013), 44-5; Robert Westbrook, *Why We Fought: Forging American Obligation in World War II* (Washington, DC, 2004), 40-46.

(Cambridge, Mass., 2006), 61-2.

17 Ibid., 64-5.

18 Tobias Jersak, 'Die Interaktion von Kriegsverlauf und Judenvernichtung: ein Blick auf Hitlers Strategie im Spätsommer 1941', *Historische Zeitschrift*, 268 (1999), 311-74; Bytwerk, 'The argument for genocide', 42-3; Herf, *The Jewish Enemy*, 110.

19 Helmut Sündermann, *Tagesparolen: Deutsche Presseweisungen 1939-1945. Hitlers Propaganda und Kriegführung* (Leoni am Starnberger See, 1973), 203-4.

20 Confino, *A World without Jews*, 194.

21 Sündermann, *Tagesparolen*, 255, press directive of 13 Aug. 1943.

22 Bytwerk, 'The argument for genocide', 51, 引自*Sprechabendsdienst* (evening discussion service) circular for Sept./Oct. 1944.

23 François Genoud (ed.), *The Testament of Adolf Hitler: The Hitler-Bormann Documents February-April 1945* (London, 1961), 33, 51-2, 76, entries for 1-4 Feb., 13 Feb., 18 Feb. 1945.

24 NARA, RG 238 Jackson Papers, Box 3, translation of letter from Ley to attorney Dr Pflücker, 24 Oct. 1945 (not sent).

25 Mineau, 'Himmler's ethic of duty', 63, 出自一九四四年對德國反情報局（Abwehr）軍官的演講：「鐵一般的理由是，我們必須避免錯誤地感情用事，才能打贏這場以種族延續為賭注的戰爭。」亦可見Claudia Koonz, *The Nazi Conscience* (Cambridge, Mass., 2003), 254, 265; Christopher Browning, 'The Holocaust: basis and objective of the Volksgemeinschaft ', in Martina Steber and Bernhard Gotto (eds.), *Visions of Community in Nazi Germany* (Oxford, 2014), 219-23.

26 Bytwerk, 'The argument for genocide', 49.

27 Gao Bei, *Shanghai Sanctuary: Chinese and Japanese Policy toward European Jewish Refugees during World War II* (Oxford, 2013), 20-25, 93-4, 104-7, 116-25.

28 Amedeo Guerrazzi, 'Die ideologischen Ursprünge der Judenverfolgung in Italien', in Lutz Klinkhammer and Amedeo Guerrazzi (eds.), *Die 'Achse' im Krieg: Politik, Ideologie und Kriegführung 1939-1945* (Paderborn, 2010), 437-42.

29 Simon Levis Sullam, 'The Italian executioners: revisiting the role of Italians in the Holocaust', *Journal of Genocide Research*, 19 (2017), 23-8.

30 Joseph Stalin, *The War of National Liberation* (New York, 1942), 30，一九四一年十一月六日的演說。

31 Oleg Budnitskii, 'The Great Patriotic War and Soviet society: defeatism 1941-42', *Kritika*, 15

第七章　正義與非正義的戰爭

1 Dennis Wheatley, *Total War: A Paper* (London, 1941), 17.

2 Ibid., 18, 20.

3 Davide Rodogno, *Fascism's European Empire: Italian Occupation during the Second World War* (Cambridge, 2006), 44-9.

4 F. C. Jones, *Japan's New Order in East Asia* (Oxford, 1954), 469. 這段文字譯自《三國同盟條約》德文版。原文是用英文寫成,寫的是「每個民族都有自己適當的地方」而非德文的「每個民族都應取得其應得的空間」。德文版使用「空間」一詞，使得新秩序明顯具有領土的性質。

5 Eric Johnson and KarlHeinz Reuband, *What We Knew: Terror, Mass Murder and Everyday Life in Germany* (London, 2005), 106. 也可見Nick Stargardt, *The German War: A Nation under Arms, 1939-45* (London, 2015), 15-17.

6 Rodogno, *Fascism's European Empire*, 46-50.

7 Peter Duus, 'Nagai Ryutaro and the "White Peril", 1905-1944', *Journal of Asian Studies*, 31 (1971), 41-4.

8 Sidney Paish, 'Containment, rollback and the origins of the Pacific war 1933-1941', in Kurt Piehler and Sidney Paish (eds.), *The United States and the Second World War: New Perspectives on Diplomacy, War and the Home Front* (New York, 2010), 53-5, 57-8.

9 John Dower, *War without Mercy: Race and Power in the Pacific War* (New York, 1986), 205-6.

10 BenAmi Shillony, *Politics and Culture in Wartime Japan* (Oxford, 1981), 136, 141-3.

11 Werner Maser (ed.), *Hitler's Letters and Notes* (London, 1973), 227, 307, notes for speeches 1919/20.

12 André Mineau, 'Himmler's ethic of duty: a moral approach to the Holocaust and to Germany's impending defeat', *The European Legacy*, 12 (2007), 60; Alon Confino, *A World without Jews: The Nazi Imagination from Persecution to Genocide* (New Haven, Conn., 2014), 152-3.

13 Randall Bytwerk, 'The argument for genocide in Nazi propaganda', *Quarterly Journal of Speech*, 91 (2005), 37-9; Confino, *A World without Jews*, 153-5.

14 Heinrich Winkler, *The Age of Catastrophe: A History of the West, 1914-1945* (New Haven, Conn., 2015), 87-91.

15 Randall Bytwerk, 'Believing in "inner truth": The Protocols of the Elders of Zion and Nazi propaganda 1933-1945', *Holocaust and Genocide Studies*, 29 (2005), 214, 221-2.

16 Jeffrey Herf, *The Jewish Enemy: Nazi Propaganda during World War II and the Holocaust*

Operations in World War II (Annapolis, Md, 1949), 523.

199 Hara, 'Wartime controls', in Nakamura and Odaka (eds.), *Economic History of Japan*, 271, 277; *idem*, 'Japan: guns before rice', 245.

200 Blair, *Silent Victory*, 118-19, 361.

201 Samuel Eliot Morison, *The Two-Ocean War: A Short History of the United States Navy in the Second World War* (Boston, Mass., 1963), 494-9; Blair, *Silent Victory*, 552.

202 Roscoe, *United States Submarine Operations*, 215-17.

203 USSBS, Pacific Theater, 'The Effects of Strategic Bombing', 35-42; Blair, *Silent Victory*, 816. 完整的描述見Phillips O'Brien, *How the War Was Won* (Cambridge, 2015), pp. 432-44.

204 Michael Sturma, 'Atrocities, conscience, and unrestricted warfare: US submarines during the Second World War', *War in History*, 16 (2009), 455-6; Hara, 'Wartime controls', 277.

205 Thomas Searle, '"It made a lot of sense to kill skilled workers": the firebombing of Tokyo in March 1945', *Journal of Military History*, 66 (2002), 108-12.

206 William Ralph, 'Improvised destruction: Arnold, LeMay, and the firebombing of Japan', *War in History*, 13 (2006), 502-3.

207 Searle, '"It made a lot of sense to kill skilled workers"', 119-21.

208 Conrad Crane, 'Evolution of U.S. strategic bombing of urban areas', *Historian*, 50 (1987), 36-7.

209 Ralph, 'Improvised destruction', 521-2.

210 USSBS, Pacific Theater, 'The Effects of Strategic Bombing', 205.

211 Roscoe, *United States Submarine Operations*, 453; Hara, 'Japan: guns before rice', 245; USSBS, Pacific Theater, 'The Effects of Strategic Bombing', 180-81.

212 Roscoe, *United States Submarine Operations*, 523; Hara, 'Japan: guns before rice', 245; Barrett Tillman, *Whirlwind: The Air War against Japan 1942-1945* (New York, 2010), 194-9.

213 UEA, Zuckerman Archive, SZ/BBSU/3，雷霆演習的粗略筆記，一九四七年八月十三至十六日。

214 TNA, AIR 20/2025, Casualties of RAF, Dominion and Allied Personnel at RAF Posting Disposal, 31 May 1947; AIR 22/203, War Room Manual of Bomber Command Operations 1939-1945, p. 9; US figures in Davis, *Carl A. Spaatz*, App 4, 9.

215 Hague, *Allied Convoy System*, 107; Roscoe, *United States Submarine Operations*, 523.

216 Roscoe, *United States Submarine Operations*, 493; Blair, *Silent Victory*, 877.

7; Richard Davis, *Bombing the European Axis Powers: A Historical Digest of the Combined Bomber Offensive, 1939-1945* (Maxwell, Ala, 2006), 158-61.

184 Richard Davis, *Carl A. Spaatz and the Air War in Europe* (Washington, DC, 1993), 322-6, 370-79; Williamson Murray, *Luftwaffe: Strategy for Defeat 1933-1945* (London, 1985), 215.

185 Overy, *The Bombing War*, 370-71.

186 USSBS, Oil Division Final Report, 17-26, figs. 49, 60.

187 Alfred Mierzejewski, *The Collapse of the German War Economy: Allied Air Power and the German National Railway* (Chapel Hill, NC, 1988), 191-3; AHB, German translations, vol. VII/23, 'Some Effects of the Allied Air Offensive on German Economic Life', 7 Dec. 1944, pp. 1-2 and vol. VII/38, Albert Speer to Wilhelm Keitel (OKW), 'Report on the Effects of Allied Air Activity against the Ruhr', 7 Nov. 1944.

188 LC, Spaatz Papers, Box 68, USSTAF HQ，第九航空軍對戈林的審訊，一九四五年六月一日。

189 Webster and Frankland, *Strategic Air Offensive*, iv, 469-70, 494, Appendix 49 (iii) and 49 (xxii); Rolf Wagenführ, *Die deutsche Industrie im Kriege 1939-1945* (Berlin, 1963), 178-81.

190 USSBS, Overall Report (European Theater), 25-6, 37-8, 73-4; USSBS, Oil Division Final Report, Fig. 7.

191 Sebastian Cox (ed.), *The Strategic Air War against Germany, 1939-1945: The Official Report of the British Bombing Survey Unit* (London, 1998), 94-7, 129-34, 154.

192 UEA, Zuckerman Archive, SZ/BBSU/103, Nicholas Kaldor typescript, 'The Nature of Strategic Bombing', pp. 4-6; Kaldor typescript, 'Capacity of German Industry', pp. 2-5.

193 LC, Spaatz Papers, Box 68, Galbraith memorandum, 'Preliminary Appraisal of Achievement of the Strategic Bombing of Germany', p. 2.

194 Werner Wolf, *Luftangriffe auf die deutsche Industrie, 1942-45* (Munich, 1985), 60, 74.

195 BAB, R3102/10031, Reichsministerium für Rüstung und Kriegswirtschaft, 'Vorläufige Zusammenstellung des Arbeiterstundenausfalls durch Feindeinwirkung', 4 Jan. 1945.

196 Webster and Frankland, *Strategic Air Offensive*, iv, 494-5, 501-2; Cox (ed.), *The Strategic Air War*, 97.

197 Miwa, *Japan's Economic Planning*, 240; Akira Hara, 'Japan: guns before rice', in Harrison (ed.), *The Economics of World War II*, 241-3.

198 Miyazaki and Itō, 'Transformation of industries in the war years', in Nakamura and Odaka (eds.), *Economic History of Japan*, 290-91; Theodore Roscoe, *United States Submarine*

167 這是Martin van Creveld, *Supplying War: Logistics from Wallenstein to Patton* (Cambridge, 1977), 198-200做出的結論。

168 Bragadin, *Italian Navy*, 356. 一九四一年是八萬九千五百六十三噸，一九四二年則是五萬六千兩百零九噸。

169 Vera Zamagni, 'Italy: how to win the war and lose the peace', in Harrison (ed.), *The Economics of World War II*, 188

170 Istituto centrale di statistica, *Statistiche storiche dell'Italia 1861-1975* (Rome, 1976), 117.

171 Hammond, 'British policy on total maritime warfare', 808; Christina Goulter, *Forgotten Offensive: Royal Air Force Coastal Command's AntiShipping Campaign, 1940-1945* (Abingdon, 2004), 296-8, 353.

172 Charles Webster and Noble Frankland, *The Strategic Air Offensive against Germany 1939-1945: Volume IV* (London, 1961), 99-102, 109.

173 引自Edward Westermann, *Flak: German Anti-Aircraft Defences, 1914-1945* (Lawrence, Kans, 2001), 90.

174 Webster and Frankland, *Strategic Air Offensive*, iv, 205, 'Report by Mr. Butt to Bomber Command, 18 August 1941'; Randall Wakelam, *The Science of Bombing: Operational Research in RAF Bomber Command* (Toronto, 2009), 42-6.

175 CCAC, Bufton Papers, 3/48, Review of the present strategical air offensive, 5 Apr. 1941, App. C, p. 2.

176 TNA, AIR 40/1814, memorandum by O. Lawrence (MEW), 9 May 1941.

177 Richard Overy, "The weak link"? The perception of the German working class by RAF Bomber Command, 1940-1945', *Labour History Review*, 77 (2012), 25-7.

178 RAF Museum, Hendon, Harris Papers, Misc. Box A, Folder 4, 'One Hundred Towns of Leading Economic Importance in the German War Effort', n.d.

179 Haywood Hansell, *The Air Plan that Defeated Hitler* (Atlanta, Ga, 1972), 81-3, 298-307.

180 Stephen McFarland and Wesley Newton 'The American strategic air offensive against Germany in World War II', in R. Cargill Hall (ed.), *Case Studies in Strategic Bombardment* (Washington, DC, 1998), 188-9.

181 Crane, *American Airpower Strategy*, 32-3.

182 LC, Spaatz Papers, Box 67, 'Plan for the Completion of the Combined Bomber Offensive. Annex: Prospect for Ending War by Air Attack against German Morale', 5 Mar. 1944, p. 1.

183 Friedhelm Golücke, *Schweinfurt und der strategische Luftkrieg* (Paderborn, 1980), 134, 356-

(London, 1977), 182.

150 Karl Dönitz, *Memoirs: Ten Years and Twenty Days* (London, 1959), 253, 315.

151 Smith, *Conflicts Over Convoys*, 257.

152 *Fuehrer Conferences on Naval Affairs*, 334，海軍總部與元首會議紀要，一九四三年五月三十一日。

153 Milner, *Battle of the Atlantic*, 251-3.

154 Edward Miller, *War Plan Orange: The U.S. Strategy to Defeat Japan, 1897-1945* (Annapolis, Md, 1991), 21-8.

155 Ibid., 344, 348-50.

156 Conrad Crane, *American Airpower Strategy in World War II: Bombs, Cities, Civilians and Oil* (Lawrence, Kans, 2016), 30.

157 TNA, AIR 9/8, 'Note upon the Memorandum of the Chief of the Naval Staff', May 1928.

158 William Medlicott, *The Economic Blockade: Volume I* (London, 1952), 13-16.

159 Richard Hammond, 'British policy on total maritime warfare and the anti-shipping campaign in the Mediterranean 1940-1944', *Journal of Strategic Studies*, 36 (2013), 792-4.

160 TNA, AIR 14/429, 'Air Ministry Instructions and Notes on the Rules to be Observed by the Royal Air Force in War', 17 Aug. 1939; AIR 41/5, J. M. Spaight, 'International Law of the Air 1939-1945', p. 7.

161 Joel Hayward, 'Air power, ethics and civilian immunity during the First World War and Its aftermath', *Global War Studies*, 7 (2010), 127-9; Peter Gray, 'The gloves will have to come off: a reappraisal of the legitimacy of the RAF Bomber Offensive against Germany', *Air Power Review*, 13 (2010), 13-14, 25-6.

162 Clay Blair, *Silent Victory: The U.S. Submarine War against Japan* (Philadelphia, Pa, 1975), 106.

163 Hammond, 'British policy on total maritime warfare', 796-7.

164 Jack Greene and Alessandro Massignani, *The Naval War in the Mediterranean 1940-1943* (London, 1998), 266-7; Hammond, 'British policy on total maritime warfare', 803.

165 Marc'Antonio Bragadin, *The Italian Navy in World War II* (Annapolis, Md, 1957), 245-9.

166 Ibid., 364-5; Hammond, 'British policy on total maritime warfare', 807. 軸心國在地中海的損失數字有好幾種估計結果。英國海軍部認為戰爭期間擊沉了一千五百四十四艘船，總計四百二十萬噸。見Robert Ehlers, *The Mediterranean Air War: Airpower and Allied Victory in World War II* (Lawrence, Kans, 2015), 403.

131 USSBS, Report 109, Oil Division Final Report, 25 Aug. 1945, 18-19.

132 Walther Hubatsch (ed.), *Hitlers Weisungen für die Kriegführung, 1939-1945* (Munich, 1965), 46, Weisung Nr. 9 'Richtlinien für die Kriegführung gegen die feindliche Wirtschaft', 29 Nov. 1939.

133 Ibid., 118-19, Weisung Nr. 23 'Richtlinien für die Kriegführung gegen die englische Wehrwirtschaft', 6 Feb. 1941.

134 Hague, *Allied Convoy System*, 19.

135 Sönke Neitzel, *Der Einsatz der deutschen Luftwaffe über dem Atlantik und der Nordsee 1939-1945* (Bonn, 1995), 49-50.

136 *Fuehrer Conferences on Naval Affairs, 1939-1945* (London, 1990), 285, Report on a conference between the C.inC. Navy and the Fuehrer, 15 June 1942.

137 Smith, *Conflicts Over Convoys*, 249; Hague, *Allied Convoy System*, 107-8; Edward von der Porten, *The German Navy in World War II* (London, 1969), 174-8; Stephen Roskill, *The War at Sea 1939-1945*, 4 vols. (London, 1954-61), i, 500, 603.

138 BAMA, RL2 IV/7, Otto Bechtle lecture 'Grossangriffe bei Nacht gegen Lebenszentren Englands, 12.8.1940-26.6.1941'.

139 TsAMO, Moscow, Fond 500/725168/110, Luftwaffe Operations Staff, report on British targets, 14 Jan. 1941.

140 Nicolaus von Below, *At Hitler's Side: The Memoirs of Hitler's Luftwaffe Adjutant, 1937-1945* (London, 2001), 79; *Fuehrer Conferences on Naval Affairs*, 177-8.

141 Overy, *The Bombing War*, 113-14.

142 AHB Translations, vol. 5, VII/92, 'German Aircraft Losses (West), Jan-Dec 1941.

143 Neitzel, *Einsatz der deutschen Luftwaffe*, 125.

144 David White, *Bitter Ocean: The Battle of the Atlantic 1939-1945* (New York, 2006), 297-8.

145 Hague, *Allied Convoy System*, 120.

146 Marc Milner, *Battle of the Atlantic* (Stroud, 2005), 85-9; Michael Hadley, *U-Boats against Canada: German Submarines in Canadian Waters* (Montreal, 1985), 52-5.

147 Hadley, *UBoats against Canada*, 112-13.

148 Christopher Bell, *Churchill and Sea Power* (Oxford, 2013), 259-79.

149 Hague, *Allied Convoy System*, 116; Milner, *Battle of the Atlantic*, 85-9; Jürgen Rohwer, *The Critical Convoy Battles of March 1943* (Annapolis, Md, 1977), 36; Patrick Beesly, *Very Special Intelligence: The Story of the Admiralty's Operational Intelligence Centre 1939-1945*

114 Alexander Hill, 'British Lend-Lease aid to the Soviet war effort, June 1941-June 1942', *Journal of Military History*, 71 (2007), 787-97; Zaloga, *Soviet LendLease Tanks*, 10-11, 26-7, 31-2.

115 Coombs, *British Tank Production*, 109; Robert Coakley and Richard Leighton, *Global Logistics and Strategy 1943-1945* (Washington, DC, 1968), 679.

116 John Deane, *The Strange Alliance: The Story of American Efforts at Wartime Co-Operation with Russia* (London, 1947), 84.

117 G. C. Herring, 'LendLease to Russia and the origins of the Cold War 1944-1946', *Journal of American History*, 61 (1969), 93-114.

118 Lovelace, 'Amnesia', 595-6.

119 Boris Sokolov, 'LendLease in Soviet military efforts, 1941-1945', *Journal of Slavic Military Studies*, 7 (1994), 567-8; Jerrold Schecter and Vyacheslav Luchkov (eds.), *Khrushchev Remembers: The Glasnost Tapes* (New York, 1990), 84.

120 Denis Havlat, 'Western aid for the Soviet Union during World War II: Part I', *Journal of Slavic Military Studies*, 30 (2017), 314-16; Zaloga, *Soviet LendLease Tanks*, 30.

121 Van Tuyll, *Feeding the Bear*, 156-7; Joan Beaumont, *Comrades in Arms: British Aid to Russia, 1941-1945* (London, 1980), 210-12.

122 Vorsin, 'Motor vehicle transport', 169-72.

123 Alexander Hill, 'The bear's new wheels (and tracks): US-armored and other vehicles and Soviet military effectiveness during the Great Patriotic War', *Journal of Slavic Military Studies*, 25 (2012), 214-17.

124 H. G. Davie, 'The influence of railways on military operations in the Russo-German War 1941-1945', *Journal of Slavic Military Studies*, 30 (2017), 341-3.

125 Sokolov, 'Lend-Lease', 570-81.

126 Havlat, 'Western aid', 297-8.

127 Coombs, *British Tank Production*, 122-3.

128 Neville Wylie, 'Loot, gold and tradition in the United Kingdom's financial warfare strategy 1939-1945', *International History Review*, 31 (2005), 299-328.

129 Edward Ericson, *Feeding the German Eagle: Soviet Economic Aid to Nazi Germany, 1933-1941* (Westport, Conn., 1999), 195-6.

130 見Dietrich Eichholtz, *Krieg um Öl: Ein Erdölimperium als deutsches Kriegsziel (1938-1943)* (Leipzig, 2006), 90-100.

Kingdom in the Second World War', *International History Review*, 34 (2012), 293-308.

95 Alexander Lovelace, 'Amnesia: how Russian history has viewed LendLease', *Journal of Slavic Military Studies*, 27 (2014), 593; 'second fronts' in Alexander Werth, *Russia at War, 1941-1945* (London, 1964); H. Van Tuyll, *Feeding the Bear: American Aid to the Soviet Union 1941-1945* (New York, 1989), 156-61.

96 Chief of Military History, 'Statistics: Lend-Lease', 25-34.

97 British Information Services, 'Britain's Part', 6-8; Marshall, 'The Lend-Lease operation', 184-5.

98 David Zimmerman, 'The Tizard mission and the development of the atomic bomb', *War in History*, 2 (1995), 268-70.

99 John Baylis, *Anglo-American Defence Relations 1939-1984* (New York, 1984), 4-5, 16-32; Donald Avery, 'Atomic scientific co-operation and rivalry among the Allies: the Anglo-Canadian Montreal laboratory and the Manhattan Project, 1943-1946', *War in History*, 2 (1995), 281-3, 288.

100 Smith, *Conflicts Over Convoys*, 61-7.

101 Ibid., 177-83.

102 Arnold Hague, *The Allied Convoy System 1939-1945* (London, 2000), 187.

103 V. F. Vorsin, 'Motor vehicle transport deliveries through "lendlease"', *Journal of Slavic Military Studies*, 10 (1997), 154.

104 Ibid., 155; Zaloga, *Soviet Lend-Lease Tanks*, 43.

105 British War Office, *Paiforce: The Official Story of the Persia and Iraq Command 1941-1946* (London, 1948), 97-105.

106 Ashley Jackson, *Persian Gulf Command: A History of the Second World War in Iran and Iraq* (New Haven, Conn., 2018), 297-307, 348-9.

107 Vorsin, 'Motor vehicle transport', 156-65.

108 Grieve, *American Military Mission*, 32-3, 135-8.

109 Ibid., 151-5; Edward Stettinius, *LendLease: Weapon for Victory* (London, 1944), 166-70.

110 Jay Taylor, *The Generalissimo: Chiang Kai-Shek and the Struggle for Modern China* (Cambridge, Mass., 2011), 271.

111 Coombs, *British Tank Production*, 109, 115, 125.

112 Bailey, '"An opium smoker's dream"', 294-8.

113 Chief of Military History, 'Statistics: Lend-Lease', 33-4.

79 Richard Overy, 'Co-operation: trade, aid and technology', in Kimball, Reynolds and Chubarian (eds.), *Allies at War*, 213-14.

80 Gavin Bailey, '"An opium smoker's dream": the 4000-bomber plan and Anglo-American aircraft diplomacy at the Atlantic Conference, 1941', *Journal of Transatlantic Studies*, 11 (2013), 303; Kennedy, *The American People in World War II*, 50. 關於英國的讓步，見 Cordell Hull, *The Memoirs of Cordell Hull*, 2 vols. (New York, 1948), ii, 1151-3.

81 William Grieve, *The American Military Mission to China, 1941-1942: Lend-Lease Logistics, Politics and the Tangles of Wartime Cooperation* (Jefferson, NC, 2014), 155-7.

82 J. Garry Clifford and Robert Ferrell, 'Roosevelt at the Rubicon: the great convoy debate of 1941', in Kurt Piehler and Sidney Pash (eds.), *The United States and the Second World War: New Perspectives on Diplomacy, War and the Home Front* (New York, 2010), 12-17.

83 Kevin Smith, *Conflicts Over Convoys: Anglo-American Logistics Diplomacy in the Second World War* (Cambridge, 1996), 67-9.

84 Elliott Roosevelt (ed.), *The Roosevelt Letters: Volume Three, 1928-1945* (London, 1952), 366, letter to Senator Josiah Bailey, 13 May 1941.

85 Fred Israel (ed.), *The War Diary of Breckinridge Long: Selections from the Years 1939-1944* (Lincoln, Nebr., 1966), 208.

86 Johnstone, *Against Immediate Evil*, 156-7.

87 *Foreign Relations of the United States* (FRUS), 1941, 1, pp. 769-70 and 771-2, 與蘇聯大使對話的備忘錄，一九四一年六月二十六日;史坦哈特給赫爾的信，一九四一年六月二十九日。

88 Richard Leighton and Robert Coakley, *Global Logistics and Strategy, 1940-1943* (Washington, DC, 1955), 98-102; *FRUS*, 1941, 1, pp. 815-16, Sumner Welles to Oumansky, 2 Aug. 1941.

89 Ministry of Information, *What Britain Has Done, 1939-1945*, 9 May 1945 (reissued, London, 2007), 98-9.

90 Aufricht, 'Presidential power', 74.

91 Chief of Military History, 'Statistics: Lend-Lease', 6-8.

92 轉引自Edward Stettinius in his wartime diary, *The Diaries of Edward R. Stettinius, Jr., 1943-1946* (New York, 1975), 61, entry for 19 Apr. 1943.

93 H. Duncan Hall, *North American Supply* (London, 1955), 432; British Information Services, 'Britain's Part in Lend-Lease and Mutual Aid', Apr. 1944, 3-4, 15-16.

94 Hector Mackenzie, 'Transatlantic generosity: Canada's "Billion Dollar Gift" for the United

64 德國的數字出自IWM, Reich Air Ministry records, FD 3731/45, Deliveries to neutrals and allies, May 1943-Feb. 1944; 美國的數字出自Office of Chief of Military History, 'United States Army in World War II. Statistics: Lend-Lease', 15 Dec. 1952, 33.

65 IWM, FD 3731/45, Position of deliveries to neutrals and allies, 18 June 1943, 18 Aug. 1943; Berthold Puchert, 'Deutschlands Aussenhandel im Zweiten Weltkrieg', in Dietrich Eichholtz (ed.), *Krieg und Wirtschaft: Studien zur deutschen Wirtschaftsgeschichte 1939-1945* (Berlin, 1999), 277; Rotem Kowner, 'When economics, strategy and racial ideology meet: interAxis connections in the wartime Indian Ocean', *Journal of Global History*, 12 (2017), 231-4, 235-6.

66 Richard Overy, *The Bombing War: Europe 1939-1945* (London, 2013), 515-16.

67 數字出自Combined Intelligence Objectives Sub-Committee, 'German Activities in the French Aircraft Industry', 1946, Appendix 4, pp. 79-80.

68 Jochen Vollert, *Panzerkampfwagen T34747 (r): The Soviet T-34 Tank as Beutepanzer and Panzerattrappe in German Wehrmacht Service 1941-45* (Erlangen, 2013), 16, 33-4; 美國的數字出自Office of Chief of Military History, 'Statistics: Lend-Lease', p. 25.

69 Mark Stoler, *Allies and Adversaries: The Joint Chiefs of Staff, the Grand Alliance, and U.S. Strategy in World War II* (Chapel Hill, NC, 2000), 29-30; Matthew Jones, *Britain, the United States and the Mediterranean War, 1942-44* (London, 1996), 6, 11-13.

70 Ted Morgan, *FDR: A Biography* (New York, 1985), 579; Klein, *A Call to Arms*, 134-5.

71 Warren Kimball (ed.), *Churchill & Roosevelt: The Complete Correspondence: Volume 1, Alliance Emerging* (London, 1984), 102-9, 邱吉爾給羅斯福的電報，一九四〇年十二月七日。

72 Kennedy, *The American People in World War II*, 40-42.

73 David Roll, *The Hopkins Touch: Harry Hopkins and the Forging of the Alliance to Defeat Hitler* (New York, 2013), 74-5.

74 Buhite and Levy (eds.), *FDR's Fireside Chats*, 164, 169-70.

75 John Colville, *The Fringes of Power: The Downing Street Diaries, 1939-1955* (London, 1986), 331-2, entry for 11 Jan. 1941.

76 Andrew Johnstone, *Against Immediate Evil: American Internationalism and the Four Freedoms on the Eve of World War II* (Ithaca, NY, 2014), 116-21; Morgan, *FDR*, 580-81.

77 Kennedy, *The American People in World War II*, 45-6.

78 Hans Aufricht, 'Presidential power to regulate commerce and LendLease transactions', *Journal of Politics*, 6 (1944), 66-7, 71.

52 Müller, 'Speers Rüstungspolitik', 373-7.

53 Dieter Eichholtz, *Geschichte der deutschen Kriegswirtschaft 1939-1945: Band II: Teil II: 1941-1943* (Munich, 1999), 314-15; IWM, Speer Collection, Box 368, Report 90 V, 'Rationalization in the Components Industry', p. 34.

54 IWM, EDS, Mi 14/133, Oberkommando des Heeres, 'Studie über die Rüstung 1944', 25 Jan. 1944.

55 IWM, EDS AL/1746, Saur interrogation, 10 Aug. 1945, p. 6; 也可見Daniel Uziel, *Arming the Luftwaffe: The German Aviation Industry in World War II* (Jefferson, NC, 2012), 85-90.

56 Lutz Budrass, Jonas Scherner and Jochen Streb, 'Fixedprice contracts, learning, and outsourcing: explaining the continuous growth of output and labour productivity in the German aircraft industry during the Second World War', *Economic History Review*, 63 (2010), 124.

57 Eichholtz, *Geschichte der deutschen Kriegswirtschaft: Band II*, 265. 這是根據帝國統計局建立的官方指數所估計的數字。美國戰略轟炸調查團估計在同一時期，德國金屬加工產業的人均產出增加了百分之四十八。調查團的數字出自 'Industrial Sales, Output and Productivity Prewar Area of Germany 1939-1944', 15 Mar. 1946, pp. 21-2, 65. 也可見Adam Tooze, 'No room for miracles: German output in World War II reassessed', *Geschichte & Gesellschaft*, 31 (2005), 50-53.

58 Willi Boelcke, 'Stimulation und Verhalten von Unternehmen der deutschen Luftrüstungsindustrie während der Aufrüstungs- und Kriegsphase', in Horst Boog (ed.), *Luftkriegführung im Zweiten Weltkrieg* (Herford, 1993), 103-4.

59 Hermione Giffard, 'Engines of desperation: jet engines, production and new weapons in the Third Reich', *Journal of Contemporary History*, 48 (2013), 822-5, 830-37.

60 Uziel, *Arming the Luftwaffe*, 259-61. 關於研究社群的孤立問題，見Helmut Trischler, 'Die Luftfahrtforschung im Dritten Reich: Organisation, Steuerung und Effizienz im Zeichen von Aufrüstung und Krieg', in Boog (ed.), *Luftkriegführung*, 225-6.

61 W. Averell Harriman and Elie Abel, *Special Envoy to Churchill and Stalin, 1941-1945* (London, 1945), 90-91.

62 David Reynolds and Vladimir Pechatnov (eds.), *The Kremlin Letters: Stalin's Wartime Correspondence with Churchill and Roosevelt* (New Haven, Conn., 2018), 62-3, Stalin to Roosevelt, 7 Nov. 1941.

63 Charles Marshall, 'The Lend-Lease operation', *Annals of the American Academy of Political and Social Science*, 225 (1943), 187.

War II, 79; David Kennedy, *The American People in World War II* (New York, 1999), 225-8.

38 Hermione Giffard, *Making Jet Engines in World War II: Britain, Germany and the United States* (Chicago, Ill., 2016), 37-41.

39 Steven Zaloga, *Armored Thunderbolt: The U.S. Army Sherman in World War II* (Mechanicsburg, Pa, 2008), 43-5, 289-90; David Johnson, *Fast Tanks and Heavy Bombers: Innovation in the U.S. Army 1917-1945* (Ithaca, NY, 1998), 189-97.

40 Overy, *War and Economy in the Third Reich*, 259-61; USSBS, 'Overall Report: European Theater', Sept. 1945, 31.

41 IWM, Speer Collection, FD 5445/45, OKW Kriegswirtschaftlicher Lagebericht, 1 Dec. 1939; EDS, Mi 14/521 (part 1), Heereswaffenamt, 'Munitionslieferung im Weltkrieg'; BA-MA, Wi I F 5.412, 'Aktenvermerk über Besprechung am 11 Dez. 1939 im Reichskanzlei'.

42 IWM, Speer Collection, Box 368, Report 54，對史佩爾的審訊，一九四五年七月十三日。

43 關於勞工，見 IWM, FD 3056/49, 'Statistical Material on the German Manpower Position during the War Period 1939-1944', 31 July 1945, Table 7. 一九三九年，比例是百分之二十八點六，一九四〇年是百分六十二點三，一九四一年是百分之六十八點八，一九四二年是百分之七十點四。這些數字在每年五月三十一日公布。

44 NARA, RG 243, entry 32, USSBS Interrogation of Dr Karl Hettlage, 16 June 1945, p. 9.

45 Hugh Trevor-Roper (ed.), *Hitler's Table Talk 1941-44* (London, 1973), 633.

46 IWM, Speer Collection, Box 368, Report 83, 'Relationship between the Ministry and the Army Armaments Office', Oct. 1945. 史佩爾認為，參謀本部「對於科技與經濟事務一竅不通」。

47 IWM, Speer Collection, Box 368, Report 90 I，對紹爾的審訊，一九四五年六月十六日，頁4。

48 Lutz Budrass, *Flugzeugindustrie und Luftrüstung in Deutschland 1918-1945* (Düsseldorf, 1998), 742-6; Rolf-Dieter Müller, 'Speers Rüstungspolitik im totalen Krieg: Zum Beitrag der modernen Militärgeschichte im Diskurs mit der Sozial-und Wirtschaftsgeschichte', *Militärgeschichtliche Zeitschrift*, 59 (2000), 356-62.

49 IWM, Speer Collection, Box 368, Report 90 IV, 'Rationalization of the Munitions Industry', p. 44.

50 IWM, Speer Collection, Box 368, Report 85 II, p. 4.（粗體字為原文所加。）

51 Lotte Zumpe, *Wirtschaft und Staat in Deutschland: Band I, 1933 bis 1945* (Berlin, 1980), 341-2; Müller, 'Speers Rüstungspolitik', 367-71.

B. Holley, *Buying Aircraft: Material Procurement for the Army Air Forces* (Washington, DC, 1964), 560.

26 Maury Klein, *A Call to Arms: Mobilizing America for World War II* (New York, 2013), 252-4.

27 S. R. Lieberman, 'Crisis management in the USSR: the wartime system of administration and control', in Susan Linz (ed.), *The Impact of World War II on the Soviet Union* (Totowa, NJ, 1985), 60-61.

28 F. Kagan, 'The evacuation of Soviet industry in the wake of Barbarossa: a key to Soviet victory', *Journal of Slavic Military History*, 8 (1995), 389-406; G. A. Kumanev, 'The Soviet economy and the 1941 evacuation', in Joseph Wieczynski (ed.), *Operation Barbarossa: The German Attack on the Soviet Union, June 22 1941* (Salt Lake City, Utah, 1992), 161-81.

29 Lennart Samuelson, *Tankograd: The Formation of a Soviet Company Town: Cheliabinsk 1900s to 1950s* (Basingstoke, 2011), 196-204.

30 Mark Harrison, 'The Soviet Union: the defeated victor', in idem (ed.), *The Economics of World War II: Six Great Powers in International Comparison* (Cambridge, 1998), 285-6; Mark Harrison, *Accounting for War: Soviet Production, Employment and the Defence Burden 1940-1945* (Cambridge, 1996), 81-5, 101.

31 Hugh Rockoff, *America's Economic Way of War* (Cambridge, 2012), 183-8; Theodore Wilson, 'The United States: Leviathan', in Warren Kimball, David Reynolds and Alexander Chubarian (eds.), *Allies at War: The Soviet, American and British Experience 1939-1945* (New York, 1994), 175-7, 188.

32 Alan Clive, *State of War: Michigan in World War II* (Ann Arbor, Mich., 1979), 25.

33 Craven and Cate, *Army Air Forces, Volume VI*, 339.

34 好的例子見Jacob Meulen, *The Politics of Aircraft: Building an American Military Industry* (Lawrence, Kans, 1991), 182-220.

35 Allen Nevins and Frank Hill, *Ford: Decline and Rebirth 1933-1961* (New York, 1961), 226; Francis Walton, *Miracle of World War II: How American Industry Made Victory Possible* (New York, 1956), 559; Clive, *State of War*, 22.

36 *U. S. Navy at War: 1941-1945. Official Reports to Secretary of the Navy by Fleet Admiral Ernest J. King* (Washington, DC, 1946), 252-84.

37 Kevin Starr, *Embattled Dreams: California in War and Peace 1940-1950* (New York, 2002), 145-9; Frederic Lane, *Ships for Victory: A History of Shipbuilding under the U.S. Maritime Commission in World War II* (Baltimore, Md, 1951), 53-4, 224ff.; Walton, *Miracle of World*

11 IWM, Speer Collection, Box 368, Report 90 IV, 'Rationalization of the Munitions Industry', p. 4.

12 Yoshiro Miwa, *Japan's Economic Planning and Mobilization in Wartime: The Competence of the State* (New York, 2016), 413-15.

13 John Guilmartin, 'The Aircraft that Decided World War II: Aeronautical Engineering and Grand Strategy', 44th Harmon Memorial Lecture, United States Air Force Academy, 2001, pp. 17, 22.

14 Zeitlin, 'Flexibility and mass production', 53-5, 59-61; John Rae, *Climb to Greatness: The American Aircraft Industry 1920-1960* (Cambridge, Mass., 1968), 147-9; Wesley Craven and James Cate, *The Army Air Forces in World War II: Volume VI, Men and Planes* (Chicago, Ill., 1955), 217-20, 335-6.

15 Benjamin Coombs, *British Tank Production and the War Economy 1934-1945* (London, 2013), 91-3, 102.

16 Steven Zaloga, *Soviet Lend-Lease Tanks of World War II* (Oxford, 2017), 31-2.

17 Boris Kavalerchik, 'Once again about the T-34', *Journal of Slavic Military Studies*, 28 (2015), 192-5.

18 Joshua Howard, *Workers at War: Labor in China's Arsenals, 1937-1953* (Stanford, Calif., 2004), 51-5.

19 Ibid., 64-73.

20 USSBS, Pacific Theater, 'The Effects of Strategic Bombing on Japan's War Economy, Over-All Economic Effects Division', Dec. 1946, p. 221.

21 Ibid., pp. 220-22.

22 Tetsuji Okazaki, 'The supplier network and aircraft production in wartime Japan', *Economic History Review*, 64 (2011), 974-9, 984-5.

23 Akira Hara, 'Wartime controls', in Takafusa Nakamura and Kōnosuke Odaka (eds.), *Economic History of Japan 1914-1955* (Oxford, 1999), 273-4.

24 Miwa, *Japan's Economic Planning*, 422-3, 426-7; Masayasu Miyazaki and Osamu Itō, 'Transformation of industries in the war years', in Nakamura and Odaka (eds.), *Economic History of Japan*, 289-92.

25 Bernd Martin, 'Japans Kriegswirtschaft 1941-1945', in Friedrich Forstmeier and HansErich Volkmann (eds.), *Kriegswirtschaft und Rüstung 1939-1945* (Düsseldorf, 1977), 274-8; Jerome Cohen, *Japan's Economy in War and Reconstruction* (Minneapolis, Minn., 1949), 219; Irving

199 French, *Raising Churchill's Army*, 5.

200 Andrei Grinev, 'The evaluation of the military qualities of the Red Army in 1941-1945 by German memoirs and analytic materials', *Journal of Slavic Military Studies*, 29 (2016), 228-32.

201 John Cushman, 'Challenge and response at the operational and tactical levels, 1914-45', in Millett and Murray (eds.), *Military Effectiveness*, iii, 328-31; Richard Carrier, 'Some reflections on the fighting power of the Italian Army', *War in History*, 22 (2015), 193-210; French, *Raising Churchill's Army*, 4-10.

第六章　經濟戰與戰時經濟

1 Russell Buhite and David Levy (eds.), *FDR's Fireside Chats* (Norman, Okla, 1992), 172.

2 IWM, EDS Mi 14/433 (file 2), Der Führer, 'Vereinfachung und Leistungssteigerung unserer Rüstungsproduktion', 3 Dec. 1941, p. 1.

3 Jeffery Underwood, *Wings of Democracy: The Influence of Air Power on the Roosevelt Administration 1933-1941* (College Station, Tex., 1991), 155. 羅斯福還希望陸軍與海軍的航空兵力達到五萬架。

4 IWM, EDS Mi 14/463 (file 3), OKW 'Aktenvermerk über die Besprechung bei Chef OKW, Reichskanzler, 19 Mai 1941', pp. 2-3.

5 IWM, Speer Collection, Box 368, Report 901, 'The Rationalisation of the German Armaments Industry', p. 8.

6 Rüdiger Hachtmann, 'Fordism and unfree labour: aspects of the work deployment of concentration camp prisoners in German industry between 1941 and 1944', *International Review of Social History*, 55 (2010), 501. 關於這個問題的通論性討論，見Richard Overy, *War and Economy in the Third Reich* (Oxford, 1994), ch. 11.

7 Charles Maier, 'Between Taylorism and technocracy: European ideologies and the vision of industrial productivity in the 1920s', *Journal of Contemporary History*, 5 (1970), 33-5, 45-6.

8 Jonathan Zeitlin, 'Flexibility and mass production at war: aircraft manufacturers in Britain, the United States, and Germany 1939-1945', *Technology and Culture*, 36 (1995), 57.

9 Irving B. Holley, 'A Detroit dream of massproduced fighter aircraft: the XP75 fiasco', *Technology and Culture*, 28 (1987), 580-82, 585-91.

10 Alec Cairncross, *Planning in Wartime: Aircraft Production in Britain, Germany and the USA* (London, 1991), xv.

2004), 565-6.

180 Howard, *Strategic Deception*, 122.

181 Ibid., 122, 132.

182 Ibid. 186-93; T. L. Cubbage, 'The German misapprehensions regarding Overlord: understanding failure in estimative process', in Handel (ed.), *Strategic and Operational Deception*, 115-18.

183 David Glantz, 'The Red mask: the nature and legacy of Soviet military deception in the Second World War', in Handel (ed.), *Strategic and Operational Deception*, 175-81, 189.

184 Hill, *The Red Army*, 399-400; Glantz, 'Red mask', 204-5.

185 Glantz, 'Red mask', 206-9; Kahn, *Hitler's Spies*, 437-9.

186 David Glantz, *Soviet Military Deception in the Second World War* (London, 1989), 152-3; Hill, *The Red Army*, 444-5.

187 Kahn, *Hitler's Spies*, 440-41.

188 Jonathan House and David Glantz, *When Titans Clashed: How the Red Army Stopped Hitler* (Lawrence, Kans, 1995), 205-6.

189 Katherine Herbig, 'American strategic deception in the Pacific', in Handel (ed.), *Strategic and Operational Deception*, 260-75; Holt, *The Deceivers*, 730-43.

190 Cruickshank, *Deception*, 214-15; Handel, 'Introduction', 50-52.

191 Glantz, 'Red mask', 192, 233-8.

192 Louis Yelle, 'The learning curve: historical review and comprehensive survey', *Decision Sciences*, 10 (1979), 302-12.

193 Hone, *Learning War*, 3.

194 Glantz, *Colossus Reborn*, 123-41.

195 見David French, *Raising Churchill's Army: The British Army and the War against Germany 1919-1945* (Oxford, 2000), 212-35對英國沙漠戰役缺乏效率的描述。

196 Patrick Rose, 'Allies at war: British and US Army command culture in the Italian campaign, 1943-1944', *Journal of Strategic Studies*, 36 (2013), 47-54. 也可見 L. P. Devine, *The British Way of Warfare in Northwest Europe, 1944-5* (London, 2016), 178-82.

197 Douglas Ford, 'US assessments of Japanese ground warfare tactics and the army's campaigns in the Pacific theatres, 1943-1945: lessons learned and methods applied', *War in History*, 16 (2009), 330-34, 341-8.

198 Rose, 'Allies at war', 65.

157 Brian Villa and Timothy Wilford, 'Signals intelligence and Pearl Harbor: the state of the question', *Intelligence and National Security*, 21 (2006), 521-2, 547-8.

158 Edward Van Der Rhoer, *Deadly Magic: Communications Intelligence in World War II in the Pacific* (London, 1978), 11-13, 49, 138-46; Stephen Budiansky, *Battle of Wits: The Complete Story of Codebreaking in World War II* (London, 2000), 320-23.

159 Kotani, *Japanese Intelligence*, 122.

160 Kahn, *Hitler's Spies*, 204-6.

161 Budiansky, *Battle of Wits*, 319-22.

162 Patrick Wilkinson, 'Italian naval decrypts', in Hinsley and Stripp (eds.), *Code Breakers*, 61-4.

163 F. H. Hinsley, 'The Influence of Ultra', in Hinsley and Stripp (eds.), *Code Breakers*, 4-5.

164 Jack Copeland, 'The German tunny machine', in *idem* (ed.), *Colossus: The Secrets of Bletchley Park's Codebreaking Computers* (Oxford, 2006), 39-42.

165 Thomas Flowers, 'D-Day at Bletchley Park', in Copeland (ed.), *Colossus*, 80-81.

166 Hinsley, 'Introduction to FISH', 141-7.

167 F. H. Hinsley et al., *British Intelligence in the Second World War: Volume 3, Part 2* (London, 1988), 778-80; David Kenyon, *Bletchley Park and DDay* (New Haven, Conn., 2019), 246.

168 Michael Howard, *Strategic Deception in the Second World War* (London, 1990).

169 Rick Stroud, *The Phantom Army of Alamein* (London, 2012), 23-8.

170 Charles Cruickshank, *Deception in World War II* (Oxford, 1981), 4-5.

171 Michael Handel, 'Introduction: strategic and operational deception in historical perspective', in *idem* (ed.), *Strategic and Operational Deception in the Second World War* (London, 1987), 15-19.

172 Howard, *Strategic Deception*, 23-8.

173 Stroud, *Phantom Army*, 80-86; Cruickshank, *Deception*, 20-21.

174 Niall Barr, *Pendulum of War: The Three Battles of El Alamein* (London, 2004), 299-301; Cruickshank, *Deception*, 26-33; Stroud, *Phantom Army*, 193-7, 212-18.

175 John Campbell, 'Operation Starkey 1943: "a piece of harmless playacting"?', in Handel (ed.), *Strategic and Operational Deception*, 92-7.

176 Howard, *Strategic Deception*, 104-5.

177 Campbell, 'Operation Starkey', 106-7.

178 Handel, 'Introduction', 60.

179 Thaddeus Holt, *The Deceivers: Allied Military Deception in the Second World War* (London,

140 Sebastian Cox, ‘A comparative analysis of RAF and Luftwaffe intelligence in the Battle of Britain, 1940’, *Intelligence and National Security*, 5 (1990), 426.

141 關於這種任由蘇聯予取予求的關係的完整描述，見Bradley Smith, *Sharing Secrets with Stalin: How the Allies Traded Intelligence 1941-1945*(Lawrence, Kans, 1996).

142 Douglas Ford, ‘Informing airmen? The US Army Air Forces’ intelligence on Japanese fighter tactics in the Pacific theatre, 1941-5’, *International History Review*, 34 (2012), 726-9.

143 Wilfred J. Holmes, *DoubleEdged Secrets: U.S. Naval Intelligence Operations in the Pacific War During World War II* (Annapolis, Md, 1979), 150-53; Karl Abt, *A Few Who Made a Difference: The World War II Teams of the Military Intelligence Service* (New York, 2004), 3-4.

144 David Glantz, *The Role of Intelligence in Soviet Military Strategy in World War II* (Novata, Calif., 1990), 109-12, 219-20.

145 Valerii Zamulin, ‘On the role of Soviet intelligence during the preparation of the Red Army for the summer campaign of 1943’, *Journal of Slavic Military Studies*, 32 (2019), 246, 253.

146 Alan Stripp, *Codebreaker in the Far East* (Oxford, 1989), 117-18.

147 W. Jock Gardner, *Decoding History: The Battle of the Atlantic and Ultra* (London, 1999), 137-9.

148 Hinsley, ‘Introduction to FISH’, 146-7.

149 Hilary Footitt, ‘Another missing dimension? Foreign languages in World War II intelligence’, *Intelligence and National Security*, 25 (2010), 272-82.

150 James McNaughton, *Nisei Linguists: Japanese Americans in the Military Intelligence Service during World War II* (Washington, DC, 2006), 18-23, 328-9, 331.

151 Roger Dingman, ‘Language at war: U.S. Marine Corps Japanese language officers in the Pacific war’, *Journal of Military History*, 68 (2004), 854-69.

152 Kahn, *Hitler's Spies*, 203-4.

153 Footitt, ‘Another missing dimension?’, 272.

154 Stripp, *Codebreaker,* 65-6.

155 Arthur Bonsall, ‘Bletchley Park and the RAF “Y” Service: some recollections’, *Intelligence and National Security*, 23 (2008), 828-32; Puri, ‘The role of intelligence in deciding the Battle of Britain’, 430-32; Cox, ‘A comparative analysis of RAF and Luftwaffe intelligence’, 432.

156 Ralph Erskine, ‘Naval Enigma: a missing link’, *International Journal of Intelligence and Counterintelligence*, 3 (1989), 494-504; Gardner, Decoding History, 126-31; Bray (ed.), *Ultra in the Atlantic*, xiv-xx, 19-24.

123 Watson, *Radar Origins Worldwide*, 142-7, 157-8; Russell Burns, 'The background to the development of the cavity magnetron', in Burns (ed.), *Radar Development*, 268-79.

124 Chris Eldridge, 'Electronic eyes for the Allies: Anglo-American cooperation on radar development during World War II', *History & Technology*, 17 (2000), 11-13.

125 Brown, *A Radar History*, 398-402; Watson, *Radar Origins Worldwide*, 210-12; Eldridge, 'Electronic eyes for the Allies', 16.

126 Edward Bowen, 'The Tizard Mission to the USA and Canada', in Burns (ed.), *Radar Development*, 306; Brown, *A Radar History*, 402-5; Guy Hartcup, *The Effect of Science on the Second World War* (Basingstoke, 2000), 39-43.

127 Trent Hone, *Learning War: The Evolution of Fighting Doctrine in the U.S. Navy, 1898-1945* (Annapolis, Md, 2018), 206-14; Watson, *Radar Origins Worldwide*, 167-9, 185-6, 208-10; Joint Board on Scientific Information, Radar, 20-21, 40-41; Brown, *A Radar History*, 368-70.

128 Watson, *Radar Origins Worldwide*, 250-60; Kummritz, 'German radar development', 222-6.

129 Nakajima, 'History of Japanese radar development', 244-52, 255-6.

130 Brown, *A Radar History*, 424-5.

131 Joint Board on Scientific Information, *Radar*, 44; Watson, *Radar Origins Worldwide*, 223.

132 Carl Boyd, 'U.S. Navy radio intelligence during the Second World War and the sinking of the Japanese submarine I52', *Journal of Military History*, 63 (1999), 340-54.

133 David Kahn, *Hitler's Spies: German Military Intelligence in World War II* (New York, 1978), 210.

134 關於照片偵察的重要性，相關討論見Taylor Downing, *Spies in the Sky: The Secret Battle for Aerial Intelligence in World War II*(London, 2011), 327-34.

135 Jeffrey Bray (ed.), *Ultra in the Atlantic: Volume 1: Allied Communication Intelligence* (Laguna Hills, Calif., 1994), 19; F. H. Hinsley, 'An introduction to FISH', in F. H. Hinsley and Alan Stripp (eds.), *Code Breakers: The Inside Story of Bletchley Park* (Oxford, 1993), 144.

136 John Chapman, 'Japanese intelligence 1919-1945: a suitable case for treatment', in Christopher Andrew and Jeremy Noakes (eds.), *Intelligence and International Relations 1900-1945* (Exeter, 1987), 147, 155-6.

137 Ken Kotani, *Japanese Intelligence in World War II* (Oxford, 2009), 122, 140, 161-2.

138 Samir Puri, 'The role of intelligence in deciding the Battle of Britain', *Intelligence and National Security*, 21 (2006), 420-21.

139 Downing, *Spies in the Sky*, 337-9.

(ed.), *Case Studies in Close Air Support*, 254-6, 265, 271-2; Hallion, *Strike from the Sky*, 181, 199.

107 Raymond Watson, *Radar Origins Worldwide: History of Its Evolution in 13 Nations through World War II* (Bloomington, Ind., 2009), 43-6.

108 Ibid., 115-25, 233-41; H. Kummritz, 'German radar development up to 1945', in Russell Burns (ed.), *Radar Development to 1945* (London, 1988), 209-12.

109 John Erickson, 'The air defence problem and the Soviet radar programme 1934/5-1945', ibid., 229-31; Watson, *Radar Origins Worldwide*, 280-87.

110 Louis Brown, *A Radar History of World War II: Technical and Military Imperatives* (London, 1999), 87-9.

111 Watson, *Radar Origins Worldwide*, 319-20; Shigeru Nakajima, 'The history of Japanese radar development to 1945', in Burns (ed.), *Radar Development*, 243-58.

112 Watson, *Radar Origins Worldwide*, 342-5; M. Calamia and R. Palandri, 'The history of the Italian radio detector telemetro', in Burns (ed.), *Radar Development*, 97-105.

113 Colin Dobinson, *Building Radar: Forging Britain's Early Warning Chain, 1935-1945* (London, 2010), 302-5, 318.

114 Wesley Craven and James Cate, *The Army Air Forces in World War II: Volume 6, Men and Planes* (Chicago, Ill., 1955), 82-5, 89, 96-8.

115 Ibid., 103-4.

116 Takuma Melber, *Pearl Harbor: Japans Angriff und der Kriegseintritt der USA* (Munich, 2016), 129-30.

117 G. Muller and H. Bosse, 'German primary radar for airborne and ground-based surveillance', in Burns (ed.), *Radar Development*, 200-208; Watson, *Radar Origins Worldwide*, 236-41; Kummritz, 'German radar development', 211-17.

118 Alfred Price, *Instruments of Darkness: The History of Electronic Warfare, 1939-1945* (London, 2005), 55-9.

119 Alan Cook, 'Shipborne radar in World War II: some recollections', *Notes and Records of the Royal Society*, 58 (2004), 295-7.

120 Watson, *Radar Origins Worldwide*, 73-85.

121 Ibid., 236-8; Kummritz, 'German radar development', 211, 219-22.

122 Watson, *Radar Origins Worldwide*, 115-29; Joint Board on Scientific Information, *Radar*, 19-22, 26-7.

88 Riccardo Niccoli, *Befehlspanzer: German Command, Control and Observation Armored Combat Vehicles in World War Two* (Novara, 2014), 2-6, 88.

89 Karl Larew, 'From pigeons to crystals: the development of radio communications in U.S. Army tanks in World War II', *The Historian*, 67 (2005), 665-6; Gunsburg, 'The battle of the Belgian Plain', 242-3.

90 Wolfgang Schneider, *Panzer Tactics: German Small-Unit Armor Tactics in World War II* (Mechanicsburg, Pa, 2000), 186-91.

91 Richard Thompson, *Crystal Clear: The Struggle for Reliable Communications Technology in World War II* (Hoboken, NJ, 2012), 5-6; Simon Godfrey, *British Army Communications in the Second World War* (London, 2013), 6-12.

92 Rottman and Takizawa, *World War II Japanese Tank Tactics*, 27-8.

93 Thompson, *Crystal Clear*, 13-14, 20-22

94 Ibid., pp. 145-57.

95 Zaloga, *Armored Thunderbolt*, 151-3.

96 Godfrey, *British Army Communications*, 233; Gordon Rottman, *World War II Battlefield Communications* (Oxford, 2010), 29-30, 35-6; Anthony Davies, 'British Army battlefield radios of the 1940s', *Proceedings of the International Conference on Applied Electronics*, 2009, 2-4.

97 USMC Command and Staff College, 'Tarawa to Okinawa', 14-15.

98 Godfrey, *British Army Communications*, 12-13, 144; Thompson, Crystal Clear, 51-2.

99 Thompson, *Crystal Clear*, 163-7; Larew, 'From pigeons to crystals', 675-7.

100 Williamson Murray, 'The Luftwaffe experience, 1939-1941', in Cooling (ed.), *Case Studies in Close Air Support*, 79, 83, 98; Hermann Plocher, *The German Air Force Versus Russia, 1943* (New York, 1967), 263-4.

101 Smathers, '"We never talk about that now"', 33-6, 42-3.

102 Robert Ehlers, *The Mediterranean Air War: Air Power and Allied Victory in World War II* (Lawrence, Kans, 2015), 103, 186; Hallion, *Strike from the Sky*, 154.

103 Hardesty and Grinberg, *Red Phoenix Rising*, 121, 129-31, 147-9, 257-8; Whiting, 'Soviet air-ground coordination', 130-34, 139-40; Hallion, *Strike from the Sky*, 241-2, 183.

104 Hallion, *Strike from the Sky*, 165.

105 Thompson, *Crystal Clear*, 49-52.

106 Bechthold, 'A question of success', 831-2; W. Jacobs, 'The battle for France, 1944', in Cooling

68 Lorelli, *To Foreign Shores*, 58-9; Symonds, *Operation Neptune*, 75-6.

69 USMC Command and Staff College paper, 'Tarawa to Okinawa: The Evolution of Amphibious Operations in the Pacific during World War II', 9.

70 Ibid., 9-11, 17-20; Lorelli, *To Foreign Shores*, 162-76; Hough, *The Island War*, 132-8.

71 USMC Command and Staff College, 'Tarawa to Okinawa', 14-25; Lorelli, *To Foreign Shores*, 178-81.

72 Hough, *The Island War*, 215-16; USMC Command and Staff College, 'Tarawa to Okinawa', 11-12.

73 Lorelli, *To Foreign Shores*, 307-13.

74 Frederick Morgan, *Overture to Overlord* (London, 1950), 146-8.

75 Lorelli, *To Foreign Shores*, 63.

76 Ibid., 71-9; *Symonds, Operation Neptune*, 88-91.

77 Robert Coakley and Richard Leighton, *Global Logistics and Strategy: Volume 2, 1943-1945* (Washington, DC, 1968), appendix D3, 836, appendix D-5, 838; Dwight D. Eisenhower, *Report by the Supreme Commander to the Combined Chiefs of Staff* (London, 1946), 16.

78 Coakley and Leighton, *Global Logistics*, 805-7, 829; Symonds, *Operation Neptune*, 163-4.

79 Coakley and Leighton, *Global Logistics*, 309-11, 348-50, 829; Lorelli, *To Foreign Shores*, 215-16, 222.

80 Symonds, *Operation Neptune*, 196-210, 220-21; Lorelli, *To Foreign Shores*, 215-22.

81 British Air Ministry, *Rise and Fall of the German Air Force 1919-1945* (Poole, 1983; orig. publ. 1947), 323-5, 327-32.

82 Friedrich Ruge. 'The invasion of Normandy', in Hans-Adolf Jacobsen and Jürgen Rohwer (eds.), *Decisive Battles of World War II: The German View* (London, 1965), 336, 342-3; Royal Navy Historical Branch, Battle Summary No. 39, *Operation Neptune* (London, 1994), 132; British Air Ministry, *Rise and Fall of the German Air Force*, 329.

83 Symonds, *Operation Neptune*, 256-7.

84 Ibid., 291-9.

85 Eisenhower, *Report by the Supreme Commander*, 32. Hitler's directive in Hugh TrevorRoper (ed.), *Hitler's War Directives 1939-1945* (London, 1964), 220, Directive 51, 3 Nov. 1943.

86 Joint Board on Scientific Information, *Radar: A Report on Science at War* (Washington, DC, 1945), 1.

87 Citino, *The Path to Blitzkrieg*, 208-11; Pöhlmann, *Der Panzer*, 269.

Md, 1991), 115-19; John Lorelli, *To Foreign Shores: U.S. Amphibious Operations in World War II* (Annapolis, Md, 1995), 10-11.

55 Allan Millett, 'Assault from the sea: the development of amphibious warfare between the wars - the American, British, and Japanese experiences', in Allan Millett and Williamson Murray (eds.), *Military Innovation in the Interwar Period* (Cambridge, 1996), 71-4; Lorelli, *To Foreign Shores*, 13-14; Miller, *War Plan Orange*, 174. 關於埃利斯的命運，見John Reber, 'Pete Ellis: Amphibious warfare prophet', in Merrill Bartlett (ed.), *Assault from the Sea: Essays on the History of Amphibious Warfare* (Annapolis, Md, 1983), 157-8.

56 Hans von Lehmann, 'Japanese landing operations in World War II', in Bartlett (ed.), *Assault from the Sea*, 197-8;Millett, 'Assault from the sea', 65-9.

57 Lehmann, 'Japanese landing operations', 198; Millett, 'Assault from the sea', 81-2.

58 David Ulbrich, *Preparing for Victory: Thomas Holcomb and the Making of the Modern Marine Corps, 1936-1943* (Annapolis, Md, 2011), 95, 187-8.

59 Millett, 'Assault from the sea', 59-60, 78-9.

60 TsAMO, Sonderarchiv, f.500, o. 957972, d. 1419, Army commanderin-chief, von Brauchitsch, 'Anweisung für die Vorbereitung des Unternehmens "Seelöwe"', 30 Aug. 1940, pp. 2-5, Anlage 1; OKH, general staff memorandum 'Seelöwe', 30 July 1940, p. 4. 也可見Frank Davis, 'Sea Lion: the German plan to invade Britain, 1940', in Bartlett (ed.), *Assault from the Sea*, 228-35.

61 Renzo de Felice (ed.), *Galeazzo Ciano: Diario 1937-1943* (Milan, 1990), 661, entry for 26 May 1942.

62 IWM, Italian Series, Box 22, E2568, 'Esigenza "C.3" per l'occupazione dell'isola di Malta', pp. 25-7; 也可見Mariano Gabriele, 'L'operazione "C.3" (1942)', in Romain Rainero and Antonello Biagini (eds.), *Italia in guerra: Il terzo anno, 1942* (Rome, 1993), 409 ff.

63 Alan Warren, *Singapore: Britain's Greatest Defeat* (London, 2002), 60-64, 221-32.

64 Ulbrich, *Preparing for Victory*, xiii, 123; Robert Heinl, 'The U.S. Marine Corps: author of modern amphibious warfare', in Bartlett (ed.), *Assault from the Sea*, 187-90.

65 Craig Symonds, *Operation Neptune: The DDay Landings and the Allied Invasion of Europe* (New York, 2014), 149-52; Ulbrich, *Preparing for Victory*, 61-2, 84; Frank Hough, *The Island War: The United States Marine Corps in the Pacific* (Philadelphia, Pa, 1947), 212-15.

66 Lorelli, *To Foreign Shores*, 38, 49; Hough, *The Island War*, 36.

67 Lorelli, *To Foreign Shores*, 53-6; Ulbrich, *Preparing for Victory*, 130-32, 138-9.

(Westport, Conn., 2007), 30-42.

38 斯萊塞的評論見Peter Smith, Impact: The Dive Bomber Pilots Speak (London, 1981), 34; TNA, AIR 9/99, 'Appreciation of the Employment of the British Air Striking Force against the German Air Striking Force', 26 Aug. 1939, p. 5; TNA 9/98, 'Report on Trials to Determine the Effect of Air Attack Against Aircraft Dispersed about an Aerodrome Site', July 1938.

39 Matthew Powell, 'Reply to: The Battle of France, Bartholomew and Barratt: the creation of Army Cooperation Command', *Air Power Review*, 20 (2017), 93-5.

40 David Smathers, '"We never talk about that now": air-land integration in the Western Desert 1940-42', *Air Power Review*, 20 (2017), 36-8.

41 Richard Hallion, *Strike from the Sky: The History of Battlefield Air Attack, 1911-1945* (Washington, DC, 1989), 131-3, 182.

42 Smathers, '"We never talk about that now"', 40-43; Robert Ehlers, 'Learning together, winning together: air-ground cooperation in the Western Desert', *Air Power Review*, 21 (2018), 213-16; Vincent Orange, 'World War II: air support for surface forces', in Alan Stephens (ed.), *The War in the Air 1914-1994* (Maxwell, Ala, 2001), 87-9, 95-7.

43 Hallion, *Strike from the Sky*, 159-61.

44 David Syrett, 'The Tunisian campaign, 1942-43', in Benjamin Cooling (ed.), *Case Studies in the Development of Close Air Support* (Washington, DC, 1990), 159-60.

45 B. Michael Bechthold, 'A question of success: tactical air doctrine and practice in North Africa', *Journal of Military History*, 68 (2004), 832-8.

46 Ibid., 830-34.

47 Syrett, 'The Tunisian campaign', 167.

48 Hallion, *Strike from the Sky*, 171-3; Syrett, 'The Tunisian campaign', 184-5.

49 Richard Overy, *The Air War 1939-1945* (3rd edn, Dulles, Va, 2005), 77. 戰機數量分別是美國四萬六千兩百四十四架，英國八千三百九十五架，德國六千兩百九十七架。

50 NARA, United States Strategic Bombing Survey, Interview 62, Col. Gen. Jodl, 29 June 1945.

51 Kenneth Whiting, 'Soviet air-ground coordination', in Cooling (ed.), *Case Studies in Close Air Support*, 117-18.

52 Von Hardesty and Ilya Grinberg, *Red Phoenix Rising: The Soviet Air Force in World War II* (Lawrence, Kans, 2012), 204-5, 261-2.

53 Lord Keyes, *Amphibious Warfare and Combined Operations* (Cambridge, 1943), 7.

54 Edward Miller, *War Plan Orange: The U.S. Strategy to Defeat Japan 1897-1945* (Annapolis,

21 Giffard Le Q. Martel, *Our Armoured Forces* (London, 1945), 40-43, 48-9.

22 Willem Steenkamp, *The Black Beret: The History of South Africa's Armoured Forces: Volume 2, The Italian Campaign 1943-45 and Post-War South Africa 1946-61* (Solihull, 2017), 35-9.

23 Ogorkiewicz, *Tanks*, 120-23; Wilbeck, *Sledgehammers*, 203-4.

24 Steven Zaloga, *Armored Thunderbolt: The U.S. Army Sherman in World War II* (Mechanicsburg, Pa, 2008), 16-17.

25 Ibid., 24, 329-30.

26 Rottman, *World War II Infantry Anti-Tank Tactics*, 29-32.

27 Krivosheev, *Soviet Casualties*, 241. Alexander Hill, *The Red Army and the Second World War* (Cambridge, 2017), 691頁提到蘇聯擁有可用戰車一萬兩千七百八十二輛，其中只有兩千一百五十七輛是新出廠毋須進行維修。

28 Kamenir, *Bloody Triangle*, 255-6, 280-81.

29 David Glantz, *Colossus Reborn: The Red Army at War, 1941-1943* (Lawrence, Kans, 2005), 225-34.

30 James Corum, 'From biplanes to Blitzkrieg: the development of German air doctrine between the wars', *War in History*, 3 (1996), 87-9.

31 KarlHeinz Völker, *Dokumente und Dokumentarfotos zur Geschichte der deutschen Luftwaffe* (Stuttgart, 1968), 469, doc. 200 'Luftkriegführung'; Michel Forget, 'Die Zusammenarbeit zwischen Luftwaffe und Heer bei den französischen und deutschen Luftstreitkräfte im Zweiten Weltkrieg', in Horst Boog (ed.), *Luftkriegführung im Zweiten Weltkrieg* (Herford, 1993), 489-91.

32 Ernest May, *Strange Victory: Hitler's Conquest of France* (New York, 2000), 429.

33 Johannes Kaufmann, *An Eagle's Odyssey: My Decade as a Pilot in Hitler's Luftwaffe* (Barnsley, 2019), 117.

34 NARA, RG 165/888.96, Embick memorandum, 'Aviation Versus Coastal Fortifications', 6 Dec. 1935.

35 Forget, 'Zusammenarbeit', 486（粗體字原文所加）。

36 P. Le Goyet, 'Evolution de la doctrine d'emploi de l'aviation française entre 1919 et 1939', *Revue d'histoire de la Deuxième Guerre Mondiale*, 19 (1969), 22-34; R. Doughty, 'The French armed forces 1918-1940', in Alan Millett and Williamson Murray (eds.), *Military Effectiveness: Volume II: The Interwar Period* (Cambridge, 1988), 58.

37 David Hall, *Strategy for Victory: The Development of British Tactical Air Power, 1919-1945*

3 Steven Zaloga, *Japanese Tanks 1939-1945* (Oxford, 2007), 7-10.

4 Peter Chamberlain and Chris Ellis, *Tanks of the World 1915-1945* (London, 2002), 39.

5 Christopher Wilbeck, *Sledgehammers: Strengths and Flaws of Tiger Tank Battalions in World War II* (Bedford, Pa, 2004), 182-9.

6 Victor Kamenir, *The Bloody Triangle: The Defeat of Soviet Armor in the Ukraine, June 1941* (Minneapolis, Minn., 2008), 187.

7 Gordon Rottman, *World War II Infantry Anti-Tank Tactics* (Oxford, 2005), 19-20, 57.

8 Wilbeck, *Sledgehammers*, 186; Markus Pöhlmann, *Der Panzer und die Mechanisierung des Krieges: Eine deutsche Geschichte 1890 bis 1945* (Paderborn, 2016), 527.

9 Gary Dickson, 'Tank repair and the Red Army in World War II', *Journal of Slavic Military Studies*, 25 (2012), 382-5.

10 Gordon Rottman and Akira Takizawa, *World War II Japanese Tank Tactics* (Oxford, 2008), 3-6.

11 MacGregor Knox, 'The Italian armed forces, 1940-3', in Allan Millett and Williamson Murray (eds.), *Military Effectiveness: Volume III: The Second World War* (Cambridge, 1988), 151.

12 Pöhlmann, *Der Panzer*, 190-91, 207-12; Richard Ogorkiewicz, *Tanks: 100 Years of Evolution* (Oxford, 2015), 129-30; Robert Citino, *The Path to Blitzkrieg: Doctrine and Training the German Army, 1920-39* (Mechanicsburg, Pa, 2008), 224-31.

13 Heinz Guderian, *Achtung-Panzer!* (London, 1992), 170。譯自一九三七年的德文版。

14 R. L. Dinardo, *Mechanized Juggernaut or Military Anachronism? Horses and the German Army of WWII* (Mechanicsburg, Pa, 2008), 39, 55-7.

15 Karl-Heinz Frieser, *The Blitzkrieg Legend: The 1940 Campaign in the West* (Annapolis, Md, 2005), 36-42.

16 Jeffrey Gunsburg, 'The battle of the Belgian Plain, 12-14 May 1940: the first great tank battle', *Journal of Military History,* 56 (1992), 241-4.

17 G. F. Krivosheev, *Soviet Casualties and Combat Losses in the Twentieth Century* (London, 1997), 252.

18 Dinardo, *Mechanized Juggernaut*, 67; Richard Ogorkiewicz, *Armoured Forces: A History of Armoured Forces & Their Vehicles* (London, 1970), 78-9; Matthew Cooper, *The German Army 1933-1945* (London, 1978), 74-9. 關於庫斯克會戰的戰車數量，見Lloyd Clark, *Kursk: The Greatest Battle* (London, 2011), 197-9.

19 Ogorkiewicz, *Tanks*, 1523; Pöhlmann, *Der Panzer*, 432-4.

20 Rottman, *World War II Infantry AntiTank Tactics*, 46-7, 49-52.

Marc Buggeln, 'Were concentration camp prisoners slaves? The possibilities and limits of comparative history and global historical perspectives', *International Review of Social History*, 53 (2008), 106-25.

200 Wolf Gruner, *Jewish Forced Labor under the Nazis: Economic Needs and Racial Aims, 1938-1944* (New York, 2006), 63-75, 282.

201 Spoerer, *Zwangsarbeit*, 228-9.

202 Golfo Alexopoulos, *Illness and Inhumanity in Stalin's Gulag* (New Haven, Conn., 2017), 160-61, 208-9, 216.

203 Ibid., 197-8; *Wilson Bell, Stalin's Gulag at War: Forced Labour, Mass Death, and Soviet Victory in the Second World War* (Toronto, 2019), 8-9, 157-8.

204 TNA, FO 371/46747, Col. Thornley to G. Harrison (Foreign Office), enclosing the 'Jupp Report', 26 Feb. 1945.

205 TNA, LAB 10/132, Trade Stoppages: weekly returns to the Ministry of Labour 1940-1944; Field, *Blood, Sweat, and Toil*, 102-3.

206 James Atleson, *Labor and the Wartime State: Labor Relations and Law during World War II* (Urbana, Ill., 1998), 142; Richard Polenberg, *War and Society: The United States 1941-1945* (Philadelphia, Pa, 1972), 159-72.

207 Kennedy, *The American People in World War II*, 213-19; Klein, *A Call to Arms*, 624-6.

208 Rice, 'Japanese labor in World War II', 34-5, 38.

209 Martin, 'Japans Kriegswirtschaft', 282; Yellen, 'The specter of revolution', 207-11.

210 Howard, *Workers at War*, 172-5.

211 Kragh, 'Soviet labour law', 537-40.

212 Werner, *'Bleib übrig'*, 172-89.

213 Bermani, Bologna and Mantelli, *Proletarier der 'Achse'*, 210-11, 220-22; Werner, *'Bleib übrig'*, 189-92.

214 Sparrow, *Warfare State*, 82-3.

215 Robert Westbrook, *Why WeFought: Forging American Obligations in World War II* (Washington, DC, 2004), 11.

第五章　軍事作戰的技藝

1 Walter Kerr, *The Russian Army* (London, 1944). 69.

2 Ibid., 69-70.

Kriegswirtschaft des Dritten Reiches (Bonn, 1985), 56-8; Gustavo Corni, 'Die deutsche Arbeitseinsatzpolitik in besetzten Italien, 1943-1945', in Richard Overy, Gerhard Otto and Johannes Houwink ten Cate (eds.), *Die 'Neuordnung Europas': NS-Wirtschaftspolitik in den besetzten Gebieten* (Berlin, 1997), 137-41.

183 Spoerer, *Zwangsarbeit*, 50, 59-60, 66; Bernd Zielinski, 'Die deutsche Arbeitseinsatzpolitik in Frankreich 1940-1944', in Overy, Otto and ten Cate (eds.), *Die 'Neuordnung Europas'*, 119.

184 Corni, 'Die deutsche Arbeitseinsatzpolitik', 138-9.

185 Spoerer, *Zwangsarbeit*, 45-7, 62-5; Zielinski, 'Die deutsche Arbeitseinsatzpolitik', 111-12.

186 Corni, 'Die deutsche Arbeitseinsatzpolitik', 143-9.

187 Herbert, *Fremdarbeiter*, 83-90, 99.

188 Spoerer, *Zwangsarbeit*, 73-80; Herbert, *Fremdarbeiter*, 157-60, 271.

189 Zielinski, 'Die deutsche Arbeitseinsatzpolitik', 121-3, 131; Spoerer, *Zwangsarbeit*, 64-5. Zielinski 提出的數字是八十五萬人到九十二萬人，其中包括了四項「招克爾行動」未涵蓋的人員。

190 Corni, 'Die deutsche Arbeitseinsatzpolitik', 150-60.

191 Custodis, 'Employing the enemy', 95.

192 Cesare Bermani, Sergio Bologna and Brunello Mantelli, *Proletarier der 'Achse': Sozialgeschichte der italienischen Fremdarbeiter in NS-Deutschland 1937 bis 1943* (Berlin, 1997), 222.

193 Elizabeth Harvey, 'Last resort or key resource? Women workers from the Nazi-occupied Soviet territories, the Reich labour administration and the German war effort', *Transactions of the Royal Historical Society*, 26 (2016), 163.

194 Spoerer, *Zwangsarbeit*, 186. 這些數字出自德國在一九四三年到一九四四年進行的四次調查。

195 Rüdiger Hachtmann, 'Fordism and unfree labour: aspects of work deployment of concentration camp prisoners in German industry between 1942 and 1944', *International Review of Social History*, 55 (2010), 496.

196 IWM, Speer Collection, FD 4369/45, British Bombing Survey Unit, 'Manuscript Notes on Ford, Cologne'.

197 Spoerer, *Zwangsarbeit*, 226; Herbert, *Fremdarbeiter*, 270-71.

198 Custodis, 'Employing the enemy', 72.

199 Hachtmann, 'Fordism and unfree labour', 505-6. 關於「奴隸」一詞是否適當的討論，見

Deutsche Industrie im Kriege (Berlin, 1963), 47-8.

166 Lutz Budrass, Jonas Scherner and Jochen Streb, 'Fixedprice contracts, learning, and outsourcing: explaining the continuous growth of output and labour productivity in the German aircraft industry during the Second World War', *Economic History Review*, 63 (2010), 131.

167 英國數字出自TNA, AVIA 10/289，飛機生產部備忘錄〈勞力提供與未來航空產業的計畫〉，一九四三年五月十九日。德國數字出自IWM, Box 368, Report 65，對主要委員會主席Ernst Blaicher的審問，p. 12; IWM, 4969/45, BMW report, 'Ablauf der Lieferungen seit Kriegsbeginn', n.d., p. 25.

168 德國數字出自Rüdiger Hachtmann, *Industriearbeit im 'Dritten Reich'* (Göttingen, 1989), 229-30; 蘇聯數字出自Harrison, 'The Soviet Union', 285-6.

169 Harrison, 'The Soviet Union', 284-5; Wunderlich, *Farm Labor in Germany,* 297-9; Johnston, *Japanese Food Management*, 244.

170 Rockoff, 'The United States', 101-3.

171 John Jeffries, *Wartime America: The World War II Home Front* (Chicago, Ill., 1996), 95-6, 102; David Kennedy, *The American People in World War II* (New York, 1999), 351-3.

172 Klein, *A Call to Arms*, 354.

173 Gerald Nash, *World War II and the West: Reshaping the Economy* (Lincoln, Nebr., 1990), 77-8.

174 Geoffrey Field, *Blood, Sweat and Toil: Remaking the British Working Class, 1939-1945* (Oxford, 2011), 129-30, 145.

175 Yamashita, *Daily Life in Wartime Japan*, 16; Martin, 'Japans Kriegswirtschaft', 281; Johnston, *Japanese Food Management*, 244.

176 Parker, *Manpower*, 435-6; Jeffries, *Wartime America*, 96.

177 Leila Rupp, *Mobilizing Women for War: German and American Propaganda* (Princeton, NJ, 1978), 185; Jeffries, *Wartime America*, 90-91; Klein, *A Call to Arms*, 710.

178 Lary, *The Chinese People at War*, 161.

179 Eckert, 'Total war in late colonial Korea', 17-21, 24-5.

180 Hara, 'Japan: guns before rice', 246; Michael Seth, *A Concise History of Modern Korea: Volume 2* (Lanham, Md, 2016), 83.

181 Mark Spoerer, *Zwangsarbeit unter dem Hakenkreuz* (Stuttgart, 2001), 221-3; Johann Custodis, 'Employing the enemy: the economic exploitation of POW and foreign labor from occupied territories by Nazi Germany', in Scherner and White (eds.), *Paying for Hitler's War*, 79.

182 Ulrich Herbert, *Fremdarbeiter: Politik und Praxis des 'Ausländer-Einsatzes' in der*

148 Jeremy Yellen, 'The specter of revolution: reconsidering Japan's decision to surrender', *International History Review*, 35 (2013), 213-17.

149 Klemann and Kudryashov, *Occupied Economies*, 281-2.

150 Mark Mazower, *Inside Hitler's Greece: The Experience of Occupation 1941-1944* (New Haven, Conn., 1993), 27-30.

151 Violetta Hionidou, 'Relief and politics in occupied Greece, 1941-4', *Journal of Contemporary History*, 48 (2013), 762-6.

152 Roy, *India and World War II*, 129-30; Sugato Bose, 'Starvation among plenty: the making of famine in Bengal, Honan and Tonkin, 1942-45', *Modern Asian Studies*, 24 (1990), 715-17.

153 Yasmin Khan, *The Raj at War: A People's History of India's Second World War* (London, 2015), 208.

154 Bose, 'Starvation among plenty', 718-21.

155 Sparrow, *Warfare State*, 161-2; Martin Kragh, 'Soviet labour law during the Second World War', *War in History*, 18 (2011), 535; Werner, *'Bleib übrig'*, 178.

156 TNA, LAB 8/106, memorandum by the minister of labour for the War Cabinet, 'Labour Supply Policy since May 1940', 17 July 1941; Bullock, *Life and Times of Ernest Bevin*, ii, 55.

157 Sparrow, *Warfare State*, 163; Klein, *A Call to Arms*, 626-88, 748-50.

158 IWM, FD 3056/49, 'Statistical Material on the German Manpower Position during the War Period 1939-1943', FIAT report EF/LM/1, July 1945, table 7; G. Ince, 'The mobilisation of manpower in Great Britain in the Second World War', *The Manchester School of Economic and Social Studies*, 14 (1946), 17-52; William Hancock and Margaret Gowing, *British War Economy* (London, 1949), 453.

159 Johnston, *Japanese Food Management*, 95, 99.

160 一九四四年，英國的失業人口只有五萬四千人。見Henry Parker, *Manpower: A Study of Wartime Policy and Administration* (London, 1957), 481.

161 Kragh, 'Soviet labour law', 540.

162 Rice, 'Japanese labor', 31-2; Uchiyama, 'The munitions worker as trickster', 658-60.

163 Sparrow, *Warfare State*, 113-14.

164 G. C. Allen, 'The concentration of production policy', in Norman Chester (ed.), *Lessons of the British War Economy* (Cambridge, 1951), 166-77.

165 IWM, EDS/AL 1571, 'Arbeitseinsatz und Einziehungen in der nicht zum engeren Rüstungsbereichgehörenden Wirtschaft', OKW report, 9 Jan. 1941, p. 3; Rolf Wagenführ, *Die*

130 Moskoff, *Bread of Affliction*, 222-4.

131 Alberto De Bernardi, 'Alimentazione di guerra', in Luca Alessandrini and Matteo Pasetti (eds.), *1943: Guerra e società* (Rome, 2015), 129-30; Vera Zamagni, 'Italy: how to lose the war and win the peace', in Harrison (ed.), *The Economics of World War II*, 191.

132 Takafusa Nakamura, 'The age of turbulence: 1937-54', in Nakamura and Odaka (eds.), *Economic History of Japan*, 71-3; Johnston, *Japanese Food Management*, 161-4; Yamashita, *Daily Life in Wartime Japan*, 38-9.

133 Corni and Gies, *Brot. Butter. Kanonen*, 424-38; Freda Wunderlich, *Farm Labor in Germany 1810-1945* (Princeton, NJ, 1961), 297-9.

134 Alec Nove, 'The peasantry in World War II', in Susan Linz (ed.), *The Impact of World War II on the Soviet Union* (Totowa, NJ, 1985), 79-84.

135 Broadberry and Howlett, 'The United Kingdom', 59, 61-3.

136 Johnston, *Japanese Food Management*, 116-18.

137 關於英國與美國，Lzzie Collingham, *The Taste of War: World War Two and the Battle for Food* (London, 2011), 390, 418; 關於日本,Yamashita, *Daily Life in Wartime Japan*, 55.

138 Moskoff, *Bread of Affliction*, 108-9, 175.

139 Collingham, *Taste of War*, 388-9; De Bernardi, 'Alimentazione di guerra', 131; William D. Bayles, *Postmarked Berlin* (London, 1942), 18-20, 24; Johnston, *Japanese Food Management*, 202.

140 Owen Griffiths, 'Need, greed, and protest: Japan's black market 1938-1949', *Journal of Social History*, 35 (2002), 827-30.

141 Van de Ven, *War and Nationalism in China*, 285-6.

142 Corni and Gies, *Brot. Butter. Kanonen*, 414-15.

143 Zweiniger-Bargielowska, *Austerity in Britain*, 54.

144 Corni and Gies, Brot. Butter. Kanonen, 494-7; Johnston, *Japanese Food Management*, 169-70.

145 De Bernardi, 'Alimentazione di guerra', 131（根據人口學家Luzzatto Fegiz在戰後的里雅斯特所做的研究）。

146 Wendy Goldman, 'The hidden world of Soviet wartime food provisioning: hunger, inequality, and corruption', in Hartmut Berghoff, Jan Logemann and Felix Römer (eds.), *The Consumer on the Home Front: Second World War Civilian Consumption in Comparative Perspective* (Oxford, 2017), 57-65.

147 Johnston, *Japanese Food Management*, 136; Yamashita, *Daily Life in Wartime Japan*, 37.

British Experience 1939-1945 (New York, 1994), 182.

111 BAB, RD-51/21-3, Deutsche Reichsbank, 'Deutsche Wirtschaftszahlen', Mar. 1944, p. 2.

112 Johnston, *Japanese Food Management*, 170-73.

113 Richard Rice, 'Japanese labor in World War II', *International Labor and WorkingClass History*, 38 (1990), 38-9; Benjamin Uchiyama, 'The munitions worker as trickster in wartime Japan', *Journal of Asian Studies*, 76 (2017), 658-60, 666-7.

114 Howard, *Workers at War*, 138-9.

115 Ina Zweiniger-Bargielowska, *Austerity in Britain: Rationing, Controls and Consumption 1939-1945* (Oxford, 2000), 46-7.

116 *The Collected Writings of John Maynard Keynes*, Volume XXII (Cambridge, 2012), 223, 'Notes on the Budget', 28 Sept. 1940.

117 Rockoff, *America's Economic Way of War*, 174-8; Wilson, 'The United States', 178-80.

118 Zweiniger-Bargielowska, *Austerity in Britain*, 54.

119 Hugh Rockoff, 'The United States: from ploughshares to swords', in Harrison (ed.), *The Economics of World War II*, 90-91.

120 Zweiniger-Bargielowska, *Austerity in Britain*, 53-4.

121 Richard Overy, *War and Economy in the Third Reich* (Oxford, 1994), 278-85. 'Spartan throughout' from Lothrop Stoddard, *Into the Darkness: Nazi Germany Today* (London, 1941), 80.

122 Garon, 'Luxury is the enemy', 41-2.

123 Akira Hara, 'Wartime controls', in Nakamura and Odaka (eds.), *Economic History of Japan*, 271-2, 282; Martin, 'Japans Kriegswirtschaft', 279.

124 Harrison, 'The Soviet Union', 277-9, 290-91.

125 C. B. Behrens, *Merchant Shipping and the Demands of War* (London, 1955), 198.

126 Rockoff, 'The United States', 93.

127 Rockoff, *America's Economic Way of War*, 179; Wilson, 'The United States', 179.

128 Mark Harrison, *Soviet Planning in War and Peace, 1938-1945* (Cambridge, 1985), 258-9; William Moskoff, *The Bread of Affliction: The Food Supply in the USSR during World War II* (Cambridge, 1990), 121-2.

129 Gustavo Corni and Horst Gies, *Brot. Butter. Kanonen. Die Ernährungswirtschaft in Deutschland unter der Diktatur Hitlers* (Berlin, 1997), 478-9; ZweinigerBargielowska, *Austerity in Britain*, 37.

economy', 49-50.

97 Rockoff, *America's Economic Way of War*, 166-7; James Sparrow, *Warfare State: World War II America and the Age of Big Government* (Oxford, 2011), 123-5.

98 Bruce Johnston, *Japanese Food Management in World War II* (Stanford, Calif., 1953), 167; Bernd Martin, 'Japans Kriegswirtschaft 1941-1945', in Forstmeier and Volkmann (eds.), *Kriegswirtschaft und Rüstung*, 280; Garon, 'Luxury is the enemy', 55.

99 'National finances in 1944', *The Banker*, 74 (1945), 66; Sidney Pollard, *The Development of the British Economy 1914-1967* (London, 1969), 308; R. Sayers, *Financial Policy* (London, 1956), 516.

100 BAB, R7 xvi/8, Statistisches Reichsamt report, 'Zur Frage der Erhöhung des Eikommens-und Vermögenssteuer', 3 Feb. 1943; NARA, microfilm collection T178, Roll 15, frames 3671912-7, Reich Finance Ministry, 'Statistische Übersichten zu den Reichshaushaltsrechnungen 1938 bis 1943', Nov. 1944.

101 Pollard, *Development of the British Economy*, 328; H. Durant and J. Goldmann, 'The distribution of workingclass savings', in University of Oxford Institute of Statistics, *Studies in War Economics* (Oxford, 1947), 111-23.

102 BAB, R7 xvi/22, memorandum 'Die Grenzen der Staatsverschuldung', 1942, p. 4; R28/98, German Reichsbank, 'Die deutsche Finanz und Wirtschaftspolitik im Kriege', 8 June 1943, pp. 11-12. 關於「無聲的財政」，見Willi Boelcke, *Die Kosten von Hitlers Krieg* (Paderborn, 1985), 103-4.

103 Wolfgang Werner, *'Bleib übrig': Deutsche Arbeiter in der nationalsozialistischen Kriegswirtschaft* (Düsseldorf, 1983), 220-21.

104 Kristy Ironside, 'Rubles for victory: the social dynamics of state fundraising on the Soviet home front', *Kritika*, 15 (2014), 801-20.

105 Garon, 'Luxury is the enemy', 42-6, 56-7.

106 Martin, 'Japans Kriegswirtschaft', 280; Takafusa Nakamura and Konosuke Odaka (eds.), *Economic History of Japan 1914-1945: A Dual Structure* (Oxford, 1999), 82.

107 Yamashita, *Daily Life in Wartime Japan*, 30-32.

108 Garon, 'Luxury is the enemy', 61.

109 Sparrow, *Warfare State*, 127-9.

110 Ibid., 129, 134-46; Theodore Wilson, 'The United States: Leviathan', in Warren Kimball, David Reynolds and Alexander Chubarian (eds.), *Allies at War: The Soviet, American, and*

Soviet Defence Industry Complex from Stalin to Khrushchev (London, 2000), 216-17.

87 Richard Toye, 'Keynes, the labour movement, and "How to Pay for the War"', *Twentieth Century British History*, 10 (1999), 256-8, 272-8.

88 BAB, R7 xvi/7, Report from the 'Professoren-Ausschuss' to Economics Minister Funk, 16 Dec. 1939.

89 Sheldon Garon, 'Luxury is the enemy: mobilizing savings and popularizing thrift in wartime Japan', *Journal of Japanese Studies*, 26 (2000), 51-2.

90 Jingping Wu, 'Revenue, finance and the command economy under the Nationalist Government during the Anti-Japanese War', *Journal of Modern Chinese History*, 7 (2013), 52-3.

91 Rockoff, *America's Economic Way of War*, 166-7; Stephen Broadberry and Peter Howlett, 'The United Kingdom: victory at all costs', in Harrison (ed.), *The Economics of World War II*, 50-51; *Statistical Digest of the War*, 195; Willi Boelcke, 'Kriegsfinanzierung im internationalen Vergleich', in Friedrich Forstmeier and Hans-Erich Volkmann (eds.), *Kriegswirtschaft und Rüstung 1939-1945* (Düsseldorf, 1977), 40-41; Akira Hara, 'Japan: guns before rice', in Harrison (ed.), *The Economics of World War II*, 256-7; Mark Harrison, 'The Soviet Union: the defeated victor', in *idem* (ed.), *The Economics of World War II*, 275-6.

92 Jonas Scherner, 'The institutional architecture of financing German exploitation: principles, conflicts and results', in Jonas Scherner and Eugene White (eds.), *Paying for Hitler's War: The Consequences of Nazi Hegemony for Europe* (Cambridge, 2016), 62-3.

93 Hein Klemann and Sergei Kudryashov, *Occupied Economies: An Economic History of Nazi-Occupied Europe, 1939-1945* (London, 2012), 210-11; Broadberry and Howlett, 'United Kingdom', 52-3. 英鎊債務中，包括積欠印度的十三億兩千一百萬英鎊，這是英國積欠的最大一筆債款。

94 Karl Brandt, Otto Schiller and Franz Ahlgrimm (eds.), *Management of Agriculture and Food in the GermanOccupied and Other Areas of Fortress Europe*, 2 vols. (Stanford, Calif., 1953), ii, 616-17; Srinath Raghavan, *India's War: The Making of Modern South Asia* (London, 2016), 342-7.

95 Sidney Zabludoff, 'Estimating Jewish wealth', in Avi Beker (ed.), *The Plunder of Jewish Property during the Holocaust* (New York, 2001), 48-64; H. McQueen, 'The conversion of looted Jewish assets to run the German war machine', *Holocaust and Genocide Studies*, 18 (2004), 29-30.

96 Lary, *The Chinese People at War*, 36, 157; Jingping Wu, 'Revenue, finance and the command

1, 41, 75.

68 Craven and Cate, *Army Air Forces: Volume VI*, 102-4.

69 Holm, *In Defense of a Nation*, 48-9, 57-9.

70 Bourne, *The Motherland Calls*, 121.

71 Helena Schrader, *Sisters in Arms: The Women who Flew in World War II* (Barnsley, 2006), 8-16.

72 Kathleen Cornelsen, 'Women Airforce Service Pilots of World War II', *Journal of Women's History*, 17 (2005), 111-12, 115-16; Bourne, *The Motherland Calls*, 120-21; Schrader, *Sisters in Arms*, 138-45.

73 Krylova, *Soviet Women in Combat*, 3; Erickson, 'Soviet women at war', 52, 62-9.

74 Roger Reese, *Why Stalin's Soldiers Fought: The Red Army's Military Effectiveness in World War II* (Lawrence, Kans, 2011), 104-5, 114.

75 Reina Pennington, *Wings, Women and War: Soviet Airwomen in World War II* (Lawrence, Kans, 2001), 1-2.

76 Krylova, *Soviet Women in Combat*, 158-63.

77 Ibid., 151-2, 168-9.

78 Svetlana Alexievich, *The Unwomanly Face of War* (London, 2017), 8。根據Maria Morozova的證詞。

79 Roy, *India and World War II*, 96-9.

80 Sandler, *Segregated Skies*, 68-72.

81 Lynne Olson, *Those Angry Days: Roosevelt, Lindbergh, and America's Fight over World War II, 1939-1941* (New York, 2013), 351-2.

82 Newlands, *Civilians into Soldiers*, 57; Roy, *India and World War II*, 128-30.

83 USSBS, Special Paper 4, 'Food and Agriculture', exhibits G. J. M; BAB, R26 iv/51, Four Year Plan meeting, Geschäftsgruppe Ernährung, 11 Mar. 1942.

84 IWM, FD 5444/45, Protokoll über die Inspekteurbesprechung, 22 Feb. 1942, 'Ersatzlage der Wehrmacht'; IWM, EDS Al/1571, Wirtschaft und Rüstungsamt, Niederschrift einer Besprechung, 9 Jan. 1941.

85 Overy, *The Dictators*, 452-3.

86 IWM, FD 3056/49, 'Statistical Material on the German Manpower Position', 31 July 1945, Table 7; Lennart Samuelson, *Plans for Stalin's War Machine: Tukhachevskii and Military-Economic Planning 1925-1941* (London, 2000), 191-5; N. S. Simonov, 'Mobpodgotovka: mobilization planning in interwar industry', in John Barber and Mark Harrison (eds.), *The*

53 Morris MacGregor, *Integration of the Armed Forces, 1940-1965* (Washington, DC, 1985), 17-24.

54 Sherie Merson and Steven Schlossman, *Foxholes and Color Lines: Desegregating the U. S. Armed Forces* (Baltimore, Md, 1998), 67, 77-8, 82-3; Chris Dixon, *African Americans and the Pacific War 1941-1945* (Cambridge, 2018), 59-60.

55 Dixon, *African Americans*, 53, 63-5

56 Lee, *Employment of Negro Troops*, 411-16; MacGregor, *Integration of the Armed Forces*, 24; Mershon and Schlossman, *Foxholes and Color Lines*, 64-5.

57 Mershon and Schlossman, *Foxholes and Color Lines*, 63.

58 Lee, *Employment of Negro Troops*, 286; MacGregor, *Integration of the Armed Forces*, 28-30. 關於塔斯基吉飛行員，見J. Todd Moye, *Freedom Flyers: The Tuskegee Airmen of World War II* (New York, 2010); William Percy, 'Jim Crow and Uncle Sam: the Tuskegee flying units and the U. S. Army Air Forces in Europe during World War II', *Journal of Military History*, 67 (2003), 775, 786-7, 809-10; Stanley Sandler, *Segregated Skies: All-Black Combat Squadrons in World War II* (Washington, DC, 1992), ch. 5.

59 Robert Asahima, *Just Americans: How Japanese Americans Won a War at Home and Abroad* (New York, 2006), 6-7; Brenda Moore, *Serving Our Country: Japanese American Women in the Military during World War II* (New Brunswick, NJ, 2003), xi-xii, 19.

60 標準職務清單，例見Rosamond Greer, The Girls of the King's Navy (Victoria, BC, 1983), 14-15, 144.

61 Gerard DeGroot, 'Whose finger on the trigger? Mixed anti-aircraft batteries and the female combat taboo', *War in History*, 4 (1997), 434-7.

62 Birthe Kundrus, 'Nur die halbe Geschichte: Frauen im Umfeld der Wehrmacht', in Rolf-Dieter Müller and Hans-Erich Volkmann (eds.), *Die Wehrmacht: Mythos und Realität* (Munich, 1999), 720-21.

63 Franz Siedler, *Blitzmädchen: Die Geschichte der Helferinnen der deutschen Wehrmacht* (Bonn, 1996), 169.

64 *Statistical Digest of the War*, 9, 11; Jeremy Crang, *Sisters in Arms: Women in the British Armed Forces During the Second World War* (Cambridge, 2020), 2-3, 30, 36, 310.

65 Greer, *Girls of the King's Navy*, 14-16.

66 Klein, *A Call to Arms*, 352-3.

67 Jeanne Holm, *In Defense of a Nation: Servicewomen in World War II* (Washington, DC, 1998),

(London, 1997), 85, 87; David Glantz, *Colossus Reborn: The Red Army 1941-1943* (Lawrence, Kans, 2005), 135-9.

39 Overmans, *Deutsche militärische Verluste*, 266; Krivosheev, *Soviet Casualties and Combat Losses*, 96-7.

40 Bernhard Kroener, 'Menschenbewirtschaftung. Bevölkerungsverteilung und personelle Rüstung in der zweiten Kriegshälfte', in Bernhard Kroener, Rolf-Dieter Müller and Hans Umbreit, *Das Deutsche Reich und der Zweite Weltkrieg: Band 5/2: Organisation und Mobilisierung des deutschen Machtbereichs* (Stuttgart, 1999), 853-9; Overmans, *Deutsche militärische Verluste*, 244.

41 Geoffrey Megargee, *Inside Hitler's High Command* (Lawrence, Kans, 2000), 202.

42 Carter Eckert, 'Total war, industrialization, and social change in late colonial Korea', in Peter Duus, Ramon Myers and Mark Peattie (eds.), *The Japanese Wartime Empire, 1931-1945* (Princeton, NJ, 1996), 28-30.

43 Rolf-Dieter Müller, *The Unknown Eastern Front: The Wehrmacht and Hitler's Foreign Soldiers* (London, 2012), 169, 176, 212, 223-4; David Stahel (ed.), *Joining Hitler's Crusade: European Nations and the Invasion of the Soviet Union, 1941* (Cambridge, 2018), 6-7.

44 Oleg Beyda, '"La Grande Armée in field gray": the legion of French volunteers against Bolshevism, 1941', *Journal of Slavic Military Studies*, 29 (2016), 502-17.

45 Joachim Hoffmann, *Die Geschichte der WlassowArmee* (Freiburg, 1984), 205-6; Müller, *Unknown Eastern Front*, 235.

46 F. W. Perry, *The Commonwealth Armies: Manpower and Organisation in Two World Wars* (Manchester, 1988), 227.

47 Kaushik Roy, *India and World War II: War, Armed Forces, and Society, 1939-1945* (New Delhi, 2016), 12, 16-17, 28, 35, 37, 53, 80; Tarak Barkawi, *Soldiers of Empire: Indian and British Armies in World War II* (Cambridge, 2017), 51-4.

48 Ashley Jackson, *The British Empire and the Second World War* (London, 2006), 1-2.

49 David Killingray, *Fighting for Britain: African Soldiers in the Second World War* (Woodbridge, 2010), 44.

50 Stephen Bourne, *The Motherland Calls: Britain's Black Servicemen and Women 1939-1945* (Stroud, 2012), 10-12.

51 Killingray, *Fighting for Britain*, 35-40, 42, 47-50, 75.

52 Bourne, *The Motherland Calls*, 11, 23-4.

23 Mark Stoler, *Allies and Adversaries: The Joint Chiefs of Staff, the Grand Alliance, and U. S. Strategy in World War II* (Chapel Hill, NC, 2000), 48-9, 54-5.

24 Stephen Schwab, 'The role of the Mexican Expeditionary Air Force in World War II: late, limited, but symbolically significant', Journal of Military History, 66 (2002), 1131-3; Neill Lochery, *Brazil: The Fortunes of War: World War II and the Making of Modern Brazil* (New York, 2014), 230-34.

25 Harrison (ed.), *The Economics of World War II*, 14, 253.

26 Halik Kochanski, *The Eagle Unbowed: Poland and the Poles in the Second World War* (London, 2012), 209-10, 467.

27 David French, *Raising Churchill's Army: The British Army and the War against Germany 1919-1945* (Oxford, 2000), 186; Ulysses Lee, *The Employment of Negro Troops* (Washington, DC, 1994), 406.

28 Wesley Craven and James Cate, *The Army Air Forces in World War II: Volume VI: Men and Planes* (Chicago, Ill., 1955), 429-30; Allan English, *The Cream of the Crop: Canadian Aircrew, 1939-1945* (Montreal, 1996), 19.

29 Emma Newlands, *Civilians into Soldiers: War, the Body and British Army Recruits 1939-1945* (Manchester, 2014), 31-2; Jeremy Crang, *The British Army and the People's War 1939-1945* (Manchester, 2000), 7-11, 14-15.

30 Domenico Petracarro, 'The Italian Army in Africa 1940-1943: an attempt at historical perspective', *War & Society*, 9 (1991), 104-5.

31 Parliamentary Archives, London, Balfour Papers, BAL/4, 'The British Commonwealth Air Training Plan, 1939-1945', Ottawa, 1949, pp. 3-8.

32 Klein, *A Call to Arms*, 340-41; Steven Casey, *Cautious Crusade: Franklin D. Roosevelt, American Public Opinion and the War against Nazi Germany* (New York, 2001), 86.

33 Krylova, *Soviet Women in Combat*, 114.

34 Klein, *A Call to Arms*, 694.

35 Hugh Rockoff, *America's Economic Way of War: War and the US Economy from the Spanish-American War to the Persian Gulf War* (Cambridge, 2012), 160.

36 *Statistical Digest of the War* (London, 1951), 11.

37 French, *Raising Churchill's Army*, 244-6.

38 Rüdiger Overmans, *Deutsche militärische Verluste im Zweiten Weltkrieg* (Munich, 2004), 261-6; G. F. Krivosheev (ed.), *Soviet Casualties and Combat Losses in the Twentieth Century*

1939 (Boppard-am-Rhein, 1979), 9-11.

9 Roxanne Panchasi, *Future Tense: The Culture of Anticipation in France between the Wars* (Ithaca, NY, 2009), 81, 84.

10 Cyril Falls, *The Nature of Modern Warfare* (London, 1941), 7.

11 TNA, AIR 9/39, Air Vice-Marshal Arthur Barrett, 'Air Policy and Strategy', 23 Mar. 1936, pp. 5-6.

12 United States Air Force Academy, Colorado Springs, McDonald Papers, ser. V, Box 8, 'Development of the U.S. Air Forces Philosophy of Air Warfare', pp. 13-15.

13 關於日本，見Samuel Yamashita, *Daily Life in Wartime Japan 1940-1945* (Lawrence, Kans, 2015), 11-14; 關於德國與蘇聯，見Richard Overy, *The Dictators: Hitler's Germany and Stalin's Russia* (London, 2004), 459-67.

14 Hans van de Ven, *War and Nationalism in China 1925-1945* (London, 2003), 279-81.

15 Stephen King-Hall, *Total Victory* (London, 1941).

16 *Total War and Total Peace: Four Addresses by American Leaders* (Oxford, 1942), 29，引自一九四二年七月二十三日的演說。

17 USSBS, Pacific Theater, Report 1, 'Summary Report', Washington, DC, 1 July 1946, pp. 10-11.

18 IWM, Speer Collection, Box S368, Schmelter interrogation, Appendix 1, 'The call-up of workers from industry for the Armed Forces', pp. 7-8; Alan Bullock, *The Life and Times of Ernest Bevin: Volume II. Minister of Labour 1940-1945* (London, 1967), 55.

19 Maury Klein, *A Call to Arms: Mobilizing America for World War II* (New York, 2013), 340-41, 691-4.

20 Anna Krylova, *Soviet Women in Combat: A History of Violence on the Eastern Front* (Cambridge, 2010), 146-51; John Erickson, 'Soviet women at war', in John Garrard and Carol Garrard (eds.), *World War 2 and the Soviet People* (London, 1993), 50-76.

21 Drea, *Japan's Imperial Army*, 198-9, 234. 一九三八年五月，只有百分之十一是正規軍，百分之二十二點六是第一預備隊（二十四歲到二十八歲），百分之四十五點二是第二預備隊（二十九歲到三十四歲）。

22 Diana Lary, *The Chinese People at War: Human Suffering and Social Transformation 1937-1945* (Cambridge, 2010), 160-61; van de Ven, *War and Nationalism in China*, 255-8, 269-71; Joshua Howard, *Workers at War: Labor in China's Arsenals, 1937-1953* (Stanford, Calif., 2004), 171-2.

中冊注釋

AHB	Air Historical Branch, Northolt, Middlesex
BAB	Bundesarchiv-Berlin
BA-MA	Bundesarchiv-Militärarchiv, Freiburg
CCAC	Churchill College Archive Centre, Cambridge
IWM	Imperial War Museum, Lambeth, London
LC	Library of Congress, Washington, DC
NARA	National Archives and Records Administration, College Park, MD
TNA	The National Archives, Kew, London
TsAMO	Central Archive of the Russian Ministry of Defence, Podolsk
UEA	University of East Anglia, Norwich
USMC	United States Marine Corps
USSBS	United States Strategic Bombing Survey

第四章　動員與總體戰

1 引自Lennart Samuelson, *Tankograd: The Formation of a Soviet Company Town: Cheliabinsk 1900-1950s* (Basingstoke, 2011), 230.

2 Ibid., 229, 231.

3 國民所得數字出自Mark Harrison (ed.), *The Economics of World War II: Six Great Powers in International Comparison* (Cambridge, 1998), 21.

4 Edward Drea, *Japan's Imperial Army: Its Rise and Fall, 1853-1945* (Lawrence, Kans, 2009), 160.

5 Thomas Hippler, *Governing from the Skies: A Global History of Aerial Bombing* (London, 2017), 15-16, 112-13.

6 Erich Ludendorff, *The Nation at War* (London, 1935), 22-3.

7 *Akten zur deutschen auswärtigen Politik*, Ser. D, vol. vi (Göttingen, 1956), 481, 一九三九年五月二十九日，元首與將領們的會議。

8 Rudolf Absolon, *Die Wehrmacht im Dritten Reich: Band IV, 5 February 1938 bis 31 August*

Beyond
71
世界的啟迪

二戰

帝國黃昏與扭轉人類命運的戰爭（中）

Blood and Ruins: The Last Imperial War, 1931-1945

作者　李察・奧弗里（Richard Overy）
譯者　黃煜文
名詞審訂　揭仲
責任編輯　洪仕翰
校對　李鳳珠、魏秋綢
表格協力　鄭司律
內頁排版　宸遠彩藝
封面設計　莊謹銘
行銷企劃　張偉豪
總編輯　洪仕翰

出版　衛城出版 / 遠足文化事業股份有限公司
發行　遠足文化事業股份有限公司（讀書共和國出版集團）
地址　231 新北市新店區民權路 108-3 號 8 樓
電話　02-22181417
傳真　02-22180727
法律顧問　華洋法律事務所　蘇文生律師
印刷　呈靖彩藝有限公司
初版一刷　2024 年 9 月
初版三刷　2025 年 2 月
定價　1850 元（全套三冊不分售）
1930 元（限量書盒版）

ISBN　978-626-7376-62-1（全套：平裝）
978-626-7376-56-0（PDF）
978-626-7376-55-3（EPUB）

ACRO
POLIS
衛城
出版
Email　acropolismde@gmail.com
Facebook　www.facebook.com/acrolispublish

國家圖書館出版品預行編目(CIP)資料

二戰：帝國黃昏與扭轉人類命運的戰爭/李察.奧弗里(Richard Overy)著；黃煜文譯. -- 初版. -- 新北市：衛城出版, 遠足文化事業股份有限公司, 2024.09
冊； 公分. -- (Beyond ; 71) (世界的啟迪)
譯自：Blood and ruins : the last imperial war, 1931-1945
ISBN 978-626-7376-59-1(上冊：平裝). --
ISBN 978-626-7376-60-7(中冊：平裝). --
ISBN 978-626-7376-61-4(下冊：平裝). --
ISBN 978-626-7376-62-1(全套：平裝)

1. 第二次世界大戰

712.84 113009532